卷3　**诗歌总集**

2018—2024

马永波　著　仝晓锋　编

中国出版集团　东方出版中心

目 录
Contents

2018

愤怒的蝴蝶

愤怒的蝴蝶扇动翅膀
向巨人眼睛里撒粉末
她的身体像痛经的少女弯曲着绷紧
她的翅膀上的花纹迅速透明

而那光头闪亮的巨人是盲目的
黄金腰带很宽,他在空地打转
他来自一个忽隐忽现的浮岛

他们一直在战斗,好像从开天辟地时起
他们战斗得太久了,什么原因
他们自己已经忘记了
人类也已经把他们忘记了
于是他们变得透明了

我不知什么原因来到这片空地
它夹在一个大型购物商场的两座塔楼之间
商场建筑在离城市很远的田野里
顾客稀少,各种品牌店里店员神情茫然

这是冬天,蝴蝶的呐喊

在空中像雪片或石膏粉末暂时停住
犹豫一下,然后加速旋转
向着一个无形的斜坡扑落

2018 年 1 月 1 日

我已经这样生活了五十五年
我已不想改变

我已经这样生活了五十五年我已不想改变
我也没有力气改变了
为了不被你们的世界改变我已经几乎耗尽了能量
我变不成你们眼中的成功人士社会精英
谈吐优雅,穿名牌戴名表闪亮耀眼
不时抖抖袖子露出一截保养良好的小细胳膊
开跑车豪车黑车,关车门时又轻又潇洒
小包一夹,遥控器啵啵一按
爱车就跟个小狗一样吱吱叫唤几声

或者下车时先伸出一个锃亮尖头皮鞋
然后是大长腿,披着银灰色风衣
再咬根大粗雪茄,在两个嘴角倒来倒去
因为有共享单车我连个自行车都不需要
所有的车都让我害怕,那些庞大的物质怪兽
总是把锃亮又乌黑的排气管子直接捅到
我们劳动人民满口冒血的嘴巴

如果开,咱就开个通红通红的拖拉机上街
或者干脆来个重型坦克
带航向机枪,旋转炮塔,水陆两栖

我只是个愤怒孤独的诗人,并且永远如此
面对社会之黑暗,民生之疾苦,个体心灵之困境
但凡还是个人,就绝不会什么心态平和、风花雪月
更何况我是诗人,杜甫的左邻,陶潜的右舍
马雅可夫斯基的兄弟,聂鲁达的邮差
和惠特曼一起天天往前走的孩子
是埃利蒂斯布置在石榴树下的哨兵
和他一起面对篡位者的黑衬衫
和体制化暴力浆得笔挺的小白领
是波德莱尔的追云者,卡夫卡小写的 k
是黑海边的奥维德,古拉格群岛上
被满身糊了石膏动弹不得的囚犯

你们的豪门后门和各种颜色的暗门
我都避之唯恐不及,它们只是通向地狱的翻盖陷阱
我不屑遵守你们的规则和潜规则
你们想把上帝安置在人心底的良知潜规则
那还真比叫西西弗斯坐在自己石头上还难
你们尽可以把鲁迅从教科书中偷偷删除
把鲁迅都得不上的鲁奖给潜规则成祥林嫂
但你们休想把马变成驴,尽管你们可以卸磨杀驴
也可以指鹿为马

3

就和当年那些英国小爬虫小鼻子小眼睛一个妈样
一见雪莱这巨人出现，就蜂拥而上
糊在脚背上猛劲叮咬
而这愤怒孤独的巨人却打不中你们
因为你们数量太多，头太小

你们利用金钱和权势嫖了缪斯
玩弄了诗歌侮辱了诗人欺骗了纳税人
可是我那裙裾碎裂满面泪痕
但依然高大美丽的缪斯女神
她怀抱的家族神像依然完整光洁
哪怕她在奴隶那无尽的灰暗行列里
也高昂着倔强的尖下颏
灰色的明眸仰望着高天的光明

而我，就站在她的身后，锁骨上穿着铁链
这无尽的沉默坚忍的队列
一直排过巨浪拍打之后空虚一片的海滩
一直排向普罗米修斯被缚的高加索悬崖
这队列缓慢地跟随最前端的缪斯女神
几乎像是静止不动地在沉思命运的奥秘
可终有一天，当最后审判的号角从云中吹响
这奴隶的队列会瞬间变为一支，解放的大军

2018 年 1 月 3 日凌晨 3:33

透过威廉斯的窗户,十年后

冬雨中一辆红色小汽车
周围有那么多梧桐叶
依赖于它
像被踩扁的鸡雏
或是煮过火的
没人吃的螃蟹

一辆红色的小汽车周围
还有一辆红色的
还有一辆,两辆,更多
都依赖于第一辆的红色
它们起初都是黑色
白色,棕色
各种驳杂颜色

而它们周围的落叶只有梧桐一种
且都是褐色的

它们都依赖于我面前的这片
有雨留下污迹的玻璃

2018 年 1 月 4 日

逐行重译阿什贝利诗有感

等待使时间民主化,你刚刚这么说
便有一匹白马跑过去了,反复地跑过去
像一个信使从前门径直穿过各个房间
从后门出去,我就这样等待了二十七年
最初是你凸面镜里变形的房间酿造的变形之蜜
和那既是邀请又是拒绝的手势
向我展开一个不停波动的瞬间
一个存在的裂缝,海洋里水的循环
一条自噬蛇在运动中成型的指环
中间是充盈力量的虚空
这面别人的镜子照见自己的同时
也让留在镜中深处的所有落叶层叠的影像
如瓶中魔向无限透明的表面上浮
渴望你面孔的光,象征的结石
它们只有暂时停住,才能聚焦
形成某种意义,又迅速被另一次
匆忙回顾的随机性的洪流裹走
这更像一个人挣扎着但依然无法
从中醒过来的梦,也许他并不想真的醒来
发现自己出现在一个无人的街区
置身于末班公交车刚刚开走的寂静
在蒸汽之中尾灯闪烁着模糊下去
这没有风景的气候,是一个无名之物

移动,隐现,擦掉一些,又从乌有之乡
增添些什么,信使和信息原本为一
如何领受这莫比乌斯带无限的回报
你亲身经历的事你却一无所知
而诗是对此痛苦的理解,同时也是遗忘
无论回报是一支芦笛,还是身首分离
都将进入一个蒸馏出的空间
像蜜蜂住在太阳的巢里
而这些,对我是否足够
装作什么都没有发生,继续歌唱
这也许是野蛮人在罗马的劫掠中
划定的安全区,几座分散在山冈的神庙
让我们狠下心继续
把象征告诉别人,把谜显示给自己

2018 年 1 月 4 日

表面的雪

无疑,天空喜欢低处的事物
那迷人的安全性。这场雪
使屋子里更暗了,窗户
似乎向墙外移动了一段距离
雪光映进来,你的指节一般僵硬
你完全可以离开那把嶙峋的椅子
它是一位老朋友的骨架

从后面拥抱着你,向你吹气

活着是一个寒冷的球形门把手

你知道下雪的寂静

不同于之前天地静止的预感

也不同于之后盲目的呼喊

像是压缩在泡沫小球中的白噪声

一个人便在那小球的池塘中跋涉

试图把事情探到底。可是要如何领受

一场表面的雪的馈赠

如何从一把蓬松的碎片中提取

浓缩的铀,一场雪已经落下

它还将反复落下,以别的名义

将天堂崩散的基础和中楣

收集在一个针脚粗糙的口袋里

它所需要的挽歌沉于自身的幽暗

废弃的矿井,溪谷,防空洞改建的

图书馆那无人光顾的藏室,回荡着无人的叹息

无数不再编目上架的过期书刊僵卧着

可又能如何,即便这场雪是装了消音器的唱诗班

即便武断的指挥翻乱了总谱

以至于潮湿的雪块从电线上噗噗落在

过路人的伞顶,让那红伞微微倾斜

还有塔松上的雪和树下一阵阵的阴暗

旧目录的气息,阅读的火,路上的煤

在放慢速度的透明漩涡中,一片雪花

涌向你的鼻尖,这苍白的灵魂悄悄对你说话:

"我只会被看见一次,这是事物的本质

我从宇宙深处的一场暴乱中逃出，向你报告
那信息已经丢失在漫漫长途
或许我们最好是把它遗忘
遗忘是最后的智慧，可是
继续歌唱吧，既然你无法忍受
用类似的名字去称呼别的事物。"
它这样说着，轻轻转身，又回到
那永恒而短暂的队列，旋即消失
沿着一个不断上升和下降的玻璃活塞
也许，这就是你的困难所在
从一个迅疾、连续而抽象的行动上面
撕下一个已经暗淡的标签，一个快照
把它挂在颤抖的地平线上显影
一个夸张空洞的姿态
不再指向任何一个地方，或者
指向一个已经改变的地方
这是否就是那群众般混乱的周围
所预期的那个确定的瞬间
湖边的柳枝放入水中的扩散的涟漪
所有超出于此的欲求
只是一匹在黑暗中冒汗的马
不停地左右倒换着无形的重量
或者是在一场政治谋杀后进入无人的元老院
目睹阳光大理石上尘埃的骚动
独裁者和刺客都已不在现场
啊，原来你也在其中！他的惊叹
是一片雪花从临终的口中呼出

啊,无限悲悯的挽歌终于得以确立
事物内部的岩浆闪烁着冷却
凝固成无人理解的结局
无论好坏,雪还在下
一场表面的雪落在万物的表面上
这场南方的雪不会停留太久
却让一个人的消失暂时停了片刻

2018 年 1 月 4 日

傍晚,事物的善意让人吃惊

傍晚,事物的善意让人吃惊
你试图去理解,可它们总是后退
并且冒着热气,重新组装起来
这期间发生了什么,你永远不会知道
事物固执地坚持着它们的表面性
一个光滑的盖子,一篮子焦急的鸡蛋
它会被嫉妒的孩子揭开吗
像小时候农村亲戚堂屋里的锅盖
里边是神的食物,金黄的小圆饼
或者是茨维塔耶娃的诗,不过
她随身携带的藏诗稿的锅
你却无法想象它的样子和人类的无情
它也有盖子吗? 人造光线下的面孔
斜挂在蒸汽上的风筝,微微点着头

这是个普通的傍晚

却显然有一种背叛的可疑气味

一个过渡地带,类似于过境转机

赞美和祈祷都并非易事

天气已成定局,连同所有无以回报的痛苦

不会有人喊到你略带口音的名字,催促你

因为航班已经取消,人群如水银消散

你滞留在瞬间空荡寒冷的机场

试图理解自己的处境和空白的本质

一个年轻的创造者已经出现,他的美不会受到警告

在漫长的接引桥,拖曳他无形的群众

2018 年 1 月 5 日

依然是你的背影

你的背影从时间的开端

就是一面猎猎王旗

岁月的风和人类粗糙的纪年

也不能使它的挺拔稍加改变

它曾经是我的方向,笔直如箭

使我的脚步行于正直的道路之上

你的背影将勇气和美集于一身

这两种最主要的德行

有着同一个神秘的起源

你那严厉的柔情非凡人所能承受
它炫目的光芒将人的额头灼烧
又如恩膏之清凉将创伤变为荣耀

你的光芒来自一个永恒的筵席
那里没有叹息,果实永远吐露着芳香
花开不败,有真理如高树巍然耸立
就在那来自更高的山岭的清流边
你曾谴责我向尘世透露了
自己秘密的使命

你有女王的威权,我有智者的谦卑
我们同坐在世界之树的树根
目睹巨鹰裂天而降
将写满预言的树叶一片片扑散
而我忘不了你偶尔猫一样的神情
那是在你严厉的告诫之后
往日的柔情又展开了遮护的翅膀

我愿就这样和你一同守护
这本不属于尘世的珍宝
你的背影牵动我透明的视线
你的脚步无论踏在哪条路上
都是踏在我激动不已的心上
我愿跟随你,如同智者随同他的女王
高山,大漠,溪谷,我们终将回到

你那雄伟的殿堂,永恒的幸福之乡

2018 年 2 月 14 日

从柏拉图的洞穴中醒来

他离开那原初的幽深的洞穴
要描述那洞穴之荒凉,非言语所能
他不知自己从何时便置身其中
似乎有很多人沉默地坐在洞里
他摸索着走出水声回响的幽暗

火把照亮他流汗的脸孔
一处青葱的山坡,他驻足观望
阳光照亮山那边的平原
可是丛林环绕,没有路径通往
平原尽头宁静的乡村

沿着一条不明来处的清流
他逆流而上,有玫瑰花瓣断续漂来
仿佛有人在上游把它们撒下
他不知不觉穿过了榛莽
和大片未经耕种的游丝闪烁的原野

对岸,一个贵妇在采花
唱着不知名的歌曲

她的脚步轻盈仿佛踏在青草之上
她的裙裾拖曳着繁花的河流
两条河流也许起源于同一座花园

隔着闪烁的波纹，他从远处
便能感受到那女子神秘的德行
所散发的光芒，他的眼神昏暗
脚步踉跄，几欲昏厥
他感到那旧日创痕又在发红

他不去惊动她，他随着她一路前行
如果她投过来责备的一瞥
他就会忘记自己的名字
和那些无尽年月中事物释放的阴影
那些他曾赖以为生的不完全的知识

他看见自己众多的肉身
像一件件衣服顺水而来
在溪流的某一个转弯处
那女子将会转身，目光如炬
在他的昏晕中将他最后一重肉身
拖过对岸，他将在溪流发源的花园中
永远地醒来

2018 年 2 月 17 日

旧江桥之忆

这座曾经跑火车的大铁桥
连接起松花江两岸
八十年代的情侣们
常常要来回走完全程
有漆黑的火车呼啸而过时
就转身躲进临江一面突出的阳台里
也许就在那一刻，把对方拥进怀抱

夏天我们曾经走到对岸
铁轨两边的路灯下有密集的蚊虫翻飞
仿佛灯光散发出的一大团光雾
你的黑色软帽遮住面孔
江堤上的一排路灯则向水中抛出钓线
那些蚊虫让我们吃惊
它们撞击在钢铁上发出愤怒的叮当声
我们迅速撤离，返回南岸

桥的枕木上铺设了透明的玻璃
桥中央有人垂钓，几乎看不清红色浮标
桥墩周围青色的水流急促旋转
我们靠着铁栏杆看北边平行的新桥
有白色动车驶过，车窗中的人面一闪而过
我感觉你的肩头微微颤动

仿佛我们就在那列车上
看着对面老江桥上一对连体的幽灵

2018 年 2 月 17 日

白色窗纱

八月的早晨或是下午
窗纱移动的方式
也是我们相爱的方式
它是半透明的
整个松花江北的原野
像浮冰慢慢漂进皱褶之中

早晨清新得像洋铁皮牛奶桶内壁上的露珠
像你的白衬衣下面温暖的起伏
像另一个我从河边归来
手上满是绿色的擦痕
和鱼鳞的光

而下午是静止的
鸟鸣离得远远的
从田垄里笔直升上天空
又笔直落下
院子里的沙果悄悄地红了
篱边的柿子每天成熟一小捧

我对你的依赖也像干净的细沙
堆在蓝油漆的窗台上

2018 年 2 月 17 日

活在自己的世界里

你就活在自己的世界里吧
随着这句话
一扇门在遥远的林中砰然关闭
炉火闪烁一阵
沉思的脸孔忽明忽暗

随着这句话
星球迅速分裂成更多的星球
一边是荒凉的大海
一边是光秃秃的沙漠

四边形的光在夜空中升高
被内部的回流挤压
在几种可能中变幻

街道从他所站立之处
不停地分叉
从每一座遇见的纪念建筑旁边
越来越多地分叉

夜晚如幕布降落在他的脚上
他是等待揭幕的雕像
内部闪烁着岩浆

2018 年 2 月 17 日

阳　台

不需要很大，一张白色的桌子
两把藤椅，几只落了花瓣的小碗
阳光好的时候我就看书
看累了就抬头看看山上
慢慢移动的绿色阴影
看完的书就回到阴凉的内室
像是倒退着告别的殷勤优雅的客人
或者把没看完的书就扣在那里
因为你在其他的房间里走动
并几乎先于你清脆的语声
来到我的身后
没有人记得我们
我们也不想念任何人

我说的其实是另外一座阳台
半圆形的，挂在一座高大的拜占庭
建筑上端，两个姿态扭曲的女像柱
从下面支撑着密谋的寂静

当身材矮小的暴君从会议中起身

从金碧辉煌的大厅

一下子步出历史的前沿

灰白色的鸽群再次轰然飞起

倾斜着画出扩大的螺旋

2018 年 2 月 24 日

做家务的女人

一个做家务的女人是房间里

最有活力的部分，她贡献的

不仅仅是劳动，而是一份祝福

从她的忙碌中散发出女性

天然的宁静，平衡着一整块大陆

她敲敲打打，又是编又是织

她把语言像花边镶嵌在

逐渐成型的图案周围，像藤蔓

围绕一座花园，她返回自己的深处

端出一座热气腾腾的火山

哪怕最为粗糙的食物，也像金砂

在盘子里闪耀，她是家庭的核心

是孩子们回到家首先寻找的名字

她就是食物、温暖和安全本身

无论多么寒酸简陋的居所

只要还有一个女人在其中忙碌

就比一个空荡而辉煌的宫殿

更受神明的眷顾，只要还有一个女人

有耐心做做家务，哪怕是擦灰

浇花，缝补裂缝，洗一件旧衣服

似乎苦难就会被挡在门外

当她把洗好的彩色床单一条条

晾在院子里的铁丝上，像一面面旗帜

然后用双手撑着直起酸痛的腰

望向春风吹来的北方的大路

2018 年 2 月 26 日

回　顾

亚伯拉罕牧羊时在平原上走出的

弯弯曲曲的路线，有时与水流平行

有时是完全的干旱，回顾过去的年月

我也仿佛是一个漫不经心的牧羊人

不知不觉走到一个水流湍急的转弯处

便回身张望，惊讶于平原是如此广漠

那些在透视中缩小的路线和弯折

变得格外清晰，似乎有一种力量

始终在引导保守着我，让我历经艰险

却不会失丧，与其说它是盲目的命运

不如说它是上帝本身，透过各种事件

透过不同的人，引导我行经高山幽谷

我仿佛是从一千个梦中醒来
每一个梦中都有一个真实的我
一个真实的故事,纷然向我汇聚
像是突然从平原边缘生发的暴雪
从看不见的巨大衣袂上滑下来
围绕着我飞舞和低语,起起落落
急于告诉我一些随着我的苏醒
而逐渐模糊的梦中发生的故事
用亲吻给我的额头加冕的
那分不清是母亲还是爱人的女子
我似乎是一只红鸽子衔着罂粟花
飞扑到她怀中,或者我就是她
唯一能从阳光中带回幽冥的那只
开裂的红色石榴,或是她沉思时
蓝丝绒裙裾上一道并不明显的阴影
那些真实的故事似乎都和我无关
它们只是一些幽灵,要求我
使之显影,就像阳光印在软蜡之上
这让我感到寂寞,我是为许多人
许多陌生的我度过了许多个人生
我学习语言不是为了和任何人说话
而只是为了让虚构的变为真实
让真实的变为虚构,人生如梦
并不可怕,可怕的在于它居然是真的
我问自己,你相信你不存在吗
回答我的是围绕在我身边的重重阴影
你的存在,只是因为你将不再存在

它们一边回答,一边躲避着退去
在无尽的柱廊和时开时合的大门中
穿梭,探身,张望,嬉笑,长久地
各自独自数着这游戏的战利品
这些从将我封闭的存在的巨像上
绽裂的碎片:同时是玫瑰和罂粟的花
围绕着盛大的百合,像旋风的圆形剧场
或者是一个更为切近的形象:屋顶上
睡着的孩子,被来自星空的第一滴雨惊醒
揉着因为炽热的梦而颤动的眼睑

2018 年 2 月 28 日

凌晨独自离开

在这座半埋于地下的旅馆
我们成了一群标准的地下室人
它马蹄铁形的走廊串起众多房间
却几乎没有什么住客,全都敞着门
黑而静,各种混杂的气息滞涩地流动

一场大酒,是每年春节的必备仪式
明知吃不完,也要准备得丰盛有余
一年的酸甜苦辣统统喝进肚子
越喝越浓的还有二十年的情谊
午夜的高潮过去,大家各据一室

抱着自己的心事或睡或醒,无人知晓

凌晨三点,我独自醒来
我知道我的兄弟们就在这些小房间里
我能听见他们漂浮的呼吸
如果我把他们扒拉起来
他们还会陪我继续又喝又聊
直到天亮和来生

望了一会儿灯光孤寂的走廊
尽管醉意正浓,我还是摸出门去
街道上空无一人,出租车尾灯
闪烁温暖的红光,星空寂寞而辽阔
树木的姿态已经变得柔软
深深地吸了一口早春寒冷的空气
我向另一片黑暗的街区急速驶去

2018 年 2 月 27 日傍晚

我 看 见

整天我坐在南窗前看书
光线明亮的时间很短
我必须善加利用
我的眼神已日渐昏暗
我时而从沉浸中抬起头

望向对面楼房的窗户
每个窗口里都有我不了解的生活
有人走动或忙什么事情时
窗口里的光线就会改变

有时外面响起人的说话声
口音说不出来自什么地方
说的内容我也似懂非懂
它们表明世界存在着
我上课和去食堂必须出入的小区门口
不时有不同颜色的车
和不同衣服的人经过
我以为是同一个人
回家换了衣服又从反方向走过去了

两个年长的女人推着空轮椅
慢慢走进来,消失了
一个年轻的男人推着轮椅
走进来,上面坐着一个老年男人
他们拐了一个弯,也消失了
一个中年男人走进来
拄着双拐,他的模样很像我的二哥
这让我有些吃惊,他不时停下
擦擦脑门,向身后望一眼
他身后什么都没有
一个黄衣服的女孩站在门口
在操作手机,她的银色拉杆箱

慢慢向路崖滑动了一段距离
停下来了,她也消失了

这是早春,天气阴暗而寒冷
窗口的梧桐树上只有稀疏的
去年的叶子和褐色球果
等到新叶越来越多
我就看不到小区大门了
我能看透的只是这一段距离
它到大门对面的食堂为止
我无法透过食堂看见它后面的东西
但我知道它后面是宾馆
时间广场和学术交流中心
看不透是看透的保障
否则我就什么都看不见了

蓦地,从渐渐暗淡的天光中
升起一声年轻女人的叫喊:
"你总让我自己管自己
我怎么会有安全感
一个女人最后要的并不多!"
声音带着哭腔,仿佛世界上
所有的苦难都压缩于其中
随后是一个男声含混的咆哮
随后一切都静止了
屋顶上掠过从南方传来的
火车微弱的呜咽

我能看见什么呢？就在我周围
事物保持着它们的神秘

2018 年 3 月 2 日

旅程的结束

旅程在一棵无名的高树下结束了
它孤零零地立在一座小山丘上
周围什么也没有，既没有别的树木
也没有那传说中的四条河流，和其他山丘

树很高，说不清是什么树
似乎有些年头了，但又没有衰朽的迹象
树上没有果实，那每个月都不同的十二种果实
也没有树洞通向可供继续探索的地宫

我们围着树转了很多圈，敲敲打打
勘测它的圆周，除了普普通通的土壤
含有碎石，除了山丘缓坡上的青草
什么都没有，但无人怀疑这就是旅行的目的

无事可做，有的人开始设立界限
有的人开始犁出壕沟，修建一座花园
把树围在里面，花园里小径纵横交错
围墙闪耀碧玉的光彩，装饰无刺的玫瑰

各种树木分门别类栽植在周边
各种用途的建筑分布其中，甚至有酒馆
街市，各种语言，各种图案的织物
渐渐地，我们似乎看不见那树了

只是偶尔，当一阵风在树叶间鸣响
仿佛有无形的巨蛇向树顶的黑暗攀升
许多年过去，我们终于忘记了曾经的旅行
那棵树也消失在越来越浓密的树林之中

2018 年 3 月 4 日

拒绝醒来

江南三月，草长莺飞
我却依然感觉不到什么温暖
我的心依然像一块有化学成分的冰
我用尽所有办法想把它暖过来
都是徒然，酒不再能点燃热情
与任何人我都无话可说，除了上课
去食堂，我把自己反锁在屋里
拉下所有的窗帘，挡住不友好的光

我知道外面还是同样的外面
大自然按照一个残酷的规律在运行
没有怜悯，没有爱，只有互相的吞食

一只喜鹊啄住草坪上一个柔软的东西
飞上光秃的梧桐树梢，尾巴振动
保持平衡，一切都在互相杀戮
为了活着。宇宙在走向热寂

趁着天光我抓紧在南阳台看书
我只看圣徒写的书，他们或在荒漠
或在柱顶，或在洞穴，喃喃低语
没有人能听清他们说些什么
对此我却有无比的耐心
阳光偶尔照亮一个软弱的句子
像聚光灯罩住一个慢动作昏倒的演员

对灵性经验的渴望压倒了其他需要
但那些字句和逻辑依然带不来温暖
阳光揭示出更多的灰尘
我相信有一个他在主宰人类的历史
我相信局部的恶有可能是全局的善
我相信等我把书读到最后一页
便会有一件从未有过的事发生

可我的心依然紧缩着，我不愿醒来
面对依然沉重的现实
我逃避了我的一生

2018 年 3 月 5 日

死亡的凯旋

只要一想到死亡,想到早晚有一天
你会成为一具毫无生机的尸体
而你还不知道当这事儿发生时
你所处的光景,也许你孤身一人
也许你在一间气味混杂的医院里
你寥寥无几的亲朋束手无策
你的身体要被并不神圣的火焚烧
你的儿女要经过复杂的手续和奔忙
才能领取到你所剩无几的硬骨头
放在早晚要腐朽的盒子里

一想到这些,你活在人世还有何指望
只要有死亡这件事存在
你的一切就都没有意义
你的一生最后遭到死亡的嘲笑
你的书迅速或逐渐散失
或者干脆被立即当作废纸卖掉
你的遗物仿佛沾染了死亡的毒素
无人愿意再碰,愿意保留
你的相片马上显得阴郁甚至凶恶
没人愿意再把与你的合影
公开再展示出来,你的名字
没人再去提起,仿佛一件不祥之物
你的诗无人再读,一想到这些

你活在人世绝对没有意义
没有一具尸体可以称之为秋叶之静美
它只是死亡的战利品
死亡踏在你的尸体上狂欢
摇动着它鲜红的高脚杯
死亡轻蔑地看着脚下越来越多的尸体
死亡对生命说,你的权势在哪里
你的荣耀在哪里
死亡又把它杯中的血奠酹地
一滴滴洒向死者半张着的嘴里
仿佛在安慰他们的干渴
整个大地便是燔祭的火堆
烟雾腾腾,臭气熏天,千年万年

2018 年 3 月 5 日

早春三月的深夜

夜色与春水从紫金山南麓漫坡而下
大街上偶尔只有几乎无声的车辆驶过
我拎着惠特曼沉重的《灵魂的时刻》
和一瓶早已停产的家乡美酒
整整十年过去,你北上京城也已八年

一切都变了,又似乎都没有变
白发和夜色掩盖不住的憔悴

两只巨蟹举螯相碰
它们将连续越过辽阔的星空

同里古镇,两把菜刀的周游
常州淹城,满鞋窠里雨水的蛙鸣
油菜花的黄金藏于乡野和深山
灵谷寺的月亮和萤火
那以后我再也没有去看过

这终归不是我们的故乡
可在大地上何处又是故乡
傣妹火锅里只有我们两个客人
灯光明亮而空寂,午夜已过
让我对店家的辛劳时感不安

再干一杯兄弟,那些话题散落的灯火
是深夜里越来越深的一种寂静
关乎信仰,像早春的轻寒袭上肩头
十年前我来到此地,正是你现在的年纪

一切都没有变,大地轻轻转侧
目送出租车的尾灯闪烁红光而去
清风吹着我发烫的额头
在空旷无人的街头我久久伫立
把星空中光秃的梧桐树顶望得越来越高

2018 年 3 月 11 日,记与马尚田贤弟睽别两载后于孝
陵卫重逢小聚

31

三月的诗

窗户上的哈气画下无名的鬼脸
有阳光的下午你就在窗下发呆
在一个边缘久久逗留
以为你能永远活着

白昼变长,夜晚寂静而空旷
你常常会突然在深夜感到悲伤
仿佛你的一部分永久地出走了
你身体的鸟巢被悄悄抽掉了一根树枝

黄昏依然是个难过的关口
在光线的转换中,一些思想的碎片
出现又消失,你从一个窗口走到
另一个窗口,看别人家亮起的灯

梧桐还没有变绿,遮住窗口
山中的坟墓塌陷了,充满了水
然后干涸,迅速被青草填平

而在大风吹拂的北方
土地闪着潮湿的光
你是最初的那根树枝,被一只鸟

小心而自信地架在光秃秃的树枝上

2018 年 3 月 26 日

空旷的春夜
——寄关英珍姐姐

你的声音掩盖了我们虚掷光阴的羞愧
在缪斯的歌队,你是白衣闪亮的那一位
阿喀琉斯的愤怒和尤利西斯的漂泊
纤细的经纬,宏大的主题,新月下的领舞
在局促的生活中点燃起长久的憧憬
艰辛的日子更需要诗与酒的火焰来浇灌

有多少个晨昏,你在虔诚的长椅上
铺满丰盛的食物,在时运的高峰
让我们得以畅饮高天的清明
让命运的征兆自行隐去它漆黑的眉毛
聆听甜蜜的泉水,探究真实的格律
就在你声音的陪伴中,我们脆弱的小船
又越过了一重重暗绿色的波涛

我们相识仿佛已经多年
你那并不轻松的生活并没有加增
你额头上的一丝阴影,你依然
像第一次那样安静地坐在我的左边

像个少数民族的高年级女生
向我展示那看似平凡的事物后面
深广的原因，如今我在南方空旷的春夜
思念着你，仿佛有一个我爱着的姐姐
已悄悄来到我的城市，又不为我所知

2018 年 3 月 27 日

作为剧场说明的诗

很多年来，时间已经长得让我忘记了
到底是从什么时候开始
我对一心一意认真生活的人
产生了某种带有鄙夷的好奇心
他们做什么便是做什么本身
而我则像漩涡边缘的一个木片
拼命地转动，既想摆脱中心的吸引
又要保持在边缘，那个越来越深的中心
到底是什么，我一次都没能看清
漩涡就消散在激流中
我也被裹挟到了另一个地方
对人类生活无意义的观察
逐渐使我自己的生活丧失了意义
似乎我经历的事物都没有经历我
记忆和期望这两个不断碰撞的悬崖
粉碎了任何试图通过的经验的小船

我有时怀疑事物是否真的发生过
还是仅仅是我头脑中出现的词语
我开始怀疑自身存在的确定性
也许我只是一部小说的开头
类似于"那么,叫我以实玛利吧"
或者,"格利高尔一觉醒来"
它始终没有完成,一个无名作者
留在世上的遗作,无人续写
散发出老古玩店木头抽屉的气味
河湾膨胀闪亮的淤泥的气味
老人衣服上酸涩的烟草的气味
我似乎爱过一些什么
我的永远年轻的母亲和另一个
年轻女人,在一条倾斜的街道对面
一直在说着我似懂非懂的事情
我独自在街道这一侧,望着树顶
树枝上结满了多彩的宝石
小鸟一样不停地鸣叫
那童年的一天似乎始终没有过完
以至于我后来的生活
不过是在一条有斜坡的街道上
和遇见的人说一些我似懂非懂的话
那些话就像黄昏路灯下翻飞的蛾子
逐渐消失在缝隙和凉下来的草丛中
我的一生只是没有情节的戏剧
一连串无声的动作
从远处看去,显得十分怪异

我在深夜的阳台上久久坐在暗中
从那里看着我亮灯的卧室
另一个我正在那里
心情平静地等待入睡
就像胶靴慢慢探下河水时
脚上感觉到的凉意

2018 年 3 月 28 日

中途停车

那是很久以前的一个秋天
那时我还年轻,还在爱着什么
呼哧呼哧的慢车上乘客稀少
我独自蜷缩在一个长座位上
从头部感觉到的车轮的震动
突然的停止中,我醒了过来

已是深夜,北方的平原一片漆黑
只有河流闪烁着微光,没有人讲话
也没有人走动,两节车厢的接合处
传来手风琴泄气般的叹息
又像是情人间争执后的安静

我起身倾听,到底发生了什么
这是在哪儿,车窗外的黑暗也在倾听

没有任何信号亮起

也没有火车从对面突然闯出来

挥舞着幽灵般的白气

没有任何事发生,突然

黑暗中,一只熊蜂扑到车窗上

在灰尘中留下擦痕和清晰的嗡嗡声

它的整个头部像是一只茫然的

上了漆的眼睛,茫然地望着我

许多年过去了,那次旅行的目的

我早已忘记,唯一让我怀念的

是车停午夜时整个荒野默默的汇聚

和那个始终没有下车的年轻人的不安

2018 年 4 月 13 日

饮 水 池

不过是坡下一个深土坑

映着破碎的晚霞

工作一天的牲口走来喝水

间杂着几只黑鸟如绅士踱步

它们步态各自不同

有的轻快,有的缓慢

有的在水底吹起泡沫
有的在慢慢舔，好似在沉思

一阵嘈杂的繁忙过后
金红的夕光重新在水面铺展
水池边的软泥上留下
大大小小的蹄印，新鲜马粪的气息

池水变得又暗又深
水中映出的是我好奇的眼睛

2018 年 4 月 18 日

那一定是云雀

那是一片刚刚一尺来高的土豆地
我六七岁，独自站在地头
北方夏日的午后，阳光，无云的天空
晒热的土路，风吹着杨树和草屋顶
突然，就在这昏昏欲睡的气氛中
土豆地里飞升出一只小鸟
笔直地射向天空，它的鸣声
和它飞行的位置并不吻合
鸣声在前，仿佛它在追逐自己的叫声
在它后面，隔了几米的距离
又升起一只小鸟，也是笔直上升

仿佛在追逐先前的那只

它们总在同一个高度一头扎下来

像自由落体的土块一样坠入垄沟

消失上片刻,随后又一次弹射出来

这种游戏一直反复了好一阵子

我呆呆地望着那串无形的银铃

它使得人世也低矮了下去

很多年过去了,我一直相信

那一定是云雀的叫声

它让我一下子忘记了一切

2018 年 4 月 19 日

无　题

如果你反复梦见同一件事

每次只是细节上有所变化

那基本可以断定

你只是一个留恋生命的亡魂

2018 年 5 月 22 日

到　站　了

无人察觉,那些人已经下车

在你一无所知的车站

他们并不是不复存在了

他们在另一个地方继续生活

那生活里没有你，即便

你去探望，他们热情依旧

但他们生活的神秘

不会再向你敞开

你也将到站，成为神秘的死者

2018 年 6 月 9 日

我的姐姐

我的小虎牙的漂亮的姐姐

我的在白杨林的村路上和我赛跑的姐姐

我的总是和妈妈一起忙着家务的姐姐

我的在寒冬午夜担心我害怕

把外屋门开一条缝亮着灯

瞅着我在院子里拉尼尼的姐姐

不时回应一声我的呼唤的姐姐

我的在向阳院里演喜儿的轻盈旋转的姐姐

我的大我八岁只陪我睡过一次

且警告我不许乱摸的十四岁少女的姐姐

我的下乡插队一起跪在地里拔草的姐姐

我的一直嗔怪我说她

"广阔天地大有'座位'姐你就去坐着吧"的姐姐

40

我的读师范时只因为那个矮她一头的男生

从窗户里往她床上扔新摘的西红柿

就爱上了的傻透腔的姐姐

夜里要我手持红缨枪去接她下班

让身为小学生的我骄傲不已

而陡然懂得男人责任的长辫子的姐姐

我的在绿纱窗下改作文的中学教师的姐姐

用她订的《丑小鸭》启蒙了我的文学兴趣的姐姐

为我置办全套上大学的行装

陪我买东西在县城商店里被人夸说

"这姐俩眼睛毛突突的"姐姐

我的用编织针扎淘气二哥大腿的姐姐

我的端庄大方不苟言笑

一家人看电影满场人注目

一米七四的的确良的姐姐

我的姐姐,又成了那个叫芹儿的好看的姑娘

在她不在的地方存在着

在词语里小心地呼吸着无辜地望着我

我的午夜之井里颤抖着轻声喊我

不知道自己怎么了的恐惧的姐姐

我的在聋哑学校和哑孩子一起比比画画眼含热泪的
　　姐姐

我的愤怒得如同天鹅要挣脱深渊飞起的姐姐

我的无处可去向自己身体里一头栽倒的姐姐

我的两次婚姻失败孤独一身

在堆雪的窗台整日望着冰湖上行人的姐姐

我的早已嫌自己活得太过漫长的姐姐

我的忽冷忽热无法讲话

只能勉强靠墙坐上一会儿的姐姐

我的别无所念只惦记我这最小的弟弟异乡独处的

　姐姐

我梦见她提着过时的花格皮包

孤零零地站在亮得晃眼睛的出站口

我看见我自己孤零零地去接她

我们谁都没有说话

就那样互相看着,严肃地看着

我的姐姐,我的憔悴的十四岁的

单薄得像一把暗绿色的水芹菜

又像母亲一般忧虑而平静的

姐姐,我的姐姐,我的

走投无路的,姐姐

2018年7月3日,大姐秀琴于2018年6月27日晚8
时许于克山过世,当时我在苏州后里民宿

洞头清晨漫步偶得

太阳让出一片滩涂

我在海湾散步,头痛如悬崖

举着两只潜望镜,小螃蟹横行

走向白色风车的人,越来越小

看生锈的船熨平一块倾斜的蓝桌布

宿醉的大海吐出词语的碎骨头

2018 年 7 月 16 日于温州洞头

生日诗：重走唐诗之路

他们结束的地方是我的开始
源头隐藏在望不到的冰川
来自那里的黑暗逐渐展开

一片澄明。开始，并不是延续
也许并没有什么东西值得拯救
我和他们处于不同的寂静之中

敢于一同沉默的人才能彼此看见
让我像别人那样生活，为时已晚
请允许我共在而自在

在世而不属世，这是何其艰难
又何其荣耀的非人的责任
一切都已预定，在有我之前

在高不可及的源头和永恒之中
于是我说，诗乃否定
它永远在对面，是亡灵的注视

谁能承受得住它沉默的压力
谁就能生出自己的父亲
并在万物的消失中寻回他的声息

2018 年 7 月 18 日，生日翌日晨，于台州椒江管廊

长岭湖的傍晚

木头别墅,芳香结晶的声音

小木头块拼成的抽象墙画

前湖后山,野旷天高

可饮酒高歌,亦可与四野一同沉默

夕阳西下,微风如航船之尾迹

天地似乎在等待一个仪式庄严开始

我可以什么都不说,什么都不想

保持幸福的植物状态

随风摇曳,又随时间而静止

暮色如渔网悄悄降临

秋虫唧唧,干牛粪闪着最后的光

像淡黄色的窗户纸

被水泡成柔软的一摊

散发出糨糊生面粉的气息

2018 年 9 月 1 日

一路向南,中秋日高铁归宁有感

一个以朋友为路标和旗帜的人

他的版图在不断扩大和缩小

他的风景由冷变暖

风雨过后的关东大地倾斜向天边

列车如绿色圆木飘过一个个车站
他可以——说出他的朋友们
他本应把他们藏起来
不为莫名其妙的人所知
可他还是忍不住用这些名字
串成一条金链或井旁的车轮——

他数念着这些闪光的名字
从低矮的人间一掠而过

2018 年 9 月 24 日中秋于 G1202 列车上记

暮色降临

暮色降临,太阳刺眼的金光
发出铜线、发丝和琴弦之声
山坡上,树木的颜色深了起来
一排排的房屋缩小了
像冲锋的军阵停住,坟墓一样静

一辆拖拉机孤零零埋伏在
高高的青纱帐里
像是只剩下一个脑袋的蚂蚱
沾满了尘土和石灰

和谐号列车像两条

尾部锁紧的交尾的虫子

在行进中保持着平静的激情

体内都是蠢动的人形虫卵

大地，是的，大地是辽阔的

落日金红而柔和

从容地迅速隐没

即将入夜的别人的生活

秋天黄色的气流

以及越望越远的群山

2018 年 9 月 24 日，六点，于归宁列车上作

天堂密使

有效时间越来越少了

你冒险来到人间已经五十五年

你的任务尚未完成

你不断地考察人类社会

和文化到底出了什么问题

为什么几千年人类苦难深重

各种主义都无济于事

反而使事态更加严重

你知道你有过许多次生命

恒河边你曾饮马濯足
让红色泥巴从衣裾上滑落
你曾看见金色高塔巍巍耸立
又堕落为断壁残垣
只有不通向任何地方的旋梯
还挂在墙上，像一个纯然的装饰
你曾在微粒浮动的大殿的金光中
解读泥版上的楔形文字
你也曾在王子的后花园
仰观那垂云之翼
在军阵里持矛而立，默然悲伤

时间过去了，蜡烛摇动
似乎一切都来不及了
你眼神昏花，文字如虫蠕动
你费力地想用僵硬的手指
按住句子昂起的头
阻止它吞噬自己的尾巴
以便抽出它骨节里的线索

你的确有过许多次生命
但这一次只有一次
你不会再回到这个有趣又难解的人间
你的悲伤似曾相识
你的悲伤不是你的悲伤
而是人类和万物悲伤的总和
是宇宙的乡愁和本体论

于是，你在人群中暂时停住
似乎是在从喧嚣中捕捉
那微弱但坚定的信息
透过日渐稀疏的树顶传来
于是，你又怀着儿童般的好奇心
兴致勃勃地观察着经过的一切
对人类杂乱而有序的活动
对那些美丽外表下欲望的小发条
那只有你听见的卷紧松开的声音
又充满了同情的理解和一丝轻蔑

2018 年 10 月 18 日

大 侄 子

侄子开车四十五分钟从桥北过来
我们食堂三楼吃自助餐
给他们一家带了新米茶油
我一个人用不完的乡愁
侄子燕超的名字是我给取的
转眼他都三十八岁了
他自己的儿子也都五岁了
我们马家孙辈有了两个男子汉
智涵和玉堂。看着大侄子
闪亮的红色轿车远去，我的眼前
闪现的却是一个阳光照亮的院子

我从六岁住到十七岁的克山县

大沟东八街十六组的平房

我给站在大木盆里的侄子打香皂、洗澡，

他很小，痒得一直在咯咯笑

家里只有我们叔侄俩

却好像所有的亲人

都在阴凉的屋子里

透过蓝窗格望着我们

暂时停止了交谈，仿佛

世上的贫困忧虑和苦难

只是一个个虹彩的肥皂泡

从侄儿光滑的小身体上破灭

那是个懒洋洋的夏天，一个

永远没有过完的大学暑假

2018 年 10 月 20 日

从罗汉巷到仙鹤门看望远帆
师兄路上有感

经过满是凡夫俗子的罗汉巷

尚未经霜的柿子

和开裂的鲜红的石榴

果然是万家灯火啊

地铁在树顶大块的黑暗之上漂浮

这些都让我感到新鲜又寂寞

仿佛我刚刚入学,落叶满天下
1981 年长安的秋天,校门口
我无所事事的十七岁
鼓足勇气,伸手援助一个拖行李
仿佛毕业离校女生的孤单
她的口音分不清是哪里人
我们聊了几句,就在广大的人生里
永别了,她不会记得我
我却始终记得她身上
发出的洗发水般的清新气味
和她平静的小姐姐的嗓音

那时,远帆一定也在那个门口
拖着行李,瘦削挺拔
像一棵年轻的白杨
我一定和那个秋天一起
看见他穿过人群,平静而孤单
想到这些,我竟然有了一种幸福感
而我的远帆师兄,正在
早已仙凡两忘的仙鹤门
剧烈地咳嗽着,也许还有
隐秘的疼痛,沿着铁轨
一直向多年前的那个秋天伸延

2018 年 10 月 24 日 6 点,于地铁上

秋日别故友

如何让痛的现象变回成痛的本体？
一动不动，不闻不问
从物质到心灵，再到世界灵魂和太一

譬如我和她隔着玻璃的深渊对视
她在紧闭的眼睑后微笑
怜悯着我和世界

这收集痛的人，从空空的袖子里
伸过来几根纤细刺目的骨头
安装了弹簧的痛多么安静
它的颤抖是无辜的黑暗

而黑暗，一个把筵席排到天边的少女
一路撤换黄绿方格田野的台布
一路把骨头抛向玻璃桌面下的深渊

她替我们收拾残局
她用锃亮的弹簧替换了
我们压缩的脊椎
和脊椎里僵硬的黑暗

2018 年 10 月 27 日下午，送老友江南梅归天家，从甬
归宁途中

生命的誓言，为孙儿玉堂满月而作

万物成熟的季节来到人间的孩子
你是我们所能领受的最美的礼物
你是神的恩典，充充满满，直到永远

大手大脚的孩子，眼珠深黑
你从众天使无尽的行列中脱颖而出
屈尊降临我们这个无法善颂善祷的人世

你的使命和秘密还有待展开
目前你的主要任务就是休息
装作对我们的世界一无所知或不屑一顾

你的智慧高过我们的语言
你暂时收起光焰万丈的翅膀
你需要观察，偶尔沉思一下人类的命运

有时你似乎在回忆你的来处
一个碧玉为墙，宝石铺路的花园
作为信使，你还无法明白
你本身便是那信息，含义深远

深远到我们只知道是神在永恒中
在我们所有人尚不存在的源头

就预定好了原因和福分
世事艰难,但你永远不会孤单

因为你是秋天的孩子
属于大地的辽阔和苍穹的高远
你将温良如玉,把火焰藏在心里
你将堂堂正正,正道直行
因为你有生命的大秘密

整整五十五个秋天,我们
才得以相聚,整整五十五年啊
我们这一匹老马和这一匹小马
才得以亲密地碰碰明亮的脑门
一起昂首嘶鸣,把红色的长鬃飞扬

祝福你,玉堂先生,我最美好的产业
我的希望,我的帮助,我的小战士
还要多久,你才能读懂我的诗句
理解我固执的贫穷和无用的思想

可是,来吧,欢迎来到
我们共同的世界
这一场伟大神奇的历险
注定以岁月和荣耀为冠冕
来吧,我大手大脚的孩子
我们一起,完成这一份

来自永恒的生命的誓言

2018 年 11 月 8 日

偶然的颂歌

已是初冬,屋子里比外面冷了
破旧的纱窗还留在窗上
尘马过滤着寒气

金桂不再喷吐香气
停止了生长,十一年了
我头一回注意到
这个困在两座楼中间的囚犯
已高过了我四楼的窗口

对楼地下室的窗边,阳台下
卧着两只黑白花猫,一大一小
它们应该是母子或父女
小猫把头枕在大猫的侧腹上
它们面前是几团碎纸

它们一直卧在那里
它们让我感到更冷了
尤其这还是一个阴郁的日子

54

它们什么都不等待

也没有什么在等待它们

它们的奖赏,是我的注视

它们不叫,只是沉思般的静止

它们不过是两只猫

或者,不仅仅是猫

阳光好的日子,我曾见过它们

在黄绿相间的草坪上爬

肚子贴地,我曾向它们吹口哨

唯一可以确定的是

它们的消失是我注意不到的

我和它们,都一样固执

2018 年 11 月 14 日

观陈雨所作阿什贝利肖像画有感,
并记起自己三十岁时的照片

你从黑暗内部把黑暗打开

你打开红色支离的黑暗

那是你用词语涂黑的红色窗扇

或者是即将脱落的门

两只被过早摘下的几何形的果实

你向右侧惊愕地看去
你嘴里的冰块都几乎滑落下来
你看见了什么，还是有什么看见了你
你额头的盐碱地一片白茫茫的光

多么无力的谨慎，又是多么轻
你的手，一把小小的单刀双掷开关
你是想把宇宙打开，还是合上
让通电的黑暗发出卷曲的尖叫
让你自己成为失血的粉笔

出来吧老兄，从你扁平的理想国出来
到我三十岁白桦的寂寞中来吧
我正卡在两个年轻浑圆的身体中间
你也从未成为我的父亲
我和你一样犹豫，向右侧凝视
和你一样，不知道看见了什么
或是被什么看见了

也许我们可以一同采集白色的植物
把它们排列在擦净的黑板前
直到一切结束
并再次信任天气的确定性

2018 年 11 月 15 日凌晨 1:14

白画布是每天的开始

画布绷好了,已经牢牢立在那里
一片白茫茫的雪地,还没有印上
人类或动物的足迹,还没有
或轻柔或粗重的呼吸,吹起雪尘

这是创世之初的寂静
等待一个形象出现
一只炼丹的红狐狸
一头用尾巴扫去自己足迹
却因此更加暴露的年轻的狼

更有可能是一个开裂的深渊
在我们脚边,打着哈欠,冒出蒸汽
硫黄的气味。艺术家还没有出场
他在另一个房间,在有微粒的光中
搓着有点僵硬的手,这是冬天

等待是寂静的,寂静从一个房间
蔓延到另一个房间,寂静是一股哈气
在窗玻璃上留下紧张细密的汗水
这是雪地里的寂静,在等待
第一行断断续续的诗句出现

只有一只好奇的猫

试图在这块没有反光的镜子里

看见一头斑斓猛虎的幼年

工作而等待,居于幽暗而等待

这是多么长久的耐心,没有暗中的嘴巴

向他口授《地狱》的第一章

艺术家在等待他有时差的自我

正如诗人,每天要面对一张

同样荒凉的白纸,像一个盲人

在白纸上摸索词语的踪迹

和思想那或疏或密的针孔

每一次,都有可能失败

在这片白色的泥淖中

滑倒,沉陷,不能自拔

每一笔,每一行,每一刻,都命悬一线

可是,扁平的画笔和尖锐的铅笔

依然,谨慎而镇静地伸向

那一片亘古的荒凉

2018 年 11 月 15 日

下午,和远人同题

你在最后的房间里写诗

我在最后的房间里译诗

我们隔着一整块大陆的寂静
还有一个灰暗的初冬

你时而抬头向对岸看去
树影,倒扣的船和深黄色庙宇的屋顶
渐渐地,你不知道你是在哪一个下午了
就像我写字的手移动得更慢了

你那济慈式的忧虑和雾气笼罩的平原
暂时消失了吗?当我记下这样的句子:
没有人是孤岛,孤身一人或自身具足
当我在两种译法之间犹豫徘徊

这时你一定已经写完了那首下午的诗
起身来到阳台抽烟,回头看了看空下来的房间
然后长久地凝视着布满皱纹的湖面

等我停下手,暮色涌入窗口
像一群群窃窃私语的幽灵
分散隐匿在逐渐后退的各个房间
把灯打开吧,兄弟,我们在远方

2018 年 11 月 15 日傍晚

冬雨中的宇宙论

宇宙有多长,我还能活多久

如果它还在膨胀,我怎么没有被拉长
人类画在气球表面的形象
便会越来越大,越来越薄
变得扭曲而难以辨认

如果这文化气球不规则的膨胀
导致到处漏气,我们有一天便会
"啪"地收缩回来,吹破的气球
糊在一个小孩的脸上

在宇宙热寂的一个小小涨落里
我们活着,并思考着宇宙的膨胀方向
一群老鼠,趁主人不在,在地板下
爬来爬去,拖着肚子,把碎骨头拨响

我们还能活多久,宇宙有多长
是谁在把我们当气球吹
把银河系的平底锅靠在墙上放凉

他的父亲下班回来了
拿着河外星系的报纸筒
无聊地随意拍打着沿途经过的事物
上面有关白矮星的新闻
已经被一场冬雨弄得模模糊糊

2018 年 11 月 18 日

感恩节的诗

一天即将过去,忙于各种琐事
心情不好不坏,或努力不好不坏
银杏褪下一半黄裙,宇宙依然存在
地球无依无靠,孤悬寂寥空间
以阳光为缆绳,以圆月为帆篷

那就为存在的一切感恩吧
你还活着,这本身就是奇迹
即便没有火鸡呼啸着破空而来
即便没有人向你羞怯地问好
像一滴水暂时步出海洋

你的朋友们各自分散在远方
卖药的卖药,卖果的卖果
他们的劳动让世界安全
你的亲人们练功的练功,读经的读经
打工的打工,哄孙子的哄孙子
把自己哄成了孙子

说到孙子,你最应该感谢他
他从永恒中冒险来到这个短暂的人世
主要是看到他爷爷,也就是我老人家
老怀寂寞,下来陪我们玩玩儿

一天将尽,你感到有些羞愧

你没有感谢任何人

但还来得及写下这首不像诗的诗

感谢万物背后那不变的法则

它使你安心于业已虚度的一天

2018 年 11 月 22 日

何其美,感恩节对平凡的颂歌

何其美,劳碌一天之后剩余的时光

人影晃动的罗汉巷就着钟表店的微光

吃掉的那两张荆州锅盔,何其美

钟表店的墙上展示的时间的内脏

你边吃边默数擦过身边的倩影

她们冒着看不见的热气

何其美,你的数学,你的衰老

你可以从容打量和你无关的美

何其美,没人注意你这个潦倒的文学教师

因为上课被掏空了身子

何其美,吃饱了肚子你对世界

日益加深的寒冷也有了一种温和的认识

何其美,这条小巷子里每一家晚晚打烊的小店

缝穷的大姐用塑料帐篷遮挡着冷风

还在专注于今天最后一件活计

一条拉锁或一个裤边,何其美

她对于自己的手艺那份稳妥的信心

她眯起眼俯身猛干

让缝纫机发出轻机枪的嗒嗒声响

何其美，夜色让你分不清好人坏人

让坏人也像婴孩般纯真地睡去

宇宙像个巨大的母亲，手擎灯盏

为她每一个孩子，不分好坏，拉上被子

何其美，你想到这些不再感到不公

你回到满是书籍的家中，何其美

灯光下，每一本书都在等你

都是一个朋友要向你讲述海上的仙山

深山的珍宝，你充满歉意地看着它们

你知道此生已无法把它们的故事一一听完

何其美，这不可逾越的局限

你的肉身安然居住，像一粒幸福的虫子承受地土

2018 年 11 月 22 日晚 11 点半

温暖的初冬过双拜巷途中所见

一条沿小山冈延伸的巷子

像是得了癌症的一段盲肠

却寄生着五颜六色的微生物

冬日雾霾在这里凝成石头路面的泥泞

寂寞的杂货店主目光凌厉

从几乎看不清面目的阴暗中投射出来

抛锚的公交车司机焦躁地猛抽几口烟
你得不时躲到路边,送快递的车子
和被肥女压得微微颤抖的电瓶车
基本不减速地驶过,稍微留意
你就能发现每个店门口和胡同口
都站着一个相貌英俊而凶狠的人
一声不吭地抽烟,很长时间不动
他们看着你又没有看着你
巷子两侧不时向更高处延伸的小胡同
深不可测,阴暗寂静,堆满小黄车
在仅容一人通行的两楼之间
穿红袄的幼童用老虎鞋把皮球拨来拨去
各种分辨不清来自何地的口音
错杂在触电般痉挛的灰色的空气中
挂得到处都是的红色旧内裤
像是减肥成功松垮的肉体
展现出被漫不经心抛弃的哀怨
有不明出处相貌姣好的女子
打扮时尚,快速通过,不知去往何方
各种小吃店服装店理发馆食杂店
招牌响亮,湖畔人家,裙角飞扬
上坡入口处的快乐谷养老院
门口落着银杏叶,恶人谷一般安静
翻过山冈,坡底是几家青年公寓
寂寞的小狗在大院门口张望
我转身返回,惊觉我的二哥
早已不在此地赁房而居,卖烧饼

他此刻正在遥远的秦皇岛为人打更
我的做了十年更夫的大哥
在更远的克山守着女儿
安度退休时光，而我想到在古都南京
还有这样脏乱差的巷子存在
让一些穷苦人得以存身
用诚实的劳动换取明天就搬走的心愿
并充分展示脏乱差中的爱与活力
想到就在我的附近，居然生活着
那么多也许并没有危害的陌生人
我那兄弟离散的伤感居然减轻了许多

2018 年 11 月 26 日中午

平行空间

他对自己住过的地方总是有所怀念
有时他会突然想起它们来
每一个地方都留下了一个他
依然在继续那种生活
继续未完成的工作和愿望
他每离开一个久住之处
时空便分裂一次，形成一个平行空间
很多个他便在各个时空中活动
像一个从现场返回监控室的值班员
他在马赛克的监视器屏幕上

看着那么多年代不同的自己

都与他相似又相异,有关又无关

一个幼童骑在彩色的木头大公鸡上不肯下来

怕硌着他,他好看的母亲垫了厚毛巾

他在有绿门斗的平房,穿着袜子

在打过蜡光溜溜的红地板上滑着玩儿

他七岁了,不再绕着大人的腿

和桌子腿转来转去嘟嘟囔囔

他望着灯泡照亮的向日葵花盘

中间丰满凸起的部分已经黑了

边上的葵花籽还是白的

他回味着直接连皮带籽嚼出的清甜

八十年代初西安交大的宿舍,寒假

复习考研的长发愤青把椅子压在身上睡觉保暖

工厂单身宿舍,墙壁上镶着发烫的烟囱

他靠在墙上,把本子垫在屈起的双膝上写诗

九十年代初漆黑的大走廊,看《射雕》

跳闸了,他身边多了个勇敢的小男孩

举着笤帚捅电闸,蓝火星嗞嗞直冒

楼下就是市场的出租房,这市场街的斯宾诺莎

看着虚空里雪花石窗口聚集的光亮

倾听午夜凶狠的寂静

北京六郎庄大野地,一床一桌两椅的平房

世纪之交,通宵翻译《未来的灾难》

抬头,惊诧于夜色怎么越来越透亮

借住的锅炉厂棺材般红砖楼的顶楼

但丁迷途的年纪,腿上裹着被子译书

译得无声无息,干硬的柳树枝如僵尸
一下下缓慢无力又执着地撞击着窗棂
非典时代,宽敞明亮朝东的方厅
他以为终得以放眼远眺神明的宁静
看见的却不过是区政府食堂屋顶的雪
他以为会终老此间,却转瞬出现在
古都南京一所工厂风格的大学
穿着二十年前的红色抓绒上衣
背靠南窗晒太阳看书,高大而怪异
继续思考人类的命运,把自己排除在外
现在,这个厌倦的值班员微微仰身
双手捧住后脑,在皮革开裂的转椅里
看着这些画面,冷漠又心怀怜悯
他甚至希望那些方格里的自己
能互相看见,越出框架的阻隔
交换会心的眼神,一起嘲弄这个
无所作为的观察者,让画面
越来越快地更替交叠,融合成一片
波纹和雪花,直到屏幕"啪"的一声黑掉

2018 年 11 月 27 日中午

哈姆雷特的时刻

靠什么活下去?这是个问题
大多数人靠常识和惯性活下去

他们躲在常识的堡垒里
便把死亡的大军围城当成错觉
他们依靠的是他者的权威
他们把这权威塑成金身
立在庭院里,让它盲目的眼睛
注视自己的行动,并用语言浇灌它开裂的脚
那些防水的理论并不适合你
既然你从很小的时候
在识字前就步出了常识
对生命之无根便有了清醒的觉知
你有时也想像别人那样躲进常识
在别人的指导下生活
那样你的担子将是轻省的
可你做不到,你回不去了
你已经离开城堡,离开所有人类
赖以为生的知识太远太远了
城堡中的人透过门缝窗口和枪眼
看着你,嘲笑着你。你什么都没有
你赤手空拳。你不知能去哪里
于是你只有不停地走下去
荒野上似乎也什么都没有
连风吹草动都没有
它只是光秃寂静无始无终的单调
既没有生命也没有死亡
甚至没有先行者的枯骨作为路标
你可以随便向任何方向行走
而结果都是一样。你一路走下去

由于寂寞,你需要弄出点响动来

你踢着一块小石头,然后

走到它停止之处,继续踢

你就这样一段一段地走着

似乎前和后、左和右

也都没有什么区别

石头越来越小了

等你发现这一点的时候

荒野是那么静,那么广阔

你知道你不可能依靠拥有

任何东西来让自己活下去

唯一能保证你活下去的方法

反倒不停地丧失

或主动抛弃,或被动剥夺

你唯一能活下去的理由

就在于你的不断的丧失,不在之在

你只有在这种不在之在中隐藏起来

才能避免被虚无所发现

这是一朵没有花心的花

但你怎么也剥不尽它那一层层的花瓣

每一层都是一个梯级,向下或向上

你数着掰下的花瓣走着

花瓣飘落在脚下,它们很重

好像是金子的,迅速隐没于地下

这片荒漠中连时间也都不存在了

你无法确定开始和结束

这让你的脚步时常犹豫不决

当作为"问题"的那块小石头
暂时领先于你疼痛的脚趾
你就像马棚中一匹做梦的马
移动着四蹄,把重量移来移去
晃动着压迫着你的巨大黑暗
你的肩背在渗血,磨秃的毛
露出灰白色的皮肤和骨头
黑暗是冰块,你想依靠这种摩擦
让它融化的企图,就和你想
不依靠人类的知识活下去一样徒劳
就在这迷梦中,你似乎记得
你曾有过和其他人一样的童年
无害的游戏追逐,和勾着头的情动
也曾愤怒地踢开稻草
你曾信任过友谊,可如今
你对那些荒嬉的时光只感到厌倦
和勉强,它们至多是黑夜村庄里
一盏忽闪的油灯,用手围住
当然,还有家,而家,一个
多么陌生的词语啊,还有亲人
而亲人,多么辛酸而无辜的
那么几个越来越少的人啊
你感到歉疚,你胜任不了任何
人间的角色,你为他们难过
你知道,你是无法依靠的
你正在从实体变为影子
你在路上,却没有人命令你出发

没有人需要你这么做

你这么做,只是为了活下去

这依然是个问题,回答你的只是

你自己的回声,带着略微变形的嘲讽

寻找便必寻见,一个声音告诉你

你并不存在,另一个声音告诉你

你抬头寻找,却发现荒野寂寂

没有人和你说话

那些声音既不在外面

也不在你的里面

也不是你的喃喃自语

你似乎来到了一个绝对的静止点

一个因为旋转得太快而一无所动的点

你想一旦涉足其中,这个点

就会裂开成一个巨大的漩涡

把你吸进去,于是你蹲下身

暂时忘记了你的问题

你把一根手指试探着伸进去

你把手指慢慢举起来

瞧啊,在你手指上旋转的

是万物一泻而过的,一枚金环

2018 年 11 月 29 日午夜

无意义的颂歌

猫用尾巴拖方块。孩子们追逐着自己

介乎深海动物和植物之间的尖叫
跑过来又跑过去。这是你生活过的国土
金色夕光慢慢倒退而出的小巷
只有那恐惧之母能够救你
而真实之母喊你回家的声音迟迟响起

如何重返单纯，火焰的单纯
玫瑰的复瓣的单纯，不是爱情
不是神秘知识的梯级，不是牺牲的
宇宙之轮，只是是其所是的花
人也只是人，不是容器也不是功能
只是单纯的身体和单纯的快乐
啊，重返那无意义的荒野
那荒野便是乐园

必要的抽象，词语的假面舞会
穿过永无尽头的素食自助餐厅朝圣
在众多个前生脱去的鞘翅中
你来到这里，就是为了证明
这里并不存在，你并不存在
你如果发现了变成鱼的土地
发现了一群大脑透明的记忆
你要拿它们怎么办

可这里依然有一些闪烁不定的表面
光滑，难以穿透，拖长的恶作剧
类似于镜子，既呈现又阻隔

一个向自身无限期旋转回落的点
那寒冷背面总在模仿的灰尘
你必须从深处回到平面，你必须忘记
那分叉火焰的无声的话语
绿色的血，干草，和干草叉的闪电

2018 年 12 月 8 日

论 精 致

精致是反复敲打一些小得需要放大镜
甚至显微镜才能看得见的关节
似乎词语得了膝盖强直症
必须得用小皮锤敲敲打打

精致是一只静止的光滑的瓶子
鸟雀不生，也插不了花，它不透光
像个耳朵萎缩进了脑袋里边的聪明人

精致是一朵谎花
连瓶子都没有
就插在自己嘴的空坟墓中

（这首诗也挺精致）

2018 年 12 月 10 日于老友王建民彻夜谈诗后记

四种类型的颂歌

黑暗，寒冷，还下着雨
旅途陌生而遥远，似乎
自从有记忆起，他就在这条路上
看不到星星，也不知路通向哪里
一处潮湿的闪光，一座雨水明亮
从两个斜坡流下的马棚
途中确实路过很多处马棚
它们都是相似的，黑暗，寒冷
马嚼草的声音，不耐烦的晃动

黑暗，寒冷，还下着雨
雨，并没有让海岸上举火的柴堆熄灭
冒出弯曲身体烧焦的刺鼻气味
也没有剑横在柔软起伏的胸前
怒气和高傲，扯乱的头发
他的形象和业绩曾经征服的
白色宫殿，都慢慢滑落到海平线下面
雨，寒冷，落在船上，太阳
也在下沉，连同它背面的无人之境

黑暗，寒冷，还下着雨
一只鸟在叫，看不见
一只鸟在叫，就是所有的鸟在叫

他在黑暗中倾听,变得透明
他和鸟,仅仅是自然的耳朵和喉咙
疾病,那强行忍住的欢愉
空中游荡着寻找呼吸的嘴唇
一棵树从黑暗中心升起,直达天顶
纯由声音做成的群鸟在梯级上攀登

黑暗,寒冷,还下着雨
一匹白马,穿过房屋低矮的小镇
放慢了脚步,众多紧闭的门后
屏息的灯焰,心脏,被攥小的雪球
铅笔在粗糙白纸上停住
缓慢敲击桌面的僵硬的手指停住
白马,在门缝下喷着鼻息
白马过去了,默默走向海洋
黑暗寒冷的海上,立着白色的巨人

2018 年 12 月 10 日

譬　如

譬如一个人赶着一驾马车
在庄稼地里走,车是木板车
马是灰毛瘦马,路是垄沟

赶着赶着,马没了

不知道跑哪儿吃草撒欢儿去了
他自己拉起了木板车
车上有几个麻袋

装着土豆或者是糠秕稻壳
他要去邻村或是回家
可自从他代替了马
他就不知道自己要去哪儿了

接着丢失的是车上的东西
像一个个死者,沉重,翻滚到路上
然后是两只轮子开裂,脱落
最后只剩下两条车杠子
还紧紧握在手里

于是,他把两根车杠子
立起来,当成两根拐杖
继续走,垄沟无穷无尽伸向天边

2018 年 12 月 16 日

窗

从这窗台上跳下去
你就会变成一条小径
通往一片神秘的树林

你已经从那里回来了
回来,坐在窗台上
望着那一片神秘的树林

2018 年 12 月 17 日

黄昏的忧郁

黄昏的阿尔卑斯山,南麓,中途
我在用刀剜一个冻硬的牡蛎
怎么也撬不开它镶裙边的嘴
头盔里的雪。松树加深的暗影
第一颗星星就要升起来了
带着它征服不完的小民族

窗下的树

我以为它从一开始就是这么大
从十年前,就是这个样子
我每天都能从阳台看见它
也许正因为每天都能看见
我没有觉察出它的变化

十年间人们来来去去
事情发生,事情结束

它似乎成了变化中的不变
我也从未注意到它是一棵桂花树
因为秋天夜里,雾气一样
吹进屋子里的香气
并不是来自它的方向

它一直存在,但又不是始终存在
它所经历过的时光与我有别
今天我突然发现,它几乎
高过了我的窗口,枝繁叶茂
几乎看不到树干,只有一抹光亮
被枝叶围拢,像儿童好不容易点燃的蜡烛

我从来没有到它跟前去过
我丢失的那些部分在它里面变得透明了
它释放出的众多鸟雀一定也是透明的

2018 年 12 月 23 日

折 枝 者

阴天,一棵不知名的树开着小黄花
叶子远远躲过了花
两个穿白罩衣的食堂的老大姐
一拐一拐来到这片空地,绕树寻觅
有花的树枝,一个拉低树杈

让另一个折断,树叶纷纷落下
树晃动得像是一个乡村的疯丫头在笑
她们动作笨拙,像冬天的白鸟
终于采了满满两捧,多是叶子
花小得看不清,她们沿原路慢慢回去
回到枯燥的工作中
显然,她们事先知道这棵树
她们拿花枝的背影依然很笨拙

2018 年 12 月 26 日

永恒的一天

生活就是我们还没有过的那部分
我们也只是我们剩余的那部分

我必须写点什么
才能确定这一天
和昨天有什么不同
很多时候我写下的是同样的字句

夜晚降临得如此之快
令人吃惊
仿佛一张网靠近颤抖的水面

2018 年 12 月 30 日

2019

事物终结的感觉

我喜欢事物终结的感觉
一本书写完了，无论好坏
一场雨落下就是所有的雨落下
临近假期的校园开始空荡起来
梧桐和水杉也落光了叶子

绝望就是同样的事反复发生
同样的日子像个白色圈套
把你的脖子套住，又松开
你出去，想带着一个不同的你回来
结果回来的还是同一张毫无生机的脸

没有任何事物会真正终结
它们只是消失，而不是消亡
它们在你的视野之外依然存在着
事物也无法真正地发生
它们是一些假动作，一些无意义的姿态
形状不规则的杂物，堆积在寒冷空旷的后台

你想换个房间生活
你那无法死去的部分总在另一个

一模一样的房间黑黑地坐着
彻夜不眠,也不说话
等待你进去,看到他,相对无言

2019 年 1 月 4 日

黑色河流

黑色的深沉的河流似乎停止了流动
它里面有倒置的宫殿
冬天它也不会结冻
白雪的两岸没有任何
人与兽的脚印敢于接近它的寂静
这是最好的方式,通往其他的寂静
和遗忘

2019 年 1 月 10 日于回哈尔滨高铁上

失忆的特工

入夜后他转到城市玻璃缸的后面
发现他们是坠落的小枝
那交出自己的安慰的姿势
每个发亮的麦种坠落的深度
拾金不昧者

他需要的是一个活着的身体
他抓住自己的天使
那有着男性乳房的松垮的天使
他和他角力
在街心花园,把有暗纹的
石头街道的素色床单拉到下巴上

那些老房子有如冷却的酒精
课间的孩子跑过整条胡同
去供销社买吃的
胡同里的雪堆,一座比一座小的坟墓

突然的雪,那些老建筑都变成了
淡绿色的光团,在它们阴暗的内部
不知名的独立学院,下课了
孤零零船形讲台上遗落的名册

经过带花纹的石头楼梯上的家庭宴会
他走向背后没有房间的高大的门

2019 年 1 月 25 日

名古屋的雪

把压紧的半雪半冰的白色
铲到樱花树下

否则到了晚上
道路就会变成黑色的镜面

总有些地方铲不干净
像并排吃草的动物慢慢走过之后
我的教授同事们有时站在树下
聊天,偶尔露出悲伤的表情

我没有去过那里
名古屋只是一个
大得能盖住所有樱花树和雪的屋顶
而且是黑色的,潮湿的

我还得继续铲雪
像在河底吃草的大动物吹出鼻息

2019 年 1 月 26 日

清　明

又一个亲人站到了大地对面
不说话,注视着我
她是我的陌生的姐姐,她变小了
她背后站着同样沉默的我们的父母

就像两眼中的黑暗永不相遇

他们微微向前倾斜着身体
看着我，没有任何可解的表情
没有提醒，警告，也没有召唤
他们只有耐心和沉默

我在他们的目光下
在空无一人的寂静的房间
继续敲击键盘
学习生活为时已晚
唯有继续相信词语之于事物的力量

于是我停顿片刻
倾听一下聚拢过来的寂静
然后听着自己僵硬的手指
在键盘上敲击出嗒嗒声
每一声都是一次点射：朝向死亡

2019 年 4 月 5 日

进山：赠家兄永平

大哥每天早上四点
每天下午两三点，准时
都在紫金山上漫游
我不知道山里有什么吸引他
不过是熟悉的树木石头流水道路

我每天都在家里攀登词语的山

我爬得比大哥要艰难

那是一个看不见硝烟的战场

两者唯一相同的地方

就是无人的寂静

而我和大哥唯一相同的地方

就是让这寂静，发出人的声响

2019 年 5 月 24 日

最后的时间

—— 写在《海伦·文德勒诗学文集》译毕之日

一片书页沙沙作响，响了那么一会

仿佛沙漠中的一张脸犹豫了一下

然后融化

一个人踏上林中另一条小径

一次没有对象的谋杀是完美的

作为异乡人穿着本地服装

手里拿着钥匙或者是剑

踩碎的浆果糊在石头上

宇宙再次静了下来

仿佛在等待他的决定

是否还来得及选择消逝

在夏日山巅拖曳的白色气流中
再一次倾听无人的回声

2019 年 5 月 28 日

变色龙的夏天

绿色的火焰,呼吸,爆裂皮肤的力
变黑的池塘里数不清的生命
梧桐大道尽头晃动的黑白两色的马
宁静从每个毛孔渗出

那夏天深深的绿色正在转变
那拦截在道路尽头的越来越高的马的骷髅
没有任何事情发生
但那空中莫名的恐惧

你的手的焦渴将使泉水重新流动
你手上的夏天之血
凝结出无解的符文

有何幸福可言
不过是活着,心怀恐惧
厌倦了变化和人类
可还是要感谢,毕竟
活着,是一件多么了不起的事业

在一开始就已结束的夏天

2019 年 6 月 2 日

傍晚过邵家山

蚊虫的军团开始肆虐起来
除了透过浓密枝叶的夕光
和林中的闷热，你只是收获了
皮肤上的肿块，偶尔有无名孤坟
散发出被人世遗弃的荒凉气息
这空山连个鬼都没有
即便有，也是趴在草窠里喘息
只有被红绳子捆住的树
布成某种法阵

在道路分岔的地方
你的身体在犹豫
哪一条能回到人世
虽然人世也同样荒凉
那里也同样没有人
和你有必然的关联

山上的树木生得散漫无序
你选择一条比较荒僻的路
这让人失望的山和让人失望的人生

生命是一场疾病,只有死亡才能治愈
活着就是解决一个接一个的问题
直到你本身这个最大的问题被解决

不知为什么,你想到了这些
像个真正的活人从山路上走过
总仿佛有人在林中深处
目送着你,欲言又止
你加快脚步,你唯一能知道的是
入夜,这空山将充满不为人知的生命

2019 年 6 月 4 日

我已厌倦人类的语言

人类的语言是一个可怕的无尽的链条
一句话必然引起另一句话
但很难保持同一个方向
而是不停分岔,对话者
再也回不到最初的原点

人类的语言越来越让我厌倦
我和谁都无话可说
我也不想听他们说这说那
我同情地看着这些必死的生物
知道我会永远活着

那些密码的信息,那些无人能懂的
结构和启示,我已经不再想告诉任何人
我把它们小心地藏在桥桩的裂缝里
既然那沉默的向导
已经在桥那边同情地停下
既然你已选择了蔑视人类

2019 年 6 月 4 日

两 只 猫

两只猫趴在草地上
阳光边缘,一张皱了的旧报纸上
它们的爪子按住一个模糊了的
外国领袖的头像
两只猫没有看着这平面的粗俗的脸
而是望着树荫中的闪光

动作在它们的四肢中静静生长
两只猫活得太久了
可以暂时死上一会儿
它们在报纸里
报纸说,猫,词语,猫,革命,雨
报纸无法把两只猫组成
一个有着暴力语法的句子

两只猫以沉默区分着彼此
它们的目光在模糊的树荫中闪烁
没人看见过它们

2019 年 6 月 4 日

雨中的诗人

雨中的马闪亮
反复地从黝黑的树林前跑过
它的皮肤绸子一样颤抖
雨中的马，一件锻打的暗红色乐器

雨落在转眼间空荡起来的路上
落在草坡顶上
落在城堡冷却下来的烟囱里
落向新面包的火山和地下的回声

诗人还坐在草地上柳条编织的椅子里
手肘撑在白色钩花的桌布上
他童年时咬了一半的黄梨上
缓缓爬动着一只蜜蜂
杯子里满溢着雨水

他依然年轻的母亲还站在坡顶
交叉双臂，一动不动

他们都一动不动
等着那匹红马再一次跑过

"没有词语"

2019 年 6 月 4 日

空山,兼致萧英杰兄弟

空山之空取决于你的孤独
取决于在你之前山里曾经有的人
取决于春天的白色气流从山谷的
哪一侧上升,秋天的黄色气流
从山谷的哪一侧下降
更取决于此时,你从哪个位置望气
甚至裹着苍苔的石头
坠入谷底所需要的时间

而时间的回声会把山谷突然推开
展示出山后的山,山外的山
展示出雨滴落在山前山后的透明的慢
水面平阔处一只大鸟起飞前的沉重的慢
和你的目光从深远向高远的起飞

至于晨昏的烟岚和桌案上的熏香
至于你画了一半的屏风,只有起首的信

山外平畴,交错的阡陌和远风
都可以暂时交给某种
想念一位朋友,而又不想谋面的心情

2019 年 6 月 6 日

我不认识我的灵魂

我不认识我的灵魂
我的镜子照不出他的模样
他是我唯一的朋友和兄弟
他总是忍耐着我,不发一言

他忍受着我的笨拙、沉重和气味
忍受着我固执的念头
阴郁的习惯,他和我一起承受
人世的折磨,疾病和生存的羞辱

我不知道他什么时候
成了我的肉中之肉骨中之骨
他不会出卖我,我却时常背叛他
他总是宽容以沉默
他知道我的本质,和一切的暂时性

我所受的伤害最终都落在他的身上
我的快乐和弥漫在空中的荣誉却与他无关

等到我消失的时候,他才能浮现
他的荣耀超乎万民,在黄金之城

我的兄弟,我的同谋,我的甜蜜的刽子手
你把我一点一点掏空,变成你
不知为了谁,出于什么目的
我替你活过了莫名的一生

2019 年 6 月 4 日

夜里回应我去世的父亲的指令

凌晨,父亲的指令终于到达了
让我们全家去与他会合
父亲的部队已经抵达了一个地方
把我们这些随军家属落在了后面

大院里人喊马嘶,锅碗瓢盆叮当乱响
大姐分给我们每人一个三角兜子
装着干粮,我的木头枪磨得油光锃亮
母亲花了很长时间穿衣,黎明前的黑暗中
我们姐弟四人都在等着母亲出来

已是深秋季节,幽暗漫长的路途
马车吱嘎吱嘎,穿过收割后的留茬地
我回头望着留在窗沿下的酱缸

我用石头砸了好几下，也没砸破
那里还残留着发红的雨水

最后，我们到达了四方台小镇
只有父亲一个人站在那儿
站在薄雾笼罩的路口
他身后六十年代的小镇时隐时现
他孤身一人，武装带上挂着沉重的枪

他静静地抽着烟，似乎有点不安
他的部队已经向苏联方向进发了
只把作为指挥官的他留在后面
我们为什么迟迟到达？父亲没有问
也许是我们，把他留在了某处

2019 年 6 月 9 日

清晨过灵谷寺想起红雨和尚田

梧桐大道上枝叶交错，形成绿廊
这是南京我最喜欢的地方
尤其是灵谷寺前这条，窄而曲折
夜深时独自一人，虫鸣擦亮了路灯
路径幽深得仿佛从来没有人来过

红雨从长春来，总是尚田我们三人

在罗汉巷破破烂烂的小馆子
喝啤酒喝到大半夜
似乎总有无尽的话题
半醉状态溜达去灵谷寺
一路上只有玲珑秋月
在树枝的掩护下跟随着我们

我们在漆黑一片中转过无梁殿
朝向寺内闪现出的黄色灯光
在八功德水边偷听和尚夜话
感到微微惊悚时便退到红山门
在凉凉的台阶上坐上一会儿
看夜鸟如灰烬飘过万工池

那是多么简单的日子，友谊和诗歌
都让人久久沉醉，仿佛能一直这样
继续下去。今晨我又从这里经过
想起尚田北上帝都已经多年
红雨也有六七年没来南京了
林荫道还是那么美，还是鸟鸣之后的静
树叶黄了又绿，绿了又黄

2019 年 6 月 9 日

丁香哀歌

花开时你总是在某棵树后面

伪装成孤儿,仿佛这样

就能得到原谅

四五月间,空置很久的

俄罗斯黄房子周围

细小的芳香如同蜂蜜里的花粉

凝固在空中

城里到处都奔走着疯了的情人

眼睛里闪动着水洼、云彩和格子裙

总是在这样的树下

在手风琴的抽咽中

你的手臂绕过柔软战栗的肩头

把那些因预感而苍白的面孔

转过来,避开树枝

吻上那已经失忆的眉毛和嘴唇

它们是谁的唇,谁的面孔

你早已忘记,只有那唇上的苦涩

像这北方的丁香一样久久留存

2019 年 6 月 9 日

信　心

每一次你写下这些词语

世界都会有所不同

你相信你会一直如此

远处看不见的林中
大斑啄木鸟的鼓声停了片刻
一个背着云彩的旅人
在岔路口犹豫，仿佛置身积雪的悬崖

已经十年，运载钟表的航船停在山顶
锋利的犁头，绕过新生儿的沉静
它用黄铜犁出永恒之城的周界

亚历山大图书馆的火灾彻夜不息
白色的腿弯在碎浪中闪烁
你的马不耐烦地在可怕的黑树上摩擦骸骨

雨中过桥的人永远在过桥
他们最细微的想法随着雨珠
永远在落向雾气和时间的深处

词语就是事物浓缩的铀
纸上的城堡不仅可以抵御天气
词语才是原型，世界
不过是对词语的模仿

你的忠诚像被捉住的蚱蜢
努力支起沉重的大腿
你虚构了你的一生

2019 年 6 月 10 日

译 经 人

洞穴般的屋子,原木屋顶压在头上
土墙上的土耳其挂毯
增加着墙壁的厚度和温度
它来自你一生仅有的
一次无疾而终的爱的旅行

翎眼残破的孔雀羽毛,椽子上挂着一把
歪歪扭扭倔强的小号,做工粗糙
和末日天使吹响的超过身高的长号
一样令人发笑,来自村中的大师
黄泥壁炉,装着手稿的手提箱
可以随时伴随你走上泥泞的路途

矮桌上永远有两根蜡烛
一根燃烧着,一根熄灭
保持着不同的高度
几根木条支成的凳子状如画架
几乎支撑不住你日渐沉重的身躯
似乎你已很久没有起身

带铁栅的窗前聚集着天气
能看见的永远是你高大的背影
一定得有羽毛笔,看不见的墨水瓶里

一定干涸着夜的秘密，你的靴子上
一定还带着去年的泥土和松针

没有人分享你秘密的欢乐
这样的日子究竟是从何时开始
你已忘记，这不过是一个陌生的村庄
又是为了什么，你暂时停止了漂泊
只有一只不请自来的浣熊
眼睛圆圆，寂寞而不满地背对着你

2019 年 6 月 11 日晨

报纸的一种读法

我已经认识不少字了
躺在土炕上望着糊了报纸的天棚
不但标题的黑色河流
甚至内容，有些也能看见
新糊的旧报纸散发出
用面粉打的黏性很小的糨糊味
六十年代没有今天的娱乐新闻
多是工农业生产形势如何喜人
广阔天地大有作为的报道
而有人一旦戴上高高的纸帽子
他的思想就一下子赤裸了
或者我就读着母亲包酱块子的报纸

似懂非懂的片段,堆积在大脑的房间
形成晕眩的拼贴,伴随着
正在发酵的豆瓣诱人的强烈气息
报纸裂开,这些长方形的小枕头
整齐码放在土炕一边,要放很久
根本没有什么要紧的事
母亲孵出的黄色鸡雏
在铺满土炕的报纸上走来走去
或者被我的手赶到一个角落
白色中掺杂着黑褐色的细小鸡粪
或干或湿,也发出热烘烘亲密的气味

2019 年 6 月 11 日

旅行开始前的犹豫
——写在威廉·卡洛斯·威廉斯《佩特森》开译前

你的躯体还在悬崖上犹豫
整个下午,你的灵魂都漂流在暗水上
躯体是阴郁的,俯视,沉思着
这灵魂学徒的欣快症

再没有比这个更艰难的手艺了
每一次都像是把人世彻底抛在身后
赤裸的手,不听规劝的大脑
便是所有的装备,没有同伴,没有地图

那无人去过的国土,奇迹或荒芜
你必须抵达,你必须与这些词语共用一个身体
另一种语言,另一种节奏
阿波罗的九个女儿相继离开父亲的宝座
你不知该向哪一位谦卑地献上你的祈祷

你五十七岁的膝盖在颤抖
你年轻的灵魂却已在渴望冒险
他简单而纯净,他一无所知
超越了我们共同的复杂性

那就让我向你,威廉斯,发出这低语
所有的旅程都必定终结
既然你决定从细节出发,抵达抽象
那就让我,从这些词语出发
抵达你所经历的种种细节
并在我所不及的陡峭之处
伸出你同样赤裸的兄弟般的手

从混乱中,像无知的太阳
从尚未干透的泥版上升起
同时更新我们彼此,从正面和反面
从增加和减少,聚集和循环之中

2019 年 6 月 11 日

夏日之爱

他整夜一个人躺在黑暗中
听窗边的树在飒飒低语
他想听清夜晚行星的语言
风有时吹起。他一个人躺着
知道树在外面轻轻摇晃
他看不见，但感觉到
夜里有许多身体飒飒低语

2019 年 6 月 12 日

猫 与 镜

一首诗
竟可以
如此简单

猫注视着镜子里的自己
在伸出手之前
不知道
自己的颜色

它们是一个严格的方程式

2019 年 6 月 12 日

童年的庇护

她的手臂和微微弓起的腿弯
形成一个退潮后的海岸线
召唤他六岁的身体与她的曲线契合

这寻常的北方人家的土炕
粗糙的凉席,绿油漆的木格窗
院子里的沙果树正在长高
和铁丝上晾晒的平静的衣物一起
将体贴的阴影投射进屋中幽暗的下午

他还没有困倦,他正耐心地
在他帝国的边疆排兵布阵
那是些棋子和黄泥的士兵
有的已经微微开裂
像新修的土炕有时发出同样的泥味儿

可他还是顺从地回到这个女人的臂弯
和她面对同一个方向,躺着,醒着
摇动的树影和微风,还有脖颈后的呼吸
他们托庇于同一种力量

没有任何重要的事情发生
外面是阳光,阴影,角落里沉思的家禽

等这年轻女人睡熟，他轻轻拿开
那一只海岸线般延伸的白色手臂

他在院子里继续摆弄他的军阵
不时地趴在窗台上望望屋里的女人
这劳作后的宁静像财富留在那里
下午多么漫长，仿佛永远也没有结束
他安全地把他最大的财富
他的母亲，独自留在了另一个地方

2019 年 6 月 12 日

无 名 者

他既在这里，又不在这里
他看着你时他看着别的人或者什么
他是这个世界上最纯洁的牲口
他来帮助我们生活，本身却没有生活

他走在外面便是人群中的任何一个人
也是所有农民组成的一个无名的骷髅
一切都因为他而息息相关
他是分崩离析中的一个静止的点

他同时也是界限，桥头的雕像
是花园树篱隔开的那些问题

即便他把口袋寒冷的角落向你翻开
你也不会相信他一无所有

这贫穷便是他的整个幅员
从我们脸上坠落的古老的面具
他是我们最初交换信物的房间
是花环中间的虚空，逐渐把我们暴露

2019 年 6 月 13 日

浦口火车站

这个据说唯一的民国火车站
它被保留下来，连同它的
行李包裹提取处，职工宿舍
长长的雨廊，食堂和招待所
它们因为别无选择而安于自己的存在

在废弃的铁轨上你走着
保持着危险的平衡
枕木和碎石间长出了青草
你似乎能走到远方去
这周围九十年代的旧气息让你着迷

空旷的大院，低矮的楼房和平房
人们无所事事又心地坦然的样子

他们似乎不用上班就能活着
存在依然让我们微微吃惊
它们抓住我们，让我们随之一同消失

这些曾经浸过焦油的枕木
也已经变得灰白
像是刺目的巨大肋骨
我们的脚踩在上面
随时担心着空洞的塌陷声

你恐惧着生活
而我恐惧着死亡
这也许是我们，作为两代人
来到此地的原因
我，既不是父亲，也不是情人

那早已消失的火车，像一个急切的
带着某种重要信息的失明者
穿过我们的身体，我们站在那里
看着它消失在青草丛中

2019 年 6 月 13 日

父亲的问题

父亲问我："你整天都在做什么？"
"我画画。"那是在北方的国家里

我们失去的是一些别的东西
树上有别的叶子。我在驱邪
画出一个个大大小小的圆圈
我所认识的人都在不同的圈子里
转圈,像是发条玩具,保持着姿势

父亲活过了呼啸的战争年月,像一根线条
从张维镇的黑土地,从闪亮而沉重的
树顶的天空,从祖父倾倒的柳条水罐旁
从那成了我的母亲的年轻姑娘的沉默中
一直向南,画出一条直线,然后
又返回到他当初参军入伍时的县城
画出了一个封闭的完美的圆圈
把因为平原的风、泥泞和黑暗
而不时哭泣的母亲和我们姐弟四人

圈在一个圆圈中。而我的儿子
是这最大的同心圆中较小的那个
他在成长,认真地驱邪,圆周变大
逐渐囊括了我们,我们成了较小的发条玩具
始终围绕着同一个圆心旋转
父亲不再问我,他似乎原谅了我
他知道我不该知道的东西
我停下手,我已经画了五十七年
还有三年,我和父亲的生命圆周即将重合

2019 年 6 月 14 日

107

未拜谒的坟墓：托尔斯泰

是什么驱使大地上的所有民族
拒绝最伟大的灵魂
而只让它们的二流岁月尽情表演
一个人又要何其骄傲
才能不需要墓碑
只要一个青草的长方体
微微隆起于地面，在他生前
亲手种植的黑色橡树的环绕中

你不在这里，也不在暴风雪的车站
有时我会怀疑自己工作的必要性
它类似于圣人放弃的沙漠
人们的好恶，人类的种种制度和权威
都不能判断它的价值，甚至我自己
那无异于在必死之物中寻找生者
于是，我和你一同沉浮在白嘴鸦的空气中
嘲笑着自己的坟墓和周边风景
在柏拉图都无法想象的思想的国度

2019 年 6 月 15 日

108

我听到万物的悲鸣

正是夏天,正午的树木洒下阴凉和睡眠
我不知怎么就来到了这条偏僻的道路
它沿着一面红色砖墙无尽地延伸
光秃秃,无遮无拦,也没有人从对面走来
我似乎已经在这条路上走了很多年
很多个世代,久远得已经失去了原因
天空也同样光秃刺眼,没有一丝云彩
炎热让事物的色彩,如同点彩派的
海滨风景,分解又融合
我近乎机械地走着,不知道要去向哪里
这条路似乎不通向任何地方
可就在这时,仿佛从停滞的运河里
升起一阵细弱的悲鸣
我看见一头悲惨的动物
抵在一个角落里,肮脏,发着抖
因为怀孕而感到耻辱
已经分不清是羊是狗,它毛发纠结
缀满成串的尘土,它的温顺来自绝望
它望着我,仿佛望着一个走近的刽子手
从它微微起伏的腹部发出热气
我惊恐地注视着它,偏离开道路
它像一堆肮脏的雪在融化
它躲闪的细长的眼睛是最后留下来的东西

这是正午，我沿着一面笔直的砖墙踽踽独行
梦想着墙壁后面旧工厂的乐园
从它光秃秃的烟囱的深深的地下
传来因为人类的原罪而一同受难的
万物的悲鸣和祈祷

2019 年 6 月 15 日

巨大的织物

黄昏时我靠着窗口读一本
厚厚的书，书很重，压得手腕发酸
我读它已经有些日子了
它会告诉我，我该说的，该做的
窗口是一个界限，一个精神的悬崖
高过楼顶的梧桐几乎遮住了道路
同时过滤掉一些声音
黄昏中的人声仿佛是一个故事的片段
隐隐约约，它们揭示出一个巨大织物
背面杂乱的针脚，但它们构成的
将是一个绚烂而有序的画面
我的那枚小小的针则来自这本书
我用看不见的手努力引导着思想的线条
对于这幅巨大织物的完成
我的设计似乎必不可少
但我看不清自己正在为哪条线索着色

110

它以不属于我的意志消失在迷乱之中
窗口的光线暗淡下去，像花瓶中
枯萎的花束，一只更为巨大的手犹豫着
伸向我那超越了对与错的轮廓

2019 年 6 月 15 日

五十七岁的自画像

这张面孔由年轻时的忧郁
而变为严肃，仿佛依托在
某种遥远无名的花茎上
能否再度无知，轻松地对待
生活，有如青草在堤坝上萌生
这一点，就连叶芝也没能做到
到底要向谁学习生活的艺术
那肩头落满白色苹果花瓣的女人
已经离开了此地，带走了许诺
和天鹅的寓言。你一直在追求意义
它让你迄今度过的时日充满无意义的艰辛
越是追寻真相，越是被谎言围绕
比十字架更高的是脚手架和虚空
就像期待已久的一部苏联电影
空白的银幕，不时闪动一些不规则的阴影
它们来自胶片上的灰尘和擦痕
仔细看去，骷髅组成的彩虹

另一只脚藏在一个未知的世界
你离它的距离还是和出发时一样遥远
至于美,你早已脱掉了这件破旧的华服
唯一能确定的就是另一个你
微笑着,在每条路上游行
胸前挂着你自己模糊的画像

2019 年 6 月 15 日

夏至回北方有感

不过是从一个屋子到另一个屋子
从一张床到另一张床的流浪
没有什么可盼望的
也没有什么值得留恋
你锁上门,空气发出微弱的回声
你唯一惦记的是那一屋子的书
没有看完的,已经合上
也许再不会打开,像还活着
但彼此再也不关注的朋友
这些书将要替你度过夏天
度过绿色的柿子膨胀变黄
石榴倒挂的钟修建起宝石的隔墙
无花果逃过鸟雀而幸存的时光
早晚有一天,你连这些书也不再记挂
它们就像自然疏远的朋友

无疾而终的爱情,辛酸而无奈的亲情
渐渐失去作用,而归于乌有
包括你用尽艰辛的一生写下的
那近百本著作,也将再也无人翻开
也无人明白它们的意义
又是万物生长的夏天,在遥远的
北方的河边,像一匹失忆的战马
你且要享受,这一无所念的时光

2019 年 6 月 21 日去禄口机场地铁上作

夏日傍晚,坐在松花江边看日落

日落是件永远也说不清的事情
比如早年陪你看日落的人
早已消失在落日下面
回光返照曾经在她的脸上
真实地荡漾起情感的红霞
像是被红领巾映红脸颊的少女
风一点点吹走她羞怯的脚边的沙粒
也吹拂着她因思想而发烫的额头

"落日是脸上的一次燃烧
而一次就是一千次。我对你的爱
也是如此。"当落日从水中托起火炬
燃烧总是无声的,它像是一场革命

在年轻的脸上留下灰烬的雀斑

它启示着另一片天空，另一片国土

从铺设在江中的金光大道

便可以抵达那层叠无尽的云堡

但我们始终没有起身

也没有任何语言悄悄诞生

我们只是望着那渐渐零落的云

平静的江水，和太阳最后加速度的消失

等待着寂静降临

移动那堆积在原野上的恒久的原因

仿佛我们是两个从西边回来的人

2019 年 6 月 23 日午夜

向一位契丹族女诗人致敬

——给王曼

二十年，足以让一个无知的孩子

变得成熟而严肃，也足以让一个大人

把记忆的库存清理得干干净净

就像我，已经忘记了何时，何地

出于何因，让我们相遇和结识

仿佛隔着高过头顶的青纱帐

行走在田埂上的两个放学的孩子

彼此不知道对方的存在
以为自己是无限的单独
且为这单独而吹着寂寞或鼓舞的口哨
猛然听到另一个近乎回声的音响

我们就那么走近了，没有惊异
一切都是那么自然，像柳树随风摇摆
我们果真就常常在大柳树
随风摇摆的太阳岛上
骑着四人座的自行车长久地兜风
也有无数场酣畅淋漓的大酒与歌舞
让情谊的烈焰在身体里升腾

万佛山和长白山，尚志和长春
都留下我们同行的身影
兴凯湖的波浪也见识过你曼妙的身姿
我喜欢慢慢走在你的身后
为了欣赏你小巧玲珑的背影
更是为了向着天空中无形的事物
低声诉说——

看啊，这里有一个多么大气的灵魂
她是我最亲爱的朋友，我是多么幸运和幸福啊
时间的骤雨，世界的暴君，命运的播弄
一切的邪恶、黑暗与压迫
都无法损毁这个美丽灵魂的高贵
也绝不能把她的美从我的生命中剥夺

你来自一个神秘悠远的民族
有着树叶一样干净的面容
像一个勇敢胜过男子的女战士
你把柔情和坚毅放在瘦小的双肩
就像你的诗,秀外慧中
常常透射出指向社会与人心的锋芒

我记得你艰辛的时刻,你苍白的脸
病痛让你轻得像一张白纸
你却依然像一位端庄的大公主
为诗和友谊设下盛宴
又有多少次,你用你清明的智慧
拯救了我们内心的苦难

那本印花的暗蓝色诗集
我带到了南京,在没有你的日子
它安慰了我多少虚无的时光
仿佛还是在哈尔滨深秋的夜里
我驱车送你回家
疾驶过空荡荡的江桥
在空中扬起一公里的落叶
像一条飘扬在车后的彩色围巾

而你沉默着,低垂着眼睫的阴影
像一轮想要藏起自己光辉的明月
安静在后座上,成为一个
一去不回的

我们共同时代的
象征和祈祷

2019 年 6 月 24 日凌晨三点, 无眠

我自己的黑暗

午夜, 在无人的庭院里
我倾听自己的黑暗
长久地仰望着星空
而星光, 是粗砂纸上的颗粒在渐渐脱落

大地在上升
大地无垠有如良知
我拍手, 倾听每一条小径发出弯曲的回声
这成熟的黑暗是黑色的天使
直立在灌木丛的神龛之中
比真理更安静, 比死亡更纯粹

星光, 落在谁也找不到的眼睛里
眼睛渐渐变白, 如同结冰的木桶
而大地, 越是接近星空便越是恐惧
那是我不幸的喜悦在变得透明

2019 年 7 月 9 日凌晨

生日诗

——寄远帆

在万物繁华的夏天
你向这个世界投以目光
从永恒中,从天国花园藤蔓纷披的阳台
从横过天空的阿波罗的狮子座
这灵魂下降到肉身的通道
君临我们这个红尘滔天又充满冒险的人间

从这一天起,道路上的光亮将延长
你的脚步轻盈,你的双肩沐浴霞光
随你一同降临的
是那些看不见的礼物和翅膀
你的来临本身便是对这世界的祝福

多少时光已经过去,我们像两头波浪
相遇在同一片海洋,你的激昂和我的沉郁
就像洋流的澎湃和汹涌

过去的一切铸就了你闪电般不屈的骨骼
你性格中温柔的一面无人知晓
你把它们谨慎地藏在风云激荡的下面

生日快乐,隔着几千里沉默的空气

我在白山黑水间，向南方以南的你致敬

从黑海对岸吹来的风

将带来苦涩而清新的气息

也将带来比今生更长久的盼望

以及我们手中那一把发亮的金色晨光

2019 年 7 月 16 日晨于冰城

五十五周岁生日为母亲的晨祷

祂通过你把我带到世上的，你这贤德的女子

我思念你在午夜亲密的黑暗中

在微雨沾衣的早晨，在似乎永远

也没有结束的午后弯曲的睡眠中

那生于水，长于土，成于风，没于火的女子

我思念你，并为五十五年前的今日

你所受的苦楚，你所领的恩典

哭泣，感恩，祈祷，愿我的声音

达于天极，为那至高者所垂听

愿我与你，共同在祂的荫蔽中

愿你在父祂的怀中安睡如婴儿

你这蒙福的女子，我的母亲

且待我与你在幸福的环舞中

重逢，欢呼，和赞美

2019 年 7 月 17 日晨

玉堂先生睡着了

你终于趴在奶奶的身上睡着了
不再为你那小小的需要而哭喊
你偶尔还像吐泡泡一样冒话
那是我们听不懂的天使的语言
你的心跳,你的呼吸
都和奶奶的心跳和呼吸融在一起
你安心地睡了,你在睡眠中成长
我看着你们像两个同样疲惫的动物
睡着了,你们筑造一个共同的梦吗
梦中有一个年轻的女人
和一个同样年轻的男子
他们挽着手散步,亲密得像一对儿恋人
隔着五十五年的离别和思念
而此刻,她又还原成一个苍老的祖母
用她加增的白发,加剧的病情
用她从同样病痛衰老的丈夫那里
夺取的老有所依的机会
用她最后一点生命的余温
用她的衰败,养育着你的兴盛
玉堂先生,我的所爱
我的小敌人,我的小刽子手
我希望你能记住这温馨的时光
记住,世间所有的生命

都依靠别的生命,才能存活
世间一切的幸福,都是以他者的牺牲
和痛苦为代价,别无他途

2019 年 8 月 6 日于哈尔滨

1999：那一年

那一年,为了养家糊口,去北京打工
车站上马原抱着我的腿不放
说爸爸我不占地方,你用提包把我拎走吧
在火车上与何拜伦一起跨越了世纪
先是做哈慈 V26 的广告文案,打擦边球
后做都瑞制药新闻总监,租住六郎庄农房
没有暂住证,深夜回家,半路上差点
被警察和协警抓走,幸好石一龙
出来接我,说这是个诗人,方幸免于难
一桌一榻,通宵翻译《未来的灾难》

那一年,与蒋浩为邻,不停咳血
老蒋哭着扑进我怀里,担心我是肺癌
说已经打算为我准备后事了
是娄方大姐陪我去的协和医院
简宁让我去他总政的家住些日子
说领我吃鹅头,说鹅头可好吃了
说我电话中有气无力是营养不良

正好我俩还可以研究研究翻译诗
黑大春在清华演讲,称我是勇敢的存在者
有事吱声,在北京,除非天大的事

那一年,沈奇大哥从"盘峰论剑"下来
携其子沈荞带我吃饭,对诗坛失望透顶
八十年代的观念之争已堕落为利益之争
他都不想再搞诗歌,说中国最美的男诗人
也有了沧桑之感
那一年,大学生沈浩波临近毕业
以犀利文笔对北大帮和民间帮
各抽一顿耳光,他让我睡他宿舍的床
换了个同样不太干净的床单
说知道我爱干净,还建议我多为自己做点事
再不折腾,就只能看热闹了
如今我依然喜欢一个人把人类围观

那一年五月,第一次坐飞机
第一次去长沙,感受腰下南方的潮湿
与远人第一次谋面,他有巫师般的大眼睛
抛开老板,通城五星级酒店不住
在远人坡子街的家,与他和唐朝晖同居
在火宫殿喝酒到黎明,被董事长骂
那一年,"40后"和"70后"美国诗歌
由马朝阳做责编出版,前后历时八年
那一年,入选台湾黄粱编的大陆先锋诗丛
诗集《以两种速度播放的音乐》问世

那一年我刚刚三十五岁,长发垂肩
那一年,我终于认识到,在北京
也没有我需要的人群和真理
人,只要心里有一块石头落地
在任何地方都可以写诗和生活

2019 年 9 月 25 日于紫金东麓

生日诗:为孙儿玉堂
第一个生日而作

时间在你小小的身体上成熟了
一起成熟的,还有一个浑圆的宇宙
你的世界开始超出彩色的栅栏
母亲的怀抱,父亲的肩头
祖母扶持的手,和祖父无论多远
都会被你的跌跌撞撞摇摇晃晃
扯得生疼的柔韧如缆绳的目光

咿咿呀呀的泡沫,哼哼唧唧的不满
抓得满满的两只区区大手
抓住,就要抓得紧紧,无论什么
亲人们张开等待的手也好
被你咬得千疮百孔的布玩具也好
哪怕是一只坚硬的高尔夫球
都是你暂时的财富和武器

都能帮助你向未来又迈出一步

你果然是我的小战士啊，玉堂先生
你身上流淌着伏波将军不屈的血液
栖霞山始皇临江处，你嬉笑着手指
"横绝东南扫空万古"的骄狂
宝华山千华古村，秦淮源头深夜探秘
牛首山佛顶圣境岳飞故垒
向大英雄隔空拜谒
莫愁湖的莫愁，玄武湖的玄武
燕子矶拨开浓密的枝叶看大江东去
看巨轮如柳叶如一动不动的蚱蜢
你柔软的小身躯竟然充满如许的能量

又是一个金色丰实的秋天
一个完整的四季轮转，风从东吹到西
大海，高山，幽谷，草地
都是你可以安歇的花园
宇宙在运行，因为你，因为一个
深刻得没有任何人能够了解的原因
在慢慢展开，在逐渐显现
你的成长是恩典，是美好的见证
不变的信心，是永恒的爱的礼物
是生生不息万古常新的保证和诺言

2019 年 9 月 27 日于紫金东麓

闻彼得·汉德克获诺奖有感

要像你一样骂观众骂读者
因为读者就像波德莱尔说的,就是狗
你给它香水,它就跳得远远的,直拨浪脑袋
你给它一坨屎,它却吧唧吧唧吃得很香
尤其在当代中国,我们如果要避免
被大众文化消解到庸俗的层面
我们就必须写这些庸众看不懂的诗
如果我们的智慧,我们的思想
我们的情感和经验能够轻易地
被不读书不思考的这些狗读者看懂
那我们就是狗了
所以向你学习,骂观众骂读者
让他们知道,诗是有力量的,是智慧的
诗是高级的,而他们是不配读诗的
他们这些满脑子屎一样功利思想的人
怎么能配读诗呢? 所以要骂他们
要避免像波德莱尔的信天翁一样
被水手捉住,被水手用烟斗逗弄
被嘲笑,要做青天之王翱翔在高空
让这些习惯心灵土鸡汤的读者
根本摸不清头脑,要把语言本身当作内容
这样才能保留住文化与人性的丰富性
保留住你思想的深刻性

保留住你经验的本真性

这样才能把文明的火种留给后世

用一种密码语言,坚决不让他们看懂

也不要写那些可以发表的东西

因为所有的官方权力

都会对你的诗和自我进行消毒

你的诗就会变得和他们一模一样了

也就是说,不要和任何人的诗放在一起

也不要在任何杂志上发表你的诗

要写没人喜欢,没人读懂,没人发表的诗

留给未来,留给上帝,留给时间

作为这个时代堕落的见证

甚至也不要获这个劳什子的炸药奖

除非你的诗是压缩的语言的铀

能把所有的邪恶,包括腐败的评委会炸个精光

2019 年 10 月 10 日晚 11:42

大学新生

第一个人说,他三岁的时候

家里的树就被砍了

有几棵是银杏,还有一棵是无花果

他把无花果留了下来

第二个人说,无花果是不是银杏啊

不开花的只有银杏树吧,能入药的

第一个人说,那我来百度一下
第三个人说,是山楂树吧
对,山楂树下,那是个电影还是诗
不对,是一种山楂饮料
刚五元钱,贼好喝
哎呀,我查到了,是银杏树
还是阴树呢,和风水有关
他们查的并不是幸免于鸟喙的无花果
他们继续争辩着走远了
银杏叶在黑暗中闪烁着飘落
无花果的季节早已过去

2019 年 11 月 4 日

赞　美

一个高大的父亲脖子上驮着嘎嘎尖叫的儿子
走过很久,他们的笑声还像彩色泡沫
漂浮在黑暗的树顶是值得的

穿过雨大了起来的黄昏不带伞
把防水黑大衣的兜帽翻起来像个无名的革命者
走过浓密枝叶下干燥和潮湿交替的甬道
是值得的

年纪渐老且作为陌生人肆无忌惮地打量

孤单地站在各种明亮的店门口打扮漂亮
等待下班回家或无家可归的女子是值得的

在地铁口的猛风中像蛇一样灵活
像鸽子一样柔顺地避开汹涌错杂的人流
与这些面孔的幽灵相遇即永别
看着他们像纸片一般扭曲飘摇是值得的

雨水在红白蓝黑各种颜色的车顶上闪烁
但依然是白色的是值得的

学生和小贩用各自的方言讨价还价
小贩不时用手扶一下歪斜的绿色大洋伞
用烤红薯的大煤油桶烤黑大黄梨的底座
发出焦香味是值得的

缝纫女窝在人行道边废旧面包车改装的工作间
手指粗红面颊红润埋头苦干头发枯干
不思考为什么自己会在这里是值得的

一个中学生对伙伴们说他爸用圆周捆他的脸
顿时在昏冥中一只白色大胳膊划着圆弧
却没有相连的身体是值得的

活着是为了弄明白为啥活着是值得的
不认父者,必认贼作父,这个结论是值得的
我此刻活着,你们也活着,还有许多人无名地活着,

是值得的

2019 年 11 月 26 日傍晚，此诗献给舞台服装设计师
王晓雯

我曾经爱过你

我曾经爱过你，爱情
就是生命和生活，就是永恒
我曾经是那么爱你
隔着树篱我和你走在同一个方向
我落后你十步之遥
我知道，你知道我在跟从你
你从不看我，你的米黄色风衣从来没有皱褶
你的平静让我羡慕又恼恨
因为爱你，我也爱上了自己苦涩的青春
爱上了那个实际上很小的长安
那个很小的满是蜗牛淫秽气味的校园
校园对面的兴庆公园和下课后
校门口临近午夜孤零零的藕粉摊
干净的梧桐，风中的玫瑰，爱上了诗
这无可救药的致死的疾病
这温柔的死亡。是的，因为爱你
我早已死在了我的十七岁
死在了我自己的手里，我对自己的无情
是的，我曾经爱过你，如今我还在爱着

我绝望于永远变不成你

即使我早已经变成了灰烬

不断地转换形象，但依然是灰烬

依然不由自主

绝望于我永远分不清我爱的是你

还是我自己，甚至我自己越来越少的灰烬

如今我的心里，是一片深沉的寂静

可你还在那里，平静地走着

我知道，你知道我并不存在

如今我可以平静地面对你

因为还在爱你而心怀羞愧

2019 年 11 月 28 日感恩节

傍晚在窗前久立

窗户上的水汽是钻不进室内

取暖的冷空气的绝望

祖先来自地中海的白杨

已全部脱光了叶子

干净的网球场上没有人类活动的迹象

连接线上车辆的沙沙声和鸟鸣一样

在一天的不同时刻变得或疏或密

午夜一过就完全消失

等到它们再度从疏到密，天就亮了

这些车辆从东沿直线而来
驶过右侧的圆周,沿切线
又驶入左侧的圆周
再沿直线驶向它们来的方向
车里各种各样的生活都遵循这两种运动
形成两个顺时针匀速旋转的齿轮

我长久地望着它们
不知道究竟是什么吸引了我
我的面影在窗玻璃上逐渐变得清晰
仿佛一个苍白的溺水者
在窗外的半空中向我渴望地靠近

电热壶里沸腾的声音大了起来
天冷了,我待在厨房的时间也多了起来
我甚至发不出它的声音
不开灯,我就是家具中最黑暗的一件

2019 年 12 月 1 日

你 和 泥

"在你里面,还是在泥里面?"
关键是你是谁,如果你是女人
这就不只是个发音问题
而是涉及人类痛并欢乐的本性

涉及湿软深疼等诸多词语
憋住和憋不住的叫喊

叫喊还好,就怕是战斗的呐喊,就怕是口号
比如,抓革命促生产,形势一片大好
深挖洞,广积粮,亩产上万斤
比如突然叫出一个自己都陌生的名字
然后就是坐起来抽烟,坦白从宽和抗拒从严
然后就是抱住自己双肩高耸的啜泣

如果是在泥里面,情况也不容乐观
比如发白道路上形成的烂泥潭
哼嚓一家伙陷进去很难拔得出来
用力过猛还会把黑胶皮靴子留在里面
得轻轻试探到底儿没有
左右晃晃,让两边的吸盘放松警惕
再慢慢抬起脚背上的重,直到咯噔一声

如果是全身都在泥里面
倒是有些好处了,可以把虱子之类的寄生虫
用烂泥黏住闷死,等泥巴干裂
连带扯下一些汗毛一层皮膜,品尝微微的咸

所以无论是在你里面,还是在泥里面
最终都是成为一摊烂泥
都是"你在泥里面,泥在你里面"
都是烂泥里打滚,吐鼻涕泡怪笑

把白的变成黑的,把鼻涕泥抹一脸

少年时我们常常这样互相涂抹

根本不在乎路过大人的哄笑与呵斥

根本不在乎捂着眼睛又从指缝偷看的女同学

根本不在乎滑溜溜的泥塘堤岸在增高

需要薅着草根树根抠着石头才能爬上去

爬上去我们就长大了,滴滴答答

一步一个脚印地走进世界里面去

2019 年 12 月 2 日

和父母吃饭

小时候和父母一起吃饭

母亲有时也会捏两盅小白酒

六七岁的我总喜欢给母亲倒酒

我们一家六口围着炕桌

坐在小凳或是摞起来的枕头上

最喜欢夏日傍晚在院子里吃晚饭

父亲会从外屋扯出一个灯泡,和过节一样

静静的沙果树和香椿树

已经比板障子高出几许的一溜向日葵

水缸里泡得绿油油水灵灵的水黄瓜旱黄瓜

冰凉的大西瓜,自家下的大酱

大葱和开花的大馒头,那时粮食不够吃
就用白菜叶子包土豆泥,放点酱
土豆泥发出贫穷而亲切的热气
有时母亲还会赏我个甜甜的白菜心吃

东邻西舍的大人们隔着板障子
说些我似懂非懂的话
鸡窝里传来热烘烘好闻的气味
溜达鸡儿们在桌下腿边剥啄
刚刚四十出头的父亲高大英武
脱下军装,穿着军队发的白衬衣
给我们分发食物,像对着四个端庄的小兵

我那眼中笑意盈盈永远分不清
是忧愁还是欢喜的好看的母亲
满足地靠在门框上,看着这一切
用围裙擦着满是小裂口的手

清凉的风从县城外的田野
从看不见的远方一直吹来
吹着母亲和姐姐的的确良上衣
吹着两个哥哥停止小动作的安静
吹着我几乎只有黑色的大眼睛
和我眼中一动不动的火烧云的天堂

2019 年 12 月 8 日

我的家里没有花

我的家里没有花,没有装饰
墙壁上排列着历代死者的肖像
那些书脊的颜色已经暗淡
只有我,一瓶不知被谁喝剩下的
黑酒,不在乎是否还会被打开
浓厚的沉默凝聚在瓶底

任何人的爱恨都和作为我自己的我无关
我属于严厉而温情的自然
我的家里弥漫着收割后的田野
荒凉而柔弱的金光
像暴雨后的松枝
把沉重的松果垂向深谷

2019 年 12 月 11 日

温　暖

温暖的阴天他在读惠特曼
一边读,叶子一边落
好像有人在他家里的其他房间
窃窃私语,隔着墙壁偷听他

窗外的梧桐又长高了
他的绿色阳台孤零零悬挂在树上
偶尔有黑鸟踩着树枝一点点凑近
好奇这笼子里关着一只不叫的大鸟

蒸馏出的房间,透过白色的百叶窗
它们互相打量,他合上书页
世界向他走来,似有亏负

叶子无风自落,笼子静止下来
他一个人站在屋地中央出神
黑色的星星穿过渐渐稀疏的树顶
落在他的脚边,他知道
他能永远活着

2019 年 12 月 17 日

最后的诗

瓦尔特·劳莱,伊丽莎白女王的宠臣和卫队长
被詹姆斯一世斩首于威斯敏斯特宫外
"虚假的爱,欲望,脆弱的美,生于死亡之根
一条毒蛇用鲜花覆盖了一切"

三十二岁的"骑士之花"锡德尼
在荷兰受了致命的枪伤急需喝水

却把水壶让给别的伤员，说
"你比我更需要"，而不是"欲望，给我一份食粮"
布鲁诺将自己的名著《论原因、原理和太一》献给
　　了他

济慈，二十五岁零四个月，家传的肺结核
让他的身高停留在五英尺，但洒脱好斗
起伏的爱，两个果实累累雾气弥漫的秋天
六大颂歌，圣亚尼节前夜，拉米亚，十四行
他常常忧虑来不及用诗韵系住恩典的云象
"这只活着的手"已紧握住光荣
无须爱人流干心血让它复活

狄金森，恢复成三十岁的容貌，没有皱纹
没有发蓝的苍蝇插进她和光之间
跌跌撞撞地嗡鸣，那"最悲哀的声音"
也是最疯狂最甜蜜的春鸟
从大洋彼岸回归，身体里携带着所有死者

威廉斯，中风后视力模糊
世界缩小成一幅愚蠢的日本画
可辨认出一堵墙，和他自己
像一只苍蝇，一辈子附在上面
而实际上他变成了雨中红色的手推车
众多事物要依附他活着，比如苍蝇和小鸡

马永波，生于 1964 年，卒年不详

他最初的恩典，古往今来的宇宙全景
他置身其中的大动乱，又仿佛置身其外
"万物整体共时"的进化，他最后的诗
最后的诗，但愿他永远也不要写出来
那恰当的时辰，日落的微风，那一声唏嘘

2019 年 12 月 19 日

最后的房间
——致暮年的惠特曼

白昼消逝了。一生如何寄托
在突然暗下来的房间外面
雨滴一排排挂在银亮的铁丝上等待坠落
小小的狭长的房间，安静有如坟墓
那愤怒的天鹅已经在另一片水面上起舞
这房间里塑料裹着的湿漉漉的花
这船型的房间，这狡猾的老年之船

这没有硝烟的战场突然寂静下来
似乎有紫色的白色的丁香羞怯地开放
似乎有漂流木的芳香
它经过世界上所有的大洋
越过所有荒凉的海滩
只为把它裂缝中的一点点泥土，啊
还有泥土中微小得看不见的种子

带到这个房间

你用这属于一切时代的发黑的光滑的木头
在墙壁的悬崖上造了一排排白色的鸟巢
那些信天翁,海鸥和燕子,那些军舰鸟
还有那只战胜了死亡践踏着饥馑的夜莺
还有那只任海浪反复跃向天空
也始终捕捉不住的哀鸣的画眉
都一个个回到这巢穴,暂时停止歌唱
紧按住闪亮的雷霆,栖息在你的悬崖上

一生如何开始,又如何结束
你已忘记那最初的房间,那动荡不息的摇篮
母亲的怀腹,也没有任何人,包括你
能够知道那最后的房间,你全部生涯
全部信仰和爱恨的,最后的形式
这房间就是哥伦布被抛弃的祭坛般的海滩
你头上的大地正在闭合

我看见你在一个大大的寒冷的房间
一张孤零零的小床,你的大脚露在外面
房中央黝黑的铁炉子上白铁皮的烟囱
像天鹅执拗的脖子弯曲着伸向午夜寂静的严霜
一把没有靠背的椅子,吃饭写字用的木头箱子
而你自己,就是这一片贫穷景象中
最为贵重的家具,上下一片煞白的身躯
像一张因擦洗而发白的松木桌子

你咕哝着连你自己都吃惊的话语
它们充满专制式的不容置疑和贵族式的傲慢
又有平民式的直接和清晰,间杂着神秘
你就是波涛抽打的船,也同时是波涛本身
生活,且不去管它,又有谁能真正懂得生活
至于爱,你比任何人更明白,是爱,伙伴之爱
把分散的大陆焊接在一起
把男人女人黎明的嘴唇焊接在一起

嘲笑吧,你就是自相矛盾,任性,顽固
深思熟虑的忍耐,无限的母性般的爱和温柔
因洞察一切而坚定不移的坦率
你爱一切,甚至你的仇敌,真是悖谬啊
你的天性中那巨大的悲剧因素
却源自你从未享受过爱情的幸福

又是冬天了,你还会因为寒冷而溜回
同样寒冷空旷的教室独自去喝杜松子酒吗
那么来吧,我的灰胡子的勇气教师
我们来定个协议,我们把煤球再添进漆黑的炉膛
让它闪耀起内在王冠的火焰
为着我曾像你一样度过了失败的一生
从来不能确定我的诗,是否还活着

让我们依然像过去那样,从水缸里喝水
从瓶子里喝酒,带着野鹰般的神情
因为白昼已经消逝,它的光辉跌落悬崖

因为你的挫折和斗争，我们

你这漂亮的老鳏夫的无数后代

才得以发出清晰有力的音节

才能让那从诗里蒸馏出的诗永远消失

正是因为你啊，生命的汁液

才能疼痛地踏着大风向着黎明上升

2019 年 12 月 18 日傍晚于罗汉巷雨中

百叶窗转动叶片的方式是一只梨

雨天，把百叶窗都收起来吧

窗外也没什么新的景色

光线转动白色叶片像一只梨

十二月的方式是静的

是黄色大鸭梨底座里的积液

梧桐绿了又黄，黄了又绿

还是卧室兼书房，大姐曾告诉我

卧室是卧室，办公室是办公室

分开才能睡得好

大姐把我用电脑写字的地方

叫成办公室，这让我惊异

这里边一定有什么重要的信息

可要是没有书的各国美人陪着

又如何进入黑甜之乡，颇有洁癖的我
家里都是我喜欢的书
因为有些书臭气滔滔，有些书絮絮叨叨
发射出纵横交织的射线反复洞穿你的大脑

而我喜欢的书都是良师益友
严肃而亲切，它们平时默不作声
注视着我，像墙上的死者，可一旦打开
就会有一段温馨的谈话
哪怕在说着死亡，也像是新生

当然，这个工作角里，还有一本
红色会走动的一米八八的大书
要把它翻开，可得花点力气呢

2019 年 12 月 21 日

在一条生满杨树的小街上
——给大玲

在一条生满杨树的小街尽头
我吻了你，那是我们的第一次
我们俩，多么高大，二十三岁
在泛出青白色的大杨树下

那是在哪一年的春天还是秋天

我是那么突然地,不由自主地吻了
你还在说话的嘴,你脸上树叶筛下的光

你平静地接受了那迅疾的一吻
似乎一切都自然而然,理所应当
我们都一下子忘记了刚才在说些什么

一个应该铭记的日子,我却早已忘记
就当它是春天吧,杨树上成串的绿色小辣椒
有的还没有绽裂,释放白色的树籽儿
还能被顽童串在钢丝枪上到处弹射

那条小街似乎只存在了那么一瞬间
我再也寻它不见,也不知它到底通向哪里
当时不以为意,现在却似乎别有一番深意

2019 年 12 月 21 日

离别时的宇宙论

地窖里残留的黑夜
凝结在墨水瓶底的誓言
我和宇宙互相揭短

假笑的小说家,伪装成诗人的糖果批发商
不稳定的父亲,仅仅由诗的材料构成的诗

我和宇宙互相造就比存在重要的不存在

可宇宙还是集中在一条小小的裂缝上
想把它压垮,人便是那裂缝
一个无限单独的人是无罪的

可我还是成了别人的问题
但还没有成为自己的问题
我的罪恶比我自己还要大

存在的最后一个村庄,最后一条街道
最后一盏灯颤巍巍爬上逐渐倾斜的灯柱
无人的寂静,连接起更加寂静的宇宙
谷仓,眼泪,和不可能的爱

2019 年 12 月 21 日午夜

追 问

如果你置身完全的寂静
没有任何声音,哪怕是你自己的心跳
哪怕是你的自言自语,也都没有一点回声
哪怕你的指甲抠着墙壁断裂
你还会这样说话,仿佛有一大群隐形的听众
并且感到犯罪一般的快乐吗

如果你置身牢房,迷宫,狭长的坟墓
没有看守,也没有公牛的喘息
没有干燥的骨头,没有为美而死的邻居
更没有和你并排而卧戴花环的金色长发
你还会像追逐矿脉的鼹鼠一样
拧亮头顶盲目的灯吗

如果你置身广大无边灯火辉煌的图书馆
只有你一个人走在整齐无尽的书架之间
翻开的却总是同一本书的同一页
同一句冷酷至极的话语——你并不存在
这本巨大的黑皮书没有书名也没有作者
你还会这样写诗吗,仿佛总能写出一个词语
终结这绝望的永生和永生的绝望吗

2019 年 12 月 22 日凌晨

要学会像死了一样活着

如果像一个亡灵悄悄回到人世
你就能明白,你再也回不来了
人的爱都是有条件的,没有人纪念你
你成了一个无法发音的词
一个大家心照不宣闭口不提的名字

人们照样活着,一切正常

太阳照样升起在时代的广场上空
霞光像逐渐被冲洗掉的血迹
有人照样正步走过，目不斜视
广场边缘的婴儿车推着空坟墓继续游行

你观察着以前你溜达过的街道
观察着你那少得可怜的亲友
你曾经坚信你们之间有前定的缘分
现在你明白了，那只是迷信
一切都松弛了，断裂了，似乎从未有过

那些曾经的欢呼和眼泪，荒宴醉酒
郊外野餐，深夜小酒馆里昏暗的热烈
那些牵挂，爱的啜泣，责任和誓言
那些忠诚的赤裸打开的书，裸体的酒精
再次把你杀死，像面包里掰开的种子

于是，凝视成了你唯一可能的工作
一片突然旋转起来的枯叶
从树下走过的光头，两种运动的遇合
你那生活排干的池塘，露出干裂的泥地
那里什么都没有，只有一只老蛤蟆
坐在自己的一小片潮湿中生着闷气

2019 年 12 月 23 日凌晨一点

平安夜的散点透视

有赞美耶稣诞生,平安才临到世界的

有给一岁的儿子听爷爷朗读翻译诗的

有说今天是西方的平安夜,咱不过洋节的

有哭着哭着就笑了,笑着笑着就哭了的

有看到自己朋友圈全是平安夜祝福

　　想到有些人会气死而非常开心的

有用蒙古长调祝福好人一生平安的

有感叹平安夜也同样是夜的

有喝不动了待在家里听歌的

有约兄弟不约女士去听莫扎特的

有窝在地下室想起某一年的今天朋友聚会炉火很

　　旺的

有修订旧译阿什贝利诗歌自己又写一首的

有用十字架把手心划开看灯火外的紫杉树的

有烧地图的,烧纸的,烧钱的,吃萝卜烧心的

有嘲笑耶稣自己都被钉死了怎么能救别人的

有歌颂有军人警察的日子每天都是平安夜的

有坐飞机去别的地方喝酒怎么也喝不醉的

有看大楼里圣诞树挂的红包到底有钱没有的

有判了一天卷子头昏眼花

老狗一样歪那里盯着灯发呆的

有非要在今晚之前决定玫瑰去向的

有号召抵制洋节挺住中国文化主体性的

有颁奖的,有晒老婆手艺不晒老婆照片的
有寻求平安的,有心怀不安躺下的
有办画展的,写平安词的,有对节日没感觉
只对雨有感觉的因为雨就是回忆
有对雪有感觉的因为雪也是回忆
有对风有感觉的因为风能最快回到过去
有对房盖上的霜有感觉的因为屋里很暖和
有雾霾大不出门猫在平安大道旅馆里读小说的
有佛徒号召持守圣诞精神的
有独自过节把雨归为无法定义的孤独的
有小声坚持爱才是"普世价值"的
有为冰天雪地的欢乐谷温泉做广告的
有卖假药的,有一个人往黑地里乱走的
有在雪地里转圈看星星转晕乎的
有怎么也想不起来去年今天咋过的
有把朋友圈信息拼凑成一首散点透视的诗的
有读到这首诗开心的,有生气的
有没啥感觉的,有无论看不看都点赞的
最后有用"我"这个词语冒充自己
向所有人无论好坏祝福平安夜平安的

2019 年 12 月 24 日晚十点半

演员拉撒路

诗只是表达关于诗的困惑

生活也只是争取生活而已
它的开始和结束都不由你做主
你就像一个跑龙套的演员
因为很多年一直是同一台戏
别人的台词你也差不多记熟了

有一天主角缺席,你还在探头探脑
从大幕边张望黑洞洞的观众席
打算看看热闹,看这出戏如何开场
甚至带着一种幸灾乐祸的心情
就被导演一脚从幕后踢进前台
被圆形光圈罩住,像是要被吸到空中

你就那样尴尬地开始了,努力站稳
你居然越来越流利了,居然忘记了
自己本来是个没有台词的陪衬
真正的主角就坐在观众当中
你眼睛发黑,根本看不清台下
那些脸只是冰冷黑洞里一团团的白光

你自顾自地演下去,半机械地
重复一些你并没有深思过的话语
如果没有喝彩声响起
你还会演下去,周而复始
你期待着喝彩声,哪怕是嘘声

可是没人救你,也没人说话

天鹅也无法把自己从美中救出来
那些台词从外面进入你的嘴
那些动作和姿势进入你的身体和四肢
你终于有了名字,拉撒路
你终于可以活着了,用别人的悲喜

2019 年 12 月 25 日

奇　迹

午夜一过,雨就停了
远处,一辆摩托车突然发动
一条软皮水管像毒蛇
吐出最后的叹息,瘪了下去
总有些不是奇迹的奇迹发生

一个女人在墙壁后面的墙壁后面
喊叫一个听不清的名字
她的声音像英国圆号一样弯曲了

深海里的水流拂动我绿色的头发
我躺在一闪一闪的贝壳当中
有人抱着石头向我潜来

2019 年 12 月 26 日凌晨

从蹒跚到蹒跚

玉堂先生会走路了
一拐一拐地像个小地主
走着走着他就会快起来
直到嬉笑着一头撞进一双稳妥的手

我走路也开始一拐一拐的了
我不是老了，只是有点走累了
我不会跌跌撞撞越走越快
但我知道，前边也有一双稳妥的手
在张开等着我

2019 年 12 月 27 日

151

车过徐州

冬天褐色的田野，间杂着绿色的地块
土坟和坟里长出的小树，突显出来
有人还在那里活着，羞怯地呼吸着
高铁在细节和抽象之间漂浮
像一个既在里面又在外面的批评家

车过徐州，才忽然想起还没有去过
那里有一个画画的老朋友，1999 年，在北京
她陪我去租民房，送我军被和自行车
她画老虎和蝴蝶，蝴蝶大得和磨盘一样
老虎都很小，不同的寂静把它们隔开

后来，那批画被策展人私吞
永远消失了，她再也画不出来了
那以后也再没有她的消息，只知道
她后来到了徐州，改画牡丹
尺度正常，颜色发暗
我们又有了联系，我曾说她"完了"

1999 年，我们还年轻，渴望着郊区
她想揭开一个黑乎乎的锅盖

犹豫中找我商量，我激烈反对
她没怎么说话，一直用脚抠路边的土
我们就那么站在北京的春风里
风吹乱发，那时她很美，来自我出生的地方

2020 年 1 月 7 日回冰城高铁上

近乡情怯有感

别的人如离弦之箭，一去不返
把种子和泪水都撒在别的土地
我却是一把飞去来器
真是尴尬，打倒的只是我自己

啊，这里的悲喜由谁来支配
又有谁能闭上烟雾弥漫的嘴
就如同你的姿色渐衰，不再艳光逼人
这弯把的东西才有了颤抖的信心

2020 年 1 月 7 日高铁上

他们活着时就已经

他们活着时就已不再交换词语
就像把抚平的整钱换成零钱

153

他们像或闪光或花纹暗淡的硬币
躺在各自的小盒子里,不发一言
不知道对方是否活着

那曾经一同面对的风景或风暴
已变成墙壁上越来越小的画片
即便用放大镜,也再看不清
那按着帽子在泥泞小路上疾走的
到底是自己的过去,还是别人的未来

热情冷却得多么快,像到港的船
卸下的都是云彩,这船没有桅杆
没有风帆,它从无名的海底爰然升起
把彩绘的破浪神擎上天空

2020 年 1 月 9 日

凝　视

凸出的落地窗上黝黑的雕花铁艺
树篱上产卵的雪,和雪地的非欧几何学
黄色公交车缓慢驶过时车顶的雪
政府红灯笼上的雪,和冻硬的垃圾上的雪

他缩在东窗下开裂的皮沙发上
长久地凝视着外面,外面有运动和声音

外面的事物，和他的凝视
构成了一种近乎永恒的同谋关系

他在慢慢地消失，从双脚向上逐渐消失
像是卷起一个卷轴
最后只剩下了眼睛，只剩下了凝视

如果没有任何不透明的东西挡住这凝视
世界，就会随着他一同消失

2020 年 1 月 19 日

关于死亡、写作与救赎的
漫长而散漫的沉思

1

既无法像生活一样生活
又无法像死亡一样死亡

死亡本身不可认知
每个人都只能死自己的死
当可用来认识死亡的意识尚存
死亡尚未成为事实
当死亡降临，与濒死者合一
当死亡真正发生，那个时刻

意识丧失,不再可以明白
到底发生了什么

死者并不能真正明白自己的死
死亡是芝诺悖论
它不是一件现成品可供观察认知
时刻未到,死亡不存在
时刻一到,生命不存在
客体和主体无法同时存在

死亡由于主客体合一而不可认知
但可以体验,只是体验者
无法将这经验感觉向别人传达
唯有可出生入死又出死入生者
才知死亡真相,这样的人实乃神之本身
历史上唯有一个

在一个习惯迅速遗忘死者
掩盖死亡的文化中
沉思至亲者的死亡
深化对生命意义的认识
及其连带的东西
这是促使生者转折的契机
借此强化信念
不因身体之重浊
与灵魂之轻灵的二元性
而丧失信心

一个人的死揭开了其伦理情境的复杂性
使得生者无处可逃
死者与生者们的关系
不但没有消失，反而得以强化
或是变得清晰起来
并使生者有机会提前看到自己的死亡
及其如风吹、叶落或露滴时蛛网的震颤

死亡从混沌不明的生存中
将生者暂时提升起来
如同秋千荡到最高点时获得超越性视野
同时，又因为与死者
共在之伦理情境的复杂性和在地性
而保持死亡本身的内在性

正是死亡将日常处于分裂状态的
超越性和内在性统一起来
并赋予一个新的同音异义的名字
是死者拯救了生者
死者将时时以这种方式
继续帮助生者

2

午夜的活动与声音
让你长久地痴迷
这没有意义，但非常有趣

它们和你无关
它们一点点填充你空洞的存在
它们终究和你有关
对这种关系的痴迷
暂时让你忘记了它们
也忘记了自己
除了上面这些词语

静止,凝视,这些词语
也都是死亡零落的面具

为人生的艺术和为艺术的艺术
终归都是为了人生
更确切地说是为了生命本身
只不过有的是点缀,有的是本质
作为点缀,自然轻松愉快
但作为探索生命秘密的途径
却是艰难无比,充满痛苦
但其中自有回报,深刻的狂喜
总胜过轻浮的快乐

诗帮助我们生活
更丰富更纯粹
但这只是诗的附带效应

生活,如果没有超出生活之上
和之外的东西,就不是生活

人性和诗,同样如此

一首诗中诗的成分就那么一点
就和一个病毒用培养液包裹着一样
一首诗如果所有的部分都是诗
那就是一场灾难,病毒泛滥了

只有意义的诗到最后会没意义
只有意思的诗一开始就没意思
有意义又有意思的诗,最好不要写出来

不存在比存在重要
不存在的比存在的重要
没有写出来的比写出来的重要

如果有一天你发现
不写诗也能活着
而且活得还挺好
那你离死也就快了

活着当然不是为了写作
活着是为了涤罪
但写作能帮助你活下去
它贡献于涤罪这个终极目标

肉体是灵魂的一个方面
而非灵魂是肉体的一个功能

把诗作为生活的核心
以为就能让生活最简化
可是事情恰恰相反,譬如
雨后池塘里的水浑了
继续靠着树躺着,不用揭开帽子看
你就知道,牲口们自己从坡上下来了
你开始数它们黄昏的蹄子

诗之于人生,就像去办事的路上
为景色所迷,流连中忘了
自己到底要去干什么了

无论自己处于什么位置
也永远选择站在被剥夺者的一边

一个从事创造性劳动的人
无论他怎样伟大
也难以像浮士德那样说
自己在地上的工作是完美的
人生和创造都是一门遗憾的艺术
但在上帝眼中,你的工作已经完成

3

冬天适合读经
严酷的冬天象征着死亡与崇高
逼迫你去面对生命的真相

它减掉了所有繁荣
露出孤零零刺眼的本质
繁荣往往是掩盖真相荆棘的富丽花朵
它改变不了本质，反倒让人迷失
把表象当成本质

所有不是和自己或上帝
在一起的日子，都是背叛
千万不要向着世界，要背对世界
世上的欢乐不过是堕落者
在罪性的淤泥里打滚而已

犯人如何在牢不可破的监牢中自救
救赎之力一定是在监牢之外
人生就是个牢狱
拯救之力不在人生之内
而在之外，它高于人生
想从人生本身获救的种种努力和学说
无异于囚犯想在无法逃脱的监牢里自救
拯救只能来自他者
来自人之上的力量

撒母耳是第一个幽灵，你是第几个呢
拉撒路后来去了哪里

乌鸦就是献给上帝的手套
它用拉丁语叫着"明天啊明天"

羞辱是一种无形资产
具有活塞不屈不挠的力量

悲哀在于
每个人都以为看透了
自己的邻居或同行

我是不死的,尽管我在衰老
我的骨头日渐干燥
我的力气日渐衰弱
我的眼神日渐昏暗
可我知道我是不死的
因为我不仅仅是我
我也是一座三只脚的香炉
顽童们也不能摇撼
那里面有你馨香的形象安然居住

赴羔羊的婚宴吧
不要去剪羊毛宴会上
和那些偷偷摸摸的贼
拥挤在一起争夺席位
现在,斧子已经放在世界之根上了

写作是与世界建立和保持关联的
一个必要手段,它近乎还债
而经常阻止写作的力量同样来自世界
有些人有些事妨碍你写作

必须把他们从"你的世界"中移走
通过这个清理过程认识到
他们在把你清除出世界

如果写作是为了认识上帝和爱上帝
它就是纯洁的
如果是为了爱世界
那就相当无聊而且危险了

因此,不写作比写作要难得多

有人成了别人的问题
成为自己的问题更环保些

有人在你的生活中
你却不在他的生活中

有人从我这里开始
却在别人那里结束

2020 年 1 月 1 日至 2020 年 1 月 31 日

细 雪

正午时分,突然有细雪落下
就像海中大群的鳞状浮游生物

垂直筛下高楼侧面,撒向空气无形的斜坡
中途又斜斜而下,涡流般卷起

时聚时散,无论采取何种运动
都始终保持着一种整体的闪耀
零星脱队的雪晶慌乱地各自逃窜
仿佛一股无形的力量在追逐着它们

偶尔有一小群大雪花夹杂其中
屋顶上的雪依然静止不动
显出参差断层,雪的沙丘顶端在加高
阴影逐渐陡峭,出现鸟的爪印

阳光明亮而静止,细雪还在落下
上升,不知消失在何处
成千上万的窗户用幽暗对准它
突然,一小片鸽子的翅膀迅疾掠过

2020 年 2 月 7 日

玉堂先生要睡觉了

玉堂先生每天晚上临睡之前
都要被奶奶抱着挨个屋巡视
他必须确定每个人都在才能安心

每个屋都没有坏人
爷爷勉强就算是个坏人吧
摸摸吧,脸上黑暗的轮廓

每个屋的黑暗都静止不动

他不甘心一天就这样结束了
他不甘心玩了一遍又一遍的
捉迷藏和老鹰捉小鸡
就这样结束了

每个人都在,围着他
拦住一个看不见的人

多么悲哀,我们
渐渐成了
那每个屋里静止沉默的黑暗
他把我们关上,像关上一盏盏灯

2020 年 1 月 31 日

你能知道什么

午夜已过,你如白矮星独坐
打量墙上一排排颜色各异的书脊
有的还来不及翻开

有的看过又忘了，像忘记的老朋友

你一次次翻开的往往是读了很多遍的旧书

它们都沉默了，就像还都活着

但已不再交换一点消息的朋友

你能拥有它们的时间越来越少了

星空在外面存在着

树在黑暗中工作，将冥河之水向星空输送

你听到血液之鸟在太阳穴筑巢的声音

你听到指甲互相抠出的声音

关于事物的奥秘，你能知道什么

2020 年 3 月 6 日

春日速写

1

你一边走一边低头看着

水杉撒落在路边的棕色头发

突然，一只文身的斑鸠

在你前面，横飞过路的另一侧

你继续走着，它就一次又一次

在你前面反复横飞过路的另一侧

这条路你永远也走不完了

2

一片梧桐的黄叶在慢慢飘落
斜着落向越冬的暗绿色灌木（它们长高了）
屋顶上空，另一片黄叶在快速扇动
努力升高，升高，三月阳光，一只大蝴蝶
天空灰色滑冰场上一个趔趄的新手

3

大哥留下的一个"营养快线"瓶子
装满了盐，瓶子外面有点脏
细盐凝固在一起，我把这罗得之妻的盐柱
用力摇动，炖土豆发出浓厚的热气
我从瓶子里倒盐，用力摇动
流沙裹着硬块泻下，我尝出了尸灰的苦涩

4

上午，窗外白亮的铁制晾衣竿上的灰
阳光，水彩的云，一只大苍蝇造访
在紧闭的窗玻璃上碰撞，停在窗台上
搓手，仿佛一个大诗人无奈地面对
小诗人的杰作，或是他自己的坏诗
搓着细长的手指，钢蓝色的大肚子
一鼓一鼓地呼吸

5

两个旧风铃挂在窗户外头
两个婴儿拳头大的木屋下边
悬垂着四根无名指粗细的银色中空铁管
隔着玻璃也能听到叮当声
夜里,它们也会轻轻响起
那是眨着满身繁星的巨人,撒下金毛羊
玩心大盛,用嘴把它们忽忽吹响

6

今天有一只小小的白蝴蝶造访
它对百叶窗同样的白色叶片
发生了短暂兴趣,它的翅膀
还没有把皱褶完全展开,或是残缺了
它显然对玻璃后面这个伪装成花的花白头颅
及其里面过期花粉般的思想没什么兴趣
它飞走了,沾走一点看不见的灰尘
它一定是乘着春天的气流越过大洋而来

7

一个砖墙围成的不大的庭院
一排白色泡沫箱子里整齐的韭菜
两块小菜地上善良的蔬菜安安静静

没有人的活动，一只篮子大的玩具挖掘机
黄色的车身，红色的挖斗，周围散落着
五只东倒西歪的拳头大的小汽车
像小鸡雏。纱门开了一半，挂着灰
一下午的静止，到傍晚
仍不见儿童的身影，只见晾出的
好多件蓝工装似的沉重棉衣

8

傍晚，庭院一角水泥围成的一小块地
一个男人挽起袖子，用铁锹扒拉干燥的
梧桐叶子，他一直干着，嚓嚓声传得很远
他小心地放过了边上越冬的绿草
我远远地羡慕着他简单的乐趣
我还记得童年院子里母亲种的菜
弯着倔强的脖子把干土顶裂开的豆芽
豆瓣裂开两半，像被劈开的脑袋
小指甲大的萝卜苗，刚浇过的泥土的深黑色

9

一只猫在院子一角新开的小菜地上视察
在新鲜的褐色土块中间寻找着什么
菜地中央一个新挖的洞
铁锹一面黝黑一面闪亮，还抛在旁边
一棵树，也许是花，还没有把它填满

猫没有找到什么,种子,玻璃珠子
露湿的羽毛,可以把玩的带斑点的碎蛋壳
于是它坐下来,嗅了嗅那个洞
对着旁边多出的不成形状的小土堆生气
像气功大师一样,风掀动它背上的白毛
它在等待那个洞被夜晚加深

10

积雪消融后露出的枯黄草坡
积雪的地盘越来越小,零散的根据地
草坡那边石头滚下山的声音
一个老人躺在草坡上,发如积雪
他闭着眼睛,草坡还不存在之前
他就躺在那里了,他比雪还要古老
积雪消融,风的透明的斜坡上
草籽和气流在浮动,老人消失了
草坡上只有一片清澈发黑的水潭

窗外的树

它们什么都不告诉我,这些窗外的梧桐
还在慢慢长高,或是早已停止了生长
年复一年,它们以绿色充满我的窗口
但我最喜欢少许黄叶和众多球果
一簇簇悬垂的季节,喜鹊和乌鸦

栖落时它们父亲般平静的喜悦
偶尔有白蝴蝶和斑鸠停留
那更是格外的恩典,我长时间的凝视
蒸馏出一个隐秘又开敞的空间
将光影和枝条统一于咖啡残渣的褐色
它们何时发出嫩叶,何时球果炸裂
都严格遵循着星辰的轨道
夜里它们更静了,它们什么都不告诉我
只是以不怕重复的交叉的线条
从天空中生长出递归的形式

写下这首诗的并不是我

写下这首诗的并不是我
不是我的手,神经,眼睛,大脑和肌肉
而是宇宙间的一切,星云和星云的毁灭
是吸附在暗沉沉铜钟难解的花纹上
随钟声震荡的新生的白蝴蝶
是殉道者一样静止的晾出的旧衣服
是政府和战争,无论好的还是坏的
是尚未存在的记忆和已成过去的期望
是红色嫩枝不断分蘖的当下感觉
海上漂浮的发光的房间,温暖的洋流
最先腐烂的心灵释放出的褐色小飞蛾
那半生命半物质的翅膀折叠在身体里的东西
是聚在一起取暖的湿漉漉的稻草融雪的黑

无尽长廊中擦去重画的肖像,全副武装的读者

河边淤泥懒洋洋的鳄鱼嘴角啄吃苍蝇的翠鸟

向坟墓中窥视的年轻的太阳勇士

是把我从湖边赶走的柯勒律治和梭罗

是因为被写在这首诗里而不断增强的化学试剂般的

　　春风

2020 年 3 月 8 日

囚

你被囚禁在时间中,空间中,身体中

囚禁在人生中(哪怕只有这一次!)

万物的洪流淹没你,它们互相定义

彼此的边界,它们彼此挤压,扭曲和切割

它们是你自由的条件,你将成为一个

不被拯救的不规则的形状,虚线围成的国家

还有那些思想,不知来自何处

每一个都紧紧牵着前面一个的裙子

被蒙上了眼睛,最前面的向导却是个瞎子

落在思想和行动之间的是你自己的剪影

去除了枝叶,绑上了破烂的布条

带着巴比伦妇人油腻手指的味道

如何摆脱这一切?物的不可入的表面之下

孕育小蝇子的繁忙的热度

每一本书里满满一棺材的暴民

哪一页书才是书的本质

部分触发一个整体,这个整体的部分

又触发一个新的整体,无穷无尽的晕眩

这种处境的无法理解比其本身更令人苦恼

或许把这些书看完你才能活着

或者永远活着,在古老的波浪中驶向

新生的暗礁,船难般的尊严

那确定性的礁石旁围绕着不定的碎片和泡沫

而星空滴落在遮雨篷上的声响

清晰缓慢坚定,那无形的巨大眼睑正在关闭

在深夜,最应该回避的就是这时间本身

2020 年 3 月 9 日

倾　听

深夜里总有些声音突然响起

不知来处,把我孤零零的小屋包围

我放下书,倾听着它们

深夜寂静,市声和人语已经消歇

但总有些声音,似怒涛

从深不可测的海底,裹挟着无数碎片

一次次越过沙洲,越过人类的边岸

灯焰忽地大放光明,又静止

我倾听着,试图理解这些声音

但我始终无法破译

这春风中古老浩荡的腐朽
这声音似乎无人在意
又似乎在我之前,有无数的人
相继放下各种材质的书卷,倾听
并把他们自己的叹息和生命的碎片
加入这千种混合的声响
于是我继续倾听,直到我的小屋
孤零零漂浮在黑暗的海上

2020 年 3 月 11 日

田野里的庄稼捆

一排排圆筒状的庄稼捆整齐地
躺在留茬地里,落满了雪
像是军队撤退时来不及带走的行李卷
或许它们本就是卷起来的一块块田野
远远地分不清是玉米、稻捆还是黄豆
很密实,劳动的热量还压缩在里边
它们似乎几个冬天都留在那里,构成风景
老鼠可以钻进钻出,鸟也可以暂时避风
知道它们不会突然滚动和燃烧起来
它们对此没有太多的期待
不像第一次看见这些的我那样猜想
秋天的繁忙,干草的吱嘎声,车辙
乱蹦的蚂蚱,阳光,榨汁机缓慢的夜

都还储存在它们内部，看不见的变化

在日出之东和日落之西不停地运行

对于那些依赖于它们的东西

它们会永远存在，像几个冬天的雪

笼罩四野的灰蒙蒙的光，在它们

变成别的星星之前，许多事物都会消失

包括旅途中的我，无法预知

它们春天时会在哪里，它们始终远远的

它们落雪的静，听不见的引信的燃烧

2020 年 3 月 15 日

黎明前的瞬间

在彻夜奔驰的黎明的火车上醒来

灰白的晨光在水汽迷蒙的车窗

投下雪地起伏的轮廓

在暖气微弱的木头座椅的车厢中

回忆，像小偷袖口里探出的颤巍巍的铁丝

这北方大地如脱落的冰川展开

这车厢连接部手风琴的皱褶

泄漏的苦涩的空气

他年轻的身体疼痛而纯洁

他不知道自己要去往哪里

2020 年 3 月 17 日

后　院

下午有一段时间是静止的
它有了重量,依次呈现为
有缺口的草筏子垒起的矮墙
墙边单薄的向日葵,雨水腐烂的小棚子
晒裂的木头车轮,草深得可以藏起眼睛

他坐在深草里,草叶边缘的锯齿清晰可见
草窠里的热,蚂蚁搓出的精细泥粒
淡绿色未成年的小蚂蚱
像行星随着他的目光的压迫
绕着草茎转动,绿豆蝇莽撞的嗡嗡声
草尖上,后窗外沙果树斑驳的阴影

屋子是空的,亲人们都出去借东西了
下午,他就坐在深草里
蓝天像风筝斜挂在杨树梢上
他不会停止他的探索
屋顶上的道路闪着白光
暮色让草丛更深了
他把自己藏在谁也抵达不了的后院
一屋子亲人的剪影在昏黄的后窗上跳动

2020 年 3 月 19 日

割草机响了一夜

割草机响了一夜
春天依然很静，在自身中直立

到处都是嫩绿的口号
一个人在绿色平面上游得太远了
他挥动的手臂越来越沉重

他渐渐看不清了
割草机的声音也随他远了
仿佛在追赶一只刚刚结束冬眠的蛤蟆

2020 年 4 月 7 日

孤独的园丁

一个已经有点破败的山庄
一个和我一样年纪的园丁
黄昏正在从山中蔓延过来
他在孤独地劳作
拉动黑皮蛇一般的水管
把花草和树篱浇灌

他前进的速度并不很快
似乎他并不急于把工作做完
这个山脚下的庞大山庄
已没有了昔日的繁华与儿童的嬉戏
只有一些老人忽隐忽现

他有时停下,任水管嘟嘟地抱怨
从蓝上衣的口袋里掏出一支口琴
呜呜咽咽地吹起来
曲调分不清是悲是喜
是在回忆一场遥远的战斗
还是在倾诉某种自然的丧失

偶尔有看不见的鸟儿在应和
他也不在意我放慢的脚步
他沉浸在劳作间歇的欢愉里
似乎这曲调永不会终止
似乎这才是他所需要的东西

隔着浓密起来的树丛,我依然听到
那简短的不断重复的曲调
从单调漫长的劳作中涌出
像一股透明的水流浇灌我的心田
当我此刻想起,那已是去年秋天的时候了

2020 年 4 月 13 日

178

深夜的拍翅声

那抖动纸张的声音一再响起
起初我以为是枝头的鸟
在睡梦中调转了方向
笨拙地扑打翅膀调整平衡
我倾听着,那声音来自黑暗的地表
树后,草丛,纠结的灌木和树篱
仿佛一只陷入罗网的鸟在挣扎
那纤细而锋利的网线随着它的挣扎
越来越深地割入它的翅膀根里
甚至连一声哀鸣也无力发出
我倾听着,仿佛我这一生
也是在一种无形的力量中挣扎,挣扎

2020 年 6 月 8 日

海滨旅馆

他们整夜像海底吃草的马
头顶着灯,一匹红,一匹白,打着响鼻
黎明他们在各自的床上醒来
海倾泻在他们的身体上
雕刻多沟槽的礁石

179

她要回到海的另一边
她没有像多年前的那个年轻女人那样
捧起他浪花中的脸
她在窗边停下,机械地整理衣裙

歪扭的被盐粒劈裂的木窗一角
摇晃着一束白色的野花,放大
像多年前的自己从遥远的海角归来

2020 年 7 月 8 日

午夜的神秘

楼下突然传来一声高喊:
去你妈的,我和你没关系
两个光膀子的胖大汉
从一家小店里出来
然后又出来一个女的
和三四个男的
有人拿餐巾纸一直在擦
那喊叫的大汉的肚子
他们时聚时散,小声说着什么
街上已经没有了行人
今晚有人丢了面子
有些看不见的东西改变了位置
没有人再高喊了

过了一会儿,树丛便遮住了他们

午夜保持着无聊和神秘

2020 年 7 月 28 日

突然想起一个或
有诗意的片段

九十年代初,在中央大街附近

一条不知名的横街上,我和两个

同样穷愁潦倒的诗友喝酒

那天我们没有谈诗,只是闷头喝酒

邻桌有四个挺精神的小伙

也在喝酒,他们是黑大学生

马上就要毕业了,四人中为首的一个

始终在叹气,另三个便对他说:

你多好啊,毕业了还能继续写诗

听到这里,我们这几个已不年轻的诗人

酒杯停了片刻,他们干杯结束了

这个话题。我们也不再说话

并迅速离开了酒馆。如今他们在哪里

那春天黑色的轰鸣瞬间便淹没了一切

2020 年 8 月 11 日

归宁前写一首陈旧的诗

总得一个人踏上这孤独的旅程

这条单向街,随着你走过

一切便自瓦解,消失在身后的深渊

你回头也是枉然,你什么都留不住

刚刚还欢声笑语,转眼一片寂静

路上只有你一个人的脚步声

这路只为你一个人准备

没有同行者,你面前展开的

只有陌生的未来,像来自远处

山谷的雾气,飘过,迅速消散

你来不及看清雾中的光影

一切便成了透明的过去

一路陪伴你的只有你自己的灵魂

这个沉默的旅伴赤裸无助

越来越淡薄的记忆

和时有时无的勇气

是你仅有的装备

而这条路通向哪里,无人知晓

2020 年 9 月 24 日晨

原　则

你要写剜心后虚无的感觉

你要写活过无数次

又时时感觉没有活过的感觉

你要写与事物脱节的感觉

意念与意念错位的感觉

已有之事后必再有的感觉

最为重要的是，与此同时

把自己当作亡灵

并因旷日持久而再也不能返回人世

2020 年 10 月 15 日晨

倾　听

什么都没有，静的夜

某种不安，镶嵌在红砖烟囱里

不时嘶叫的马，什么事都没有发生

血液，呼吸，心跳，想到此刻

有人不知正在经历着什么

因为人的退场而倍加寂寞的物

椅子像一个受审的人独自面对

无形的陪审团，宇宙看不见的屋顶

梧桐树叶失去水分卷曲的脆响

火车消失在隧道之前

在黑暗中挥舞告别的白手绢

你想不起来任何人了

你在远方倾听着,这里,那里

冰河的细碎缓慢的脚步

2020 年 10 月 15 日凌晨

十一月的蝴蝶

十一月的蝴蝶

飞过斑斓的梧桐

洁白如雪

飘摇在海上

十一月的蝴蝶

没有悲喜

它只是在享受飞翔

把整个夏天的花园带在身上

十一月的蝴蝶

但愿我的灵魂

也像你一样

没有悲喜,洁白,轻盈

2020 年 11 月 16 日

闻旧友小蝉辞世有感

很多年没有见面了
再有消息,便是永别
很多旧友,也都会是如此
搁置的时间,怎能让环球同此凉热
曾经温馨的过往,不过是片段的回忆

你走了,无儿无女,不欠这世界分毫
你走时孤身一人,很多人也是如此
生命不在我们手中,谁也不知道
夤夜的不速之客携带的信息

活着时,对生活和诗歌已不存指望
这一点我俩并无不同
在这个权力虚构的世界
我们活得未免太过认真

如今秋凉,却不觉得寒凉了
这个季节的疏朗正适合把一切看清
也看清自己,用尽了力气活着
不过活成了最不喜欢的那个自己

2020 年 11 月 18 日闻诗友王小蝉于昨日辞世

过百步坡

一个地名而已,却莫名地吸引我
两次走过,坡上都是老旧的房改房
一个老人在地下室一般的采光井里
写书法,耐心地弯着腰,我两次看见他

这里什么都没有,拉萨路小学
台子上一男一女两个学生笔直站着
一动不动,一只手举在额角
雨洼在天蓝色操场上闪闪发光
雨后的树木也在闪着乌黑的光

过了坡就是峨嵋岭,一条蜈蚣般的窄道
这里不是十字坡,没有酒旗飘飘
没有叉腰踩着凳子的孙二娘
更没有行者和官军,什么都没有
只有我慢慢走着,慢慢消失在一个时代

2020 年 11 月 20 日

灾年为孙儿玉堂的祈祷

并非不幸,你在灾难中成长

虽然你还不知道发生了什么
你安睡，游戏，哭泣
像红雀在树叶间跳跃一样自然
那不知来处的阴影
并不能遮盖全部的天空

愿这灾年中的孩子拥有一颗战士的心
灵魂之美并非天赐
而是需要艰辛的劳作才能完成
需要凝注于最高的仁爱
不为幻梦的昏暗森林所迷
愿你如鸽子一般柔顺，蛇一般灵活
因为我们的血脉不缺乏刚正

愿你植根于永恒的磐石
击打群山的风暴也不能让你失色动摇
光荣与耻辱都不能
如大海残酷的天真那般持久
投以淡淡的一瞥，马头高昂
它们无法迟滞你闪亮的脚步

愿你有耐心承受那些终将消逝的事物
并且有能力以同情的理解品尝
它们并非没有意义的甘美
愿你享受每一个片刻的当下，无论苦乐
既然那恩典已在永恒中就赐给了我们

我曾赞赏的那些美和思想

已如屋顶的寒霜消散

我的心灵如今只渴望在如云的山谷安歇

如今除了你,我既无仇恨也无爱恋

等你到了同样的年纪

你就知道这并非不幸

啊,等你到了同样的年纪,我的孩子

我的这些话将是从已逝者的行列发出

我也愿意提前以这样的姿态和你说话

我们在人间重叠的年月尽管有限

却让我心存感恩,因为你

我对这尘世的一切才有了些许的耐心

万物向我汇聚,即便我孤身一人

愿我能够向你的未来学习衰老

在无心的嬉戏中把光影拨弄

生命原本是白云出岫、枝叶萌发

愿我们能从这岁月的敌意中提取它的实质

并报以歌唱、声息和赞美

在我这双膝磨损的祭坛上

让你像黎明的波浪一次次冲撞着涌来

并能在持续的纯真中告诉自己

我们经受住了人类的丧失和考验

2020 年 11 月 28 日

十一月最后的闪光

十一月,梧桐树的叶子
在阳光中集体静止着
更多的已被运往城外的山谷

天空中水彩的云也是静止的

还没有被风翻开的
最后的几个角落,乌鸫和白头翁
缩紧了身体,迟钝的虹鳟
在缓慢下来的流水中打盹

山谷之外的平原一片炫目的闪光
树木漆黑的剪影中
依然在继续萌发鲜绿的幼枝

这里还有谁留下
收音机独自响着
无名的歌曲中远方闪光
栅栏边的木柴黝黑潮湿

白纸上,花籽像细小的眼睛
围观几行冷酷的诗句

2020 年 11 月 30 日

突然的一阵琴声

初冬灰色的下午,一条偏僻的
灰色小巷,在两面白墙的胁迫下
我走着,走着,这里什么都没有
似乎我已经走了很久很久
也早已忘记了来到此地的原因

这倦怠的旅途,除了机械行走的腿脚
我的其他部分都在空气中渐渐消失
也许到最后,只剩下一双开裂的靴子
还在固执地挪动。而突然,一阵水声
略带犹豫,而又欢快地响起

那是一阵不知来处的钢琴声
仿佛一匹小马将她柔软的蹄腕
试探地伸向初春解冻的河水
在半空中犹豫,而那发黑的水流
卷着残雪,打着旋,泛起一阵泡沫

这小马胆怯又兴奋地尝试着
像一个逃学的少女,要渡过河去
琴声就这样持续着,有些生涩
像是那柔软的蹄腕,轻轻踏碎了薄冰
我放慢脚步,茫然四顾

仿佛一匹老马陷入松软起来的河畔

这琴声多半是一位少女的练习
在她单调的午后，用发白的指节
随意弹奏出的音符，可在这人生的中途
却让我的心魂猛醒，于是我继续前行
再也不去思虑我来到此地的原因

2020 年 12 月 9 日

一只眼睛

童年的下午，每当我一个人看家的时候
透过平房的窗户，总是有一只巨大的眼睛
几乎有仓房那么大，不知何时浮现在院子里
那眼睛看着我，又似乎没有看着我
那眼睛里没有表情，也没有年龄

我趴在坑坑凹凹的木头窗台上
支起双肘，长久地注视着它
它从不眨动，只是清晰地浮在空气中
我没有恐惧，只有一点好奇
有时我回到玩具当中，想忘记它的存在
而它的消失和出现一样难以确定

它似乎想提示我一件什么事情

又似乎不是，望得久了，屋顶上的远山
雾岚静止，杨树叶和麻雀也悄无声息
我就感觉它似乎要我随它出去
离开家，到一个没有人认识我的地方

下午就这样过去，家人的脚步
陆续响起，一切又恢复了正常
许多年，它再也没有出现
直到今天，当我开始写下这首诗
我突然又望见了那座小院，那个孩子
原来，那是我现在的眼睛
想要向他提示，这莫名悲喜的未来

2020 年 12 月 9 日

你看见熟悉的死者

你看见一个熟悉的死者
在拥挤的地铁上，穿着红衣服
沉重地坐着，微微欠身
似乎为挤到邻座而有些歉意
你透过杂乱的肢体看见他
你们的目光接触，又移开
仿佛彼此看见的是陌生人
你看到他有时低头沉思
露出某种习惯性的厌倦

你好奇他要去哪里

这地铁似乎在驶向永恒的休息

或者一条更深的河流

车厢中忽明忽暗

发出漏气的声音

你知道那就是他

你知道他在伪装

瞧,他又在悄悄看你

又迅速转移开目光

装作并没有认出你来

2020 年 12 月 15 日

想起永平的一首诗
却想不起标题

突然想起大哥曾经写过

他还是婴儿的时候

因为挨饿,母亲带着他和大姐

从哈尔滨政法干校回到绥化老家

寄宿在父亲唯一的亲弟弟六叔家里

东北土地辽阔,总能土里刨点食儿出来

母亲要自己下地干农活

白天就用麻绳把两三岁的大哥拴在土炕上

比大哥大两岁的大姐

那时刚比炕沿高

就把下巴颏子搁在木头炕沿上
一眼不眨地看着大哥
大哥哭了,就扔炕上几个熟土豆
让他抓着玩或充饥
姐弟俩就那样等着母亲傍晚回来
有一回六叔偷偷给大哥喝了点红酒
结果大哥昏睡了一天一夜
皮肤红得跟个没毛的小耗子一样
呼哒呼哒在那里喘气
大姐还是把下巴颏子搁炕沿上
一眼不眨地站在屋地里看着
每隔一会儿就会小声地问母亲——
那小耗子啥时候死啊
我想起这些,是因为
那个小耗子和那个小女孩
真的都死了,相隔只有一年

2020 年 12 月 19 日

路过老图书馆突然想起

学校的老图书馆好几年没用了
每天晚上路过都是漆黑一片
除了楼道里绿莹莹的出口指示灯
只有门卫的屋里是亮的
一个无聊的值班员弓着的身影

一楼原来有个复印室，一个老头
曾和我说过几句话，他说自己
每顿只吃二两饭，他是台山人
还说台山人都是大力士
我没反应过来，他便做出举重的手势

那时我常常钻进基本没人去的
外文密集书库，一架子一架子
发黄的没人借的书，有硬壳
书脊烫金字的巴掌大的诗集
寂寞整齐地排列在那里
那个地方安静得有点让人发毛
阴影憧憧，没有人的脚步声

我也不知道自己为什么要去那里
常常我只是漫无目的地徘徊
像一个白日幽灵，让目光掠过
一排排颜色各异的书脊
一直等到我感觉脊背发凉
便赶紧离开，故意咳嗽几声

那个和我说过话的老人
早已不知去向，也许已经不在人世
他曾经让我知道这里还有人活着
不仅仅是灰尘和寂静的光线
这也许是我几次路过都想起他的原因

2020 年 12 月 20 日

父亲的帐篷

冰天雪地里的水利工地
帐篷里,黑黢黢的铁炉子红光闪闪
整夜亮着灯,脸冲着门口
我怀里的步枪沉重
那是父亲指挥夜战时让我抱着睡觉的
总是不知道他什么时候回来的

老远就能看见高高的堤坝上
拖拉机履带呲溜呲溜冒火星子
晚上我穿过空荡荡的营地
突然,前面的帐篷后冒出来一个
黑乎乎的家伙,晃动着靠过来

我不动,血液也似乎凝固了
过了半天才看清,原来是一匹马
白天我曾企图骑上它
它往前一蹿,把我闪在坚硬的雪壳子上

去河上凿出脸盆大的冰窟窿
早上,水结出一层薄冰
用铁钎子猛地捅开
压力突然变化,小虾一个个蹦出来
趁还没粘在冰上,用镊子夹起来

一会儿就能拣一盘子
让炊事班给炒得通红通红的

床角的大麻袋,装满
带壳的熟花生和大白兔奶糖
我抠个小眼,一会儿抠出一块
吃得小脸溜圆,寒假结束回家
一开门,母亲认不出
那真是个愉快又难忘的冬天

2020 年 12 月 21 日

住 院 记

午夜一过,护士站空无一人
闹鬼的时刻到了,到处飘荡着
白色的身影,伴随着深沉的叹息
咔哧咔哧磨牙的,说梦话的
或悠长或短促地放屁的
手机打英雄联盟的,此起彼伏

早上五点,收床的人就来了
没有暖气的走廊里喧闹起来
又窄又短的折叠铁床上
马原蜷曲着,穿着羽绒服戴着帽子
满脸疲惫的胡茬

六个病人,六个陪护
拥挤在一个不能开窗的房间
偷摸跑厕所抽烟的遭到所有人无声的蔑视
乌烟瘴气的冬天一片惨白
只有屋顶上的雪像不变的意志

护士,这个不滴了! 把手伸直喽
走廊里溜达的都把口罩戴上!
谁十四天去过黑河?
叫外卖的,退货的,和人视频的
每人一部手机,做完手术的就假寐或呕吐
信佛的播放着:左脑右脑顺时针旋转
凡是我所伤害的,愿你们回到平静的生命之源

等待手术的,一听见门外咕噜咕噜的车轮响
就紧张起来,出院的和病友笑着告别
人的同情心在病房里格外高涨
一听有人喊帮忙抬人,立刻
从各个房间涌出一群人
马原在其中显得格外高大

从圣诞节住进来,通过了所有检查
心脏却用二联律给了我当头一棒
此刻我故作镇静,等待医生的决定
甚至那恐怖的咕噜咕噜的车轮声
现在也成了我期盼的胜利的轰鸣

2020 年 12 月 30 日于哈医大二院

三种体液

人身有三种液体,性格各异
像是三兄弟,一个看似透明
却含有复杂到只能透明的成分
它是凉凉的,无声胜有声
正如最深切的理解只能是沉默

一个鲜红而温热,富含营养
却没人愿意看见它流出来
因为它同时也携带致命的因子
它常常被作为神圣与救赎的象征

最后一个则可以称为热烈
它是黄色的,常常在雪地里
浇灌出参差的花朵
人类不用它来划分地界
它不受待见,不见于辞章
却最能显示身体的真相

我品尝过眼泪的苦涩
它的无奈,它的虚伪和纯真
我也曾目睹鲜血的喷洒和凝固
它的牺牲和冷却
如今,我只赞美尿液的浑浊

它才是泥沙俱下的黄河
和所有激情的未来

2020 年 12 月 31 日

初见手术室

漫长的走廊两边都是房间
你躺在轮床上等待被分配给其中一间
这里没有人的气息
一切都是冰冷的
也许正是因为经历的人太多了
无影灯歪斜,锃亮的金属器械静止
一些人走来走去,看不见他们的脸
一些简单的问题和一些简短的命令
你像是一件物品被放错了地方
你死心了,你的安静只是因为死心了
不到两分钟,麻药就平息了
你身体各个行省的叛乱
突然,有人在叫你的名字
让你保持清醒,你努力睁大眼睛
却只能看见一些腿和腰
她们好听的声音在说
终于完了,今天最后一台
还说,呕吐了,可厉害了
这时你瞥见一个人狠劲快速地擦地

你看不到地上的东西

你只是反复想着大哥临终时

也是吐得一塌糊涂

葬礼上他的小姨子反复说

吐得那个恶心，都是我给擦的

这里边没有所谓情绪，只有干巴巴的事实

恶心就是恶心，不会因人而异

然后她们说到新年，休息和吃橘子

轮床又骨碌碌穿过复杂的走廊

回到出发的房间，这里不存在人的意义

2020 年 12 月 31 日

病 友 记

这是真实而又短暂的一种友谊

它来自人性中最宝贵的一面

在幸福当中，人多无视他人

在苦难中，方返回人之为人的初衷

我虽知转眼大家就各自分散

不会再长久记得彼此的姓名

我还是格外珍惜这杂居之乐

男女共处一室，富贵贫贱不分

一对小夫妻来自富锦

我便向他们谈起诗友小蝉
他们便骄傲地介绍
中国最大粮库就在富锦

一个六十八岁的大哥照顾六十二岁的弟弟
两人吃饭时互相谦让
大哥说，我就这些，剩下都是你的
他们吃黄瓜，满屋清香

一个爱说话的大姐照顾弟弟
弟弟很少说话，我想起自己
再也没有了大哥和大姐
如今是儿子耐心地照看一切
找医生，办手续，订饭，打水，接尿
整夜不睡，胡子拉碴

在这里，教授连续放屁
也无人抗议，大家笑说术后排气一屁难求
教授自嘲是往空气中放毒
明早护士进来一个熏倒一个

就像海难中有人把自己跟前的木板
向你推过来一块，任何细节
任何问题，都能够得到细致入微的解答
仿佛在这里，全人类终于成了一个整体

2020 年 12 月 31 日晚于哈医大二院

新年第一天

新的一天,新的希望,新的挑战
病房里重复的还是那些话题
屎尿屁成了重要的科研课题
比如尿液的颜色是否由红葡萄酒
变成啤酒,比如用"尖叫"的饮料瓶喝水
被邻床的听成用"接尿"的瓶子喝水
一个病友终于在便秘药和蓖麻油的帮助下
突破了难关。"拉了,太好了!"
正在吃饭的毫不介意
闲聊的开头从"吃了吗"改成"拉了没"
我还是躺床上望房吧
也就是呆望天花板,上面有
挂点滴的轨道,阳光时而照亮
一面墙壁,时而又退出室外
它搭在我的脖子上像一块肥腻的肉皮
说到肉皮,遂想起新学会的名词,备皮
刮去某处毛发,妙处难与君说
病房还是六个患者六个陪护
大家抱怨了一阵院方的吝啬
明明有的房间空着,就是锁个严实
不就是怕打扫卫生麻烦嘛
没办法,抱怨归抱怨,却没人
真的去质问过节值班的可怜小护士

老百姓的善良和忍耐在这里发扬光大

充分彰显人性光辉,我却想着

他妈的也不让探视,不然让谁

送一大捧康乃馨来,平衡一下

我这吱吱嘎嘎没完的连环屁

对空气的严重污染,至于尿动力学的研究

依然止步于儿童时代小伙伴们的比赛

在别人家后院墙外,看谁尿得远尿得高

这不,护士给我后腰那经皮肾镜的漏口

也挂了一个袋,说不是接血,还是接尿

我一左一右两个尿袋,颇觉这人尿性

2021 年 1 月 1 日于哈医大二院住院八部泌尿外科三
病区 1107 室

2021

2020 年这一年

这一年,一开头,就给我当头一棒
一月十号,大哥永平脑出血突发
病逝于黑暗寒冷的克山县城
这一年,我数年前就已编定的马永平诗集
《漫步在星月之上》终于出版,却成为遗著
我至今连打开重温的勇气都没有

这一年,百年难遇的新冠瘟疫
让不知多少人的生命成为冰冷的统计数字
可据我有限的观察,汉语诗歌依然无力面对
重大的主题和复杂的经验,依然无力
真正介入社会的批判和精神的重建

这一年,最懂我的诗歌战友全晓锋
突然查出结肠癌,经历生不如死的化疗
终于恢复了激情与活力
我们还会有共同的叶芝式骑士般的老年
向生与死都投以淡淡的一瞥

这一年,我曾经亲密的诗友王小蝉
在岁末的凄凉农村默默离开人世

死后第二天才被哥哥发现
我眼前总是出现墙角裂缝里长满寒霜的老屋

这一年,生命照样显示出它不屈的力量
孙儿玉堂茁壮成长,已经两岁有余
可以亲热地叫我永波永波了
等他长大,看到这一年真实的历史记录
他便会对永恒中的预定心领神会

这一年,圣诞节,我做了此生头一个手术
小小的肾结石,却因为新鲜的经验
而被我纳入自己的个人史
这一年,我没有关心所谓人类
因为我就置身于人类之中

2021 年 1 月 1 日午夜于哈医大二院病床上记

不 送

这是书吗? 这是一本书吗? 是书吗?
这哪里是书啊,这明明是我那可怜大哥的棺材啊
红红的棺材,装着他洁白的所剩无几的骨灰
我能把我大哥的棺材快递给你们吗? 能吗?

不送了,谁都不送了。太可怕了。

我怕你们承受不起

我怕你们的疏忽,束之高阁或弃如敝屣

那可是我大哥的棺材呀,红红的棺材

2021 年 1 月 3 日于病房

病房里的老诗人

老诗人在病房里望着天花板发呆
突然,他拿起笔,快速地写起来
他的病并不是很重
可是这疾病让他有了济慈式的忧虑
他担心来不及写下那首
包含宇宙的诗,那首对于人类存亡
至为关键的唯一的诗

他写着,又停下,一个声音
从背后传来,"世界,并不缺你一首诗"
这声音在劝告他先治肉身
善意中又带有一些轻蔑

老诗人浓密的黑白参半的乱发
颤抖了一下,坚硬的笔
又开始唰唰移动,急切而沉稳
第二个声音从天花板上传来

207

"世界不要，我要。"
那声音安静，微小，几乎听不见
但极为清晰

老诗人的笔，这时，掉在了地上
他的头垂在胸前，似乎在倾听自己的心跳
他，真的死了

当他的灵魂穿过天花板
上升到上帝面前，颤抖着
上帝微笑着说："是我，我要那首诗，
那就是你的灵魂本身。"

2021 年 1 月 3 日晨于病房

绝对不能再激动了

绝对不能再激动了
病房里亮着廊灯
午夜收到九十年代诗友加老乡杨旭
2020 年夏天病故的消息，肾病综合征

梦里的相托，慧莲，好多年了啊
多么恍惚，恍如隔世
遗著的出版。太难太难了
可信任的重量多么珍贵

谁也不知道谁什么时候离开
包括我,生命不在我们自己手中
伊春,我的出生地,杨旭也在那里

哀哉,兄弟,你的样子
依然清晰,高,瘦,认真,痴迷于书

好像二十年没见了
仔细回忆又不对,你好像好几年前
忘了用什么方式联系过我
生活的辛劳,随后又让我们失联

再有消息,竟是永别
如今,我也疾病缠身

我,绝对不能再激动了,兄弟
上帝会纪念自己所有的孩子,安息

2021 年 1 月 5 日

即　景

病房窗前,下面那些建筑
有些神秘,日本式房子,小院
积雪,小径,废弃的黄色大巴
绿色玻璃棚顶上也盖着雪

寒冷在加深。树的僵硬笔触

锃亮的一排铁管子在排出白汽

地狱的厨房，巨大复杂的机器启动

天际线上的大厦巨人

也在喷吐着灰黑的鼻烟

雾霾托举着晨曦微微发紫

逐渐融化在天空的蓝色棚顶下

突然，一阵蒸汽升起，模糊了窗户

我也消失了片刻

2021 年 1 月 5 日晨七时于哈医大二院病房

关于本体的沉思

不断重修的建筑，它的原件在哪里

不断重写的诗，它的原诗在哪里

不断修理的人，他的原样在哪里

如何在变中保持本质

如果那本质随着这变迁而变异

我是我，又不仅仅是我

我是万物，又不是万物

万物皆备于我，万物却仅仅是其自身

如何在永恒的变化中保持不变的我

每一个我都戏仿前一个我，不

依然是前一个我的仿像

仿像的不断戏仿,如同月亮投出一连串虚影
而它的本体不过是一个幽暗的
布满弹坑的宇宙战场的废墟
废墟的废墟,废墟上的建筑

万物的本体也是如此
你也是如此
这是此时此刻的我要告诉你的
这是这首将随着时间和阅读而不断变化的诗
所能做出的暂时的担当
也是我的我与万物相互游戏时留下的
刹那光影,投射在一块清晨教室的黑板上
上面留着一些被擦去的字迹
一首诗,或一个莫名的我或你,或祂

2021 年 1 月 7 日晨于松花江尚

莫里康尼

还是他吧,把钢琴放在大海的蓝玻璃屋顶
让你激动如鷓鹕
如星空马厩里不眠的星辰

大师已去,荒野犹在
驰向落日的侠客
背影越小越是清晰,起伏如在海上

那胜利的得意的口哨声
越来越远，但永远不会完全消失

好人，坏人，小人，同样被阳光照亮
阳光洗去灾难后人们脸上的灰烬
所有人的面庞都像树叶一样干净

无论曾在的，今在的，都将永在

2021 年 1 月 7 日

冬日晨光

室内的黑暗静静等待

金色的犁，缓缓
切入土壤

一个半边面孔的神
起身离开空荡寒冷的宫殿

我身体里的黑暗
发出纸婴孩的吃吃声

2021 年 1 月 13 日晨于松花江尚

与远人说话

总是这样亲密而愉快

总是这样信任着,同一种语言

也许是同一种寂静

有时着起急来

你就会换成湖南话

语速很快,声音也大起来

这时我总是呵呵一笑

我说,兄弟慢点,我反应不过来

你的湖南话很好听

正因为好听,我忙着听

就忘了你说什么了

其实你说了什么并不重要

我们说了什么也并不重要

重要的是,到了深圳之后

你的普通话好多了

有时低沉如叹息

如逐渐开阔的河流

让我突然意识到,你也五十岁了

这是我此刻想要和你说的

还有,我的北方口音

语速还是那么缓慢

像一条表面不流动的河

或是结冰的河

2021 年 1 月 13 日

在玉堂先生身边

睡不着，我就去找他
我躺在他身边
他玩他的，我睡我的
我既睡又没睡
我感觉到一个小脑袋
蹭着我的大肚皮
蹭了一会儿
就是砰砰几下头锤

他又去画了一座山
对着另一座山
他说这是爷爷
爷爷马永波，小样儿
嗯，小样儿就小样儿吧
这幅《敬亭山》
没有留存多久
就被一个到处散步的
歪斜的大星星取代了

我闭着眼睛，听着奶奶

给他讲《两只小羊》

它们一东一西过独木桥

谁也不让谁

结果都掉进了河里

玉堂着急地嚷着,不行不行

不能掉不能掉

他没有像有的幼儿那样哈哈笑

要互相谦让,谦让

后来再讲到这里

他就说,要谦让

他会叫自己宝宝

宝宝要吃肉,吃瘦肉

肥的呢?肥的给爷爷吃

哈哈,大家吃,大家吃

嗯,瘦肉也给爷爷吃

爷爷不吃,爷爷睡着了

2021 年 1 月 13 日

雪,阳光,小号

雪和阳光都让我虚弱

这看似两极的事物

内里却有着同样的本质

它们都让我睁不开眼睛

是毁于冰,还是毁于火
这是个悬而未决的问题
但不过都是一声唏嘘

如同下午的法国小号
从另外的房间伸过来
它弯曲的小天鹅的脖子
居然闪耀着阿尔卑斯山冻牡蛎的光

于是,我给它的脖子打了个结
又塞回原来的腔体
并随着一群喜鹊呼啸着越过电线
飞向松花江北空旷的修道院
大声朗读一首反对油腻的诗

2021 年 1 月 13 日

黑 暗 中

无论如何,这一天又过去了
你的精力在慢慢恢复
从朦胧的根须,从岩层般重叠的无数前生

你在黑暗中喝水,拍手
在小得不能转身的厨房中
洗一根胖乎乎的水黄瓜,用一只手

转动它,用另一只手挠掉上面的刺
就像挠掉癞蛤蟆背上的毒包

你随便向外望去,雪如里程碑静止着
没有癞蛤蟆,它们都安全地睡在土里

2021 年 1 月 16 日

养病也不妨碍写一首
实话实说的诗

养病就是等待自己
让领先太多的灵魂慢下来
等着气喘吁吁的身体
可以慢,但不能停,也不能回头看
回头看,你就会变成盐柱

大姐说,永波你缺东西,缺太多了
她停在了 2018 年,是啊,缺东西
唯一不缺的就是向主的灵魂
你缺人,缺钱,缺原版风景
缺城堡,教堂,修道院
庄园,王国和一整座大陆

大姐又说,永平你修炼归修炼
该吃东西吃东西

永平生气了，走了
他以为自己可以餐风饮露吐纳朝霞
他停在了 2020 年
他们终于什么都不缺了

缺就缺吧，匮乏成就丰富
丰富的贫乏，贫乏的丰富
只要不缺圣灵的风吹
不缺圣灵的九种果实

而这些，并不妨碍你想到一个
用各种汉语译本和初中英语
拼凑过《神曲》的人
自己并不相信但丁，纯属能而不愿
终于信了佛，其结局在地狱的第六圈

另一个，矮小猥琐世故油滑
典型的伪善者却自称信主
像寒冬里一根瑟瑟发抖的小树枝
哀叹自己不生孩子
对此断子绝孙的悲惨
只能作如此安慰——
很多伟大诗人都没有子嗣
比如阿什贝利、毕晓普这样的同性恋
他们太伟大了，担心后人的平庸辱没了自己

这样想着，太阳就升起来了

天地便更新了,此即你所命名的
"但丁式文学的伟大复仇"

2021 年 1 月 18 日

一只白蝴蝶沿着林荫道在飞

一只白蝴蝶在白杨林荫大道一直飞
一直飞,越飞越小,但你始终能看见它
它始终沿着一条看不见的直线
不忽闪,不犹豫,保持着速度

季节在变换,树叶纷纷落下
但并不落在它的身上
仿佛它被一个无形的气泡包裹着
大道笔直,穿过城镇和乡村
从黑海到地中海,两排白杨的骑士
一路护送,长矛闪亮,身姿挺拔

大地荒芜凄冷,世代的尸体横陈
花朵迅速缩成婴儿紧握的拳头
它还在飞,仿佛在攀登空气的斜坡
它的沉默封装在透明的瓶子里

雪花,雪花,从地平线下面涌出来
欢呼着,舞蹈着,迎迓着

一片苍茫,但依然可以看见它在飞
它们一起掠过群岛,一直到了海上
像一阵风暴,将白色向不朽的蓝色倾倒

2021 年 1 月 24 日

拔 管 术

嗯,两腿分开,支起来
和大蛤蟆那样,对,so hot
我要进去了,可能有点疼
一开始总会有点疼
撑开就好了,嗯,还挺紧

别紧张,效果会更好
进去了,深,深,so hard
到底了,够着了
别动,千万别乱动
叫喊紧紧攥在出汗的手心里
马上出来了,出来就轻松了

我的一生都是在拼命
要排除世界不由分说
插进我身体里的坚硬

2021 年 2 月 13 日大年初二

柏拉图的幽灵

剧烈的观念撕裂之后
向各自的上帝(可能是同一个)
恳切祷告之后
虚汗之后,枪杆颤抖弯曲之后
他们在孩子的玩具堆里坐下
像两个破碎的玩偶
一动不动,被其他五颜六色
各式各样的玩具围绕

彼得兔走地鸡借东西的小人
试探春水的鸭子
柯尔庄园的野天鹅
十二猴子帝企鹅点读笔小飞侠
白羊黑羊过独木桥的睡前故事
像两个梦游奇境玩累的孩子
他们各自固执的观念
在玩具上闪着模糊微笑的光

抓起身边的任何东西吧
它们仅仅是玩具
脑门上贴了彩色纸条的
恶作剧的天使,继续游戏吧
呐喊着战斗固然勇敢

更大的勇气却是承认失败

2021 年 2 月 14 日

诗里诗外

曾经在诗外怀念母亲的人
终于进入了诗中
诗中的主语和宾语,是一对母子
依然还隔着那么多词语
大哥,一年了,你和妈
一定已经走出了曲折的句子
一定去了很远的地方
那里不需要语法,你们可以紧紧挨着
一起远远地看着我
看着我依然在复杂的句子中摸索
要去找到你们,并安全地挤在
你们中间

2021 年 2 月 9 日,家兄永平过世一年了,重读大哥怀
念 1997 年便离开我们的母亲的诗

概念机器

原创者:玉堂先生,记录整理:马永波,标题"概念机
器"系二十八个月的玉堂首创

1

奶奶没有毛
爸爸有毛
爸爸不好

2

奶奶,去南京去南京
然后看着窗外说
没有南京
过几天就变成南京了

3

黄瓜真黄啊
它不是绿的
它是弯的
还有刺呢

4

玉堂抱着爷爷胳膊
狠狠亲了一口
真香
爷爷老了

腐朽了,不臭就不错了
嗯,那宝宝香
真香

5

宝宝是兔兔
爷爷是乌龟
爷爷是大灰狼
要咬你耳朵
不行不行
我有小红帽

6

爷爷你肉咋长的
学习长的
不对,是睡觉长的

7

爷爷别在这儿睡
去警车里睡去
那你去哪儿睡啊
宝宝去房车里
警车里扎针

8

拱来拱去
拱来拱去
我是蛐蛐
蛐蛐啥样
就我这样
爷爷,去小屋,去去

9

长大考清华,不考北大
那爷爷呢
爷爷在南京的家里等宝宝
宝宝在北京的家里等爷爷

10

晚上关灯之后
玉堂就把奶奶爷爷
爸爸,都拉进大屋
拉上床,一个都不能少
下出租车也会数人
生怕丢了谁
可我们早晚会一个个消失
只剩下一个小身体

在黑暗中乱转
焦急地挨个屋找
大玲大玲,永波永波地喊

11

奶奶漂亮还是姥姥漂亮
爷爷漂亮

12

把小三别抓住
别把小三抓住

13

在爷爷中间
在奶奶中间
在爷爷奶奶中间睡

14

拉屎你不说
看我不揍你
埋汰

埋汰,不埋汰

宝宝不埋汰

恐怖教育弥漫全国
看你还敢写屎诗

洗屁股,洗手,别哪儿都摸了
这就叫一把屎一把尿
以后养不养奶奶啊,养奶奶
伺候不伺候奶奶啊,伺候奶奶

在这老实待着别动
一股屎味

15

玉堂喂奶奶吃酸奶
奶奶甜不甜,甜
奶奶酸不酸,酸
奶奶吃没了
奶奶吃,宝宝就舔一口
嗯,就舔一口
五根小手指全都插进盒子里了
啊啊地舔,抢都抢不过来

16

打火机让妈妈拿走

放嘴里了

放烟花去了

17

玉堂总是把广告里的

"拥抱幸福生活"

说成是"拥抱一切生活"

一下午的春山

假装我们并没有来到这里

碧桃开在脸上,还有点紧

这春山里有很多看不见的人

假装看不见我们看着别处

湖水回不到芦苇的空

我们回不到春山的空

微雨沾衣,回不到记忆之前

当黑天鹅拖着一座深渊到处巡行

那就继续假装我们不存在吧

绿皮火车漂过海棠纷乱的局

让我们像两个欠揍的小年轻

拦住上山的路,假装偏见也别有怀抱

2021 年 2 月 28 日

后　宫

黑色春水从紫金东麓缓缓流下

共享单车的吱嘎和皇帝的车辇

三千粉黛花容惨淡

泪痕缭乱抱成一团

缓慢的激情过后

白马佛陀独自出走

一路纷披的红色花瓣和圆月

春风满怀，风声过耳

我爱这午夜无人的校园和人间

2021 年 3 月 5 日凌晨一点半

过邵家山想起已不在人世的
大哥永平

有无之间，杂树满坡

绿叶尚未盖住褐色与半边潮湿

鸟鸣催促白玉兰肉质的花瓣之舟

解开胸怀的不是罗衫的轻

是一个套一个缩小的我

似乎很多年没有上山了

今晨从山边走过

蚊子的兵团还在锈水中集结

小野蒜白生生的根还在延长

教导总队抗战的碉堡

还在守望着向上和向下的路

一切都在快慢明晦之间

唯有你既在又不在

你在群山之外，群山之上

在睡与醒之间，走着，不停地走着

寻找，相遇，别离，都只是

洪流过处的黑泥和野花的盛宴

或好或坏，这人世的辛劳和诗艺

2021 年 3 月 9 日

孟春夜宿于浦口与雷默夜话至 凌晨两点有感

还能知道些什么呢

春夜空旷，我们的脑袋

两只钨丝爆掉的灯泡

凑在一起，童年的饥饿

还在胃里发酵出草味

那些书出现得多么晚

像面孔打开的空鸟笼子

连惊喜的眼神也都是白色的

近乎突然的雪盲和冰雹

天赋不过是劳动的剩余价值

被一再利用，连同天真

至于比死还要坚强的爱

拉到怀里的却是别有怀抱

无关道德，却关乎怜悯

怜悯是残忍的剩余价值

光中之黑，对于过去

我们又能知道些什么呢

我们能活多久，宇宙和未来

确定的肉身和不确定的衣服

都在等待，两只灯泡碰碎的声音

2021 年 3 月 9 日上午于流徽榭

在乡间醒来

——给还非大哥

在满是果子的院子里醒来

鸡鸣和鸟鸣远远近近

你亲手培育的果树环绕周遭

荔枝龙眼柠檬桃子木瓜

脐橙葡萄杞果香蕉

你反复叮嘱我小暑时再来吃荔枝

比岭南的好吃多了

石槽荷叶下有牛叫的青蛙守护蝌蚪

院子三面都是河水

很多顽强的罗非鱼

赶走了淡水鱼土著

小时候,每天潮水涌进来

我们兄弟俩泡茶聊天

你亲手采的野茶

似乎永远可以这样

比泥土里的事物还要低

还要沉默和古老

2021 年 5 月 28 日晨于福州闽侯南通洲头村

梅雨将至

蛙鸣鸟鸣麦穗摇晃的声音

塔影和野水潜入池塘

与暗中悬浮的鱼眼相遇

红墙根下,水缸里,荷叶下

依然有小蝌蚪在找妈妈

村路寂寂,暗窗与榴花

芒刺在背的人

忙于将细小尖利之物

插在汗水打湿的土里

燕子归来迟了,画梁空悬

词语的麦芒,插满一颗

逐渐碳化的心脏

青梅落地无声,绿色的酒

在没有耳朵的小罐子里响着

2021 年 6 月 5 日芒种

戈 壁 石

一块来自内蒙古的戈壁石

像一块新学徒烤的大列巴

颜色不一,形状不规则

放在白色窗台上

衬着黝黑的铁艺和绿荫

我常常把手放在上面

感受它储藏的太阳的热量

它粗糙如山岭的表面

它里面有什么呢? 一团火

一颗闪烁的心脏,还是一扇门

石头开门吧,没有回应

它的里面还是石头

如果我执意要弄明白它的本体

粉碎的将只是我自己

傍晚,石头慢慢凉了下来

2021 年 7 月 24 日

一下午的流逝

"谢谢,又消耗了你一下午的空气"
"不,是这里的空气消耗了您"
无论会怎样,他转身,最后
向斜靠白墙的三米高的镜子
看了一眼,无论会怎样
她都是一道光波,几乎不被觉察
仿佛刚刚从黑海边郊游回来
拂去裙子皱褶里发烫的沙粒
他犹豫着,倾斜的黄昏如花束
在这百年的俄式老屋中摇曳
再没有什么被摧残的美
能胜过这一下午的流逝

2021 年 7 月 27 日

大玲的荷叶

好不容易从带孙子的责任中
暂时摆脱出来,大玲去了野外
开心地采了一些荷叶与花
回来说,一般老板不让采
在岸上你也够不着

我看到只带回了荷叶
花呢？花扔了
荷叶有什么用？晒干泡茶喝
于是好多天，地板上一大片
慢慢卷曲发黄的绿，我不去碰
担心它们会碎掉
又过了一些日子，荷叶消失了
大玲从儿子家回来问——
"我的荷叶呢？"
不知道，荷花都开过了
大玲看到这首诗，会不会说
原来诗也可以这么写
可是，我的荷叶呢？

2021 年 8 月 2 日

立 秋 诗

明净的秋天，诗歌终究是
一切人反对一切人的战争
大路的顶端火花闪耀
气流在山谷沉淀斑斓的酒渣
连夜出发的人在海上喝酒
在玻璃大棚上滑倒

事物的裂缝让人暗暗吃惊

却让攀缘的麻雀欢喜

风去了拉达克沙漠

怀抱去年的幽灵，在大篷车队

与鞑靼公主彻夜争论神学

能一起做的事情越来越少

比如一起醒来

缓慢有如一场疾病

在越来越空旷凉爽的房间

像刚理完头发的孩子一样茫然

2021 年 8 月 7 日

飞蛾时刻

傍晚，突然起风了

窗玻璃一阵哀鸣

我停下手，倾听

钻天杨剧烈地摇晃

深绿色的火焰

我刚好译到一首叫作

《当我年老时》的诗

迟暮之年，暂时的欢愉

一种溶液慢慢充满房间

树木遮住的人行道上

原来站着很多人
说着我听不懂的事情

风携带着一些冰冷的碎片
广场上还有一队单车少年
戴着风帽,骑着越来越小的圈子
蛐蛐在墙角磨刀霍霍
有人总想把我藏起来
茫然的飞蛾出现,紧紧攀住玻璃
它们的黄色在变成粉色

2021 年 8 月 9 日

晨　歌

有人在摸黑上楼
他沉重的翻毛皮鞋声
在黎明的熹微中
仿佛从另一个街区传来

他缓慢地保持同一个节奏
仿佛在外面喝了一夜的酒
外套上粘着骑兵街潮湿的稻草

他终于在一扇高大的
暗绿色的门前停下

摸索着冰冷粗糙的大口袋
花纹模糊的硬币在响

门里,只有黑暗在谛听
没有人等他,没有黄铜的茶炊
没有粗呢格子裙的窸窣

他像一个掉队的士兵一样茫然
打火机嗤地一响
幽蓝火苗照亮了一张
说不出年龄的英俊而苍白的脸

2021 年 8 月 11 日

回乡祭祖遇雨

绥化张维镇三井乡前八村
一条漫长泥泞溜滑的田埂
通向我父母青草近乎木本化的坟头
我踩倒硬邦邦半人高的蒿子
迂回接近,以免陷到深泥里
那是一片辽阔的别人家的黄豆地
不断蚕食着马家祖坟的地盘
我的五个随曾祖父从山东
逃荒过来的爷爷都葬在那里
我用矿泉水把黑色大理石擦得锃亮

摆好在城里亲手选的鲜花
默诵了主祷文和简短的祷告
我的朋友们在地头小心地望着
原路返回停车的大道时，突然
下起了瓢泼大雨，我落在后面
雨水遮住了我自由的泪水
想着要不要以后也葬在这里
守护这个汪洋大海中的孤岛
能守几年是几年，想着不久
就能听见豆荚晒裂的声音了
那是 2019 年平静的夏天
那时哪里能知道，当年冬天
新冠就会暴发，我的大哥永平
会留在疫情之前，还没来得及
到父母的坟前看上一眼

2021 年 8 月 12 日

黄色围挡

一大早他们就在叮叮当当
挖战壕，黄色围挡弯弯曲曲
围住一辆很多天没人动的
灰绿色的车，还有几丛高草
他们已经挖了半人深
有的光着上身，我独自走过

他们继续挖，肌肉和汗水闪着光

战壕远端的那个停下来抽烟

眯着眼睛望着我，他们都有点

害羞。结了草籽的草发出脆响

当我取了冻鱼返回时，下雨了

战壕里存了不少浑浊的水

他们在门口的雨搭下避雨

像淋湿的麻雀紧挨着，不说话

似乎冬天很快就要到了

2021 年 8 月 13 日

穿绿衣的戈雅的自画像

灰绿色的漩涡互相重叠

向中心的白收紧

在弗拉明戈①的天空

（那火烈鸟足以证明细节之美）

双手交叠在膝盖的友谊中

那之下是降调的雪

（为什么先要评论膝盖

仿佛有人忘了穿衣服）

半只肩膀，忽明忽灭的白炽灯

---

① 弗拉明戈（flamingo，火烈鸟）。瑞士德语作家凯勒（Keller Gottfried，1819—1890）有作品《绿衣亨利》。

（不，不，友谊也是慌乱的）

信任你所不了解的自己

以及摘下眼镜的晕眩感

（你是何人，敢于回答一切）

你的腰藏在过于宽大的夏天里

波光摇荡的微型花园

（那么脸呢？脖子，还有）

嗯，那印第安战士的红白花纹

或者面具吗，我怎么知道？

还有你那平胸的执着

我说的是你应该养一只

绿色的鹦鹉，并且叫它亨利

2021 年 8 月 13 日

又见永平

你在冰天雪地的小砖房里

躺了一个晚上，你的死黑暗而沉静

"有点变了。"变了很多，脸有点长了

我俯身看着你，小声念叨

"大哥呀，你咋出了这么大的事儿啊！"

你不回答。嘘，别让人听见

你听见墙壁后面起风了吗

隔壁的人正在披衣起身

马上就要咳嗽了，这是冬天最冷的几天

"你怎么这么沉啊大哥。"
不能说不能说,越说越沉
人很少,我独自在一头抬着你
我还有力气,我还是你
高大如黑橡树的弟弟
我不想再被说成是白杨或是白桦了
那太年轻了,我需要干燥一点
我们去雪地里抽烟吧
既然你本来就不喜欢人多
我们把长长的烟灰保持在空中
雪地上很干净,没有脚印

"人死了什么都没有。"
你总是淡淡地,你从不笑
偶尔也是孤身战士的末路狂笑
你很少说话,喜怒都是那张蜡黄的脸
可我能分辨出所有细微的变化
没有形式的形式,像你的诗
你的生活太严肃了,你的死
要轻松得多,这正是你想要的

2021 年 8 月 19 日,追忆 2020 年 1 月我与家兄的最
后一面。和送母亲一样,我亲手把大哥抬进烈火,那铁车
的把手特别冰手。

小 红 楼

那是锅炉厂的一片老家属区
五十年代建的四五层的红砖楼
九十年代末,我和妻儿
借住在顶楼的一屋一厨里
楼梯像膝盖一样磨得溜圆
家门上方一个吓人的大黑洞
整座楼被电线五花大绑
像是旧时陪嫁的红油漆木箱

二楼总有一个分不清男女的人
背着身在墙角里划火柴
哗一根,哗一根,我总是慢慢地过去
三楼一对母女,整天不出门
都是圆脸,母亲从不说话
她们总是天黑后下楼溜达
后来搬走了,那女孩算起来
也有四十多岁了
据说一直没有结婚

那一片都是疙瘩瘤子的大柳树
挡住了带铁条的小窗户
屋里头进门就一张大铁床
诗友来了就往上一躺

叹息,我们还是没钱呐
不看电视,听内弟的音响
厨房只能侧身进去一个人
大玲一边做饭一边唱一首
"夜色中的玫瑰"
一张叫"靠边站"的饭桌
我就在那上边写点东西

1997 年春天的一个深夜
内兄突然敲门,进来就说
"小马你妈走了!"
我懵懵地问:"我妈走哪去了?"
那年冬天,二十六岁的诗友麦可
也是脑出血,突然也走了
那些日子我闷头看武侠
看得几乎没有了现实感

就在那间幽暗的屋子
我编选台湾版诗集,撰写年表
关于伪叙述的论文,译毕肖普
冬天就坐在床上,裹着被子
译《爱因斯坦的圣经》
没有电脑,手写,誊好,寄给北京
"现在我和永恒在一起"
仿佛自己已到了暮年

那是我们住过的第三个房子

春节放假几天不出屋

下楼去食杂店买啤酒

看见雪地上有人类的脚印

世界还存在着

有时大玲会去另外一座楼

批发一大兜子五颜六色的冰棍

那几年，小学生马原的脸

总是圆鼓鼓的，我叫他"大胖原"

那时车辆厂还没有解体

我们对生活还充满了希望

2021 年 8 月 21 日

小 歌 谣

你看看云吧

不知生不知死

不会老只会消散的云

你看看风吧

风不知自己要往哪里吹

它只知道吹，吹到哪里

哪里就有风声

你看看红色的超长货车吧

它们驶过，驶过

不知在哪个道口拐弯
在哪条路上继续开,继续开
拉着半车打着烙印的牲口

你看看那个骑自行车的人吧
他的巨人影子提着两个铁环
追赶他,追赶他

你看看光吧
辐射的光,反射的光
散射的光,雾化的光
光中总有一只大手
收集苍白的花瓣
冰冷的泪水,缩小的身体

2021 年 8 月 22 日

屋子里有些凉了

屋子里有些凉了。流逝的雨
让周围事物的流逝变慢了
这是雨作为流逝的象征的力量
这是雨在方形的铁皮落水管里
请去年的幽灵喝酒
这是你,用手围住叹息的灯焰

你越发安静了,屋子里有些凉了

头发安静了,一只小肩膀安静了
窄窄的肩带勒得更紧了
裙子上的野兽睁大了眼睛
雨声时高时低,院子里那棵
比我们还老的丁香树根里的国家也安静了
你的面孔像一条亮灯的河

于是,雨落在亮灯的河里,烟囱里
雨围住你又高又窄的窗户
像七十年代抢电影票的孩子
把手指和化学的呼吸塞进来
伸向叹息的灯焰,最后的客人
夹着一块木头消失了
屋子里有些凉了,我们喝酒吧
玻璃座钟里的草籽在爆裂

屋子里有些凉了
你的黄铜茶炊,你的长支火柴
你的到肘的黑手套呢
你那边缘磨开了线的波斯地毯上
枝繁叶茂的细密画和去年
赤裸的白牡鹿机警的脚呢
你还在想什么呢
这是秋天,这是所有的雨
这是你安静的手,我渴望看见

2021 年 8 月 25 日,十二点半

有时突然一阵茫然

仿佛初秋暖阳下的一阵微风

摇动树叶,绿荫中游丝闪烁

没有来由,仿佛突然的一阵心跳

一个高大的白色女神

在幽暗的树下,她朴素的裙裾

兜着一堆灿烂的果实

她的头发如面纱,随风掀动

她脸上整个季节的红润和苍白

不停地转换,你茫然如掉落的果实

她望着你又没有望着你

她望着你看不见的远方

欲言又止,你想跟随她

你和她一样有些满足有些空虚

她用头发打谷的日子即将到来

2021 年 8 月 28 日

下午犹豫着死去

下午犹豫着死去

漫天白色的秋云一动不动

像等待寄出的包裹,不知寄给谁

一个包裹状态的人仿佛

一个妻子待产的男人
孤独无可救药，但无害
他总是拿起又放下什么东西
下午有如深井，他不希望
有人跳下来救他，砸在他身上

"我爱故我在，我老了，
可我还在爱着。"
他乳鸽的翅膀一次次长出风暴
在圣伊丽莎白不停地写信
写给从前的下午，星野的辽阔
暗淡海洋上的白色胸脯
那些采集归来，脸颊红扑扑
高大如村女的女神，肩膀半裸
把裙裾里灿烂的果实
倾倒在擦亮的木地板上

缓慢有如苏格拉底的毒芹
秋云不知不觉连成一片灰色
取代了蓝白分明的天空
又一场雨落下，垂直地
毫不犹豫，仿佛一旦犹豫
就会永远停留在半空
有如一个人整个下午都在犹豫
是去看你，还是为你写一首诗

2021 年 8 月 28 日，第二节头四句涉及关押在精神病
院的庞德

下午的莫吉托

院子里倾斜的下午仿佛一个
因为预感而耸起肩膀的人
灯早早就亮了，抵抗着白昼
杯子的清脆响声从隔壁传来
灯越来越亮
反映在三米高的镜子里的
还有你越来越模糊的侧影

你总在词语中离开和抵达
并不存在的地方
家园和异乡，分享最后的时光
莫吉托的紫色，白朗姆酒与薄荷的清香
在天边沉淀下蓝色尘埃

发生的事太多
和什么都没有发生
都让你失忆
黄昏来得多快，一张黑色的网
真好，今天你穿了件黑色的衣服

2021 年 9 月 5 日归宁前

飞蛾公社

我在飞蛾中跋涉如置身荒原
连沙子都在腐烂
联欢会后满地的瓜子皮
木头、纸和棉布的共同本质
它们缓慢而愠怒
仿佛受到了打扰
它们总是三三两两凑在一起
静静地商量事儿

这些早年从发烫的灯泡内部
渗透而出的腐败思想
现在则来自那些表面安静的书
它们是书中缺失的字句
沸腾的贫民窟和褐色短衫的暴民
永远不能彻底消灭
它们的合法性来自人的缺席

它们有些茫然
带着沉思状静止下来
脱离了书页里的上下文
和坚固的语法结构
它们遇到了存在的意义问题

于是它们越来越多地挣脱纸面
试图重新组合，像不被理解的思想
绝望而柔软，徒劳地加热一个屋子
既未被审判，也未被释放

2021 年 9 月 7 日凌晨三点二十

烟灰巴别塔

它可以是玻璃冻结的资产
木头的选择性失聪
亚麻贴身的凉，水的关节
绿色的马，没有脚死去的波浪
它可以是一切，除了
《圣经》里两个发音清晰的词
它是柱顶隐修士头上的鸟窝
是篮子里芳香的沙漠
它可以自言自语
既然它听不懂自己
它可以说出一切却从不被说出
它以熄灭来建筑笔直的虚空
它是比萨斜塔的落日和钉帽
是锚爪急急掠过方舟的山顶
耐心的标月指和反舌鸟的花粉
油箱里的萨满和生命树
它的坠落是整体性的高位截瘫

来得正是时候,是灰心天使

合拢翅膀的闪耀,故事的雷丝袖口

现象和本质,假面与美人

雪的法则与壁炉架的忠诚

它也可以什么都不是

仅仅是一个碳化的姿态

在一个人体内生长的穹顶

失去心脏的钟绳,毫无爱意

2021 年 9 月 7 日

月光谣曲

我和我的身体躺在月光中

我的一部分

没有融入月光

被矩形窗分割的月光

分割不了我的身体和我

它只是像发白的床单

被一点点抽走

它只是略微有点起皱

它的凉对我是一种安慰

我的身体略微有点起皱

被一点点滑进水里

它的一部分

始终躺在月光中

像洗得发白的床单变得很薄

2021 年 9 月 10 日

有关老虎的若干说法

酒神巴库斯用藤蔓的鞭子
把他的一群猛虎赶下印度的尼萨山
他因为正义而受尊崇
不驯服的脖子才甘愿被套上颈轭
拉着他去更高的山

狄多指责埃涅阿斯吃过老虎的奶
美狄亚认为，如果不去帮助伊阿宋
金羊毛就是她的，她是老虎的女儿
她杀了自己的孩子，逃走时驾的是龙车

新月如猛虎。中国古人
于四方安置四种颜色的老虎
居中的是黄虎，它们相当于《圣经》中的四象
保护空间秩序，抵御混沌的侵蚀

布莱克问了一些
老虎和羔羊都无法回答的问题
雪莱称月亮是酒神的女祭司
身体里都是狂喜的利爪

四月是残忍的月份，但也是老虎基督

出现的青春期，他在达利的梦中

向我们跳过来，要吞吃我们如同空气

但他必须先依次吐出鲸鱼、大象、鸽子和石榴

盲人只能在梦中创造老虎

却都小得像狗或是鸟儿

恒河边混杂气味的迷宫

每过九夜就生出九个，每个再九个

永无终结——是为世界格局的由来

收税的老虎，报恩的老虎，听经的老虎

舍身饲虎的人，戴红花的老虎

这些我都没有见过

它们都是词语的虎

至于南京城南的养虎巷

那里的女人不会把手搭在人的肩上

向他的脖子里喷吐热气

她们和老虎一样

不认为被写进诗里有什么意义

2021 年 9 月 11 日

有关苹果和苹果花的若干说法

莱斯博斯岛的苹果花是美惠女神的臂膀

是树下擦肩而过的一群女子背上的衣服
她们是谁的女儿，萨福不能回身赶上
她转头望向船只起伏拥挤的海港
她的爱人在最高枝头，谁也够不着

"大地的苹果"是法语里的土豆
"爱的苹果"是西红柿，一捏就烂
厄里斯的金苹果，在意大利语里也成了西红柿
其实它们都来自新疆的野苹果
适合做果酱，果胶黏稠，滴得缓慢
最好用旧枕套来过滤

向人抛苹果是等着被勾引的信号
维纳斯抛苹果却是为了骗人去捡以赢得比赛
我们抛木瓜，或者投桃报李
它们比较小也比较软，不像苹果易伤人
即便不爱，也把苹果接住
握着它思虑青春的短暂
墨涅拉俄斯弯腰去杀海伦
看到了她的"苹果"，便丢下了剑

《圣经》里可没有说一定是苹果
它也许是无花果，因为那对原型夫妻
吃了这果子，便拿无花果叶子编了裙子
所罗门三次提到性感的苹果
"我的良人在男子中，
如同苹果在树林中。"

256

还有,"你鼻子的气味香如苹果"
"我在苹果树下叫醒你"
生我劬劳的父母在苹果树下劳动

死海边的"索多玛苹果",里边都是干枯带毛的籽儿
撒旦军团上树吃果子,满嘴咀嚼的是灰烬
瓦尔普吉斯之夜的浮士德告诉年轻的女巫
他梦见自己上树摘了两只苹果
(为什么不是一只?为什么不是一串葡萄?)

眼睛的苹果叫作瞳仁,莎士比亚的媚药
必须滴在眼帘上。八岁的玛丽·奥斯汀
在苹果树下遇见了上帝
从此她一生的写作都是为了重新回到
那一天的阳光、风和草丛

粗糙多瘤的树枝弯弯曲曲
苹果籽也长不出苹果树,嫁接的丰富
是塞尚口袋里的酸苹果不规则的形状
苹果园里不一定有百眼巨人和毒龙
却必须有毕沙罗式沉重的独轮车
有弗罗斯特的梯子光秃秃指向天空
有落地的苹果牛都不咬,有冬天和睡眠
让苹果酒泛出金色的火光

美的只是苹果花,羽绒一样轻盈
白里透粉的五个花瓣

像早已绝迹的懂得害羞的脸
在叶芝的窗前，在阳光中闪耀
她爱的是革命，而不是诗歌神圣的愤怒
只有牛顿够幸运，接住了唯一一个
从星星的锅里掉落的苹果

2021 年 9 月 13 日

皮尔士的苹果

在签署文件的肿胀苍白的
指节确定性的敲击
与花瓣上阳光的闪烁之间
在因果与自由意志之间
你不再希望转身
啊，那抒情的哀歌的自我审视的讽刺的开关
那不可能的普遍怀疑

在咬进果皮的那个瞬间
你必须相信苹果就是苹果
而不是启蒙的象征
它光滑的坚硬，与你牙齿的打滑
由此而来的衰老的愤怒
是它存在的可靠性的保证
从外面看，它就是它
可抓在手里，它就是你的意识

里面都是索多玛的灰
习惯的共同体

在怀疑和信念之间
苹果闪烁着消失了
至于你到底吃没吃着苹果
先验的还是经验的
已无关紧要,保持必要的犹豫吧
在任何地方,你都是唯一诚实的"之间"
像柔软的芦苇,洪流过去
缓慢地站起来,抖落黑色肥沃的淤泥

2021 年 9 月 14 日

大凉山的石榴

大凉山的石榴,连续三年
由一双诗人的手亲自传递
我们可能今生也无法谋面
只能读读彼此的诗,偶尔挂念
在这无情岁月,没有敌意
已经算得上心地善良
何况这无声而甜蜜的友谊
又燃起一粒粒红色的火种
在我日益冰冷的心里

感谢你,我的诗歌兄弟

我还不能说出你的名字
那些权贵天生与正直为敌
知道了我们的秘密会心生恶意
而我一介书生，万事求真
连素不相识的也得罪殆尽
我空有一腔孤愤
却不能成全你于万一

以往多少热血，都被世故吹凉
抵挡不住那点可怜的名利
我把他们的嘴脸一一看穿
天堂和地狱永不会相遇

感谢你，我的诗歌兄弟
你纯洁的心胸有大山的凛冽
我无法想象你的勇气你的孤寂
唯愿众神眉毛凝聚的雨水
滋润我们荒漠的岁月
唯愿你身体健康，少受苦楚
我们一同背对人世
面向永恒的上帝

2021 年 9 月 15 日，给祥子

警钟响时

警钟响时——太阳既在

又没在梧桐树叶上
我还在和庞德留下的错误纠缠
试图用他自学的汉语
为他用十八种语言布下的迷宫
向一个没有陪审团也没有
程序正义的法庭认罪忏悔
我要替他背负如此恶名和荣耀

警钟在响——小时候我们总是唱
大刀向鬼子们的头上砍去
"大刀"要拖长音,"向"和"去"要短促
要把木头刀高高举起怒目圆睁
小伙伴们在小河两岸摆开阵势
弹弓石头子,脑袋上的包
和哭嚎和各自哥哥的呐喊
和最后的不欢而散各回各家
"八格牙路"被"咪西咪西"迅速取代

警钟响过——我从桌边起身
看见一个拄拐的老教授
从梧桐树下走过,走几步
停一停,仿佛思考着什么
他走得很慢,仿佛不想抵达任何目标
我也在思考,回忆是像一件旧外套
还是一只鸽子,突然降临在
他的,还是我的身上

毕竟，没人认罪
阳光在所有的树叶上颤抖

2021 年 9 月 18 日

秋日读海涅

这本《罗曼采罗》，从我的青年时代
就一直跟着我，书页上布满时间的褐色斑点
每一个都像是等待孵化的虫卵或宇宙大爆炸的原点
把鼻子探进去，却有最好的苹果酒的木桶味
多少年你望着我，我却没有和你交换目光
我知道你存在，像一个不通信息的老朋友
当你把女人和虱子相比，她们夜里的报复
让我发笑，而当你钱袋空空，瘫痪在床
你的朋友和蚊虫一起消失无踪
当你和我一样无处可去，我又暗自叹息
煤烟味的英伦，俄罗斯寒冷的鞭子
全民嚼烟草乱吐的美洲，还有我这个
活得全无态度的民族
当我厌倦了有趣的小人
我疲惫的脚上没有金色的凉鞋
再也无法踏上赫利孔山的泉源
再也无法像你那样，在烈焰之歌中让心血长流
那些古老的云象早已消散
即便暂时被落日镀上金光

像一万只绵羊把金羊毛滚滚送向西方

如今的世界依然像你当年那样

是刨花的墙壁，蜘蛛的丝绸，一针箍的葡萄酒

连粗暴的热情、灵魂相互的苦恼

都不复存在，故乡的忠义和衬衫

我们在异乡穿得破破烂烂

或许正好用来修补宇宙结构的漏洞

云彩和金雨只能带来灾害，天鹅和公牛

也最好离它们远点，像离开那些

好像活不起了的诗人，如今我只能

用韵词把散乱的稻谷稍微捆住

免得它们像波浪在我背上崩散

就像那神圣的多马，连自己的伤口也不敢相信

还是告诉孩子们，到修道院去

多的会更多，少的，连少的也要夺去

或者像阿尔泰亚，把箱子里熄灭的木头

再重新投进永恒的火里

2021 年 9 月 25 日

观　星

第一个声音：你的一切，你的爱恨和思想

在星星看来，都毫无意义，连灰尘都算不上

连你寄托一切的地球都只是一粒灰

在光中舞蹈上片刻，就消失无踪

第二个声音：滚吧，滚到星星上去，随便哪一颗
你这魔鬼，无论你叫靡非斯特还是撒旦
有成就有毁，又何必创造
你早就这样教唆，也早就惨遭失败

第三个声音：可笑，一个泱泱民族
几千年信的竟然是鬼话，还当作什么境界
既然没有人可以成为星星
就别再以星星的高度说话

诗人：星星看久了也会头晕
一天没下楼，你们还是吵个不休
刀剑与火焰，夜莺与玫瑰
虽只是词语，却可以把一个老叟安慰

2021 年 9 月 25 日

不揍不长记性

你这不长记性的玩意儿
我叫你扒开眼就看，啪啪
眼睛都快熬瞎了
红得跟兔子似的
我叫你还买书还买书，啪啪
明明已经看不完了你还买
你还能活几年，撑死三十年

一天一本你也看不完你还买

啪啪,啪啪,你个败家玩意儿

几个屋都是你这些烂书

连放衣服的地方都没有了

啪啪,啪啪,啪啪

——妈,妈,别扔我的书

不扔你还是买买买

书多贵啊你还买

你就不知道给孙子省点钱

现在上学多贵,住的吃的多贵

啪啪,啪啪,啪啪,啪啪

——妈,妈,我错了我错了

可你别扔我的书,我的书

呜呜,呜呜,呜呜呜呜

眼泪又大又圆像月亮

2021 年 9 月 26 日

秋夜的雷

秋分之后,据说下雨不会再打雷

雷都已入土埋藏,这个说法

会引起一个有趣的联想

比如白手套捧出的儿童团的金黄

昨晚紫金山西北角上电闪不断

像是沿着高压线向山麓输送银色火球

隐隐的沉雷让人不安

暴雨迅速冲毁了神翠鸟①波浪上的巢穴

这痴情女子的化身撞击着我的窗户

渴望着灯光和安全，一种没顶的力量

不再是春雷的喜悦和夏雷的干脆

而是一个巨人缓慢拖曳着锁链

自然的力量依然让灵魂跃上嘴唇

但不是出于爱恋，正如柏拉图所说

一个成年人可以轻易征服成千上万的婴儿

于是我像婴儿一般蜷缩在嗡鸣的玻璃后面睡去

和燕子与夜莺一起焦急地寻找一个

看过晨星又看暮星并因此迷失的孩子

给玉堂先生的第三个生日

还能说些什么呢？祝福是无尽的

牵挂也是无尽的，这一年又要安然地过去

---

① 神翠鸟，见柏拉图《神翠鸟》。埃俄罗斯的女儿深爱着她的丈夫，为她作
为晨星之子的丈夫凯依克斯之死悲哀不已。出于神意，她长出鸟一样的
翅膀，在海面飞翔，搜寻她的丈夫，因为她走遍了整个大地，都没能找到
她的丈夫。燕子和夜莺涉及普洛克涅与菲罗墨拉姊妹的故事。菲罗墨
拉被姐夫忒柔斯所辱，舌头被割掉，囚禁在小屋中一年。菲罗墨拉在自
己织的头巾上用紫线巧妙地织出一篇文字，陈述了所发生的事情和她受
到的屈辱。普洛克涅收到头巾方知妹妹的痛苦遭遇，趁夜把菲罗墨拉接
回家中，姊妹俩决心报仇。普洛克涅亲手杀死她和忒柔斯所生的儿子伊
提斯，做成菜肴叫丈夫吃。正当忒柔斯大嚼自己的骨肉时，菲罗墨拉把
伊提斯的头颅向他面前掷去，忒柔斯这才明白过来，举刀就去追赶两姊
妹。姊妹俩乞求众神保护，众神出于怜悯把普洛克涅变成夜莺，把菲罗
墨拉变成燕子，燕子胸部还留有忒柔斯儿子鲜血染成的红色斑点。忒柔
斯则变成了长嘴大羽冠的戴胜。

首先要感谢那暗中护持的力量
是祂安置了星斗和它们坚固的枢轴
作为承诺，自然依然在运行着
在我们看不见的广阔的星野之间
依然有光的信息越过寂静与黑暗

瘟疫的考验尚未过去
你在成长，茫无所知
星光消失的前方，或是一片阴云
或是灿烂的彩虹，一个充满回声的玫瑰园
我们都在领受着这门功课
学习着怎样把生存的圆周尽量缩小
只抓住生命最为核心的需要
谁也不知道未来的形象，是严厉的仁慈
还是一种可怕的美已经诞生

亲人们环护在你周围，他们是你的盾牌
你的伊达拉里方阵，他们用习惯的辛劳
为你编织起一个帐幕，从晨星到晚星
从火柱到云柱，这一小支军队
你是首领，你是旗帜上的徽章
赶上这样一个时代，我不知道
是幸运还是不幸，那未来的岁月也许早已到来
只是我们都没有察觉，我们没有天使的视力
我们的局限也许正是我们的福分

这一年最可称道的是你的成长

它像山间清流一样自然而坚强

你已学会人类的语言,你的天性

如阳光在枝头跳跃,你已经能够

把事物一一命名,尽管事物正在大面积崩溃

你学会了安慰我们的忧虑

你也学会了不去回应某些时刻的召唤

那是你专注的时辰,你把玩具拆分又重组

你喜欢把每一个句子说得完整

每个宾词,每个语法单位,你知道

语言的结构便是世界的结构

你只要言说,事物就会完整地存在

你把自己称作"宝宝",你避免说"我"

这不是娇惯,这是自我的他者化

它让你更加灵活地与自己保持客观的距离

我知道你很多年后才能明白

我这里说的是什么,但我还是想和你说

保存语言,那是人类存在的根基和始源

这一年,世上发生了太多的事情

邪恶并未消灭,在很多方面占了上风

在大地上建造天堂的努力似乎已经失败

可是一代代人,依然会从废墟中打捞起

自己的碎片,一次次重新塑造

并不完美也不可能完美但依然必要的形象

这形象来自星空深处,无人去过的地方

一个不断旅行的巨大的十字

它曾以金字塔方尖碑纪功柱的姿态矗立

在恒河边,在爱琴海,在赤道和北极

和一个三岁的幼儿说这些何益之有
可是这一年,我们能够记录的宇宙的动乱
那将古往今来一切文明的创造化为漩涡的力量
是我们无法回避的,我们便置身其中
我想让你记住,你的幼年曾见证了
人类最伟大也最悲惨的一个时代
作为个体,我不知道你长大后要面临什么
但我相信,这样的幼年会给你的骨头
注入坚强的盐,会发光的盐
你会比我们更有面对一切的勇气
坦途或险阻,匮乏或丰富,不过是词语
我们不加区分,它们只是我们心灵的习惯
所带来的暂时的印象,真理依然存在着
并主宰着有形无形的一切

啊,一个三周岁的生日诗,竟让我如此踌躇
似乎我这操练了一生的技能,都已失效
可是,秋天依然开阔,雁阵横空
洪波涌起,大风扫净彗星的瓦砾
那净化的伟力,水与火,依然在不息地循环
依然有高大的女神怀抱盛满花果的羊角
依然有夜莺如思想本身在枝头歌唱
依然有人在金黄的田垄间直起腰来,满怀爱恋和乡愁

愿你健康,我的孩子的孩子

身体是灵魂最忠实的旅伴

不要让它沉重的习惯拖累了你的征程

愿你快乐,培养单纯自然的性情

因为快乐来自没有一丝仇恨的心灵

愿你尽情享受语言的游戏

你是最可爱的诗人,语言是光明的开光

愿你将我们祖传的执着用于劳动

用于学习,不可把它轻率地用于和人相处

对于人类,你要有足够的耐心和同情

尽管他们有时显得并不那么像是人类

也愿你能够宽容一个人长久的缺席

他有无声的牵挂,他有自己的任务

他在守护语言,而守护语言

就是守护我们共同的世界,也就是在守护你

也愿你宽容他的固执和愤怒

他的愤怒来自天性的正直

也来自某种隐秘的忧虑和爱的混合

让我感谢你,我的小战士

感谢你衣服上没药和沉香的气息

你不仅仅属于家族血脉的希望

你也是人类脸上的光,属于未来高尚的行为

你是战阵的统帅,有了你,我们坚不可摧

世代如流水,而我们立定的

却是荣美和磐石,从亘古到永远

2021 年 10 月 2 日

午夜的逻辑学

空间的无限与时间的永恒
都是不可言说的
思维与存在同一于言说
才有了意义

空间无限减去一部分
不会减少分毫，减掉的是零
因此空间无限的每一部分
也都相当于零

时间永恒也是如此
减去一天，无损其分毫
永恒的每一天也都是零

由每一部分为零组成的
无限与永恒，必然也是零和虚无

于是，午夜的一个片刻
世界不复存在
没有人察觉
这个不合逻辑的奇迹

2021 年 10 月 3 日凌晨一点

椅子的谈话

两把椅子,一把棕色的木头椅子

一把蓝帆布的铁架椅子,刷着白漆

今晨我突然发现,两把椅子

完全是两个人相对而坐

一个严肃而微微紧张

一个放松,几乎半躺半坐

它们在谈着什么

我像一个第三者,吃惊而尴尬

我的出现让它们的姿态突然凝固

只有阳光在它们身上游移

我在门边停了很久,进退不得

对于我的这种处境

既不能赞美,又不能说"他妈的"

甚至我的拟人化也是对它们的冒犯

这首诗,也是如此

2021 年 10 月 4 日

题戈雅的一幅未命名的画

没有背景,没有空间和时间

他们置身于不存在的地方

一个男人,惊讶于自己

有一个女性灵魂

他的惊讶成了库克罗普斯

巨大的独眼,全身发黑

而她的白色近乎透明

纯粹的白,她总会流动起来

他们是一座空码头

和一条每天变冷的河

带着古老的快乐彼此注视

她的抚摸温柔而绝望

他们无法融合,没有灰色的空气

让他们同时流动起来

没有最轻盈的花瓣落下

把他们同时带到现在——

一个困在形象里的官员

去会情人之前,他的妻子

缓慢地帮他扣上领口的纽扣

并把这视为幸福

2021 年 10 月 5 日

一条坡路

八九十年代的哈尔滨非常洋气

尤其带坡的奋斗路

现在的果戈里大街

总觉得神秘,街树高大茂盛

一栋栋百年老黄房子亮着灯

像形状各异盛满美酒的巨大杯盏

冬天深夜,我骑着加重自行车

沿这条石头道街自南向北

追赶喝醉了酒般晃晃荡荡

直冒蓝火花的有轨电车

经过革新街那座暗红色

拜占庭式圣母无染原罪教堂

经过写了《白日酒吧》的巴比松画廊咖啡

经过马家沟河(现在是俄罗斯河园

老韦我们曾在那里的印度街

喝酒,看舞女光着脚脚底黢黑

我们跳到台上,把主持人挤下台

我们自己跳,出来后老韦突然说冷

其后不久,便诊断出肺癌)

经过马家沟河对岸的儿童公园

我单位几名老高工设计的小火车一直还在

从那儿开始上坡,制高点上

矗立着绿色的秋林公司

下坡,经过中国第一座电影院

巴拉斯,亚细亚,江南春大饭店

(那时哪里能知道我如今会在江南

却从来没有遇见过江南春)

不刹闸,冲下结冰的下坡路

一直出溜到老三中,然后又上坡

在霁虹桥上停一会儿,等着

驶向黑海的火车喷吐白烟

从下面驶过时,桥身的颤抖

等一切又静下来

再一路下坡,经过儿童电影院

我曾独自观看长达四小时的

《斯大林格勒保卫战》

经过高谊街的犹太会堂

(当时是公安礼堂)

经过工厂俱乐部折衷主义风格的大白楼

散发草垫子气味的单身宿舍

再过去就是白茫茫刮着冒烟雪的松花江

实际上这条坡路非常危险

积雪碾压成冰,形成若干条垄沟

你只能可着一条垄沟骑行

你把单车停住,看看油污的链条

和开裂的脚镫子

再回头望着坡上,仿佛

四个十年,只是你骑车

过了两个坡,坡上灯光璀璨

坡下一片黑暗

2021 年 10 月 9 日

松花江的记忆

1986 年到九十年代后期,差不多有十年

我工作生活都在江边附近
江畔似乎只有一种大柳树
有几十年甚至百年的树龄
雨后绿色的长椅,老头湾
剪刀状的公路大桥
江上俱乐部,友谊宫
通江街绿色的黑龙雕塑
江畔餐厅,防洪纪念塔
半圆形柱廊上众多的燕子窝
然后就是著名的中央大街

继续向东,是滨江铁路桥
谈恋爱的喜欢从那大铁桥
走到江北去,那时桥上跑火车
火车一来,两个人赶紧搂着
躲到桥两侧隔段距离一个的
突出的小平台上
火车裹着风雪而过
大铁桥不停地颤抖

在新开街大走廊住的那几年
夏天最开心的是一家三口
扯着旧纱窗的两端
在浅水处捞手指肚大小的沙底鱼
用罐头瓶放窗台养着
等水浑了,小鱼也死了
几岁大的马原也早就把它们忘了

而坐船去太阳岛野餐是件大事
树荫下铺好塑料布，干豆腐卷
黄瓜西红柿蒜蓉辣酱水煮花生
秋林红肠松仁小肚华梅的沙一克
易拉罐啤酒，玩累了
背着睡着了的马原回来了

冬天领着马原在江上滑爬犁
加速，使劲一推，放手
爬犁会自动滑出一大段距离
有的人用大洋铁洗衣盆装着孩子
从江堤上往下滑，往往弄得人仰马翻
有时我自己踩着咯吱咯吱的雪
走过江去，或者在午夜的寂静中
在新雪上踩出第一串足迹
空无一人的江畔一片通亮
橘黄色的路灯光圈里，雪粒
像载浮载沉的细小的磷虾

春天开江时蹲在江边看跑冰排
满耳清脆的冰凌碰击声
冰排有时互相堆叠，耸起
有时在黑水中缓慢旋转
不一会儿就哗啦啦流干净了
露出一片清新暗沉的水面
然后买两条价格不菲的开江鲤子
和几个诗友炖豆腐喝小烧

春风浩荡,在解冻的路上长时间闲逛
敞开领口,早春的灰色气流有如新酒

秋天炒江虾,炒得通红的
有点扎嘴,却也是下酒的好菜
看秋水汤汤,培养浩然之气
看江鸥背对下游随波逐流
看拖船薄暮中缓慢地开过去
船上黑魆魆的,拉的不知是沙子
还是煤,船尾的小灯也是通红的
或者长时间看着岸边亮灯的船坞
看值班的人将拖布伸到水里
涮干净,再去拖船坞的地板

就这样,这条江一路陪伴我
从初入社会的迷茫,沸腾的钢花只是让人害怕
在单身宿舍靠墙垫着膝盖写诗
到恋爱结婚生子,一眼能看到退休的无望
从计划经济沉闷的安稳
一直到市场经济转折时的人心惶惶
在它的枯瘦与丰盈,结冻与解冻之间
我度过了苦闷绝望
而一头扎进诗歌深渊的十年
硕果累累又苦不堪言
新世纪搬家到老动力区之后
去江边的时候就少了
一个时代也像跑冰排似的

转眼就没影了
只留下这点可怜的记忆

2021 年 10 月 9 日

秋天的明净

删繁就简的秋天
不仅仅是丰收内部的荒凉
不仅仅是光秃秃的树枝上
群鸟合唱团的沉寂
还有你不再犹豫的转身
转向自己日渐衰败的身体
转向你的灵魂独自踏上的
那暮色已深的向天之路

不再需要说出什么
不再需要见证什么
不再需要勉强的现实
不再需要任何虚假的关系
不再需要任何人或物
来为你的灵魂作证

唯一可以信任的
只有你灵魂中对美的信念
至于美本身,是无处可寻的

那些若有若无的人
那些若有若无的事
都从你的心灵中彻底消失

曾经真诚的,你已经回报以
加倍的真诚,如今它们变了颜色
玫瑰变成了纸花,不需要葬礼和告别
转身,就是此生和来世
都再无一点干系

抛开吧,像一个战士孤身前进
抛开既往的一切
包括你终生劳绩的那些书卷
它们不过是暂时的战利品
你不能背着那些累赘前行
尘世浮名本是一场空
尘世情爱到最后都是伤害
抛开,彻底抛开,孤身上路

这是主的秋天
主的呼唤,祂已经把日暮
放在了你正直的道路之上

2021 年 10 月 12 日

转　身

转身,思那可知之物
对于可见之物,可视而不见

——题记

转身,这一年都在告别
和许多人,和许多事
你嘴上说,只是去看看他们
你心里说,这是永远的再见
你只是给他们最后一个机会
没有人察觉你这最后的善良
你同情地看着他们,同时又满心冷漠

他们曾经被你慷慨地拥进心怀
如今你默默地关上门,不再打开
你把他们还给世界的欢乐
他们并不知晓,自己的福分已经用尽
他们活在世界却在你这里彻底死亡

你想起和一些珍贵死者的最后一面
他们死在世界却在你这里活着
小慧,为了要你帮他写情书
在大学宿舍弹吉他唱歌时的微笑
雪峰,瘫痪在床,我们说要走时
偷偷看一眼就扭过头去的眼神

爱吃桃的母亲来帮着带马原
想自己家了,我逗她说,哈尔滨有大桃
母亲说,回家吃小桃去
那受了委屈般的小女孩的语气

可是这些,你还能记住多久
你同样不知道,在别人那里
你自己最后的样子
最好是彻底遗忘,连同名字
像影片最后,胶卷突然着火

世界不配拥有你和你的形象

2021 年 10 月 13 日

重阳节的雨

没有澄净的光,没有高处
没有菊花,没有红色的酒渣
只有雨,只有越来越冷的房间
只有一些静物小心翼翼压低的呼吸
不想让世界发现它们还活着

还能说些什么呢? 又是深夜
雨还在下,你听着雨声
它曾是能让你安宁的少数的事物

唯一能言说不可言说之物的力量
它不在乎有没有人听,它只是说
它的话语的意义全在其本身
它只在事物外表停留一小会
它利用事物的缝隙,但并不占有

它不规定,自身也不受规定
因为一切规定都是否定
它既不言说事物,也不言说自身
因此它自由,它可以成为一切
甚至成为此刻倾听它的你

2021 年 10 月 15 日

暂　停

一个父亲用摩托车把孩子载在自己怀里
父亲的背影完全遮住了孩子
他们超过我时,孩子突然说,停,暂停
然后开始数数,一二三四五,数到十,出发
父亲应和了一声"滴滴",车子重新开动
超过了我,迅速拐进另一片绿荫

我继续走,没有停,只是放慢了脚步
在我超过一辆匀速前进的轮椅时
儿子推着父亲,棉帽,臃肿的棉裤

看不出老人的眼睛是睁着还是闭着
透过梧桐枝叶的光落在他们身上
我放慢脚步是想多看他们几眼
我不能停,责任催促着我像一只旧式钟表
我超过了他们,迅速拐进另一片绿荫

2021 年 10 月 18 日

与晓锋沿浐河散步一下午

一个半阴半晴的下午,灰色的散光
几天的暴雨,河水浑浊,滞重
几乎是一条黄河,河道时而宽阔
时而狭窄,早没了旧时的清浅
自由在于静止,于是这条河也缓慢起来
山洪从半坡方向而来,经过鲸鱼沟
打了个结,形成一个水库
大学时"星火社"春游我们一起去过
现在住满了陌生人,鲸鱼在山顶
像一只搁浅的方舟,蓝色白色
河道变窄的地方让出一片泥滩
细小的乱流,倒伏的枯草,两棵直立的柳树
树根下的土被水流侵蚀成篮子形状
它们隔得不远,各自立着,我们停下看看
没想到还有白鹭,有两只静立在泥浆里
似乎在等待什么可怕的东西出现

飞走的那只始终没有回来
我们继续散步,这条河在汇入灞河的地方
有更多无法折断的柳树
我们谈到已经到来的未来,时间和信心
还有体重,一条河的单调覆盖着城市
我继续在地图上察看河流经过的地方——
扯袍峪,仁义里,鸣犊街,炮里,等驾坡,迷村
我们去迷村走走? 已是傍晚
至于《佩特森》,我正好翻译到这里——
"复杂的下午,感觉沮丧,释放出自己的声音"

2021 年 10 月 20 日

与威廉斯谈到花开

男人不必与花朵纠缠春天
花睡着了,就别用蜡烛去照
烛泪滴在手背,鼓起的是发蓝的血管
至于历史,只是枯萎的花,不是果实
做一朵花,加入合唱,不如
做一根自在独唱的草,保持羞怯的虔诚

即便把世界叫作花,那也是黑色大丽花
土豆花,收集阳光的酢浆草,总之不能是玫瑰
玫瑰总是会换掉拿着它的那只手
莫须有的世界为我们打开,也会为我们关闭

它的分解和组合,都是为了忘却
人的绝望,却在于忘记不了季节和花开

蓓蕾沉浸于自己的多样性
这内在的多重眼睑低垂
覆盖自身与世界,它因为充盈而不得已的开放
只是一个由具体到抽象的过程
是一连串的闪光和虚无
将存在和非存在统一于动作,而非言语

"但是春天会到来,花会开放
人类一定会喋喋不休他的厄运……"
曾经,花开是一个古老的仪式
带着冬天木头的香味
和雪花落在麻雀背上之前的犹豫的低语

2021 年 10 月 21 日

树的进军

一棵梧桐,枝叶繁茂
它后面,还是枝叶繁茂的梧桐
隔着一些别的东西
楼房,车,河流与人
然后还是更多的梧桐
一重重看过去,总是看不透

总是看不到那最远

也是最初的唯一的梧桐

所有的梧桐只不过是它

一路向我走来的虚影

它本身却永不到达

也不会落叶,也不会生长

每当我向窗外望去

树便停下来,装作在孕育鸟雀

在我不注意的时候便又前进一点

我知道它想进入我的房间

把我赶出去,十年了

只有我的凝视才能阻挡它片刻

这是权宜之计,我必须找到

那树的原型,把它彻底砍倒

连同它孕育的那些透明的思想

2021 年 10 月 21 日

2022

浮士德时刻

我整天钻研辉煌的诗律
像寒冬的老叟把新雪堆在墙角
把黑黝黝的枯枝抱进屋子
在火炉前搓手，毫不理会
外面的春光和痛苦得发红的树梢

一年一年就这样过去
像一队幻影从火堆中游行
带着冠冕，旗帜，刀剑和权杖
偶尔一个年轻而严厉的女子
撩开一角面纱，向我投来
责备又怜悯的目光
又归入那沉默的永恒的队列

时至今日我两手空空
只有大脑的回音室里
一片和谐的铿锵
纸糊的天堂他们跳着滑步舞
那是我永远到不了的地方

属于我的只有寒冷的智慧

它像老朋友剔白的骨架
从后面把我拥抱
终有一日它会勒进我的身体
把原来的我取代
这契约源自浮士德的书房

正当我为如此虚度而自怨自伤
为这魔鬼吹入我心中的字句忧惧彷徨
窗上响起几声轻轻的剥啄
一只黄尾黑背白头的小鸟
好奇地探头向屋内张望

它刚刚研究完梧桐褐色的球果
饱餐了枝头的嫩芽
好奇这个叫作人类的呆鸟
为何把自己关在屋里
把春天当成冬天

唉,那些辉煌的诗律早已丧失
如今已无人再把它们需要
既取悦不了无知的少女
也安慰不了皓首穷经的老叟
还不如应和自然的节律
当泉水和溪流都披上银珠
当你厌倦了智慧和词语之间的舞蹈

2022 年 3 月 22 日

世界的存在是为了虚构

世界乃最高意志的虚构
为了让我们参与其虚构
以便让祂本身成为真实
但我们贡献的成分甚微
基本可以忽略,包括我们本身
都是被更大的力量建构出来的
我们知道这个事实但无能为力
世界并不源于个人的感知
它是一个莫名主体的感知所构建
并强加给我们,世界图景
并不是所有个体感知的简单相加
它是一个被强加到我们个人感知之上的
虚构的真实(但已经真实了)

初夏的回忆

寂静的平原上黑黝黝的橡树群
几头牛低头啃着浅浅的草皮
半天也不移动,偶尔甩甩短尾巴
年轻的牧人沉浸于新的主题

远处,湖水闪烁着银灰色

湖边卧着读书的女子
一定赤着脚,沉重的胸压在
用于占卜的维吉尔的诗句上
空空的运草车涉过浅水

门口粗糙的石头台阶
母亲弯身,把小男孩的衣服
捋到胸口,露出小鸡鸡
让他鼓起小肚皮撒尿
哥哥在一旁仰头望着
随大树分叉而分叉的炊烟
门里的幽暗,始终看不透

2022 年 5 月 8 日母亲节

契　约

一根树枝并不知道自己
是一棵树的一部分
甚至不知道自己是一根树枝

一根树枝的摇动
并不知道其他树枝的摇动
更不知道树的摇动或不摇动

一根树枝向前伸展

每年伸展一点点
并不知道自己在伸向
一个人的窗口
它不宣称树的进军

宣称者也不是"我"
更不是这些词语
而是在"我"与一根树枝
和一棵树之间,达成的混沌
一种契约,绿色凋落的空间

在这整体后面
透出断续的闪光
像从天而降的银灰色的鱼
而我和树的存在
仅仅依赖于一根树枝

2022 年 5 月 15 日

沙漠里的诗人

这是一座沙漠里的木头酒馆
木板缝里漏进沙子,风和白光
外面没路,只有沙子
无声流动的沙子,微微发烫

酒馆里,人们三三两两

谈论他们的狗和天气
历史的推动力,医疗和教育
他们抽着烟,烟雾不时地
填满彼此之间的空间和寂静

酒馆主人分不清性别
从不说话,无人知道其来历
他总是反复擦拭一些空瓶子
铁路工程师,淘金客,农场小子
赏金猎人,逃犯,骑警,妓女
或沦落的城里的贵妇
来来去去,在这里发生短暂的关联

最幽暗的角落,开裂的木桌边
诗人始终在独自玩牌
没有人干扰他,他也不认识任何人
纸牌锋利的边缘发出相互切割的声音
幸运的话,还有蓝光在黑暗边缘
花边一般闪烁,他不是在占卜
他只是在纸牌的光滑和锋利
排列与打乱中,偶尔看见自己

干燥的纸牌上,图案早已模糊
没有人知道他是何时消失的
古老的酒馆,沙子越来越多
散发出漂流木和记忆的芳香

2022 年 5 月 15 日

论 阅 读

我在读书,一本黑色的小书
我总是感觉不是我一个人在读
窗外的树,我身后其他的书
甚至看不见的星星
也都凑过来一起读

我一边读,一边想起其他的书
一些人或事,一些突然闪亮的句子
我早已忘了它们出自哪一本书
甚至一些没有经历过的时刻

随着这种阅读的中断,似乎
有一些东西从我身边离开
重新浸没于无形的流动
似乎我辜负了它们
似乎幸福的世界全系于此

2022 年 5 月 27 日

在一座陌生的小镇寻找一条河流

人越来越少的北方小镇

一大早我们就向着南山而行

镇子边缘的红顶平房

泥泞的小路和大而无当的建筑工地

阻挡在前面,山下必有河流

可我们过不去,只能绕向东方

一路能听到时高时低的水声

我们经过歪斜的堆木柴的棚子

烤猪脚的小胖,豆腐坊

诱人的酸臭味儿,一个曾经

兴旺的小镇的各个时代

我的朋友也早已离开的故乡

寻找一条叫苇沙的河

它总是让我想起叶芝的苇间风

同样的灰色的河水拍打着

水泥人行道,呼唤着我们

但我们始终没有抵达它

它在另一片神秘的芦苇间流淌

似乎有它,离开的人就会回来

2022 年 7 月 10 日

对田园生活的向往

一定是在只有十几户人家的小村
一定是村尾最后一座红屋顶的平房
一定要有油漆的木头炕琴

295

园子向山脚蔓延,蔬菜成行

门边有李子树和高大的土豆花

一定要有一口老式压水井

吱嘎吱嘎,把大地深处的清凉

洒在烈日下的庭院

劳动和休息都遵循星辰的轨迹

不远处一定要有一条无名小河

暴雨后变得浑浊发黄

但越流越清澈

偶尔沉醉的酒后

把脚放在水中斑斓的鹅卵石上

酒意就会渐渐消散

或者在水声中入睡,树荫遮蔽

像逐渐饱满的青色豆荚

可以没有书,没有世界的消息

日子缓慢而重复,三五好友

从邻村不约而来,又不告而别

留下你在院子里长久地瞭望星辰

2022 年 7 月 12 日

一种时常会突然泛起的念头

在遥远的夏天的北国

在一座叫作苇河的小镇

它像时代洪流过后留下的泥泞

边缘处镶嵌着黄色的小花

楼房,店铺,整洁的街道

它似乎什么都不缺,又什么都缺

我们晨起散步,说着这小镇的寂寞

说着有精神追求的朋友,在这里

该有多么郁闷,除非学会

种东西,钓鱼,采蘑菇

我们穿过热闹的早市和小巷

惊奇地发现一座灰色平房

居然是一个基督教堂

我停下,向幽暗的屋中张望

想着乡村牧师的理想

和卡夫卡的《乡村医生》

等我们重新回到大街上

一开始停在那里的大巴

已经有了几个耐心等待的乘客

几个穿着新衣的半老徐娘

你说,你时常会有突然的冲动

想跳上车,坐到终点

去看看那边是什么地方

即便它和这里没有任何区别

2022 年 7 月 12 日

生日诗 2022

你赞美过的事物,如今来环绕你

希腊消失了，罗马也被抹去
不断流逝的台伯河比废墟恒久
你似乎有无数个前生
刺刀下，你在尘土中画完最后的圆
你在语言的巴别塔顶测量星辰
你在荒野四十天，体验充分的人性
以便对面包与石头不加区分
你一次次成为奴隶，一次次被杀
又一次次挪开洞口的巨石
野蛮的世代伤害不了你分毫
你始终是自己的该隐
你去过的地方必会有人再去
如恒河上的晨昏，暗中的车轮
踩在潮汐上，一刻也不曾停止
作为总体布局的一部分
你这无数的往昔，无人破解
与人类的道德幻觉无关
却不亚于一个帝国的版图
或蜡烛即将熄灭时的一阵香气
这是你作为诗人唯一的魔法
剑与玫瑰，滴答的种子
进入石头，未来那没有镜框的画像
这是你唯一的光荣
尽管有点血腥，有点残忍

2022 年 7 月 17 日，晨

骑单车横穿一座城市去看戈雅

雨断断续续,我和元正和老战

三个不知老之将至的东西

像暑假里腻在一起绞尽脑汁淘气的小学生

从红砖楼与高压线的老工业区出发

经西香坊,中山路,省政府

沿果戈里大街,过圣母守护教堂

至秋林,下坡,上坡,过霁虹桥

一直扎到与中央大街垂直的红专街

一路上诸多建筑和地点

都关联着早年的一些人与事

像是地板上散乱的快照中

突然出现的黑白照片

戈雅的咖啡屋开在一座

百年的折中主义建筑里

下午灯光橙黄,她在忙着招呼客人

一屋子炫目的年轻女子

让人进退不得,众多老物件中

我们三人显得更老

就像突然从九十年代穿越到了新世纪

那时我们都刚刚结婚不几年

对生活的绝望和对诗的热爱

结成危险的动态平衡
那时，大家都没有电话
便常常直接奔去哪个朋友的家或单位
在与不在，都无所谓
一切听凭灵感，像是雪夜访戴

事物的新让人不安，于是
转去参观戈雅的地下艺术空间
它适合始终在地下的诗歌
如同革命者接头的暗号
"天空在颤抖，仿佛空气在燃烧"
匆匆出来，去附近的网红店喝酒
想起一年前才认识戈雅
可为她写的那些诗
却像是九十年代的旧作

2022 年 7 月 15 日

红专街的记忆

整个九十年代，我都在这条街的附近生活
它的西端，可通到车辆厂一号门
东端则与著名的中央大街垂直相交
街角就是原来的教育书店
现在的松浦西餐厅，红顶的巴洛克建筑
灰色大楼主入口上方有两座大理石雕像

擎天之神,阿特拉斯和加里亚契德

斜对面就是我《寒冷的冬夜独自去看一场苏联电影》

　中的

那座犹太人纳布留金1926年建的

光陆电影院,伪满时叫丽都

九十年代末期改为紫丁香影剧院

现在是小资太太餐厅

继续向西,是一家犹太私人医院

装饰艺术运动风格,铁艺楼梯

走廊里有凹坑的油漆墙面

可以擦着早年易燃的火柴头

顽童们便偷家里的火柴划着玩

这些圈楼往往围成一个红砖的后院

整洁而神秘,开着花店和咖啡馆

雨天坐在那里发呆,听雨

一路下去,有味道平庸的网红回民馆

烟火气十足的早市,尹胖子油炸糕

几十年不变的老松滨菜馆

这条二十世纪初由希腊人的面包坊

而得名的面包街,五十年代末

改为有时代特色的红专街

关于它的最深的记忆

是九十年代初在车辆厂

我们几个分配来的外地大学生

技术处的长臣、梁滨

设计处的晓林和我

在那座电影院前面摆摊烤串

刚支起来，就被几个小刀枪炮子

一脚踹翻了烤架，正所谓

百无一用是书生，我们

一声没敢吭，默默返回单身宿舍

现在大家都脱离了那座

史称三十六棚的百年老厂

有的成了某著名国企的总师

有的去了加拿大，有的成了部级专家

只有我，只专不红，依然是个没用的书生

2022 年 7 月 16 日

别辜负这炉人间烟火

两个高楼林立的小区之间

没有车马灰尘的道路一侧

围起一方半亩小园

平房阴凉，外面又接了玻璃门廊

几架豆角，黄瓜向弯曲生长

茄子，辣椒，西红柿，大葱和生菜

都是北方夏季不可或缺的角色

这本就是一座有情有义的小园

是主人为落魄的弟弟所购置

现在成了一群底层发小

烧烤喝酒聊天的所在

虽已入伏，却凉风习习

302

巨大的遮阳伞下摆满自己劳动的果实

冰凉的啤酒,升腾的炭火

起大早去买的羊肉,腰子和大虾

提前用考究的佐料腌制入味

当香味和生日的祝福一样浓烈起来

一桌子发小仿佛又是幼年模样

仿佛大家一直没有离开童年的院落

一直在烟熏火燎的人间

跑来跑去,寻找各种植物的甜秆

抵御随年龄而加增的苦

仿佛绕了一大圈,就是为了

回到这方小小的田园

当酒意沉沉,远天响起隐隐的雷鸣

炭火的蓝烟也已渐渐消散

2022 年 7 月 19 日

在小院里度过生日的下午

对于诗来说,没有微不足道的事物

一排高大的白杨掩映的无名街道

路旁不断衍生的平房和仓房

一块空地,种着茄子黄瓜辣椒

柿子还青着,菇娘裹紧淡绿的小衣

一口酱缸上盖着玻璃板

防止雨水让大酱变酸

地上铺的红砖缝隙里
还有很多蒲公英开着黄花
我们支起大伞,烤串的炭火
冒出滚滚"炊烟",有很多年
在城里,炊烟是走失的孩子
只在漆黑的城中村徘徊
开春的农具还靠在墙上
屋檐下插着几把瓦刀和开瓶器
我们吹风,喝酒,闲谈
肉串,大腰子,翅中,烤虾
蘸酱菜,臭菜生菜黄瓜大葱
来自中原的没有名字的酒
不知不觉,一下午的云过去了
风翻起杨树叶背面的银灰色
此生如何沉醉? 谁将以小院
无数种的滋味活着,它杂乱而干净
像人类的活动一样杂乱而有趣

2022 年 7 月 18 日

成 高 子

成高子是哈尔滨最早的建制镇
满语意为"破冰取鱼"
它在市东南,邻近金都阿城
阿什河贯穿全境,三十多年

我总是听人说起，却从未去过
只知道那里的杀猪菜很有名
后来建了伏尔加庄园
陪客人去过几次
有一些仿古建筑，喇嘛台什么的
近年又开发有普罗旺斯庄园
据说地道的薰衣草很少
多是鼠尾草冒充。总之成高子
还是成高子，开车四十公里
我们只为了坐在它的农家大院
吃笨鸡和豆腐，果然好吃
又喝茅台，谈起给席间
两位小姐姐英杰、英珍写的诗
《风吹寂静》和《空旷的春夜》
已经是好几年前的事了
那两首诗我自己一直喜欢
她们也很珍视，写到英杰下乡插队
干活太投入，别人都回村了
只剩下她和黄昏，吓得蹲在垄沟里
写到英珍用她希腊歌队的音色
掩盖了我们为写诗而虚度光阴的羞愧
转瞬十年。我越来越不爱出头
疫情也浇灭了聚会浪诗的热情
但那些为诗发声的日子
也许并没有走远。酒足饭饱
英珍的车又是四十公里回城
至于布满物流公司的成高子

依然灰扑扑的,仿佛停滞在

九十年代初期,只有道路两旁

在炎热中渐渐成熟的庄稼

一望无际,呈现出屋大维掌权后

罗马农村似的繁荣

农户摆在路边的蜂蜜和瓜摊

歪斜发白的木门,一掠而过

2022 年 7 月 21 日

从滨州铁路桥过江有感

早上有微寒,大铁桥上行人稀少

以前往往是这样,在风雪弥漫的黄昏

恋人们过桥去,那时桥上只跑绿皮火车

火车呼啸而来,桥身剧烈震颤

恋人们就赶紧停下,躲到旁边

向外突出的凹处,感受柔软和心跳

后来这桥成了中东铁路博物馆

不再通车,并排新建了跑动车的铁路桥

不再有火车开过来时美好的战栗和期待

一个女孩坐着哭,一个从江北

骑自行车的男子停下来

劝导她,我继续走,稍微放下心来

另一个从江南去江北钓鱼的男子

走过来,电话里和人说

"有个女的想跳江,一个男的

在劝她,如果是男的要跳江

他肯定不会管。"有人不想参与人间因果

桥上垂钓的人在晕眩的高处闲聊

拎一桶鱼苗过江的人口含清水

过了桥,桥头那家食杂店还在

想起几年前我问老板娘

附近有没有卫生间,她撑我的话

"还卫生间呢,不就是厕所吗

好像谁没有文化似的。"

我吃了一惊,转身去堤坝下撒野尿

桥头堡下边,有家老船厂柴锅鱼

一片红砖楼,应该是船厂家属宿舍

约元正他们来这里吃鱼如何?

估计他们会说,哪里有什么江鱼

都是鱼塘养的。还是收集人类活动的碎片吧

桥下有一对情侣在耐心地踢石头

他们在几天前刚刚淹过的桥下

支帐篷,做点人道主义的活动

留下一些不便提及的气味

而从前往往是这样,火车过后

才发觉怀抱已空,火车

鱼缸样亮灯的窗口,你的恋人端坐

绿皮火车冒烟突火,呼啸而过

留下飞旋的雪霰,和一江空茫

2022 年 7 月 25 日

官屯一日

和普通的东北农村没什么两样
十几户人家，寂静，几乎看不到人
但有人类活动的迹象，比如
村头整齐的稻田，长势良好
空空的苞米楼子，被雨水侵蚀
发黑的柴火垛，红砖铺地的院子
几头温顺的红牛啃着发白的牧草
牛粪味随着阳光而越发浓烈
刺鼻而令人愉快，远处田野里
一处翠绿色的山丘，曾是高高的点将台
孤零零面对千军万马的青纱帐
1125 年大金国的使馆区
千百盏的明灯，辉煌的馆舍
馆舍里的环屋火炕，我们汉族
历史记忆中凶猛的金兵
完颜阿骨打和徽钦二帝
都随着更远处的阿什河逐渐消失
只有讹里朵寨寨门紧闭
满院蒿草发出垂死的气息
田园生活终究是不切实际的梦想
需要有耐心等待自己，等待
时代的遗忘，等待四野的风物
在人类退场的夜晚围拢过来

八百年前的王爷和使节

如何能知道今天的几个闲散之人

围坐于凉爽的火炕，靠着红漆炕琴

用五大连池矿泉原浆

用自家小园的菜蔬

一边驱赶闪耀虹彩的苍蝇

一边用随意的诗句

打发了那些金戈铁马的岁月

2022 年 7 月 25 日

立 秋 诗

秋天的第一场雨，从夜里开始

但事物的缝隙并不因此而满足

你在高楼上独处，在松花江边

听雨从此岸到彼岸

像一个没有脚的人搬运着云朵

据说立秋晚意味着丰收在望

可在这个年纪，歉产还是丰收

都是大地的凄凉

都不过是让河流逐渐清澈

逐渐慢下来，藏不住鱼的影子

从初夏开始享受的大地的奉献

像流水席从白杨的林荫道展开

你像一个饕餮,挨个吃去
把好吃的都吃到罢园,入秋
又开始等待李子变紫,沙果
压断树枝的脆响,雨雾
在果实上凝结出薄霜
等待那些落果,被大瞎蠓
或各种蜜蜂将腐烂的果肉
挖成半碗黏稠的汁液
在里面打转和死去

该偿还的早已偿还
再没有结束配不上开始的情感
教导你人性的规律符合自然
落叶将逐渐沉入水底
增加鹅卵石的斑斓
你在深夜提出的问题
不再需要答案
它们只是一个徒具姓名的人
逼迫你交出自己
传道者,巫师,酒徒,恋人,战士
都不是你的伪装,城市变得空阔
像一艘甲板起火的巨舰
倾斜着越过大陆架
向黑暗的大海滑动
火光中,蟋蟀盔甲闪亮

而雨中回家的人面目陌生

他们坐满了你的屋子

不发一言,似乎在等待着什么

而回忆是一个孩子,蹲在楼梯拐角

一根一根擦火柴,短暂的微光

照亮他瘦削苍白邪恶的脸

而你,突然有了远行的念头

去一个完全陌生的地方

尽管远方除了遥远一无所有

尽管雨还在下着

2022 年 8 月 7 日

夏季的最后一天

夏天的飞船已经达到圆弧的最高处

它或是沿切线脱离球体,失踪在茫茫宇宙

或是云渐层一样徐徐下降

扯着苗条的溺水者的线条

天空中的云没有明显的变化

依然像随意挥洒的水彩

还没有形成厚重的城堡和胸墙

或是像深秋被放逐的羞愧的旧神

缓慢消失前瞬间耀眼的金边

而新的美总是恐怖的年轻的神

是无人倾听的卡珊德拉的预言
风中一些冰冷的碎片
地窖里的回声,经年木料的酒香味
和你手腕上去年的白雪的气息

年复一年,木马的碎片
在无形的气流中旋转
立秋前一阵喧响,然后
突然的安静令人不安
仿佛万物都在倾听着一个指令

这时你就知道,你的假期
已经是从两头燃起的蜡烛
你突然又成了那个贪玩不写作业的孩子
开始焦虑起来,像摆弄一截旧皮带
吹起口哨,在深夜的小巷放慢脚步
像一个即将离开的异国的游客
努力想听清本地口音的友谊

2022 年 8 月 6 日

陪玉堂先生拍照

把这乳白色的灯放进草丛吧
那里有许多陌生的生命在交谈
把你赤裸的脚也放进闷热的草里

池塘里蚊虫在下着小雨

头上的山丁子半青半红

树木的拱门下有不为人知的离别

你的夏天是一条不断壮大的河流

带着它的急迫,它的漩涡

它水底小狗鱼的笑

而我的夏天已经是一座池塘

寂静,凝滞,因树影而发黑

它是一条累了不想再走的河流

隔着越来越多的树丛

能听见你的笑声,丰富的泡沫堆积在树顶

能听见你留下的小马

越跑越远,在寻找它的骑手

这是夏天最后的时光

我在等你,把褐色的松塔摆在长凳上

等着你留下的灯被蚂蚁环绕

等着你的河流跑累了

在这座老池塘里暂时歇一歇

让我们伸进草丛中的脚

一起长出暗红色的根须

2022 年 8 月 6 日

大桥下面

铁路桥像游动的大天鹅
慢慢停下来,高昂着长颈
我一夜一夜从下面经过

桥下没有灯,一个和我年纪相仿的男人
仰卧在水泥长凳上
一只手遮着前额
一只手拉住拉杆箱的把柄

一辆拉西瓜的卡车
过夜的司机蜷缩在驾驶室里
手机屏幕的微光照亮他年轻的脸
他要等待附近巡船胡同的早市

一对恋人紧紧抱在一起
仿佛在挣扎着从黑暗的子宫
重新出生
只有一只胆怯的蛐蛐
陪伴他们下了一夜的雪,在盛夏

桥下幽暗,两个中年男人
骑跨着对坐于长凳
中间放着塑料袋盛放的

不多的熟食和罐装啤酒
他们在谈着一场失败
他说:"我明白你的意思。"

在不同的时刻,在夜里
我穿过这座新建的铁路桥
我有时停下,倾听
火车驶过时的那种震颤

2022 年 8 月 4 日

旭 升 街

在旭升街上谁将最为羞愧
这个问题,和谁在这条街上最为幸福
几乎是一个问题。这条街和别的
哈尔滨老工业区的街道没什么不同
几座五十年代的大走廊红砖楼
属于附近的工厂,冬天白菜绝望的气味
和附近的生活一样变化缓慢
或许是根本就不想变化
除了我九十四岁的岳父住在这条街
除了我们几个不知老之将至的东西
经常啃酱骨架喝啤酒的盛源小厨
除了它和我第一次吻了一个高大的
哈尔滨姑娘的春申街垂直相交

我想不起它有任何值得记忆之处
只因为在这里出没了近三十年
我的肉身沾染了它无数个向度的时间
它的烟火气,玻璃总是被砸的车间高窗
扩散出的铁锈的气味,工装青年
务实而明朗的气息,除了
越来越茂密的杨树,将一个
大学毕业不久晕头转向的诗人
和他经人介绍的对象的
一双高大的身影,遮蔽在
光影斑驳的尽头,没有人提问
在这条街,谁会永远活着

2022 年 7 月 29 日

红木地板

一定要是红松、桦木、水曲柳或硬杂木
一定要红油漆斑驳
有结节的地方厚度不一
一定要用蜡烛头反复打磨
光滑到穿着袜子能打出溜
一定要有烧木头的铁炉子
乌黑的炉箅子上一定要有焦香的烤土豆
铝烟囱的天鹅长颈
拐弯穿过整个房间带来温暖

噼啪的木头发出松脂的香味

一定要有一个绿色斑驳的门斗

裸灯泡整夜逗引着飞蛾

一定要有南窗和北窗

北窗外是沙果树和菜园子

南窗下是白杨树或白桦树

靠窗一定要有一张坑凹的木桌

铺着姐姐亲手勾织的带花边的白罩布

一定要有一瓶清秀的野花

被林区的河风摇动

一本打开倒扣的法国小说

马灯,褐色的松果,墙上成串的黄蘑菇

一定要有连续几天的大雨

雨水从地板缝里呲呲冒出来

屋里很快水深过膝

一定要有一个四岁的我

用塑料小盆,帮着大人

把水扬到门槛外面

一定要有一个年轻的母亲

背着我涉水去小屋

去取镶嵌着一层

粗砂糖颗粒的长白糕

一定要有不大不小的灾难

让童年如过节般激动不眠

2022 年 8 月 8 日

上山的路

青纱帐漫过院墙,向低矮的红屋顶涌去

秋天的绿色浪潮,裹着呼声

将周遭的小山拥到近前

竹叶青加持的农家菜之后

陈年的友谊和话语之后

在午后时聚时散的云影下

一条砖砌的小路通向无名的山顶

通向多年以前和多年以后

沿途红紫色的浆果,裹着绿衣的榛子

山核桃,和松林间一阵一阵的阴暗

一直将我们送到山顶的泳池

和将熟未熟的葡萄架下

何等有福之人在此觉悟清凉

乱林之中脚踩的灰白小道

必通向某个永远安歇之地

被闪烁的游丝围护着

这条路也必将通向新月的池塘

通向山下古老而衰败的小镇

它从金国传下来的蒸馏酒的秘密

白色的采石场和同样白色的云

它们像一些被打败的巨人

在消散前留下一阵山间急雨

急促的雨点擂响铁皮屋顶

将独自落在树丛后的人赶回屋内
美好的凉意聚拢在腿弯
中午的酒劲尚未消退
温暖的灯光,绿色的酒
和清澈的星空又已准备就绪

2022 年 8 月 13 日于玉泉

山中雨后

一阵急雨,一阵阳光
山间道路迅速如游蛇隐没
院子后面的小溪暴涨
携带着高处的树叶
我们用词语围住的这一方院落
在群山的环伺下显得如此孤零
下午在火炕上饱睡
雨的马蹄声从铁皮屋顶上掠过
向更远的树林,向一个
看不见的战场奔驰
我们从睡梦中惊醒
在红砖的院子里瞭望山顶的云雾
看它们抹去一个又一个山头
看它们把我们的语言
像花粉一样裹挟着带往
我们并不知道的山谷

茅屋秋风的预感,并没有

让我们停止先前的玩笑

也许这是一种更高的智慧

在山间,当雨后的白色气流

在山谷里慢慢发酵

当寂静降临,群山和村庄

都发出湿漉漉的褐色蘑菇的气息

2022 年 8 月 13 日于玉泉

山中的红兽

月亮出现在杨树的枝叶之网

出现在湿漉漉的屋顶之上

月亮已经圆满,它聚集山间的幽灵

形成环形的阴影,像湖底的波纹

你是何其仁慈,把安慰的光亮

洒在人世间,洒在我们渐渐冰凉的肩膀

同时也把荒凉,像一件旧衣服

披在我们的身上,没有什么

能够阻挡漆黑的树梢升上天空

没有什么,能和你分享晨昏

除了词语,除了池塘上喘息的银色

除了我们抛弃的象征与契合

有什么能再次把血液和你的潮汐

紧系在一个走不出去的山谷

月亮升起,你这荆棘丛中天使的晶体

再次把酒杯倾斜,让黑暗中的溪流

把水声向低处传送,告诉我们

河流放慢的地方就是村庄

2022 年 8 月 13 日午夜

山间晨雾

作为短暂的象征,这些精灵

从低洼的池塘与山谷间缓慢升腾

她们并不远离,而是流连在

化育自己的事物周围

守护着事物的秘密

偶尔有金鱼似的晨曦跃入林中

山路上只能听见水滴

从叶子坠落到叶子上的声音

雾气让树枝变得柔软

花蜘蛛在溪流边的草叶上结网

像渔夫在水面上撒网

捕捉细小的露滴

雾气凝结在半青半红的果实上

昆虫的翅膀和生锈的铁栏杆上

隐藏起一个个无人看守的果园

偶尔有鸡鸣和犬吠传出

向上,山顶暗沉的松林之巅

已被晨光照亮,而低处
村庄、溪谷和树丛依然雾气弥漫
与太阳谋划一个甜蜜的季节
当我们折返,牛铃坠入谷底
铁皮屋顶上的露水尚未晾干

2022 年 8 月 15 日

秋天的玻璃房子

把窗户关上吧,秋天的林子深了
马上就是九月,孩子们将回到学校
头发里萦绕着游戏的热气
面对规定给他们的知识
他们的沮丧散发着秋刀鱼的气味

树在灰沉沉的天空行走
寻找雨的脚印,把手揣在口袋里
那磨损的角落,有纤维粗糙的音乐
没有人建筑,也没有人向黑暗中扔石头
没有人相爱或者死去

在郊外,在石头停止滚动的山坡
玻璃房子灯火通明
里边只有一队纤细的影子
用一条腿旋转着

坡顶,始终有一朵很白很白的云
到夜里,它将像履带一样碾平
山坡的彩色糖纸

2022 年 8 月 28 日

多年前在兴凯湖看见银河

在初秋的兴凯湖,吃大白鱼
和饱满的湖虾,用当地人
插在沙滩上的铁管子汲取的水
炖鱼,早上在雾中骑水上摩托
光着脚走到另一个村庄,讨圆葱
圆葱没有心,但你剥着剥着
就会流泪,或是看奥莉雅做瑜伽
突出的锁骨在晨曦中闪光
她说:"你们中国人的爱情总是悲伤的"
悲伤的,是的,悲伤
是白桦林中落叶的空坟墓
是林边闪动的一角红纱巾
深夜,在疲倦的游戏过后
我们在湖边沉默地坐着
这座与俄罗斯的界湖
别称北琴海,像一把黑色里拉琴
我们坐了很久,直到
银河像一张绳结密集的网

向我们的前额倾斜而来
又大又亮,沉甸甸的
这事物的原型,是无数个可能的世界
正在向唯一的现实世界生成
一种怀特海式的预定论的神秘
向我们启示了人类爱情的暗晕

2022 年 8 月 9 日

在初熟的稻田边喝酒

下午的鱼塘收藏白杨的倒影
稻子半青半黄,肃穆的姿态
似乎在感谢太阳的陪伴
沿着发烫的土路趟着脚走
看惊飞的淡绿色蚂蚱
从草丛飞跳到前面的草丛
它们将随着季节变成金黄色
北方秋天的第一乐章,抛物线的上半段
离丰收后田野的凄凉还远

小鸡都躲在凳子和汽车底下乘凉
葡萄藤象征着安宁,带来荫凉
葡萄又小又酸,只适合酿酒
丝瓜直直下垂,马齿苋紧贴地面匍匐
投在稻田上的云影半天不动

田埂边,偶尔有几枝
无人拔除的格桑花在怒放
一株向日葵涉到了麦田中央

鱼塘里鱼儿的泼溅声
稻田蟹吐泡沫的声音,风吹树叶声
辨不清种类的昆虫翅膀的摩擦声
以及朋友们频频劝酒的欢呼声
都在说着,日子还来得及

是啊,还来得及,让我们在微醺中
偶尔抬头向远处无人的村路张望
仿佛在等待一辆咯吱咯吱的牛车
从旧年的秋天而来,把我们
和整齐的稻稛一起,收进黑暗闷热的筒仓

2022 年 8 月 17 日

山乡之夜

秋天,寂静降临
整个村子似乎只有我们
当夕照如暗红的酒渣沉淀在山谷
一阵慌乱,几声犬吠

院子里的秋月如粗糙的磨盘

停止了转动,不知何物的浆汁
慢慢渗流,在洋铁皮桶里漾出泡沫
屋子发出干草和卤水混合的气味

四野黑沉沉,如果虫鸣突然中止
那一定是你的前世慌忙走过
不敢回答飘忽的呼唤
披头散发的柳树在黑暗的池塘边哭泣

酒精与歌唱营造的气氛
抵不过门口水洼的反光
我们蜷缩到大通铺上继续说笑话
头顶,黑黝黝的松林盘旋
俯视着我们,夜露中
我们像老蚂蚱,支起沉重的大腿

2022 年 8 月 18 日

九月九的遇合

秋高气爽,大地正在走向丰收
夏天的燥热已经散去
树叶开始斑驳,但依然富有生机
还没有一场接一场的秋雨带来凄凉

2022 年的今天

英国最伟大的一个女王

离开了她的岛屿

2007 年的今天

一个从未想到这辈子

会离开哈尔滨的诗人

离开了故乡，孤身南下

他的几位诗友，他的妻儿和岳父

送他爬上一辆很慢的火车

他们隔着被呼吸模糊的玻璃对望

妻子用编织袋邮寄的行李

随后像从后方抵达了南京

那些袋子他一直留着

直到腐烂和散落，转眼十五年

九月九，他曾呼朋引伴去阿什河探源

沿着从山上流下的小溪而上

夜晚围着篝火跳舞，饮酒

大家住在有很多床的大屋子里

夜里总有人失踪

去后门台阶上和月亮约会

吃惊于硕大的飞蛾爬满墙壁

那些日子，他总喜欢

用中英双语朗诵《当你老了》

那时他还年轻，还在渴望着什么

转眼十五年过去，故乡依然是故乡

他终于明白，他不可能彻底离开
也不可能完整地归来
那些他曾经渴望的东西
早已消失不见，失去了意义
就像树与树之间流动的距离

如今，月亮聚集亡灵的阴影
它注视着人类
如何在沉重的外在规定性中
发现生活的可能性
它也让一个年复一年出发的人
忽略那些已经熄灭的星球
把它们当作漂浮的站台
一掠而过

2022 年 9 月 9 日归宁前

午夜的呼唤

凌晨两点，一个声音把我惊醒
"永波！"这声音从背后传来
平静而清晰，是姐姐的声音
我悚然坐起，注视着黑暗的门
什么都没有，没有
继续的呼唤，甚至没有风
我不知道从另一个世界

姐姐想警告我什么

我的生活已无可救药

沉默像寒冷在加深

我长久地思忖，试图破解

这声呼唤所要传达的含意

我起身走到窗边，一轮明月高悬

仿佛我已过世数年的姐姐

刚刚转身，消失在月亮的拱门

2022 年 9 月 8 日

深夜的酒

起身向店家告别

喝光瓶子里最后的黑暗

朋友们散得多么快

月亮，一只新生的潜鸟

在看不见的水塘里旋转

打捞你发黄浮肿的面具

想跳上随便哪趟街车去往郊外

嗅着潮湿泥土的冲动是多么美妙

2022 年 9 月 5 日

父亲的朋友们

我六岁时就认识他们
他们大多是父亲的战友
他们似乎总在隐藏父亲的过去
仿佛毕业于同一个班级的淘气学生

崔国忠,杀猪匠,嘴唇发黑
我数次目睹他来家里帮助杀年猪
母亲亲手喂大的粉色乳头的猪
看他怎么放血,做血肠
怎么把一条腿割出个小口
往里吹气,直到猪的皮肤鼓起来
四只脚跷着,一副不怕开水烫的样子

老徐大爷,住在县城西南
有时我去他家找徐姐姐玩儿
总能听见他躺在里屋炕上
跷着二郎腿眯着眼在那里唱——
"又被晒干了两年"
徐大娘就用湖南话骂
我也听不太懂
总之感觉他俩挺有意思
后来他们迁居回了衡阳
我也就忘记了那胖乎乎的

徐家姐姐的样子了

老郑大爷,身材矮小瘦削
住在西城乡下,他家是我
童年下屯的主要记忆来源
大哥下乡插队也在那里
我就是在他家的土炕上
读完了《红楼梦》,并把一个
大眼睛粗辫子的小姑娘
当成了书中的角色
老郑大爷总是讲他和父亲
渡过长江进南京时,被炸弹
炸到空中老高的事情
他们是侦察兵,鞋漏了
就扒死人的鞋,进城发现国民党都跑了
留下一锅锅还热乎的大米饭
这几个小子一顿造啊
老郑大爷还喝了一瓶醋
从此再也不吃醋了
后来他开小差,是父亲把他逮了回来
他总说,多亏是你爸,不然就会给毙了
他还说,你爸就是个傻狍子
让调到哪儿就去哪儿
不然怎么也是个大校了

李叔,李宏泰,大高个
是随父亲从伊春监狱调过来的兵

两家走动频繁,李叔经常来家里

帮着买煤储秋菜啥的

父亲过世后,母亲曾住在他家里

帮着带孩子,主要是散散心

从他家回来的那个 1997 年的春天

母亲摔倒,脑出血走了

父亲的朋友主要就这几个

他们能从战争中活下来

已经很不容易了

我和他们都很亲近

似乎就是因为他们比我更了解父亲

父亲过世后,就再也没有了他们的消息

现在他们应该还在一个部队里

只是不知道已经打到了哪里

2022 年 9 月 26 日

玻璃里的秋天是陈旧的

也没有什么大的区别

午夜依然没有寒霜落在屋顶

也无需炉火中一队队奔驰的幻影

书依然屏住呼吸,你依然醒得很晚

阳光依然明媚,桂花香气浓郁

几个午休的校医踮着脚

用塑料袋采集细小的花朵

孩子们在车库入口玩耍

轮椅老人在银杏树下晒着太阳

而女博士生公寓的阳台上

依然晾满了旧衣服

美果真是一种挑衅

只听见她们混杂的口音而不见人

你忽然想起奥登的罗马的秋天

恺撒温暖的双人床,大雨

和挤满歹徒的山洞

2022 年 10 月 23 日霜降日

斧子已经放在世界的树根上

一个房间的红色高跟鞋在倾听

另一个房间的红色电话

在北方的国家,秋雨洗亮的城中

走着一头洁白的羊,不停地走着

在去往大马士革的路上

在米兰的花园

在堕落的绝望和布福的灵视之间
自由的空气浮动在树叶上

在印花布的天空下的悲伤
在公厕模糊的玻璃窗下

2022 年 10 月 20 日

我偏爱凄凉的风景

叶子越落越快,屋前,路边
草坪和广场,盛满自行车的篮筐
斑驳的梧桐在风中摇晃
手掌大的叶子
沿着看不见的斜坡画出曲线

几天前遗落在园子里的草帽
无人捡起,向着园子边缘移动了几步
翻过来,寻找一个光着的脑袋
或者胆怯的太阳

我偏爱这凄凉的风景
它让你本已沉入深水的心
继续沉入黑色软泥,扎下根
你可以踢着树叶,唰啦唰啦走着
一直走,没有太阳和星月

只有更多的落叶和幽谷
只有对死亡的恐惧
和你那唰啦唰啦干燥的灵魂

2022 年 11 月 12 日

初冬读《神曲》有感

还未到黄昏,暗淡下来的天空
驱散大地的生灵,万物凋落
来不及发出最为微弱的叹息
没有怜悯,没有希望,没有救赎
你独自一人,准备与你的旅程搏斗

驱散一切恼人幻象的太阳
弥散成灰色的天空和薄雾
不再解答你的疑惑
不再使你的火焰突然增大
知与不知同样都不能让你欢喜

你要静默,且让时光流转
让严寒披露光秃秃的真相
让一个念头的力量被另一个耗散
让风从东吹到西,改换姓名
让没有对象的仇恨把你的圆周驱动

2022 年 11 月 13 日

入夜的寂静

学习生活已经为时已晚
而学习死亡,无异于倾听
隔着灌木丛的模糊低语
仿佛有什么事情就要发生
又如同路灯的小罐头瓶
从水中升起,小心地
摇晃着小小的光焰的鱼

门前踩脚垫上的词语
如何抵抗冬天的洪水
在谈论雨天、炎热或遥远的战场
也会带来危险的时刻,真理
摇摆于对物的依赖和对人的依赖之间

"你要把哈尔滨带进南京
而不是把南京带回哈尔滨。"
死去的亲人在梦中指点我
信仰是一个地理学问题
置身于反复无常者中间
你想做的都是别人想让你做的

而根据意见行动,你将置身于
帕斯卡式宇宙的恐怖与寂静

而所有的意见,不过是

你独自走夜路时遇见一些人

彼此说一些不明不白的话

便迅速消失在来时的黑暗之中

有学问的无知,还是幸福的无知

普罗米修斯对萨梯尔说,要小心火

柏拉图说,所有的写作都是公共行为

而你说,写作即修辞,它把人变成公民

又把公民变成乌合之众

用游戏把暴徒聚集在罗马的山洞里

2022 年 11 月 16 日

冬　山
——寄近闲法师

冬天你就想上山看看

那在山上修炼的朋友

他煮白石取暖,有雨的时候

还是会感觉有点冷吧

你也只是看看

你们谁也帮不了谁

但看看,就安心了

瀑布没有了,静了,空了

你的心还是不空

山谷回荡着你的呼声
你想看到的他在更高处
活着，总得忙点什么吧
什么呢？经卷，绿了又黄
你来了又去，山
始终还是那座山

2022 年 11 月 21 日

小雪日的悼亡诗

——向曲有源先生致敬

如何以沉默说出一切
如何从存在挂毯的反面
找到那条关键的线索
它粗糙曲折，隐匿在色彩之中

因为，哀悼死者就是哀悼自己
让穿过针眼的河流流回自身
对于一种超脱实体的存在
哀歌仅仅是词语的回声
它必须在一个更为隐秘的源头
找到自己的身体和理由

没有接触的接触
没有细节的九十年代的走廊

338

我们只能像两个放学的孩子

各自把自己还给人群

你的坚硬和我的固执

像入冬的两根树枝

离得远远的，在同一棵大树上震颤

也许，哀悼就是把一个人的风雪

纳入另一个人的怀抱

让大雪中的宇宙再次变得寂静

让我们共有的那片冻土

呈现短暂的温情

至于诗歌与人生

早已不是可以讨论的话题

但这里依然有某种

可以相信的东西

像放弃计算的日子

像从词语的雪球中攥出的

某种寒冷的知识，雪地里的盐

2022 年 11 月 22 日于南京罗汉巷

2022 感恩节的诗

不知道要感谢谁，但还是要感谢

早上的阳光在斑驳的梧桐树叶上移动

没有风,叶子很久才掉落一片

堆积在树根,为它保暖

感谢这些树,它们夜里经历的,不会告诉你

一排排五颜六色的书

依然静静地栖息在白色悬崖上

你能听见它们发出不同的叫声

它们注视着你的肉身

在狂风巨浪中挣扎,无法靠岸

感谢这些书,因为你能陪伴它们的日子,不会很多

感谢你的肉身,它是你最为忠诚的伙伴

它承受着你加给它的痛苦

感谢你芳香的肠子,日夜不停

像冬天穿过房间的铁皮烟囱

为你提供热量,感谢你的心脏

一头弓着后腿的熊,因为诗和血液都是野蛮的

你的老膝盖吱吱嘎嘎,如生锈的楼梯

还有你那可怜的手,皮肤越来越薄

感谢从你眼窝里放射出的所有思想

它们无论多么微弱,也将在宇宙大记忆中

形成扰动,改变些什么,尽管无人能知道

诅咒和赞美,都是去往圣伊丽莎白的路上

暗绿色雪松的锥形,那本体论的承诺

感谢词语的网结,有了它们

你才不至于堕入漩涡

尽管它们只能捕捉住存在的碎片

一些冻结的姿态，海难的漂流物

或明亮或乌黑，充塞你狭长的房间

你的周围，尽管它们没有真相

感谢陌生人，他们忽远忽近

尽管他们只是一些外壳

或光滑或沉闷，偶尔伸出一根

颤巍巍的天线，但总能让你好奇地打量

并感觉快乐，他们标志着

一个无聊又危险的世界

依然存在，如同旋即摘下的花

不知道要感谢谁，但还是要感谢

承载你微不足道的一切爱恨的星球

依然在空间中孤独地航行

像一颗浑浊的小玻璃球，沿着寒冷的轨道

战争，瘟疫，分离的骨头、锤子和镰刀

你站在覆霜的屋顶上眺望

天边一排排巨大的剪影陆续沉没

2022 年 11 月 24 日晨

纸条游戏

我总觉得小时候

我和小伙伴们玩过一个游戏

用唾沫沾湿纸条

再念念有词地贴在对方脑门上

他就不会动弹了,像小羊

然后大家就围着他

转圈,拍手,又唱又跳

这种游戏是否真的存在过

抑或仅仅是我的幻觉

是我神一样的寂寞中独创的发明

已经无从验证,因为那些

被我贴了纸条的小伙伴

都已全部消失

我连他们的名字也忘得精光

他们似乎根本就没有存在过

我冥思苦想了很多年

一直到现在,还是不明白

那什么字也没有的纸条

怎么有符咒的魔力

解除它的唯一方法

是恐怖的母亲们

喊回家吃饭的声音

以至于我只能相信

纸条真的比铁丝还要结实

2022 年 11 月 26 日凌晨两点

无知的挽歌

如果勃鲁盖尔和奥登是对的
那些古今的大师
看见的是同一场火灾
亚历山大图书馆和佩特森图书馆
就是毁于同一场大火

航船还在静静地行驶
那不耐烦的马的臀部高耸的黑暗
钓鱼者和农夫,青春的蜡和浪花
拒绝看见,人类盲目的天性
如何让反舌鸟伸缩带弹簧的发音
继续和汽车玻璃里的反光搏斗

如果他们都是对的
迪兰·托马斯就是错的
我也是错的,因为拒绝哀悼
就是承认净化与毁灭是一回事
黏土管子和雪也是一回事
如果灾难不能促进历史的进步
那么恩格斯也是错的

世界毁于火,还是毁于冰
只是一个理论问题,错的只是

一个婴孩的死亡，和生命本身

错的只是静静地等待

一个死亡的婴孩再次诞生

并从此再无死亡

因为上帝的复仇将是人类本身

2022 年 11 月 26 日

铁丝研究

在我的故乡，它一般可做晾衣绳

它既柔软，又坚硬

从木头屋檐，拉过整个庭院

连接在仓房或大门上

它是生活最有色彩的部分

五颜六色的旧衣服就是活着的宣言

它高于口号，也高于旗帜

它把隐私的变成公共的

它不知羞耻，甚至亮出污渍

尤其冬天，它能够承受

夜晚和冰雪的压迫

它也可以用来固定木头栅栏

吊起一些不听话的物事

比如偷学抽烟的二哥

被当军官的父亲用铁丝

吊在院子里反省

作为统一战线,我在旁边嘤嘤地哭泣

并养成了对遭受惩罚的弱者

没有是非地同情的习惯

用铁丝穿琵琶骨,把人穿成一串草鱼

也并非了不起的发明

但丁用它把嫉妒者的眼皮缝上

背靠着悬崖,那只是文学的复仇

它也可以从阵亡者脑壳里

向宇宙伸出颤巍巍的天线

它可以把即将从门轴脱落的门

变得如死一般坚强

它甚至可以把空洞本身

连同微弱的回声一同封锁

它甚至可以捆绑一个

四分五裂的国家

2022 年 11 月 26 日

冬雨日读书

那行事正直的人独自离开城市

那许多城市都和索多玛与蛾摩拉无异了

他背后传来关门落锁的声音

传来笑声,如锅下燃烧荆棘的爆裂

什么是你日光下的劳碌所得的份
既然智慧也不能辨明时候和定理
蚱蜢只顾眼前,蚂蚁为将来谋划
它们所经受的,你也同样经受
雨落在头上,雨也落在梧桐叶上

那起初如何现在亦如何的事在哪里
年岁日甚,却不加增也不减损的在哪里
既然义人和恶人,死后都无人纪念
你手所当做的事又在哪里

贫穷而年少的日子早已经过去了
犹如雨滴从高处的叶子落在低处的叶子上
犹如将种子撒在水面
看风的和望云的,也未必遭受饥馑

风在所有的道路上吹来又吹去
欢乐时想到黑暗的日子就全身发颤
金罐在井旁破裂,银链在屋顶下折断
空荡荡的人在路上来回吊丧

读书使人困倦,近乎自娱
书消失在书中,明日的事
不在书中,也不在人的手中
从生活本身求得生存的意义
也是虚空的虚空

自然的过程循环复始
历史的过程也不过是
一连串事物的不断重复
变换的只是人物和背景
无非是犯罪、愚行和灾难
标语、红袖章和白制服
是锤子和镰刀交叉在天空的火花

不可忘记的唯有神的他性
宇宙的磨机缓缓转动，太缓慢
你看不出道德的差别
你只能看见一张帷幕的背面
那许多缠结混杂的线条和松散的纤维
系统化实验的效果长过你生命的期限
又于你何益

生有时，死有时，却都不为你所知
而现在就是日子和时候
且心存感谢领受世上一切的美好
并直面那最坏的事物，衰朽和死亡

2022 年 11 月 28 日

挖 雪 洞

六岁前我家在伊春的时候

雪特别大，因为是林区
平房都带有绿色的门斗
有时早上醒来，门推不开了
一夜的风把雪吹积到门前
厚厚的，很结实，门只能
先推开一道缝，伸出小铲子
把雪壳子敲掉，直到人能挤出去
那个时代流行深挖洞广积粮
有时大雪把两排平房之间的小巷
填到半人高，孩子们便开心地
从自己家门口挖洞，通到同学家
不久，就连成一个长长的雪洞
每隔一段，还在顶部开个天窗
阳光晶莹地照进来，洞里很暖和
大家猫着小腰钻来钻去
吆喝着各种似懂非懂的口号
也许钻洞是儿童的天性
比如晚上把所有的被子
铺开在火炕上，在里边
蛆一样拱来拱去，不时地
和哥哥们磕痛了脑门
可惜那雪洞维持不了多久
大人们总会以所谓正事
破坏儿童的乐趣，于是
雪便被堆到墙根和树根上
形成保暖的斜坡，上面
渐渐被焦黄的尿液

淋出很多参差的小洞,慢慢变黑
成年之后,雪也越来越小了
尤其城市里,在车辆厂那些年
每逢下雪,单位都集体去街上铲雪
各个科室有自己负责的路段
用大板锹,把凝成硬壳的雪冰
一片片剁下来,由专人清扫走
那时便满街人影晃动铁锹叮当
如果上午铲完雪,下午
单位就会放假,只留领导值班
即便只是偷得半日闲,也很开心
现在很难见到这种人工除雪了
把猪肉绊子和黏豆包
冻在雪堆里的乐趣再也没有了
也再没有小脸通红的顽童
挖雪洞通到别人家的那种兴奋了

2022 年 11 月 30 日

我喜欢偶然听到的只言片语

我喜欢偶然听到的只言片语
它们揭示出生活神秘的另一面
比如,"这太欺负人了!"
一个男生对另一个说,"如果,
我就是喜欢在家里做假币,

不流通,这算犯罪吗?"
或者深夜,一个女人哭叫
"一个女人她要的并不多!"
或者两个用胳膊肘互相提醒的
女生,"别往我身上使劲"
往往它们会戛然而止
周遭再无任何响动
如同鱼滑进深水
水面再无一丝波澜
我和他们偶然擦肩而过
把他们还回人群,就此永别
这并不是真实的相遇
他们之于我的外在性
永远无法剥夺,我不会喝令
他们停下,说出剩余的部分
倾听他异者是一种道德责任
凭借这些语言的碎片
我无法测度他们的生活故事
它们像站台上昏黄的灯光中
浮游的雪片,起起落落
吸引着我,当几个旅客
下了火车,在黑暗的田野上
向远处闪烁灯火的村庄走去
他们背上的行李隆起如同怪物
他们欢快地说着些什么
越走越远。而火车继续开动
经过满是残株的大地

阴沉沉的树林和墙上
过去年代残留的红色标语

2022 年 12 月 1 日

伪英雄双行体

彻夜不眠,翻译大部头的严肃作品
以永恒的慰藉承受时局的压力

在去往监狱和圣伊丽莎白的路上
围着婴儿车哈出白色蒸汽

与坏人在一起是义人的责任
但谁有资格判断谁是义人

高级有机体以低级有机体组成
多个白痴诗人组成没有脖子的鱼

乞丐的帽子里出现了喷泉和救火车
每个雪堆里都燃着一根蜡烛

把板条箱和罪的团块合成薛定谔的猫
把天鹅脖子打个结,再塞进它的体腔

语言并非一个表征世界的透明工具
它实际上参与了世界的建构

所以，月亮，破产的隐喻当铺
鹈鹕融化了。贫穷也是一种习惯

如何理解一个时代"合理话语"的组织方式
当象征的绿色雕像高悬于站前广场

在玻璃房子里喝茶也是政治
风景没有纯粹的形式，它是谋杀

法官戴着复杂的假发荡秋千
妇人立于镜前，两者同样持久

签名承认自己疯了的没疯的智力
每天记录下并非必须做的事

像地里挖出来的锈铁管子一样有耐心
诗的虚构使我们得以热爱真实

2022 年 12 月 1 日

母亲的话

母亲用很大的洋铁盆洗衣服
用细小的松明点燃炉火
把铁皮烟囱一节节取下来
拿到院子里敲打

磕出内层附着的烟炱

母亲用面做糨糊,糊窗户缝

把双层玻璃之间填上几寸高的锯末子

母亲把黑橡胶桶里的泔水

倒在冰池子里,母亲弯身

把小棚子里冻结的煤块刨松

她的手因为寒冷和劳动

布满裂口,常常缠着白胶布

她从外面回来,说,波子

给妈焐焐手。我把棉袄张开

把她的手裹在怀里,冰凉

我们都在笑,望着彼此发亮的眼睛

生活从来也不是书上说的那么苦

焐一小会,母亲就会抽出手

去做家务,我总想多焐一会儿

她的手粗糙有力,我有时

帮母亲刷碗(实际上就是玩儿)

大铁锅,温水里放了碱

父母在旁边看着,母亲对父亲说,你看

他还知道用小手扑搂呢

每当这时,我小小的心就盈满了幸福

以至于母亲的这几句话

我一直记着,还有那爱的

最为微末的贡献

带来的满足之感

2022 年 12 月 3 日

年代志：我的 1997 年

那一年,香港回归,到处都能听见
女歌手艾敬唱着"我要去香港了"
想着我也总有一天能去香港看看
可一直到今天也没去
也再没有了想去的念头

那一年,我常哼哼刘欢唱的《从头再来》
不知道再过几年,我就真的下岗了
要去北京打工,因为没有暂住证
半夜在六郎庄差点被抓走

那一年,一代伟人邓小平逝世
我的家庭妇女的母亲高淑珍
于春天死于脑出血
我不能将"逝世"用在她身上
这让我知道词语也有尊卑之分
我因此总想对词语实施绝对的民主
割断能指和所指,自由嬉戏

那一年,我的母亲揭掉了窗户缝糊的纸
擦干净了蓝色的窗框和玻璃
她点着了纸烟,想歇一会
她后退着要坐到炕沿上
她坐空了,摔在地上
忽悠一下子就过去了
有人说这是母亲修来的福气

还来不及明白发生了什么

就跨过了死亡的界限

多年后的 2020 年春天

她最疼爱的儿子,我的大哥永平

死于同样的疾病,凌晨两点

他从床上栽下来,腿在床上

头在地上,他没有立即死去

还有意识,但说不出话

他示意女儿别动他

给他头下垫了枕头

然后打 120,路上他呕吐不止

到医院瞳孔已经扩散

我知道,我也将死于同样的疾病

1997 那一年,世上发生了很多事

气功热、步步高 VCD、春天的故事

在别处、古惑仔、有话好好说、甲方乙方……

可我都已淡忘,只有母亲的死

用颅腔里弥漫开来的鲜红

在我心上写下了不可磨灭的一页

2022 年 12 月 3 日

杯 子

父亲性格沉静,从不和性子烈的母亲争吵

偶尔母亲发火了,他也不吱声

就静静地靠在母亲作为嫁妆的
那两口红木柜子站着
有时拿着烟,有时端一杯水
往往脸上还带着一丝微笑
那开水他也不喝,就那样端着
等母亲气消了,水已经凉透了
往往可以看见杯子上留下的苍白的指印

不明白为什么父亲总爱那样站着
把柜子边缘的漆都磨掉了一大块
柜子旁边是带红凤凰的大镜子
柜子上边摆着烟台座钟
我喜欢打开门,拨动静止的钟摆
钟里往往放着要紧的票证
大镜子旁边靠窗的位置
立着一个高高的铁架子
中间一个铁圈,托住洗脸盆
毛巾就搭在架子上
它们都是我童年的见证者

有一回家里来了一个阿姨
是父亲的朋友,姓啥忘了
母亲给她倒开水,她说不喝
就闻闻开水冒出的蒸汽
说能治自己的感冒,当时
我好生奇怪,起了莫名的敌意
我就不停地在屋里穿梭

东翻西找,把抽屉里的宝贝们

拨拉得哗哗响,再猛地关上

那阿姨再也没有来过家里

五十多年后,我想起这些

依然感到困惑,杯子是透明的

2022 年 12 月 4 日

马原小时候

马原半岁多的时候,随我们

住在车辆厂单身宿舍里

同舍的其他三位工友

有的在舍利屯和哈尔滨之间通勤

有的家在本市,有的到别的屋挤去

那时还没有开启穷人互害模式

大家彼此帮衬,苦中作乐

那房间有个烟道,从一楼食堂

通上来,夏天非常热

马原起了满脑袋热痱子

他单独睡一个单人床

床边用枕头挡住,我和大玲

在两张拼起来的单人床上

有天晚上,只听砰的一声

几乎在他落地的同时

我俩就蹦了起来,他刚哇出声

我们已奔过去把他抱了起来
父母的本能反应确实惊人
马原一点事没有,很快又睡着了

马原最先学会的是叫爸爸
在锅炉厂医院,我抱着他去打针
他突然直愣愣地看着我
喊爸爸爸爸,很大声很清脆
一连喊了十好几声
我觉得他是怕打针吓的

单身宿舍之后,换到新开街
大走廊红砖老楼,十来米一个屋
九十年代初,电视上正在放
《射雕英雄传》,线路老化
往往看着看着就突然跳闸了
马原就举着笤帚去捅开关
黑暗中呲呲直冒蓝火星子
那时候电视上总有雪花点
大玲就蹲地上拧那个微调
当时母亲从克山来帮我们带孩子
母亲患过中风,一侧的手脚
不太听使唤,母亲睡沙发
我正坐在床上,马原尿地上了
我让大玲擦,可能是调电视上瘾
她就是不动弹,我来火了
敢当着母亲面不给我大男人面子

我下床一脚给她踹坐地上了
大玲抄起一个平底锅
照我脑袋就来了一下，不痛
反倒给锅沿干出一个坑来
不是我有铁头功
肯定是那锅质量太次
那次斗争，我以完败收场

另外一次斗争是新世纪初了
快过春节了，我发烧，躺着
大玲自己收拾卫生，嘟囔着
让我起来，攒到晚上再睡
我一听就来气了，起来给她一撇子
结果被她一把撕烂了衬衫
她的本意是怕我晚上再睡不着
那些年我有失眠的习惯
仅有的两次武力斗争
我都以失败告终

马原头几年都是我带
送一个阿姨家，后来是杨杨幼儿园
就在家跟前的上游街
玫瑰中学对面。有次我岳母来
碰见马原在外面玩，问他
你家在哪儿，马原回身一指
就是那大黑洞
住大走廊其实挺有趣的

尤其做饭时,楼道里弥漫着
各种气味,都知道谁家做啥
邮局工作的那个大姐家条件不错
一整就切红肠,大龙妈妈信主
一骂人,大龙就说,主不许骂人
对门白胖的小茉莉时常来串门
大玲就给她一块那种老式大饼干
蒸包子,总会有几个孩子的小手
一会儿伸过来一只
一会儿伸过来一只
老娘们儿们靠在门口叽叽喳喳
是交换各种信息的绝佳方式
大玲认识很多我不认识的人
我不爱和人打咧咧
楼上有个吸毒的,儿子叫聪聪
比马原矮很多,却十分霸道
有一天马原回屋,两只手
捻着衣角,眼泪直打转儿
一问,说是他把聪聪打了
用柳条抽脑袋了,马原那时
手里经常挥舞着棍子之类
似乎随时在驱赶看不见的东西
那次我没骂他,我还夸了他
只要别打坏了,就得打回去
后来吸毒的死了,可怜的聪聪
只有奶奶一人抚养,不知所终

360

三四岁时换到锅炉厂幼儿园
由大玲接送，和家处于城市两端
马原起不来，就先轱辘几个个儿
然后再装在旧棉猴改的抱猴里
就是把棉猴下端缝死
形成一个圆筒，两边袖子
从后边连接起来，大人两只胳膊
伸进去可以两手互相扣住
正好把孩子环抱住，不冻手
盖上帽子，像个严实的小蚕蛹
北方冬天，早晚冷得鬼龇牙
两头不见亮，路上一个多小时

有一回马原从幼儿园走丢了
站在马路边数车，被一个
老太太看见，送到了派出所
他二舅去接他时，警察问他
认不认识，马原一个劲摇头
也不说话，把他二舅气得啊
从小到大，我只打过马原一巴掌
那是他半夜黏着你讲故事讲故事
一个故事讲八百遍，实在累了
呼了他一巴掌，哭了，才不讲了

马原小时候和我很亲，打打闹闹的
每次我出差他总会生病发烧
我带他去过锦州大庆绥芬河

有时我喝醉了,他就特别紧张

给我拿水,拿毛巾,拿脸盆

他也不护食,有好吃的

你要就给,我最喜欢喂他吃饭

我说,来,喂小鸟喂小鸟

他就张大嘴过来,为了让他

多吃一口,我们想尽了主意

床底下有个君子兰夏普的洗衣机

那是我用 777 元稿费买的

一次也没用上,因为大走廊那会儿

吃水还得早上四点去公共厕所接

马原总钻床底下,扭它的旋钮

听它松劲儿时发出的咔咔声

哈哈大笑,最后当废铁卖了

马原上小学是在锅炉厂子弟校

我们租了校对面的一室半

诗人黑大春住过,元正韦尔乔也来过

我的第一台蓝色联想电脑

是半圆脑袋的,那时已是世纪末了

马原脸圆圆的,我叫他大胖原

同学问他,你爸是做什么的

他不说是写诗的,只说

我爸是翻译家。看来,诗人

在社会眼里,不是个好听的行当

马原还懂得保护人,他表妹

受了欺负,马原带了几个"小弟"
去给对方一顿吓唬,老实了

有一回,一个诗友搬家
送了我一个下边带柜的书架
我和蹬三轮的说好,上楼三十
结果,那两小子搬上去之后
改口非得要五十,争执起来
其中一个带刺青的口吐狂言说
不给加钱,就把我小家砸了
本来那就是租的房子
在哈尔滨十几年也没有自己的家
这话,一下子触动了我心底
多年积压的屈辱感,我说,好啊
我让你砸,我先把你胳膊卸下来
转身抄起菜刀。人在暴力面前
真的啥也不是,那两个小子
蹭就蹿出门去了,跑得飞快
我持刀追下楼,两个人居然
懂得分头跑,车也不要了
我从来没见过人能跑那么快的
后来邻居和大玲说,你家老马
一个知识分子,怎么发起火来
那么吓人。其实我也不会真的
卸人家胳膊,顶多用刀背砸他几个包
我观察自己,轻易不会发火
可发起火来连我自己都怕

不知不觉,马原就长大了
如今已经三十多岁了
也有了自己的儿子
他小时候我们父子亲密游戏的时光
一去不复返了,我常常告诉他
多和玉堂玩玩儿,人的一生
开心的也就小时候那十来年

2022 年 12 月 4 日

突然想说说我家二哥

二哥比我大了四岁,属耗子的
家在伊春的时候,他有时
会帮母亲看着我
他会学着母亲的样子
坐在炕上,把我抱在腿上
一边摇晃,一边哼哼
哄儿睡觉喽,哄儿睡觉喽
等我刚闭上眼睛
他就猛地一把把我抛下
一直出溜进炕炱底下的空里
他自己撒腿就跑,跑出去玩儿
也不管我哇地哭起来
等我到四五岁时
他出去玩儿,我就跟在后边

但他和大姐大哥一样

都不愿意带我，尤其是他

有一回，他拿了剪刀什么的

要去前院找吴大饼子糊风筝去

我偷偷跟着，他回头发现了我

我转身就跑，他就追

一拐弯，他一剪子飞过来

扎在我右脚大筋旁边的窝里

血呲呲就冒出来了

这下他慌了，一边哭

一边用纸蘸着水给我擦

大木盆里迅速一片通红

我看他哭，知道他就要挨揍了

出于同情，我也陪他哭

完全忘记了疼痛和害怕

母亲揍没揍他我也记不得了

幸好没攒脚筋上，不然我就瘸了

那时他还老踢我，有一段时间

母亲发觉我走路一瘸一拐

就问我，我说是我自己摔的

也不知为什么，我总爱替他隐瞒

六岁时我们随父亲调动到克山县

整个童年，二哥给我留下的记忆

就是能惹事不能平事

总是大哥帮他打仗

二哥小时候可能是缺钙

或者是克山病的原因，不能生气

一生气就堆崇（土话瘫软的意思）

所以家里没人敢惹他

父亲最疼他，他的优点是腿勤快

让他去干点啥很是痛快

而倔强的大哥则最受母亲宠爱

特别能帮母亲干活

我则是最没有存在感的一个

不说话，自己一个人玩儿

拿二哥的话说，丢了也没人知道

二哥养鸽子，冬天往西大沟里

扔父亲的教练弹，炸得哐哐响

枕头大战，抢着搂猫睡觉

把猫搂得精瘦精瘦的

经常把大姐织的毛线扯乱

被大姐狠狠地用竹针扎大腿

大哥晚年时说，他从小

就一直想揍老二，可毕竟

是自己家兄弟，下不了手

还总得帮他打仗，回回

他惹事，挨揍的都是大哥

父亲也不问青红皂白

那时院子里挖有地窖

冬天存土豆萝卜白菜，还有苹果

我给二哥打眼（放哨）

他下去偷苹果，我俩躲到院外

在仓房墙根啃，二哥吃得飞快

果然是属耗子的，就催我快吃快吃

风雪呼啸,温暖的苹果到了外面

瞬间变硬,一咬一打滑

我们还偷维生素鱼肝油

反正有味道的,都偷着尝尝

比如上学时裤兜揣点粗盐粒

含在嘴里,各种甜的酸的草根茎秆

全都逃不过这些顽童的咀嚼

后来慢慢大了,二哥也就不欺负我了

有一回我去挑水,被人把桶踢翻了

那时吃水用水票,得去南街去接

我哭着回家,两个哥哥

拔腿就冲出去找那小子报仇

我和母亲赶紧跟在后面撵

只见大哥把那小子拉进胡同

就抡开了拳头,那小子还挺奸

把棉帽耳朵放下来遮住脸

当作盔甲,一边猫腰向外逃窜

老二斜刺里奔过去照脑袋就是一脚

好家伙,当晚人家家长找上门来

原来老二这一脚,直接把脸给踢坏了

那小子后来脸上便一直留下了

一小块黑斑,怎么也去不掉

二哥中学毕业当兵没当上

进了南大泡子旁边的淀粉厂

到了九十年代,县城里的企业

基本都倒闭了,二哥就从宁波

批发服装回来卖,也开过发廊

367

小吃部,开三轮车接站等
春节我从哈尔滨回克山探亲
只有一趟慢车,到家是凌晨三四点钟
正是冷时候,二哥开三轮去接我
一路上漆黑,我望着他的背影
感到既温暖又心酸
后来,二哥的日子越来越艰难
被迫离开了克山,带着妻儿
到处漂泊谋生,牡丹江,大庆
大连,长春,东营,银川,深圳,南京
最后退休时,把儿子留在南京
两口子又回了克山,租了一个
一年一千块钱的小平房度日
种点园子,我们已经有五六年
没有见面了。有一回我问他
具体哪哪年他都在什么地方
他居然想不起来了,这让我
颇感吃惊,也许他觉得
记住这些也没有什么意义
而我喜欢记录个人的经历
这也许就是作家和普通人的
区别吧,尽管我也是普通人
二哥一家是2008年从银川
来的南京,是奔我来的
先是在双拜岗做北方烧饼
作为一个无师自通的厨师
二哥的手艺非常好,烧饼又酥又软

有时我和老大就站在烤炉前
一人吃一张，可是南方人不认
便改做饺子，在学校南门外
有个店面，饺子太慢，供不上溜
又改做东北菜，很受学生欢迎
有时课间，我从教学楼走廊
就能望见他们忙碌的身影
厨房里太热，二哥便一把一把
吃镇痛片挺着，几年苦下来
终于给儿子凑够了首付
不少朋友去过他那小店
他做的锅包肉是一绝
也不知道我还能不能再吃上
性格原因，我和二哥也很少联系
大哥去世后，我们通过一次长话
父母哥姐都是六十来岁就走了
我能听出来，二哥有点害怕了
说起来，我们姐弟四人
只有他性格比较爽朗
剩下三个都有点儿沉闷
去年二哥突发脑梗，说不了话
幸好送医及时，现在已经康复
今年二嫂心脏病严重了
也是说不了话，走不动道
现在在克山吃中药
人生一大悲哀是看着亲人受苦
又无能为力，原生家庭

只剩下我们兄弟二人了

我唯愿二哥能多活几年

颠沛流离了一辈子,到了晚年

还被迫与儿子两地生活

也不知什么时候他们才能再回南京

2022 年 12 月 9 日

布满雕像的桥

长桥两侧,布满苍白的大理石人像

高耸在基座之上,他们是一些圣人

和古代的英雄,不知道他们的名字

更不了解他们的业绩,他们俯视着行人

没有什么表情,河水日夜不息

这座桥仿佛是人世间的任何一座桥

在伦敦,在佛罗伦萨,在布拉格,在巴黎和布鲁克林

又仿佛不在人世间,不在任何地方

在冬天,桥上流过黑色的人流

伴随着泥泞的雪,沉默而缓慢

偶尔有一个戴长筒帽的男子停下

凝望桥下的河水,烟头一红一灭

短暂地照亮他年轻英俊又苍白的脸

他仿佛是等待接头的革命者,或者是

一个失意的恋人,一个未成名的艺术家

而这些雕像似乎永远在凝视着虚空

凝视着河流的来处和去处

只有在夜深无人时,他们才会彼此对视

2022 年 12 月 9 日

屋顶上的雕像

它正好可以用来抵抗

屋顶斜坡下滑的重力

他和她,有时爬到屋脊上

望着屋顶的另一个斜面

望着下面的运河,运河上

弯曲的白玉桥,运河对岸

正在屈服于另一种重力

逐渐滑入暗沉波浪的宫殿

窗口射出的舞会的灯光

有时他们滑下来,靠着那雕像

被自身的重量压缩在一起

仿佛冬天挤在烟囱根取暖的麻雀

他说,我是否应该像一缕烟

穿过屋顶,纠缠你的头发?

这雕像在颤动,不知道自己

是在海底的沉船里做梦,她说

然后继续倾听下面暴民的喃喃低语

他说,或者我们应该下到地面

回到屋里去,把天空让出来

她不为所动,在云和雕像之间
变幻着形态,仿佛无人相信的预言
仿佛他们是在卡托庇林山丘上
而那雕像盲目的眼睛注视着
地平线上正在聚拢的风雨

2022 年 12 月 10 日

两座雕像

这个冬天,奥斯托罗夫斯基
在乌克兰,你的雕像被拆毁了
你瘫痪的身体,失明的眼睛
再一次瘫痪和失明
曾经在你脚下稳固的
祖国的土地,变成了海的屋顶
如今还有人大炼钢铁吗
保尔·柯察金同志,如今
年轻人更喜欢一起虚度年华
他们没有像你叮嘱的那样
赶紧地,充分地生活
也不可能认识生活的全部意义
然后庄重地,而不是随便地死去
如今,你的身体的身体已被拆毁
就像同样寒冷的 2013 年的 12 月
被起重机拉倒的列宁雕像

他的尖下巴上的小胡子
依然倔强地指引着方向
仿佛他依然在炉火闪烁的车间
置身于伟大的工人阶级之中
而在另一个无名的国度
生锈的驳船正在将雕像巨大的头颅
运往彤云密布的遥远的外海

2022 年 12 月 10 日

哈尔滨苏联红军纪念碑

博物馆广场的苏联红军
纪念碑,由花岗岩雕成
碑顶是两名海陆军战士
高举着苏联国徽,雕像呈老绿色
在它后面,闲置多年的北方剧场
空寂得像落雪的礼堂,街对面
国际饭店的玻璃旋转门
转得比警察还快,小时候
胡同口那些没正经的大爷们
总是严肃地告诉我们这些
懵懂的孩子,苏联人和
日本人的膝盖也不能打弯
只能直着往前走,用棍子
一敲就倒,倒了就起不来

这种僵硬很长时间令我困惑
总觉得他们有点不太像人类
有点傻，可这并没有影响
我对苏联红军由衷的敬仰
和对日本人天生的憎恨
苏维埃，一个多么动听的词语
就像巴枯宁，总让我想起
一个干巴又狡猾的
老得分不清性别的公寓楼的房东
任何主义都已无法把他拯救
如同阳光和雪都无法温暖的
那两个苏联士兵笔直的雕像

2022 年 12 月 10 日

黄桃罐头

在东北，小时候感冒发烧了
才会有黄桃罐头吃
一个大玻璃瓶，用勺子挖着吃
最后再咕嘟咕嘟喝掉黏稠的甜水
病似乎就好了一大半
有时也有山楂罐头用来开胃
这些都是多少年不碰的东西了
只偶尔在涮锅子的时候
店家会把它们当作免费小食

我家大哥永平从小什么都不馋
整天就知道帮妈妈做家务
挑水劈柴拉煤割草剁猪食储秋菜
帮爸爸扒炕盖仓房,冬天拾粪
下乡后有一次回家来
妈妈问他想吃啥
大哥说想吃桃罐头
妈妈就专门给他买了两瓶
那次,大哥没有分给我们
我们看着大哥瘦削的脸
也没有产生妒忌的念头

这几天,疫情防控政策放松
大玲电话叮嘱我备点桃罐头
说是寓意"逃过一劫"
我说,南方人不爱吃水果罐头
超市里即便有,也不知道是存了多久的
便没去买,又见有视频演示
说桃罐头属于军需储备
汁水含糖量很高,掺上
旱厕墙上刮下来的一种白色粉末
可以制成炸弹,不知真假
黄桃罐头好吃倒是真的
它是小时候盼着得病的理由

2022 年 12 月 12 日

儿童与希望

去校园的时间广场走一走
绕着日晷雕塑，每走一圈
就能看见广场上多出一个孩子

一个父亲抱着女儿在前边跑
母亲在后边乱舞着手叫着追
女儿用两手拍打父亲的肩膀
她在笑，她还不会说话

两个幼儿，每人一辆小自行车
却抛开一辆，抢着骑另一辆
过了一会儿，把这一辆也放倒在地上
两个人用树枝挖掘一条裂缝
玩了好半天，并交换心得

太阳的铁匠捶打黄铜的树叶
铺满巨大的蓝色屋顶
那上面一定到处都是
翻翻滚滚带羽毛的孩子

2022 年 12 月 18 日

在中国如何做诗人

那些频频发表、把衙门

走得像自己家的诗人

那些频频出版、挥舞虹彩水浪花的诗人

那些下了这个舞台又上了那个舞台

穿花格外衣煞有介事的诗人

那些频频获奖、互相颁奖且不动声色的诗人

那些寂寞的拉低帽檐

偶尔在人群中一闪

便再也寻他不见的

革命党一样的诗人

那些偶尔发声

仿佛因长久的沉默而声音滞涩

像推开众神已逝的宫殿大门的守灵人一样的诗人

那些在创造的大洋深处

偶尔浮出来透口气升起孤零零水柱的巨鲸

那些偶尔的诗人

2022 年 12 月 20 日晨

"在城市的墙上描绘城市"

——致俄罗斯诗人亚历山大·乌拉诺夫①

不要轻易说出的字眼——

黑海之滨,剧场里凑近的膝盖

在釉彩之下挣扎的雨滴

一千零一夜的拱廊街内侧阴暗的店铺

啊,那柔软的翅膀触碰着你的脸的天使

那朝你眼睛里下毒的扑棱蛾子

相信,而后看见

热铁皮屋顶上的猫和轻骑兵

小剂量的卫生的自然

在干涸野塘露出的镜子里

恢复直立形态的人类本性

栏杆上没有干透的海带的味儿

啊,那触碰的多肉的互惠性

那在互相认可中寻找到的正义与合法性

脑出血坐轮椅的先锋诗人驾驶滑翔机

眼镜的右镜片是一小块旧报纸

---

① 亚历山大·乌拉诺夫(Alexander Ulanov, 1963—　),生于俄罗斯萨马拉,毕业于萨马拉航天大学。著有诗集《风的方向》(1990)、《干燥的光》(1993)以及《波浪与楼梯》(1997)。1993 年起在萨马拉人文学院教授当代俄语诗歌课程。是 20 世纪 90 年代涌现的重要诗人,俄罗斯新诗歌浪潮的核心人物。本诗题目取自他的诗《没有我们,我们的痛苦将如何》。

他得意地绕着我们转圈低飞
像抓蜻蜓一样迎面兜住他
啊,那拒绝撒娇的飞蚊症的老年
那在不同语言后面的世界观与本体论承诺

2022 年 12 月 20 日

如何度过冬天

——给逸子

这是个古老的问题,和北欧有关
和那些低地国家的青年有关
那些渡过白色海峡的人与鸢尾
从铁面罩下呼出雪的碎片

门把手比门可靠,这同样是一个
古老的习惯,尤其在一大早
醒来,炉火闷燃,睡着的
一土炕的亲人,陌生,如在战壕
张着嘴,如同温度计里的水银

一座又一座棚屋,隔得远远的
堤坝里的颤抖斜着向下延伸
收音机里的争吵在落雪,法院
大理石的湖泊,灰眼睛的曙光
那并不希望婴儿出生的少年

独自在树林下,一圈又一圈滑冰

书写就是背叛。制图教室的斜面桌
大脑袋的小说家站立,暂时的债务
永久的亏负,人类无力偿还
走向被告席的法官,为儿子交纳罚款
那白色中的白色,医院和礼拜堂

而白色的仁慈,那不配得的恩典
依然赐给我们,炉火和安眠
依然是良药,旧木头的芳香
依然像母亲的手腕,依然是
古老又古老的冬天,以及遗忘

2022 年 12 月 20 日

桑菲尔德,一首完全用引文 写成的诗

把凳子拿来,让你们看看谁是有罪的
这冬天真难熬啊,来吧,外边冷
别去太久了,早点回来
等荒原上的野花开了,我就回来
我们就可以一起交谈,活下去

这不包括你在内。冒险的甜蜜

陌生的恐惧,桑菲尔德

亲爱的,快到火旁边烤烤

这地方不错,就是有时候太冷清了

你是法国人? 但愿你高高兴兴

学到很多东西,法国人嘛

就是喜欢表现自己。橡木大楼梯

长长的走廊,更像是教堂

那么闹鬼吗? 现在他们在地下动不了啦

近代样式。一声狂笑从阁楼

向荒野传去。我不敢多问

我的责任是教孩子。去花园里吧

不仅看花,也看看泥土里的小动物

它们帮助花生长。你留在这里做什么

桑菲尔德真是一个谜

日落点燃了枯树枝,风从雪峰刮下来

我不是客人,我是教师

罗切斯特从马上摔下来了

我对他的冷漠和无礼怀有好奇心

慈善机构,属于另一种人

一个穷孤儿哪来这样的从容

我生气对他也无关紧要

你在观察我,小姐,我漂亮吗

你也不见得美,幸好你诚实

他改变了口气,坐下来
那要决定于你要怎样运用你的岁月
告诉我你怎么能这样无动于衷
当你被引入歧途的时候

忧郁减少了他脸上的严肃
死者手里抓着江湖艺人的珠宝
我又能说些什么呢。好,再见
门口地上放着一支点燃了的蜡烛
我不能解释,羔羊愤怒的笑声
他按着我的肩膀,你拯救了我

我得赶快离开,再见了
好,再见。天一亮我就脱下了
麻布黑外衣,换上了天蓝色的长裙
花才是美的,窗外在下雨
我要把你当作家传的橡木箱子
我的相貌平常。我喜欢你这种威胁

你去哪? 去睡觉
你还哭了,眼泪从睫毛上滑下来了
这里到底发生了什么事
什么也别问。夜围绕着我
不是罪恶,是可怕的错误
是世界阻碍了他。你以为
我不好看就没有感情吗
我们都将经过坟墓,来到上帝面前

紫罗兰打开古堡的阁楼

他的痛苦像一处又深又宽的河口

我如同陷入了疯人院的泥潭

无言的惩罚。你失去我了

我也失去了你。为什么说这个

我什么都不要。我是作为同等的人

即使为我所爱的人。没人会在乎

你跟我都无法选择，人活着

就是为了含辛茹苦。别急于决定

我们一起望着通红的炉火

西印度群岛在下雨

天亮以前，他睡着了

我轻轻地离开他。离开了桑菲尔德

旷野里的风雨打在我这十九岁的孤女身上

我有了新的工作。我没结婚

我爱过一个人。乡村小学

原谅我。牧师是个好人

可我有些怕他。教书让我满足

一切应服从于更高的爱

在爱上帝的同时，我们

也会彼此相爱的。可是

我清晰地听到了罗切斯特的呼唤

我没有舍弃上帝，而是发现了祂

在人的相爱中发现了上帝

马车停下了。桑菲尔德

已是一片废墟。罗切斯特不在这里

仍然是绿树成荫的小道

他的脸像一盏熄灭的灯

他瞎了。那里没人。有人吗

是我。我流着泪握住他的手

他闭着的眼睛里流出了泪水

我们微笑,我们终于平等地相爱了

2022 年 12 月 21 日,此诗除了一句,其他均以《简·爱》中提取的句子组成,主要是两位主角的交谈和对环境的必要交代,尝试将一部长篇压缩成一首诗,是博尔赫斯的理想。

车棚顶上的落叶

蓝色的车棚顶上堆满了

厚厚的梧桐叶,整个冬天

无人清扫,风也不能把它们吹散

它们在坠落的途中便遭遇了命运

在树和地面之间。雨打湿它们

它们暂时变得沉重,但阳光

又将它们晒干,这些轻盈的徽章

依然一动不动。它们不做决定

保持着偶然性的纯粹。关于它们

你能知道些什么呢？其他的叶子
早已被运往深山，或是焚烧
只有它们，没有人用冰冷的麻袋
装回家，塞入红砖的炉膛
久久地看着它们燃烧，噼啪作响

烟叶一样卷曲，散发出遥远的气息
也没有人，把它们堆在墙根
为屋子保暖，和夜雪堆在一起
厚厚的，与人类的思想
保持着距离。不要轻易

移动它们，它们比房角石还要沉重
它们具有整棵树的空间的重量
只有愚蠢的人才会去触碰
而那些蒙尘的自行车，很久
都无人挪动。你在等待它们消失

2022 年 12 月 21 日

早年我们如何过冬

提早在院子里挖好地窖
出口用旧棉被和木条钉成盖子
木梯斜深进大地黑暗的秘密
扒掉不好的白菜帮子

把红萝卜和胡萝卜码放整齐
硬苹果放在柳条筐里
土豆堆下面留一层肥沃的黑土
地窖里温暖呛人，日复一日
白生生的土豆芽发出绝望的气息
那些块根的小麻袋渐渐变得空瘪

扒炕，露出煤烟熏黑的结构
享受睡在空洞上的不安之感
把锹镐放在绿色的木头门斗里
让裸灯泡整夜漂浮在暴风雪中
一节节套上洋铁烟囱，像骑士的
胫甲和护臂，用垂直弯曲的肘
连接屋地中央黑乎乎的铁炉子
让开水从铁壶斜着的壶嘴溢出
在同心圆的圈盖上滋滋化为白汽
让烤土豆黑了细绒毛的嘴丫子
让烫成为一个需要两手倒腾的词
并配合小嘴里嗬嗬的呼气声

挑一个有阳光的下午，用大缸腌酸菜
用青石压住，用黄色马粪纸
糊窗户缝，棉褥子一样的厚门帘
出入要费力地掀开，把魏德罗
从仓房拿进外屋，装刷锅水
有时也往里呲尿，把巷子里
冻平了的冰池子刨出圆坑

刨下的碎冰用土篮子倒入西大沟
将沙果树根围上厚厚的积雪
把猪肉瓣子和黏豆包冻在雪堆里

当寒冷加深了屋顶的颜色
去小棚子里刨出闪光的煤块
寻找煤精,沿火车道捡煤核
把松明子破成手指长的薄片
没有乌拉草,用旧报纸代替
垫在鞋窠里,走路打滑
没有线裤,光腿穿棉裤
让雪灌进去,高踢腿把裤裆扯得开线
用袖口抹大鼻涕,磨得溜光锃亮
用线绳吊在房梁上的猪肉皮滋润干裂的嘴唇
抢炕头,把精瘦的猫闷在被窝
夜里蹲在院子里的粪堆边
给大哥的劳动增添一份人的贡献
当炉火闷燃,听着满屋子亲人轻轻的呼吸
那饿醒时发现有人装睡的安慰

2022 年 12 月 22 日冬至

冬至悼亡友

严寒降临,滑入土地的死者
像一条窄窄的垄沟,大地空旷

收获季的薄雾早已散去
太阳将麦捆上的铜色固定
在风穿过的马厩，潮湿的稻草
在一起取暖，但永远无法温暖
马槽里，也没有婴儿的啼哭
带来一年一度的杀戮

变黑的河水，用尽力气把冰块
堆向滑行的岸，树林里的反光
傍晚天空的水粉色后面
不被承认的存在。一个人
走那么远只是为了看看自己
遗落的形象。这注定是一首
无法完成的哀歌，为你，也为我自己

我看见我的意念在水岸边与我重合
和我相比，你还那么年轻，年轻得无辜
像山路上突然放大的黎明
在你的慷慨中有风吹麦浪的欣喜
有抚过麦芒的手的秘密
在你的脸庞里，转动太阳潮湿的种子

你向我隐瞒了真相，我们都没错
你笑着说要尽快修理破烂的身体
好陪我这大哥喝酒。我以为
那只是暂时的隐喻，只是涵洞里
堆积的树枝，等待春洪的轰鸣

你的存在轻得如同孩子的呼吸
等到我惊觉，你已转身如栖鹰

我并不需要了解你的一切
正如你不需要读懂我的诗
不需要我在场。我们之间的年月
是一种平静的柔情，仿佛
边缘融化的冰，又重新冻结
闪烁着，保持完整的核心

我们都没错，可又如何能否认
这样的打击已不是第一次
马车埋入土里，人世低矮
天地间垂下一道巨大的帷幕
我们需要恢复一门失传的语言
才能撕破它，从屋顶盘旋而下
在白色山谷，在一年中最漫长的夜晚
醒着，交谈着，越过呼呼作响的黑暗的边界

2022 年 12 月 22 日

热烈而空虚的——

波罗的海沿岸布满了雕像和雪
一个蹩脚的悲喜剧演员
在感谢每一个美国家庭

钢铁的眼泪呼啸着飞过白银的天空
这就是你们需要的服务吗
在乌云和大海之间

装满落叶的蓝色小船停在池塘边
不知是从大海上来
还是要到大海上去
小时候所有池塘都连通着大海
它们是大海徘徊的脚印
不要说起奥维德的黑海与白令海
白军已越过第聂伯河与静静的顿河

有预谋的破绽还需要睡衣的凌乱
嘻嘻,洗得好白啊,好白
那些进城的土豆脸上的雀斑深了
她们倚靠在门口谈论远方和巴西
背后阴暗的堂屋红油漆供桌上
响着收音机,海的沙沙声
海那边是沙漠,孤独的革命者
绷紧肘部等待什么发生的蜥蜴
临死前转动嘴里的香烟

今年的新衣服早早就做成了
如果你真让我说点什么
这个我还真说不好,真说不好
波尔卡还在,波希米亚已被消灭
吃饭时是否说话区分开阶级

哦,是到北京去的,北京去的
在那里写诗,神仙才听得见

2022 年 12 月 23 日

关于蛇的种种

太阳里有一条红色的自噬蛇
一对新人在巨大鸟笼前单膝跪地
卷发的黑仆一手持镜一手握刀
号角里倾倒出翅膀和缩小的骷髅
人类教育发出麦穗和镰刀交谈的声音

绿蛇藏在篮子的无花果下面
戴金冠的褐色女骷髅在举杯迎接
她在亚克兴抛弃的恋人
大船上的赤脚小人鱼贯而下
用盘子捧着合十的手掌

白蛇则仅仅是一个折断的隐喻
王朝或跨物种的爱,伊甸园里
它曾向我们的原型父母喷气
它只能是白色的,纯色的诱惑
它对女人说,冷是因为你长得太白了
它对男人说,瞧那肋骨,你身体中的闪电

"火蛇进入百姓中间"

盘绕在旗杆上化为黄铜,以尘土为食

维多利亚诗人的声音好像蛇行

而在中国做知识分子要灵巧如蛇

蛇在他们身后吐水,要把他们冲走

两条花蛇在绿树林中交尾

编织成阳光中颤抖的花环

用手杖击打,忒瑞西阿斯

七年后才变回男身,他的经验

和月亮生的雌雄同体一样丰富

抱成圆球,滚来滚去,力大无比

炎热的正午,火山般的金蛇

拖着肚皮爬向劳伦斯的水槽

它也曾分开迪金森的长草丛

无名而尊严,神情恍惚,不知善恶

像是刚刚被创造出来

2022 年 12 月 23 日

中国诗歌的穿墙术

中国诗歌的穿墙术尚未修炼到家

前半截过去了,被啪啪抽嘴巴

后半截还留在这边,被啪啪打屁股

首尾不能兼顾,饿得半死不活

脑袋,被西方意识形态所翻译和归化

屁股,又坐不住本土的冷板凳

其根本原因在于对量子物理学

物质与能量二重性的随意转换

过于自信,现在只好成为墙的一部分

不停发射意念,企图靠量子纠缠续命

就像哲学家企图用睡帽完善宇宙的结构

2022 年 12 月 24 日凌晨两点半

平安夜的连祷

一切都安静了

花园中大雨摧残的罂粟花

牧童踩踏的风信子,万恶之源

葬送了田园诗的资本主义

模式和材料,潜能与实现

过程与实在,冰冻港口上方的星

流溢的杯子,白马身上的霜

面包里闪烁着冷却的火山

隐瞒从他人那里学到的知识的手艺人

磨镜片的哲学家,穿不进针眼的线

因倒持而愈发炽热的火炬

沙漠柱顶高坐的隐士

坐得太久有鸟在头发里筑巢的隐士

图书馆地毯上脚步磨出的小径
不慌不忙的暴君

一切都安静了
鹰塔和黑塔,旋梯与锥体
猎鹰与野天鹅,鼠灰色的流水
亚历山大公园和它对面的列宁墓
田野尽头的花与低下头的犁
夜泳者浮出水面换气时发亮的海平线
去往伯利恒的路,逃往埃及的雪
白静草原听鬼故事的篝火
一直长到门槛边的庄稼
阿赫玛托娃盘子里孤零零的胡萝卜
和有漏洞的粗呢裙
历代的死者和生者
阁楼里拨弄骨笛的老鼠
毛伯利和普鲁弗洛克
皇帝和拈阄分配的旧衣服

一切都安静了
每一个黑漆漆的门洞里的摇篮
每一个用潮湿稻草擦拭眼泪的母亲
腐烂在天空中的石榴
枝头残存的鸟吃剩的柿子
走上另一条路的你的一部分自我
建筑上无法完全抹掉的人像
关在玻璃里跳舞的白蝴蝶

斜面屋顶,泥泞的战壕,伏特加与长号
波兰骑兵,荨麻塞住的喷泉
在美的事物中对人类不义的思考
对他者如何度过必死的一生
又适度享受始终怀有的
局外人浓厚的好奇心

一切都安静了
奥古斯丁和他母亲亲密地依偎
窥见永恒真慧的窗口
人类缺席时醒过来的物
尽力用诗歌减轻命运苦难的流亡者
书桌上划分国界的线条
溺水者拖曳的线条
傍晚天空中飞行器的尾迹
情人之间干燥了的关系
知识分子客厅里无聊的小摆设
做作的甜,一整天不说话
一起饕餮的里尔克和瓦雷里
悲伤的暗河里一动不动的盲鱼
用异想天开的语言表达的显而易见的思想
米拉波桥和丁登寺,洗衣妇桥和提篮桥

一切都安静了
与不停的闪耀区分开的星辰
作为答案一部分的问题
各种系统,意志与恩典的先后次序

顺便的暗示与缝在口袋里的金苹果

一个你从来没有去过的亚洲山谷里

一台音量调到最低的雪崩的收音机

经过的人替换掉的一部分风景

人和风景都佯装不知,脑袋里的蜂窝煤

深夜在汽车底下叫的蛐蛐

扁平的落日,无死亡的尸体,羚羊的灰烬

春雨中,新糊的格子窗

一切都安静了

书,疾病,十二月下垂的树枝,还有你

2022 年 12 月 24 日平安夜

2023

新年致辞

其实什么也告别不了
你只是离死亡又近了一步
旧年的灰尘,疾病和脾气
你都统统带进了新年
没有真正的开始
也没有真正的结束
钟摆在南北两极之间摆动
双锥体在旋转中相向转化
鸽子和天鹅都是从天而降的衣服
无线电依然在冰冻的堤坝里争吵
战争依然在你身体内外继续
那净化的力量,洪水,烈火和飓风
也不能将罪恶彻底清除
世界不过以层叠的死物构成
地质学的风景,你唯一能做的
是习惯在一个没有你的世界生活
在越转越小的圈子里昏眩

2023 年 1 月 1 日

突然的陌生感

五六岁时有段时间,我有时
会突然感觉母亲很陌生
我便会警惕地跟着她
在家里到处转,一边问她是谁
是谁派她来的,在我家干什么
母亲也不回答我,继续忙家务
我监视了她半晌,发现
她只是在做饭,打扫卫生
似乎没有什么危害性
我就会回到玩具当中
但还时不时看看她,想着
该不会是父亲军队上派来
帮我们干活的吧,到了傍晚
父亲和哥姐们终于回来了
看他们和她很熟悉的样子
看哥姐们喊她妈,嚷着饿了
我也就稍微放松了警惕
哦,原来她是我们的妈妈呀
可妈妈又是谁呢
她到底是什么人呢
一无所知。我又不能把这个
有点可怕的秘密告诉给他们
似乎,这个好看的女人

对我的无奈总有点得意

饭桌上,她眼睛笑盈盈地

时不时看着我,什么也不说

到了晚上,困意终于让我

成了一个甜蜜的小俘虏

被她好闻的怀抱征服

唉,好吧,被这么好看好闻的女人

把我的阵地给占领了,投降就投降吧

2023 年 1 月 2 日

死者如是说

他们不让我们入睡

我们滑入大地的皱褶

把它一直拉到下巴

像温暖的被子

可那些地上的人不让我们入睡

他们说还有没打完的仗

还有明天,还有要学习的课程

比如,从西奈山下来,离开众人

用喷泉里的石头去垒坟墓

用坟墓里的石头去盖庙宇

他们喋喋不休,没完没了

像是我们早已偿还的债主
为我们赌输了的青春
为我们鞋子上新鲜的泥巴
为我们血液里虚弱的线条
再次索取贡献

我们无法入睡
他们总在说,明天,还有明天
而我们,永远是今天和今天
他们把明天,摆在今天的桌面上
他们说,没有今天

2023 年 1 月 2 日

有关父亲的记忆

在伊春的那几年,母亲
带着我们姐弟四人住在平房里
父亲常常住在部队上
周末才回家来,回来,就把他的
六四式手枪塞在枕头底下
作为参加过三大战役
从东北一直打到海南岛的老兵
父亲一直保持着军人的警惕性
他告诉我到任何地方
先要观察地形和环境

这个习惯我一直保持至今

父亲特别喜欢给我讲他的经历
有一回他们几个侦察兵
摸到敌我中间时,战斗打响了
他们进退不得,只好挤进石头缝里
一个战友的手指头
被流弹嗖地就给削下去了
在四川剿匪时,怎么抓舌头
从背后一手掐住脖子
一手揪起一条后腿
往前边地上一送,一出溜
脸就抢秃噜皮了,都是血

有时看部队拉练,打着红旗
一队队游过宽阔的汤旺河
母亲和大姐便在河边洗衣服
蓝床单在水里展开,漂动
母亲有时望望河面
大哥二哥在抓蝲蛄虾吃
烤得通红,像一排排小消防车
四五岁的我坐在浅水里
我总想爬到母亲和姐姐抻开的床单上去
小鱼蹭着小腿痒酥酥,水很清
细沙和阳光滚动的纹路清晰可辨
风从南山吹到北山

作为指挥官,父亲的部队
守卫监狱,电台和大桥
"文革"时,父亲下令把机枪和炮
都架了起来,但凡武斗的
敢于冲击这几个地方
一律突突,把妈和大姐吓得直抖
父亲把市里几个主要领导
都接到监狱里保护起来
后来父亲调任克山监狱狱长
伊春的一位副市长还亲自
开吉普车来接父亲
想请他回去,任公安局局长
父亲考虑到当时已工作的大姐
便没有答应,一家人不能分开

父亲喜欢把着我手腕
让我举着他的手枪瞄灯泡
那枪好沉,还教我压弹匣
我看过三次父亲开枪
一次是带我们回绥化老家
在田野里看见大雁飞过
可是手枪射程太短,没打下来
一次是在家里,母亲突然惊叫
说外屋地窖里有东西
父亲把我们推进里屋
砰砰就往里开了两枪
枪声震得玻璃嗡嗡响

402

等硝烟散去,才让我们出去
可地窖里啥都没有
第三次是看父亲打靶
我藏在水库大坝后面
父亲双手各执短枪连发
他曾是全军大比武时的全能第二名

父亲说他能指挥十万人
和苏联关系紧张那几年
父亲是第二道防线的总指挥
负责周围十几个县城的军事
那时,半夜经常有大队军车
轰隆隆往北去,我们站胡同口看着
父亲的才能始终没有得到施展
他那一大片军功章后面的铁血故事
也始终没有告诉我们
以至于大哥曾经感慨
父亲一定没少杀人,所以
我们才能活得这么苦
而父亲口中的十万军队
只成了我摆在窗台上干裂的泥巴小兵

在我还没出生的六十年代初
我家在哈尔滨,父亲是政法干校教官
那时挨饿,父亲落下个毛病
有时半夜会浑身突突冒虚汗
母亲就赶紧给烙两张糖饼

吃了就好了，母亲只喝点糖水
父亲是单位篮球队长，一比赛
母亲带着哥姐们去看
就听满场有人喊
拦住那个穿大蓝裤衩子的

我好像从未见到父亲笑过
我虽不怕他，但总不如
和母亲在一起舒服
偶尔父亲也会搂着我睡觉
我也不敢乱动，他会反复把我
露在外面的胳膊放回被子里
父亲最想让我读军校
还想让我像他那样打篮球
或是学个二胡什么的
可除了几手擒拿术和军体拳
我从父亲那里什么也没学会

在院子里杀大鹅是最恐怖的
被父亲斩首后，那大白鹅
伸着呲呲冒血的脖子
满院子转悠，仿佛在寻找敌人
要掐我们的裤腿角子
吓得我和哥哥赶紧逃进屋
隔着窗户看，后来杀鸭子
父亲又换了一个方式
在仓房里给鸭子实施绞刑

也许是怕继续斩首会吓坏我们

那时总觉得他是个残忍的人
不过,父亲也有温柔的一面
那就是出差回来,晚上
我们都睡下了,听见有人敲窗户
轻声呼唤,淑珍哪淑珍哪
我们四个小黑脑瓜就都竖竖起来
等着父亲给我们分好吃的
父亲经常这样,淘气的二哥
就学着喊,淑珍哪淑珍哪
母亲拿擀面杖或是笤帚疙瘩一晃
二哥就猫着小腰嗖地窜出门去

父母感情很好,我六七岁时
他们正当壮年,父母住北炕
我却老是不知好歹
硬要睡在他俩中间
有时好容易商量好了
我和哥姐们在南炕睡
可到半夜,我又想去北炕
便一个劲哼唧,后悔了后悔了
就听母亲温柔地和父亲商量
让他过来吧,怪可怜的
父亲不吭声,算是默许
现在想想自己真不懂事
人家恩爱夫妻,你老跟着掺和

夏天，父亲把电灯扯到院子里
板障子边一排花盘渐满的向日葵
我们叫毛嗑，摆上桌子
一家人在香椿树旁吃饭
院子里还有沙果树，红砖甬道和小菜园
冬天过年，父亲用魏德罗
冻冰灯，里边点上磕头燎
一般会有两三盏，把小院
照得通亮，衬着同样明亮的
玻璃窗里忙碌的家人的剪影
有时放光了小鞭，纸灯笼
也熄灭了，我回家来，那灯光
和满院白雪的寂静，会让我着迷
那时家家夜不闭户，有时
家里空无一人，我也不害怕
自己吃冻梨，嗑出一小碗瓜子仁
知道父母一定就在邻居家打麻将
不用找，哥姐们不久也会回来

父亲每讲完一段他的经历
就会说让我将来给他写传记时
记得写进去，那时我还刚刚上学
他怎么能知道我会成为作家
这是我一直感觉困惑的地方
而我现在能记得的
却不过是这一点可怜的细节
还有他彻夜不眠，在缝纫机上

写材料举报那些贪官的身影

他退休后去乡下住的破房子

墙角裂缝里长满了霜

需要戴着棉帽子睡觉

还有我第一次带未婚妻回家

他着急忙慌穿过积雪的垄沟

来迎我们的样子,那时

他差不多就是我现在的年纪

2023 年 1 月 2 日

像别人那样活着

出去买几个土豆,居然

又上来一种奇怪的耻辱感

我居然需要像别人那样活着

这是多大的羞辱啊

对此,朋友们的说法

有趣又令人困惑

像土豆上长出的白色细丝——

生活就是这样的

人比土豆高贵不了多少

神奇的土豆

有的地方把地瓜叫作土豆

一种内心的觉醒
对,日常生活的悲剧性
好在有瞬时性,一会就过去了

不然怎么活呢
最好喝西北风或者
随便什么风都能活着

老师又想离经叛道了
您是诗人,像神——
诗神一样活着就够了

日常会让人更有存在感
平常心很重要
诗人食点人间烟火更有趣味

我经常在后备厢里放把葱
(为什么不是土豆)
像大多数别人一样健康活着
是多么幸运的事
呵呵,在人间——

过了些日子,我又写到
人的羞辱在于要靠吃饭活着
而不能只靠主的话语
这次,没人再说什么了

可那些生了芽的土豆呢？

2023 年 1 月 6 日

童年的版图

只是一排平房中普通的一间
进门是狭长的外屋，水缸和炉灶
里屋有南北两座炕，带炕衾
炕上铺苇席或地板革
父母结婚时的两口红色木箱
墙上是爷爷奶奶严肃的黑白头像
蓝油漆的木格窗，斜着支起来
你用手接雨，唱——
"大雨哗哗下，北京来电话
让我去当兵，我还没长大"

屋檐下，铺了防檐溜的鹅卵石
一口大酱缸，盖着白纱布
红砖甬道，小小的菜畦
一棵香椿树，两只草绳编的鸡窝
你常把泥巴小兵们藏在里边
因雨水而变灰开裂的木栅栏
总是种着一排高过它的向日葵
一根铁丝从屋檐通向仓房
作为晾衣绳，大门上方的横木

是你锻炼的单杠,盘在上面
或是把邻家小妹挂上去
等她两腿踢蹬要哭了,才抱下来
夏天门口搭凉棚,你坐在小凳上
写出一厚本额外的作文
冬天杀年猪,半夜迷迷糊糊
被母亲叫起来,吃一碗
倒了酱油的热腾腾的烀猪肉
导致很多年闻见肉味就要吐
从六岁到十七岁,十一年
这座小院就是你的起点和终点
是你和大哥起早贪黑的演武场
是你的帝国的首都

往西,是抓泥鳅的西大沟
打冲锋仗的罗锅桥
掏海枣吃的酒厂后院
你上小学的第四小学
再往西,是你读初中的三中
再往西,是看守所和水果批发站
青年水库和妇女水库
继续越过大片田野
山冈顶端,是死者化灰的地方
采猪食菜的地方,下屯的地方

往东,是蓝屋顶的回民商店
再往东,是大姐教语文的六中

410

你晚上拿红缨枪去接她下班

往北,是你读高中的一中
高考前,一封七页半的情书
把你吓出一场病,没考上北大
从初三到高二,你都是全县
学习最好的学生
你读宗白华和纪伯伦
你写诗写小说写剧本
《秋天的摇篮曲》和《昭君出塞》

往南,是最热闹的十字街
新华书店,高考张红榜的地方
你是第二名,你羞愧地躲到姐姐家
再往南,是用水票挑水的水站
食品厂、二道桥和豆腐坊
是烟酒需要批条的糖酒公司
是二商店、客运站和电影院
买票需要从人头上爬过去
好几只手同时塞进小小的窗口
散场时呱嗒呱嗒摔活动坐板
再往南,是养老院和南大河
火车站远在西南,步行难以抵达
只有一趟慢车通向大城市齐齐哈尔

这是一座落后的县城,风很大
它位于一片丘陵地带

有乌裕尔河纵贯全境
除了土豆和黄豆,只有一种
由此起源的克山病,向南绵延
在它八街十六组的那座平房里
你早已过世的亲人和另一个你
依然生活在一起

2023年1月6日凌晨

包 饺 子

小时候有一回过年,半夜
睡得迷迷糊糊地被母亲叫起来
吃了一大碗浇了酱油的烀猪肉
结果吃伤了,便再也不吃肉了
过年包饺子,家人就额外
给我包韭菜鸡蛋的,那时
会有一只里边放了硬币的饺子
谁吃到,谁就有一年的好运气
大家围在一起包饺子,说话
一圈圈整齐地码放在盖帘上
放在院子里冻上,实际上
图的就是那个气氛,大锅
蒸腾起白茫茫的水蒸气
直到充满整个外屋,午夜
随着鞭炮声越来越密集

热腾腾的饺子也翻滚起来

酸菜肉的,芹菜肉的,白菜肉的

当然,我的韭菜鸡蛋的要单独下锅

规矩不能破,谁也不敢

给我混进去一只带肉的,因为

凭颜色我就能分辨出来

我从来就没有学会包饺子

我包的总会煮散了褶

无论饥饱,半夜的饺子必须吃上几个

才算是过年。大哥还活着时

有回我不经意地说馋韭菜鸡蛋饺子了

过了两天,中午我午睡起来

发现大哥来了,自己在厨房里

已经快包完了饺子,我们说着话

说起小时候,仿佛父母

还在某个半夜的厨房里忙碌

芳香的蒸汽透过门缝

飘进里屋,像白色的精灵

盘旋在糊着报纸的天花板上

盘旋在几个半睡半醒的孩子的头顶

2023 年 1 月 9 日

三　合　路

我睡在临街的房间,有如睡在大街上

夜复一夜,各种车辆从远处向我奔来

音量达到顶点,又远去,微弱下去

每一辆都像一个爱过我又把我忘记的人

我躺在大街上,从它们的声音

可以分辨出其种类和是否满载

没有人敢于把我谴责,包括月亮

因为每一辆车驶过之后的寂静

都原谅了我

2023 年 2 月 22 日

临行时一阵无声的忙乱

临行时一阵无声的忙乱

房间里,灰尘在光柱里沉浮

细雪回风,仿佛早春的斜坡上

旧式壁橱打开了桃花心木的青春

总有些什么事物没有完成

带着不甘的神情叹息

没有读完的书

来不及修正的语法

快过期的食物,纪念品,签名

能够转让的窗前的风景

反复掂量比较两本书的重量

最后又全部放下

最终能带走的,和能留下的
都不是自己,只有灰尘慢慢沉淀
一只过冬的苍蝇从缝隙中惊起
晕头转向,在明窗上闪烁出虹彩

2023 年 2 月 24 日

突然的黄昏

长得近乎永恒的下午
粗糙的炕席,尚年轻的母亲
学前的儿子,午睡后的光影
从池塘底部的黑色软泥里
投射在糊了报纸的墙上
久久不动的,还有那醒觉的孩子
盯着天花板上报纸的黑字标题
直到那些小黑点变成漩涡
院子里的沙果树摇曳绿色的喷泉
向斜着支起的窗户送入清凉
不知什么时候,他的身边
只有这些光影,久久不动
母亲去做饭了,她留下的温度
依然散发着青草的气息
黄昏多么慈祥,大门响了

下班的父亲军装笔挺

从脚步声的稳健或者急促

就能分辨出大哥还是二哥

轻盈的大姐的的确良衫子

屋子里忙碌起来

那个孩子还赖在炕上

听着家人说话的声音

混合在外屋咝咝的蒸汽声

突然,他就迈进了多年后的黄昏

他独自进餐,沿固定路线走向教室

和不知感恩的学生,缓慢而沉重

像一头疲惫的老牲口,走向屠场

2022 年 3 月 15 日

春天的星辰

为你们寻找隐喻是徒劳的

透过稀疏的枝叶与花朵

我看见你们所提示的必然

就如同我今夜所见的光芒

后面是一片海洋,还是荒漠

都是不可知的,那些光芒

如同已逝者的话语,声波

依然在我们的耳鼓里回荡

这些看似坚固的缆绳,这些纤维

浸泡在蓝夜苦涩的焦油中
把我们推远，让我们仅仅去承认
你们的昨天，而你们却永远在许诺
我们的明天，冰冷，沉默
如同漆黑雪水中光滑的卵石

2023 年 3 月 19 日

有人在爱着我

有些时刻，我会突然察觉
有人在爱着我，遥远而无名
我不知道她在哪个城市
不知道她说着什么样的语言
不知道她的名字，甚至年纪
可我就是知道，有人在爱着我
当呼吸像发丝拂过我的脸颊
仿佛在向我低语，我并非孤身一人
当倾斜的街道，无人而寂静
下午将一束白色的野花抛进深深的窗口
当微风吹散迷雾，露出后面的柔光
仿佛我曾经爱过一个人
却怎么也想不起她的名字和模样

2023 年 3 月 28 日

深夜的火车

夜已经这么深了,深草中
火车的汽笛微弱而凄凉
像不忍告别的客人,犹豫着
那些说不出的话语令人断肠

这汽笛声忽而山前,忽而山后
像我的一个亲人,深夜离开
它将去往何方? 没有车站
灯火通明的深夜的火车
漂浮在人世之外的海上

2023 年 3 月 28 日

女诗人小鱼儿

我的同事小居对女诗人的相貌
很是好奇,我们走过一条小街
冷静冷静。那个叫小鱼儿的
小镇美女,把两本诗集挂在
她店铺的外墙上,像两只瓦片
旁边是大米的广告,那是副业
她主要制作一种花边,我好不容易

让小居相信，她们长相普通
诗集设计得很美观，粉色扉页
有小鱼儿十七岁时的照片
白色衫子上都是淡淡的树影
现在是十年之后，但能看出来
诗集是自费的。她到底什么样子呢
我们没有上楼，她就在那里
随时都能找见，安于现状
其实我并不认识一个叫小鱼儿的女诗人
她是否存在成了一种选择
怎么让我的同事相信她存在
成了一个小镇励志故事，譬如
一列绿皮火车躺在油菜花田
也许是一个不错的开头，于是
我和后来成了总工程师的小居
绕到另一条街道回家，至于
女诗人漂亮与否，那是一个
有点无聊又让人兴奋的问题

2023 年 3 月 31 日

深夜读古希腊挽歌

……褐色的帆船运载星星的灰烬
桨上模糊的水手的名字……甜蜜的家乡
刚刚刮过的狂风……浪头扑向我们……

……谁在云中等候时间……藏好波塞冬可怕的礼物

……尽快加固……虚弱的恐惧……啊耻辱

个个都如此……你还要躺多久……

让我们别接受……我将忍受……祸患……

雄健的胸脯，高耸的城塔……我们在中间

倒下……沉没……一排排桨座

争夺……祖国的石头……那银白的

……将战栗……如同来自灰色大海的雪

告别了黝黑的女神……终于来到宽阔的半岛

2023 年 4 月 6 日凌晨三点

小 哀 歌

下午突然变得阴暗,梧桐树上

去年的褐色球果开始爆裂

"我们的生命并非悬挂在一个钩子上。"

说这话的人正坐在我的桌边喝浓汤

他喝得很大声,还发出一些模糊的音节

我的心开始向这些音节上升

试图悬挂在它们旁边

像一只徒劳的鸟,或一个盗贼

"不要告诉别人我回来了

我怕他们会打扰我。"

他一边说,一边从汤里抬起长舌帽

用一只手指着街道尽头的一座

红色游泳馆。我吃惊于在此之前
我并未注意到它的存在
它像一朵云或一台收割机
堵在那里，截断了风景
我信守了诺言，我相信他们
还不知道。我们继续大声喝肉汤
暂时忘记了自己曾经活过

2023 年 4 月 11 日

看见与看不见

我和大哥去一个政府机构办事
必须在某时某刻办完
具体办事的都是女的，在后院
我们绕过火车站那种
弯来弯去折叠几个来回的栅栏
类似于鱼进笼子
院子里有很多复杂的建筑
我们焦急地寻找那些傲慢的女人
她们都穿着夸张的旗袍
但她们对我们视而不见
我和大哥都感到很诧异
我用肉眼能正常看见大哥
他却不用眼睛才能看见我
似乎生死之间只有这么点差别

活人能看见死者

死者却看不见活人

大哥因为是修行者,比较特殊

死后可以用白光看见活人

后来我们把要办的事情忘得精光

我只顾忙着按照大哥的指点

练习闭上眼睛看见活人

2023 年 4 月 17 日

游 览 图

一个玩了一整天的小女孩

强打精神,翻弄着一张游览图

点着上面不同颜色的分区

研究着改天再去,哪些去过了

那些没去过的和去过的地方

我都不想去了。我想问她,

"你渴望虚无吗?"同样的纪律

树木,河流,螺壳里盘旋的楼梯

混杂的气息。我所在的这片大陆

过于广大,一艘巨舰,它的前端

已进入黎明,中部多层豪华的塔楼

灯火通明,笙歌不断,我独自

在船尾的黑夜中,似乎在守着什么

也许只是要倾听尾迹的声响

或一只无名海鸟凄厉的尖叫

它来自太阳背后的无人之境

俄底修斯不在那里

或者早已从水波中归来

忒瑞西阿斯也早已离开

可是,那小女孩又把游览图复原

成为一个巴掌大的小书

它还能存在一些日子

连同她脑中汹涌的风景

2023 年 4 月 29 日地铁去江北看望二哥路上

论 自 杀

我历来佩服自杀者的勇气

自我的消除是很多大人物的诗学理想

比如马克·斯特兰德的故事套娃

比如卡尔维诺冬日里的旅行

比如巴赫金的复调,比如

我的伪叙述和元诗歌,还有朱可夫斯基

虽然我距伟大还差一个词语的窗户纸

这些以理论逃避实践的伪君子

恐怕并不能在但丁那里

生长出含血的树枝

也不太可能提着纸灯笼数沉船

绳索的窒息和颈骨的脆响

大流氓维庸也会胆寒

高处向低处自由落体的晕眩

并不能让你在血液的风中生出羽毛

用温水浸泡手腕,使用小铅笔刀

据说会产生和美人同浴的幻觉

净饿如火烧,恨不能啃自己大腿,像乌格利诺

汽油浇身,只有护教大师才能安坐享受

海明威那样用猎枪蹦掉半拉脑袋

开出红白两色盛大的百合

连珀耳塞福涅开裂的石榴也相形见绌

或者把自己活埋? 慢性的愤怒

远不及火车来得痛快,它迎头

撞上落日,像穿过一条医院的走廊

两边停着空空的轮床

煤气,适合汽车里应用

穿上母亲的皮大衣,塞克斯顿

有范例在先。安眠药最省事

长痛短痛都没有的黑甜之乡

像抓着布鲁克林桥斜索的琴弦

荡过遗忘之河,又不需要

其他方式所需要的激情和计算

自杀是一个生态系统

是生命与各大元素合作探测神的黑暗

它是对羞辱生命的死亡的终极反抗

它让虫子成为萤火虫

让牡蛎成为不开口的牡蛎

而我始终好奇的是,伍尔芙沉河时

兜里到底揣了几块石头

2023 年 4 月 30 日于六合聚富新寓

具体与抽象的玄学：致 J. D. 斯克林杰的八行诗

你在我周围陌生的事物之中旅行，
我在属于你的熟悉的词语中旅行，
两种旅行分别造就了两种结果，
肯尼思·科克的具体的人，约翰·阿什贝利的抽象
　　的人。
具体的人不久将回到广大的美国，恢复成一个词语，
抽象的人将继续留在一个中央帝国，恢复成一个
　　身体，
在他们中间，是七座海洋的黑暗和九重天的蔚蓝，
是翻腾的伊卡洛斯，将飞翔与坠落统一于自身。

一个眩晕症患者酒后在半山腰 散步时的遐想

十几座砖房组成的院落
红砖铺地，吃不完的菜园，葡萄藤
躺椅，秋千，李子，落了一地的沙果
每座小屋都有电炕，酒后的老腰

与坚硬的炕面构成波浪线
一觉可解千年的疲倦，可虚无
依然如阳光悄悄潜入每一条缝隙

留下酒兴正浓的朋友们
在凉爽的砖房里继续
给房顶安装梯子，你独自
向坡上没有人家处行去
路上干燥的牛粪呈灰色
新鲜的则深黑，散发出
浓烈刺鼻又迷人的气味

高高的青纱帐如山洪汹涌而来
经过无人的空房，晾晒寂寞内衣的
同样不见人影不闻人语的院子
经过狭小牛棚里晃动着的
几乎高到棚顶的皱褶堆叠的身体
它纤细的尾巴上系着一块干透的泥块
仿佛鞭笞派的鞭子，不时抽搐
它向主人亲热地靠过去，寂寞
拉近了不同物种的距离，铁栅小窗
将一幅温馨的画面斜着推向天空的屏幕

看家犬懒洋洋地询问客从何来
我也懒得回答，因为它会追问更多
但基本是重复的问题，它绝不会
如松下童子，告知师父的下落

为什么要向往这样的生活
为什么要用语言的暴政抵抗
生活的暴政，为什么要将双腿之间
堆叠的皱褶给人看，他们端着
闪亮的干草叉，有如宙斯分叉的闪电

2023 年 8 月 28 日

闻迷笛"零元购"事件有感

"我寻思你不要了呢!"

"我还寻思你不要命了呢
那我取你的命如何?"

不讲规则，人人争先恐后
根本原因不是道德教化
而是资源分配不公
不争不抢只能饿死
刁民们很明白这个道理
因此各种钻空子、全民腐败
他们不是不明白人要讲文明
而是太明白自己讲文明
而别人不讲文明的后果
所以每个人都成了别人
让别人文明地去饿死好了

能多占就多占，大车小车
大包小裹，能抢多少是多少
于是，历朝历代的暴力革命
绝对不会断根，只会愈演愈烈

大哥坐火车，瓶装水只喝了一口
放在小桌板上，他就去方便了
回来发现，过道对面的农民工
拿去喝了。大哥找列车长理论
一瓶水虽然不值钱，但它是个人财产
绝不能想拿就拿，那是犯法
列车长道歉，赔给大哥好几瓶水
而拿别人东西不打招呼的农民工
始终一声不吭，脸都不红

"我以为你不要了呢！"
道歉的不该是列车长
道歉的不该是文明

2023 年 10 月 7 日，南阳迷笛音乐节遭遇洗劫，大车
小车，把营地哄抢一空。

解耦的语言

自然是不自然的，不正常的
不间断的东西是孤独的

东西是可怕的,东西是不存在的

美德的关联是可怕的,不存在的

和一个偷走你呼吸的人跳舞是自然的

和一个闻起来像雾的人在一起孤独是不正常的

在骨头里响起的音乐是不间断的

在骨头里等你的人是可怕的

可怕的梨子的侧面是你认识的每个女人

她们和美德的关联是不存在的

不存在的东西是可怕的,蹲坐在淤血中

2023 年 10 月 12 日

粉黛乱子草

于是,在这些轻柔的姿态下

粉色的针充满我的指缝

微茫闪烁,凝聚成一条条粉色的河流

藏着无数个悄悄成熟的太阳

于是,在抚摸的手指下涌现出

一个和沉甸甸的丰收相对应的形象

无数个世代流过去

带来又带走一些东西

唯有你随着风,随着人的爱,起伏,波动

你并不选择什么,高处和低处

对你也没有分别

于是，山坡和谷底，都有你的身影闪动
你以每一棵的自在和疏松，组合成一个整体
透出宇宙的蔚蓝

2023 年 10 月 24 日

江心洲的高粱地

它们垂下并非谦逊的头，发辫散开
脸颊绯红，被水围困，被人类围观
人无法走进它们中间
成为它们的一员，它们也同样
无法在手腕上挂着傻瓜相机
攀登人类大厦的阶梯

在我们和它们之间
是一片正在崛起的高楼
这些现代的巴别塔
这些人类的骄傲，突然出现的不速之客

有人，一定在高处
整整一个夏天在俯瞰着这一片庄稼
慢慢地转变色彩，像一些耐心的画家
在调弄颜料盘，准备画出秋天的空阔

高粱并不太高，和北方的青纱帐比起来

就是稚气未脱的少年
它们向远方涌去
又一浪一浪地回到原地

它们想围住那座废弃已久的灰色玻璃房子
仿佛那里有什么必须得到拯救的东西
我长久地望着这些勇敢又徒劳的高粱
有时觉得自己在高粱地里
有时又觉得自己在那座玻璃房子里

2023 年 10 月 24 日

鱼嘴观落日

在秦淮河与长江交汇的地方
一条巨鱼微微张开了嘴
它也许就是庄子的那条鲲
它有背负青天吞吐大荒之志
只是暂时停靠在金陵的这座码头

它吐出了一枚落日
就像一个修炼的术士
也许出于某种怜悯
把内丹每天吐出来，照亮
等到人群散去之后，再吸回腹中

这个陈旧的比喻，让这首诗注定失败

但我还是想继续沿着这个比喻写下去
看看自己能被语言的惯性带到哪里

对于寻找自我在事物中的形象
我们人类远比其他生灵在行
我们总是想用比喻
把自在的自然与自为的人类强行关联起来

其实鱼嘴不是鱼嘴,它只是一块突出的陆地
我们安于这个比喻,因为它让我们感觉
整个世界是一个意义系统
我们在其中是关键的一环,甚至是主角

而鱼嘴则真的像一个修炼到家的人
宽仁地任由我们把这个想象的秩序
强加在它身上,于是,我们心安理得
坐在它旁边,甚至坐在它的鳞片里
望着那一轮红丸在江面弹跳
像我们童年打水漂一样越来越远
并且随便谈论着国际局势和诗
用更多的比喻,把自己打扮成史蒂文斯

2023 年 10 月 24 日

银杏里之夜

这条街仿佛是透明的

又仿佛隐藏着很多不为人知的秘密
那些银杏树总是在默默地倾听
暗中积攒着金币,准备一掷千金

我独自逗留在有喷泉的酒吧
喝一杯最苦的蛾摩拉
想起在水中横陈的那座异国之城
在新开的 LIVE HOUSE 前
我的爱人低声问:"吸了吗?""吸了。"
一名花臂男从打火机上略微抬头
警惕地斜睨着我们,烟头如警车灯明灭闪烁
我们只是吸了抗哮喘的粉雾剂

帐篷里有歌手对着慵懒的听众
和酒精里的远方
唱着我不再熟悉的歌曲
含混的歌词,像一个拼命想活出意义的人
踉踉跄跄地追赶一个永远撵不上的思想

那些贴着树篱喘息的小灯
熄灯的大剧院和无人的图书馆广场
总让我迷恋,仿佛有另一个我永远留在了那里
像一个守夜人,回忆着白昼的繁华

傍晚读诗的声音,从街这头
传到另一头的"对眼"餐厅
将一座城市轻轻提升到半空

像一片正在变成黄金的叶子
我喜欢那些或年轻或苍老的声音
它们同样在努力追赶
一个永远追不上的往昔

我就蜷缩在那件往昔的旧衣服里
暂时忘记了秋天渐渐深了
忘记了那些透亮的银杏叶
在空中只能继续停留很短的一段时间

2023 年 10 月 24 日

潮湿的雪

白色蓬松在枝头,无风自落
道路上没有人的痕迹
雪落在上面,很快融化了
似乎下面生着火
落在别处却能停留很久的时间

整座山都是我的
只有我的呼吸,放缓的脚步
鸟鸣如针,刺绣着寂静
我的头发已经渐渐濡湿

更深的林中,雪片落下的啪嗒声

不需要人的比喻

一只斑鸠横飞过我的面前

倾斜着展开带花纹的翅膀

一个人在山中渐渐消失

2023 年 12 月 19 日于紫金山中

冬 至 诗

光亮将延长,阴影在变形

消失在溪流,而溪流消失在雪下

在桥洞下将碎片堆积,等待春洪

我爱这最漫长的黑暗

只有在它的庇护下

我隐秘的痛苦和光荣

才不会为命运所知晓

于是,向晚时分,独自进山

把人工的光亮像塑料珠子

纷纷抛在身后的溪谷,它们

还能闪烁很长一段时间

我希望逢见一群反穿毛衣的孩子

有着人的面孔,没有名字

没有孩子,没有长满蕨菜的紫金山

只有漆黑的树围着池塘垂钓

只有池塘雪的眼睫

只有雪花落在水中的涟漪

将虚无向岸边一圈圈扩散

于是,我在半山腰停住

犹豫,在高处的黑暗

和身后的灯火之间

仿佛 1300 年的某个人

在人生旅程的中途,幸福地迷失

回望那些未完成的诗稿

在一个变冷的空房间里终日向火

像收音机里摇曳的暗淡的光线

2023 年 12 月 23 日凌晨 3:22

我一直在爱着你

我一直在爱着,爱着一个

我并不认识的你,你是谁

我不识你的名,你的面

我不知道你在哪个城市

哪个国家哪个星球哪个宇宙

我只模糊地感觉到你

一直在等我,仿佛前世

我曾是你一直爱着的失忆的恋人

你在所有的地方等我
万物都是你的痕迹
为了爱你，我曾经爱过
那么多短暂易朽的事物
有时我突然在路上停驻
感觉一阵微风擦过我的耳郭
那是你在经过，带着一声太息
仿佛你从未责备过我的迷途

有时在深夜，收音机里
飘出一段久已忘怀的歌曲
带着整座冰山寒冷的节奏
有时在清晨，浓雾那边的一束微光
像是你若有若无的召唤
有时在正午喧闹的游乐场
一幅裙裾火辣辣地擦过我的腿弯
黑色面纱飘闪出嘴角严肃的线条
又随着旋转木马抽象的波浪，迅疾消逝

你是谁，你的耐心有时让我发狂
你的宽容让我羞愧，坐在路边
像一个游戏中赌气的孩子
想试验一下走远的大人
会不会回头，来把自己寻见
让我把疲倦的头伏在你的膝上

可是啊,你温柔的抚摸
却在半空突然停住,换了方向
我终于知道,你一直在我身边
只是不让我知晓,像我前世的恋人
耐心地等待记忆的忠诚回到我的午夜

2023 年 12 月 24 日平安夜

假如不是你

假如不是你,我将在一块礁石上醒来
却不知道自己怎么就到了海上
我就会四顾茫茫,那宇宙最初的元素
不知道它是什么,也不知道自己是什么

假如不是你,我就会坐在孤零零的手提箱上
柔韧的柳条箱散发着祖传的芳香
箱子里是我无人得见的诗稿,西伯利亚的雪
写在诊断书的背面,以密码和正面拉丁语的确定性抗辩
我就会一直在一个大得刮风的广场
等着一辆漆黑的火车,把我送向月球背面
它没有司机

假如不是你,我就不会是现在这个形态
像撒出去的网,只剩一个网结
我就会一直变幻,面孔,年龄,旗帜,甚至性别
就会有无辜者的眼泪化成磨快的镰刀
用铁锈喂养后代的母亲,就会生下更多的礁石
如圆颅,并且踏着它们,微笑着向我走来

2024 年 1 月 8 日

不去北京旅行的惬意

不去北京旅行是多么惬意

已经整整十年,我绕开它

在南京与哈尔滨之间来回折腾

或是从陆路取道天津出关

或是飞越,从舷窗投下冷冷的一瞥

多么惬意,我在南京的金陵悠游

那些陌生街巷突然让我恢复了青春

犁头尖,螺丝转弯,堆草巷,养虎巷,煤灰堆

我在迷宫般的城南旧民居中间穿行

毫不在乎原住民厌烦得要死的眼神

他们苦闷逼仄的生活就是我的风景和乐趣

我不用和任何人合影留念

我也不会遇见任何把北京当作

叶芝的伦敦、庞德的巴黎的光头诗人

有时我拍下一些事物与人物

纯粹是为了反复欣赏它们尴尬的暧昧

而在哈尔滨,乐趣是偷听人群中混杂的方言

把自己当作一个外地人,跟随游客们

重新发现熟悉得要命的一些地方和美食

如果不期然遇见任何时代的自己

我都会尾随他,看他到底要去往何处

在任何时代都无处可去,倾听他们

忧伤的想法,莫名的激动和背叛

并为他们共同的"未来"而羞愧不已

2024 年 1 月 11 日晨

记梦：划船

我和一个女人，很可能是我母亲
划船玩儿，从一座岛回大陆
大陆开来几条大船
推土机一样推着越堆越高的波浪
像木匠的刨子推出卷成卷的刨花
转眼岛屿也被推向远方
迅速变得荒凉，如小小的草丘
海面也结了冰，我们于是决定步行
绕开冰面透明的地方
终于有惊无险爬上陡峭堤岸
那个我感觉是我母亲的女人却不见了
我穿过绿色船舱般的长条形小教堂
一小撮人在开研讨会，我一个师弟
组织的，向一个博导献媚的
我从过道穿过去，装作不认识
却出现在哈尔滨南岗的坡下
离江边数十里地，天色已晚
我想打车回家，手机又没了
左边裤袋不知何时被翻了出来
拉直，僵硬，如同长方形的抽屉

我用力把它拍回身体,摸摸右边
口袋里居然有另外一个老人机
只能打电话发短信的那种
梦的三个段落毫无过度和逻辑
海面怎么突然就结冰的
爬上的为什么是松花江岸
穿过江边教堂怎么就是南岗了
似乎三个场景就是那么拼在一起
你也不知怎么就置身其中
却毫不怀疑它们的真实性
因为你的焦虑非常真切
挣扎着醒来,冬日午后阳光明亮
心跳慢慢平缓,新年了,可是
你梦中迷失的主题一点没变

2024 年 1 月 12 日

读普拉斯日记有感

"活到冷漠的中年真是可怕
教育良好,充满期许
却泯然于众人,一无所用。"

活到冷漠的老年
活到任何冷漠的年纪
也都是悲哀

只要别人看不见你
只要这种说法更像是政治家

她搞定了这事儿
她搞定了中年，不会有机会
作为老人，英勇地破门而入
死一个年轻人的死

2024 年 2 月 2 日

在火车上

长长的光粒子在车窗上流淌
如书中逃逸的词语，我合上书
从本雅明最后时刻的传记中抬头

一月的田野，闪光的马赛克
树木如晚祷的农夫，黝黑，静止
结薄冰的湖泊，淤血的灰色指甲

渐渐沉入土里的城市
向列车露出伤痕累累的肋侧
我们的手微微握紧，保持着温暖
仿佛刚刚越过德国与波兰的边界

2024 年 2 月 4 日

关于纯粹的存在的顿悟

仰面躺在沙发上，天花板上的灯
亮得刺眼，三面光秃秃的白墙
围出船形——我突然了悟到
死亡不是别的，就是光秃秃
所有是其本身的事物就是死亡
以前我认为它是本真，现在
我知道这纯粹的存在、纯有
这 mere being，就是死亡
因为这种纯有是纯粹的抽象
因此也是绝对的否定
就是无——就是真相或真理
它们是同一个词语，truth
这种光秃秃既不可怕
也不愉快，也不痛苦，只是
怎么说呢？有些单调和无聊
而一切美，爱，饮宴，乃至文明
都是为了把这种光秃暂时遮住

2024 年 2 月 17 日

卷2 **诗歌总集**

2000—2017

马永波 著 仝晓锋 编

中国出版集团 东方出版中心

目 录
Contents

13

2000

薇　薇

她从车站的台阶上向我跑过来

我没有张开手,好像

也没有正眼看她,但我肯定在笑

我在想她刚生下来时我偷她的奶粉吃

放在窗台上的,被姐姐骂

那时我也十八岁

大学正放暑假

我们有四五年未见了

若干年前回克山老家

我抱她抱得太紧,结果被她挠了

她哭得很伤心

一屋子的亲人都沉默了

那时她有十几岁

我总觉得她还是小孩

但那时她就已经长大了

我们并肩走在红军街的坡路上

谈着她今后的打算

晚上八点的火车,她要去

一个陌生的地方读书

夕光中她上唇的绒毛微黄

"一个幼小的身体等待一个粗暴的世界。"

穿过熙熙攘攘的广场时
她突然说："老舅，
我也写东西，写诗和散文。"
人们都到哪里去了
融化一般地消失
先是姐姐的那双眼睛
然后是还在说话的小噘噘嘴
白衬衣，刮我脸颊的手指
背带牛仔裙，脚印，脚印
一双大松糕鞋歪歪扭扭
游着，包括上面的一点脏
都融化了。车站悬在空中
我也在融化，在一首诗中
无助地——我说的话她无法听见
在这个世界上我们谁也找不见谁

2000 年 8 月

纪 录 片

她的裙子像灰色的卷心菜
层层翻开。她还没有什么感觉
风就吹过了春天猩红的树梢
"床太软了。"他们换个角度
继续交流，仿佛在一列火车上

他真的从火车的上铺掉了下来
仿佛只剩下了两个轮子在空转
窗外的风景一动不动
证明他们一直留在原地
她拱起的腰变成肚子贴在床单上
"床真的太软了。"

关于这些岁月有一个诚实的说法：
弹簧从床垫中刺出，但无人受伤
他们留下的压痕被别人抚平
证明这是在新影厂最靠里的房间
她换一张床接着背单词
他从后面搂住她，无事可做

要回忆这些必须避开那年的雨水
她不停地换床，但仍嫌太软
软得腰疼。一结束他们便忘了这些
手拉手去吃东西，有点饿和晕
仿佛刚刚坐了一夜火车

2000 年 9 月 19 日

亡灵之年
——献给早逝的演员刘丹

这一年有太多的事物离开了我们

甚至没有告别,雪便从天空飘了下来
落在我们中间。在灰暗的办公室中
你思忖着幸福,迟疑地回答我
你说,幸福嘛,就是你遇见了一个人
你以前所受的苦就都不算什么了
你那么认真地信任我的陌生
时间忽略了一些细节,又突出了另一些
在北影附近的酒馆,我们坐下
你欢快地轻声说了一句,饿啦
那是我听到的你的第一句话
它让我忘记了我们都吃了什么
至于我的问题,那只是一次采访
不提也罢。我们见过三次
也许更少。在香格里拉的大厅
我们说了很多话,但现在想想
都没什么意义。我们在门前分手
你向停车场走去,在进入黑暗之前
向我挥手,喊着改天请我吃日本料理
早春的北京弥漫着树木苦涩的气息
我走向灯光,你拉下黑色的"范思哲"
我没有想到其中的征兆,后来
我们还通过几次电话,然后就是炎热的夏天
高速公路从远处奔来,一条快似一条
把我们冲散。你还没有爱过
你银色的太空服还是那样干净,皱巴巴的
你还没有找到幸福。我们都错了
现在又是灰色的早春,在无人的路上

将飘下雪花,在黑暗中向我微笑

2000 年初春

致 某 人

正当中午,我沿着似乎无止境的红色围墙散步
希冀从云朵中吸取一些清凉
人生似乎像炎热一样没有缺口
让我吸一口青草的芬芳
自然也沉默不语,甚至不过问
粪便中度夏的虫子

可是突然,仿佛滚滚的乌云
出现在开裂的天空
一群小丑出现,他们花格外衣的图案
隐藏着一幅藏宝图,但怎么也看不清楚
仿佛光亮在里面流动,变幻
他们交换着眼色和手势:
"瞧这个愚蠢的严肃的人
他妄想使惯于使花招的我们
相信他那堂皇的借口,用一大段
背熟的台词。他居然还伸着脖子模仿我们
想混入最后一批死人的行列
他只配坠入最下一圈的犹大狱
那没有深度也没有高度的地方

5

永远冻结,被自己的重量压垮——"

像凯撒突然看见人群中的你
"怎么,你也和他们在一起?"
看见你卑劣地向他们表示友好
叫着他们的名字(不久前我们还是邻居)
我放弃了抵抗,转身离去

2000 年

尤利西斯

我们迷失在一座巨大的城市中
我们仍在热烈地讨论着诗歌和生活
我感到有点儿尴尬。公共汽车上挤满了人
他们鱼一样侧着身,倾听着我们
他们的倾听使我们孤立出来
在周围形成一小片出汗的空间

刚刚是初春,破旧的鸟巢还挂在光秃的树梢
喧嚣像泡沫堆在上面
你显得那么遥远,仿佛住在一座岛上
伟大的阿喀琉斯,十年前
我们才刚刚离开多风的平原,畅饮战斗的光荣

我们像刚刚开始练摊的小贩

被人流冲刷到日子的边缘
这确实是春天，还有巨大的水泥管子
和绿色的塑料围墙，乘务员哼哼唧唧
好像已经被喀耳刻变成了肥猪，她的金发
和白垩一起形成卡律布狄斯漩涡
"我们也在猪圈里。"

车子从学府路没有的一本书中驶出
沿途经过闹市区和一个朋友的名字
把目的地一个个抛弃，直到
扎入开发区的几何学裙子，从欲望的低领口
冒了出来。坐过了站使我们成了外乡人
省政府高踞云端。"这更像是一次地狱之旅
我把你当维吉尔，你却愿意做但丁——"

至于你是谁，我们能否到达
已不重要。没有你
我们不会经历这一个陌生的肉体
它的部分器官已经腐烂，和脚印与轮胎一起
组成巨大的泥塑，静止在天边

2000 年

秋天的蛾子

黑暗。玻璃窗。震动的褐色飞蛾

像骷髅突然出现。室内可能更冷
还没到供暖的日子，也没人码好劈柴
我们裹着被子看电视：童年的夏天
在晕黄的水银路灯下捕捉风车般的飞虫
至于蛾子，它们只是粉末，只是伪装的蝴蝶

据说它们沾在脸上会烧出雀斑
证明燃烧是颗粒状的冷
是否它的背上嵌着白色的卵
把吸管插到玻璃深处吸饮亮光
大过脑袋的眼睛茫然，专注
渴望结硬壳的面包和破烂的棉絮

一阵惊恐仿佛睡意袭来——
它将随着凉下来的星球，岁月和凋敝的树木
不停地旋转，当屋子终于空了
仿佛一个薄薄的茧，在黑暗的枝头摇荡

2000 年

雨夜读诗

这不是什么新的发现
灯光像甲虫在树丛中飘动
雨停下来，便有许多人
出来讲话，听不清
这让我怀疑刚才是否下过雨

在雨的间歇回家的人

仿佛被树下的暗影盯住了

他径直进门，上楼，打开窗户

黑暗里的响动仿佛风把雨点吹斜

这让我怀疑自己刚才是否在读书

并打开了窗户，仿佛

屋子里从未有人来过

2000 年

一年的最后一天

……其实也没有什么

只是雪一直在下，改变着风景

像一首诗的写作一样徒劳

土地仅仅是土地，它仍在漂流

倾斜着，像黑暗中的飞毯

朝向宇宙的白色出口

我无法改变什么，甚至我自己

我创造的一切比我长久

它们迫使我沉默，迫使我忘掉

我作为一个人的痛苦

像一群粗心的孩子它们到处乱跑

根本不想听到老父亲的抱怨

水就要烧开了，蒸汽模糊了我的视线

不用朝窗外望去，我就知道

一个人按住帽子仍在向长街尽头的门走着
帽子上的绒球坠得帽子向后歪斜，像个小孩
街上没有别的，雪地里的脚印还没有变得凌乱

2000 年 12 月 11 日

冬天的夜行列车

午夜醒来，从高大的路基上望去
一簇簇蘑菇似的褐色农房
偶尔有掌灯的窗户，龙门吊
没有围墙的货场上堆着木头和雪
马厩和黑白分明的田垄
（垄沟里落满了雪！）
人世如此荒凉，人们都睡了
有这么多的生活我还没有经历过
"你这尖屁股的魔鬼！求你把我的女人带走。"
邻铺发出梦呓。"你这寂寞的老流氓！"
我不出声地回答。我苍白的脸映在车窗上
此刻，它被我的呼吸弄得模糊了
可以在上面写一张明信片
寄给谁呢？铁轨上覆着薄霜
星星渐渐清晰，越过松林和我们低矮的生活
像一排白色的高层建筑在地平线上出现

2000 年 12 月 11 日

2001

我还在浪费我所剩无几的生命

带着一点体温和淡漠的心情

我走在看朋友的路上，似乎

我是去看一个改了名字的人

一个人的时候我会想起她

怎样用纸擦去我背上的汗水

故意说些别的。我们就要分手了

而现在是南方的冬天

天边的棕榈一动不动，垂着羽毛

灰蓝色的海鼓起弧形。高高的正午

偶尔有小如蛾子的蝴蝶飘过

每一堵薄薄的砖墙后都有什么正在腐烂

叶子，尘土，迅速变干的激情

在大腿上发出胶水的气味

还有什么必要重逢，既然

树还是那样一动不动，像光秃秃的鸡

既然那片白色的街区，始终在远处闪耀

既然我的心像冬天的打谷场一样荒芜

2001 年 3 月 11 日

窗上的霜

已是春天,窗上的霜渐渐稀薄

它曾在玻璃上画下远山和纠结的树丛

它曾把一个少年引上无人的小径

让唯一亮着的灯陷在下沉的网中

当然,这些都是回忆

它无法挽留正在消失的一切

让那个少年在窗上走出更远

直到今天——一个白色的陷阱

无疑,霜是冷暖交战的产物

在夜里,像一群孩子扒着窗户

窥视我们温暖的生活

睁大晶状的眼睛,而阳光最初的闪耀

也是从窗上的霜中开始的

越来越响亮,像一阵赞美

我趴在窗台上,看窗上的花纹

渐渐化成一片水气

和我的呼吸一起,把窗子变成氤氲的镜子

我们就透过这模糊的镜子观察事物

在语言和真实之间,触摸到潮湿的冷意

2001 年 3 月 11 日

午夜的声音

午夜的街头，还有人大声讲话

短促的祈使语气

刚刚还在窗下，转眼已到了远处

夜晚更空旷了

白天的有些事物还在继续

一个刚刚睡下的人

奇怪地感到安宁，毕竟

他和世界还有着某种隐秘的关联

2001 年 3 月 18 日

春 之 声

天空终于有了一点响动

先是一只燕子之类的鸟飞了飞，叫了几声

然后像一块瓦消失在更多的瓦中

拖拉机也从土里拱出来

声音越来越响，把道路从土里拖出来

和尚的睡与醒。太阳也来了

从云中歪扭着挣出身子

楼下小店的音箱开始震颤

灰尘一样的流行音乐在斜坡上泛起

隔壁的电话铃声,一截人体
突然滚落地板上的巨响
伴随着女人的呻吟:我哪儿疯了
当然,还有你们的呼吸
蒸汽一样在小小的家里弥漫
你们的脚抽回被中,像八爪鱼
感觉到早晨的凉意,我抑制住咳嗽
脑中电流一样嗡鸣的思想
而你,我亲爱的姑娘,你走在去车站的路上
轻声读着报纸上与你无关的新闻
而阳光沙沙漫过了墙上的地图与风景

2001 年 4 月 15 日

死亡的恐惧

隔壁房间里谨慎的谈话越来越远了
不可能中断它。一匹布小心地展开
墙皮剥落后露出的灰色眼神

你躺在另一个房间里,它在倾斜下沉
仿佛哑铃的一端多加了分量
这是现在。戴眼镜的孩子在睡觉
如果抓住他光裸的肢体
你就能醒过来

谈话还在继续。是父亲母亲

在商量你上学的事。你知道
脚踏缝纫机将响起
那匹布将变成你明天的新衣服

2001 年 4 月 16 日

寻找我的萨福

我想在汉语里寻找一个女诗人
我们可以不说话地交流
伟大的诗歌与幸福,那时
我们的诗歌已不是诗歌本身
是空气和呼吸,是绸缎
隔开我们的身体
我们站在明亮的海边
或者有风的山坡上
认识了我她不再需要别的诗人
而我,甚至可以不再写诗
只看她让我看的事物

2001 年 4 月 25 日

我越来越难了……

我越来越难了

每一个白昼都亮得刺眼

每一个夜晚都是无眠的轮子空转

我感到锈钉子钉进了脊骨

寂静的压力使它变形，再难拔除

我在衰老，衰老但还不能死去

这是怎样的一件礼物

要我温柔而伤感地接受

我说，风啊，吹吧

吹尽这累赘的骨肉

不要让我的命运被尘世所认识

你们都看见了消逝

看见风带来的，风还会带走

而我常常在风中突然停住

2001 年 5 月 24 日

车停午夜

午夜，长途汽车停了

平原空旷。黑。静。冷

远处的犬吠如昏黄灯火明灭

已是初夏，但仿佛听到

星星清脆的结冰声

我从梦中醒来，不知道发生了什么

没有人下车，没有人敲打

甚至没有人醒来。窗外
大河在黑暗中流逝
把平原一分为二
我没有理由继续旅行了——
有这么多的生活我还未曾经历过

2001 年 5 月 24 日

艾米莉·狄金森

隐秘的光荣——痛苦
他的脸充满了我狭长的房间
我不能再和别人同睡
请原谅,世界,种子,夏天的土壤
我的白衣服是石头把我包裹
我们互为命运。亲爱的
我还会梦见你,当我在荆丛中扑倒
当道路变成扩大的洞穴
我听到你微弱的声音从人世传来
我把种子交给了石头
向僧侣乞求生命的面包
我抓住布满皱纹的镜子尖叫
我是白色的面包,被分开,被赐予
我不会再饥饿,也不会再有满足
因为你还没有教会我那品尝的艺术
我在变硬,我在死亡中说出你的名字

在面包成为石头之前,我听到了耳中的翅膀

2001 年 5 月 31 日

春日晨起,心情抑郁,译狄金森,块垒顿消

躯体在漂流,在暗水上
鸥鸟的羽毛落在石头上
晨光倾斜入水,桃花的碎影在旋转
水底的影子始终不动

我们比赛划船,吟诗
看谁活得长久
我们的桨打搅不了水底的黑暗
我们所爱的女人一直留在岸上
像白羚羊在头上跺脚
她是最后一个,宿醉难消

今晨又是如此。当我们停下手
听见的不是水声,而是时间
阳光更高更亮,深潭中游鱼几许
而桃花正盛,而桃花
高过了始终阴暗的松树的树冠

2001 年 5 月 31 日

我从不曾祈祷……

我从不曾祈祷,我顺从
我守住一个黑夜,我的凝视
让树木升起,风吹树叶的声音
如同刚刚过去的一场夜雨
没有星星,星星已化作了雨水
像羊群回到牧羊人的怀抱
它们在云层之上依然闪耀
当痛苦把我从睡眠中惊醒
我需要在暗中捏紧瘦小的拳头
屏住呼吸,等待沙子从眼里出来
当我又能凝视,黑夜也变得清澈
在道路的尽头闪烁,仿佛别人家的一片屋顶

2001 年 8 月

乌鸦、鸽子与麻雀

你守着逐渐干涸的溪水,你在山上
被风吹着,被越来越多的荆棘挤着
夏天刚过,满川都是白色的石头
像不再有思想的布满孔隙的脑袋

乌鸦从空中飞来,乌鸦也只有一只
它把更多的石头抛在溪水里
它把碎饼撒在你头上
它嘲弄地大笑,搔你的脚掌
你始终没有醒来。乌鸦没趣地飞走了

又过了些日子,溪水完全干涸了
你的心像脆弱的容器破碎了
鸽子飞来了,只有一只
它从远方的大水上带来一枚树叶
它把叶子上的雨水倒在你的眼睛上
你梦见一场豪雨从天而降

你慢慢地梦见另一个你
躺在溪水旁,像一块白石
慢慢蒙上铁锈色的青苔
麻雀飞来了,黑压压落在你身上
剥啄湿润的苔藓,你感到了疼痛
但你无法醒来,溪水仍是干的
但没有一只麻雀掉在地上

2001 年 8 月

不会再有痛苦了……

不会再有痛苦,也不会再有激动

那些白色的峰顶沉没在苍茫之中

不会有人拜访沉寂的故居

黑暗的门上不会再有陌生人的留言

在我疲惫的心里，一条芳草萋萋的小路

洒满了阳光的断箭，通向一处泥潭

我还能听见脚步踏着石上青苔

看见鸟儿起飞前树枝微微的下沉

我这被未来遗弃的空壳

越来越薄，像蝉蜕混入流沙

不会再有了，那心跳、颤抖和哭泣

因为不会再有一双温存的手

放在我逐渐冷却的心上

2001 年 8 月

在 外 省

这事儿说着容易。他的厌倦

使田野更加空旷了。对于生活

他有一颗流星对天空的歉意

有被画花脸的戏子那样的激情

他躺在四面透风的树下

把远方像一面镜子举到眼前

阳光开始泛滥。他说

老，是一个咬不动的词

正如镜子是一个不发光但很亮的词

有时,干懒着也是一道风景
像偏僻土路上的马粪,干成了草
对于这样一个过于空旷的省份
诗歌是多余的。他偶尔眯起眼睛
往阴影里缩缩手脚
看一看越来越密的庄稼
感到阳光中也是空荡荡的
他继续躺着说:大雪
是从庄稼茬里涌出来的

2001 年 8 月 27 日

2002

寒冷的早春和朋友
沿铁路散步至晚

褐色的枯草和白色的庄稼茬

垄沟里还有积雪和薄冰

灰色的水泥枕木滴上了油渍

偶尔一列黑色火车从身边驶过

它慢慢加速的声音仿佛水管里

生锈的冰逐渐解冻

大铁桥高悬在郊区

鸽群从桥上穿过

洼地里突然出现的村庄鸡犬相闻

炊烟越过垃圾山,和城里的烟气融合

我们不时望望身后,注意着

有没有货车和我们同路

迎面撞来举着书包的高大的学生

预示着黄昏或晚年的临近

我们随便说着什么,风声

和隆隆的车声时时让我们沉默

但没有停下脚步。车过后

话题已转向一片空白的田野

或者记忆中的一场雪

你不再像过去那样

马上写下头脑里的句子

而是像酒席上耍滑头的人

把酒含在嘴里。风在大桥上

旋转一片深渊。这是个褐色的春天

草,平房,未开化的土地,树木

回头望去,还有两个缓慢的人

均匀地踩着大地整齐的肋骨

向弧形的尽头走去

2002 年 3 月 6 日

梦见狄金森

道路通向无人的山顶

她在路上走着,前面有一个洞

她掉了进去,她费力地

爬出来。接着走

路上什么都没有,除了

一个比一个更大更深的洞

她看见掉下去

她爬出来的时候,山顶上的月亮

像一间闪闪发光的空屋子

四周荒凉起来

每当道路似乎接近山顶

都会拐一个弯,坠入低谷
总会有笑声从草丛惊起
像彩色的雉鸡掠过头顶

没有人走在路上
路上也没有洞
她的白衣服在慢慢变灰

2002 年 3 月 6 日

整　体

从整体中掉下的碎片
带有阳光的色泽,我拾起来
在灰色的早春,感到踌躇
于是我把它揣在兜里继续散步
像一个难民。也许我就是一个
不懂本地语言的难民
低着头,不是出于谦逊
在过于广大的天空下,而是——
瞧,他们发现了什么? 一个皮包
把手锋利、磨损过时的公文包
他们中的一个翻着里面的隔层
挥舞着说,嘿,咱也像干部了!
他们是外地来的民工。干部
对,就是这个词,在我的口袋里

一个油漆剥落的碎片
露出灰色的眼神
温暖而陈旧，并微微出着汗

2002 年

我纯洁得还不够

我纯洁得还不够，我还会不由自主
爱上温暖的事物，比如苍黑的树枝
在化雪的屋顶上摇摆
渐渐变得柔软。比如午后的蓝调
窗帘一般的移动和腐烂水果一般的弥漫
我还会爱上我其实并不了解的人
在空荡荡的夜里守着电话
想着他们在睡觉或者醒着
知道他们做爱时不会想起我
便有些感动。当满脸鲜血的孩子
出现在门边，我还会镇静地
拿来棉纸，领他到"可安歇的水边"
而我所渴望的整体，依然
在无数镜子的互相反射中
混淆成一片光影，一个个朋友
当我呼唤时，只是空洞的名字
我还会热爱一切短暂易逝的事物
以致无法觉察那蒙面的客人

已经来到我的身后，她严厉的目光

透过薄纱，越过我冰凉的肩膀

轻蔑地看着我，若有所思地写下这些

2002 年 3 月 8 日

有 所 思

路上的人走着走着就黑了

就变成了树丛的颜色

比灰白的石子路还深

比夜还黑的颜色

他们走着走着就被空房子里的灯光

照得透明了，比房子上的天空还透明

走着走着他们就不说话了

像一个个正在融化的雪中的脚印

南方的星辰开始倾斜

星辰越来越少，但越来越亮

照着这一群走山路的人

他们望着天空的脸小小的，挂着露水

他们渐渐消失，只偶尔听到

隔着树丛，房屋，山冈与河流

他们在永不相逢的路上应和的脚步

2002 年 3 月 8 日

命定的旅程

距离的芳香,浸透了可以预知的旅程
越来越快地,收缩成画中的透视点
那画就反着挂在那个点上
它背面无尽的空间大海一般
在漏斗中旋转着消失
你必须停止等待,从卷边的画前
转过身来,发现站台上的潮水已经退去
露出硫黄弥漫的深坑,和黄花的微笑
在反面读画的人无奈地死去
除了粗糙的线脚,他还能相信什么
不断推迟的时辰像不甘心的自杀者
在车站卫生间尿渍斑斑的白瓷砖墙前
徘徊低语,仿佛在等待什么
你必须停止等待,每一个人都在变老
只有你才能让火车停下来
停在那幅从天穹一直垂到地面的画前
毕竟你是永恒的。你始终没有看清
那幅翻转的画上没有明天的风景
——那生活,那漫长的生活
隔在你和你所要成为的中间

2002 年 3 月 11 日

与窗有关

——答朋友的信

窗对我确实很重要
因为我大部分时间生活在屋里
我透过窗看见世界，当然
是外面的那个，它与我或许
有些关系。比如深夜的出租车
误入这条后街，会开大车灯
灯光扫过墙壁，会放大一些影子——
树枝，对面的建筑，倾斜的人物
再比如，外面的树总站在那里
按照季节变绿，又变得光秃
几乎觉察不到它们缓慢的生长
或者死亡。直到有一天来了一伙
拿斧锯的人，是来拓宽道路的
用减少形成的变化，是否也能
反映到我的屋中——光线
更宽阔了，像刨过的木板
散乱地堆在地上。这一点
和地下室的窗比起来好多了
我见过那带铁栅的窗，半埋在地下
不时冒出些蒸汽和煤烟
记得一个朋友家里有花玻璃的天窗
他的眼睛就慢慢挪到了头顶

正如久住地下室的人

眼睛都有点向上斜

可以说，是窗规定了眼睛

那么像你说的，出去走走会好些

不见得。外面还是个屋子

只不过比较大些而已

我们都举着一面窗到处乱走

抬头看去，上帝正扒着蓝天的窗

窥视我们地球在水盆里旋转

说到底，这里，那里，还不是一样

区别仅仅在于，屋里和外面

光线的明暗。于是我把灯打开

在三月明朗的白昼

并看见自己在窗外走着

2002 年 3 月 18 日

他们不会听你的

这一周仍不能拯救你

他们又在那里散步，突然

像风筝穿过你的后背

也许，只有在石头的阴影里

才能回忆起天气和过去的感情

看喧闹像泡沫堆积在树梢

不久就会变绿并带来一盘水果

底部凹陷的凤梨,皱巴巴的桃子
纯洁的苹果,和正在腐烂的什么
它们的气味使房间流动起来
可有什么用。他们不会听你的
你所预言的远方是一片蓝树林
麻雀在潮湿的土块里折腾
他们知道花就要开了
他们确信你始终在风景之外
像一匹马出现在三月末尾的凌乱中

2002 年 3 月 26 日

跑 冰 排

报上说昨天江上有特大的冰排
有船坞那么大,灰色的,缓慢的运动
报纸总是说昨天和昨天,就像诗歌
记录的都是回忆,即使诗中人
用了许多的现在和此刻
比如说我吧。去年这个时候
陪黑大春在松花江边蹲着
看冰排,看灰尘撒到水里
(也撒在眼睛里,今年
还没有随泪水排出来)
后来他在诗中把冰排写成一群女囚
蹬着哗啦啦响的脚镣

31

别的我就记不清了。那首诗
好像是两行一节的，和一块块
冰排差不多，只是更为整齐
似乎可以在上面跳跃
提前到下游去。冰排一边出现
一边消失，加宽着江面
流了一天，到傍晚江里只剩下水
和岸边潮湿的黑土。后来
看拍的片子，冰和水都是纯蓝的
我用卷成筒的杂志指着
像个村支书。大春则显得严肃
风还在吹着，我坐在屋子里
也能感觉到，它旋转着一个塑料袋
让它有静电一样糊在行人的后脑勺上
或者在树梢伪装成风筝
冰排肯定过去了。到现在
和大春约好的"跑冰排"的同题诗
还没有完成。也许，把这个算上
说到底，冰排不是为这首诗存在的
甚至不是为去年的我们

2002 年 3 月 26 日

昨晚的一首诗

昨晚的一首诗摆在木桌上

晨光照亮了它,显得邪恶

(所有未竟之物都显得邪恶)

外面的喧闹无法打动它

不完整的存在,像一个喝醉酒

遭人痛击的人,穿过灾难却一无所知

它使桌子显得荒凉,微微下沉

仿佛它正在纸上熔化

把残缺的形状烙在桌子上

像火山熔岩缓慢流淌,凝固

在桌子边缘折叠地垂下来

像达利画中的软表盘

指针顽固地指着今天

而在春天空荡荡的房间里

只有一棵树变成了桌子,放大了

中间凹陷,像一个红色火山湖

2002 年 3 月 26 日

济慈式的忧虑

这里有一页空白,有溪水和光亮

一片透风的小树林,有麻雀的细脚在跳跃

沿着风吹草低的方向。你沉思着

那些严峻的面容,从光中凸显的

巨大前额。云柱和火柱

在日夜交替出现,引导着别人

把帐篷每天移向它们所停之处

你心中的不安为什么不能平息

当风吹过峰顶,树梢也慢慢停歇

有时你在树林中讲话,仿佛在洞穴内部

你还没有写下与命运相配的诗篇

可是你瞧,傍晚的喧声涌出学校

高大的孩子不耐烦地按响门铃

你从泡得太久的衣物中抽出手

湿淋淋地去开门,尴尬地摸着

他发黏的光脊背,仿佛你们能永远活着

2002 年 3 月 26 日

微雨的傍晚

黑暗中那音乐是蓝色的

是屋子里的水。水退去以后

露出来的人都睡成了石头

于是狭长的屋子尽头

又有什么在躲躲闪闪地游动

他悄悄地过去

那里什么都没有

但始终有冰凉的波动

在他的脚踝上留下花纹

等他回到原来的位置

雨不知什么时候停了

蓝光闪烁,屋子又充满了水

2002 年 4 月 5 日

一 些 词

音乐响起的时候
灯光,女人,酒,疯狂

灯光熄灭的时候
音乐,女人,黑暗,叹息

女人疯狂的时候
音乐,灯光,沉默的男人把酒喝完

我爱你们,我爱那一直坐着
沉默的女人,她的手指

抹着酒杯的边缘
像抹着她发暗的嘴唇

2002 年 4 月 5 日

两个房间

一个亮着,有女人和孩子

她们在玩电脑,阅读

另一个黑着,有音乐泛起
像窗外闪进的微光

在两个房间之间
闭上眼睛的人犹豫不决

他一会转向温暖的光
一会转向清冷的音乐

外面,第一场清明雨微腥的气息

2002 年 4 月 5 日

动物行为

不知什么时候
家具和墙上留下了
"马原到此一游"的字样

这种习惯
已经被文明压抑

初春,一只小狗
到处嗅着

不时地抬起后腿

在树根、篱笆和墙角

留下印记

2002 年 4 月 5 日

清 明 后

清明雨之后

又下了一场蓬松的新雪

人行道和树的侧面

颜色深了

这场雪不会持续太久

它触到坚实之物

马上消失，仿佛事物内部

是沸腾的岩浆

而雪带来的灰暗的天空

还在持续，像一个人压低了帽檐

继续走着

他走向郊外潮湿的田野

和伏地喘息的纸灰

2002 年 4 月 7 日

他们就这样度过一生

他们打算就这样度过一生

他们在一个小城安顿下来

阳光很好,邻居的犬吠声很好

夜雨后的星星安宁闪亮

他们要用倒叙把故事讲完

偶尔也会有雨季的霉斑

从屋顶一角剥落下来

落在橘红色的沙发套上

他们就默默地收起来

偶尔有朋友从蚂蚁河与万佛山而来

带来一阵忙乱和过后的空茫

垂钓时或许有诗句

如细小的影子从水底浮上来,盯着他

他们就这样过了,这很好

正如山上的石头

牢牢嵌在自家的墙上

2002 年 5 月 2 日

初　夏

初夏从云端降临

像一棵倒置的树
抖散着枝叶

土地和天空
仿佛重逢的巨人兄弟
紧紧拥抱着交换了位置

字迹,黑板上的骨骼
越发刺目

而屋子里更暗了
仿佛潜入了一只乌贼鱼
你斜伸入水的手指
打翻了墨水瓶

2002 年 5 月 24 日

温　柔

姐姐的女儿从老家来
还是那么活泼
说些家乡的事情
和自己的打算
她在儿子的小房间里
安顿下青草味的身体

晚上,在大屋里

我们一家三口挤在一张床上

儿子有些兴奋和害羞

吃掉了一大半小姐姐带来的食品

我们叽叽咯咯

说些无意义的蠢话

互相抢枕头占地方

儿子的房间静悄悄的

直到黎明

2002 年 5 月 24 日

带亲人肖像的旅行者

带亲人肖像的旅行者

他目光低垂,严肃

仿佛被一群人环绕

汽车朝向白色的高处

盘山公路把松林的幽暗

和车中劣质白酒的气味

沿途抛洒

一张旧报纸在手中传递

拍打麻木的脸上

摇摇欲坠的石头
混合着汽油味的炎热

突然,汽车迎面撞入
太阳和强风

2002 年 5 月 24 日

雨　夜

雨其实已经停了
只是我刚刚发觉
马路两侧又在挖沟
锈铁管子散乱地堆着
红灯悬挂,提示着现场
远处烧烤摊人影晃动
虽然已是深夜。一对夫妻走过
女的挺着肚子,"你死吧
你赶紧去死吧,我好找别人……"
他们一前一后慢慢走去
我看到这些,不知道
发生了什么。突然
我闻到空中杨树叶
那湿漉漉的刺鼻气息

2002 年 7 月

春日的家居景象

孩子们来来去去
唯我静坐
电视亮着,鸽子在睡觉
妻子的洗衣机偶尔轰鸣
我在等待词语
等待去生活

我渴望像窗外的树
随风摇曳,并不选择动作
并不知道,它讨厌地
固定在近午的灰尘中

我渴望凌乱的光
宣布这正在开始的空间
把孩子们的笑声如污水排干
当妻子的洗衣机停止呻吟

啊,我曾经勇敢而年轻
曾经独自面对一扇
慢慢开启的门

2002 年 8 月 26 日

屋顶上的雪

屋顶上的雪渐渐消失
白杨高大的姐妹俯身屋顶
游戏影子和月光。是的
到了夜里,月光代替积雪
使屋顶一片银白,仿佛正在冷却
寒冷也变得珍贵,它渗入毛孔——
飞快的针。你只想让黑暗
再持续一阵,此外没有别的想法
这些日子像女子的装饰网膜
裹着你,可以从里向外窥视
反之却不成。梦中的人在缩小
他们的呼吸凝聚在铁皮屋顶上
仿佛镜子背面颗粒粗糙的水银
他们可以乞求宽恕了,因为
那黑暗中停止融化的雪
已显示出闪光的字迹
而且正在你俯身的纸页上出现

2002 年 3 月 11 日

一个人穿过雪夜

我看着一个人穿过雪夜

一边抽着烟

他绕过灌木丛,走得很快

我看到他把烟头掐灭

然后侧头看着

缓缓而来的黄色的车灯光

像扇子在白色的路面上展开

然后过路,经过一片废墟

这条路上的路灯很亮

高压线嗡嗡地响着

我想打开窗户,向他挥手

可是没有,我只是看着他

从灯光明亮的路上

走向一片浓重的黑暗

他是抄近道回宿舍

只剩下他一个工人了

他还要再干几天

三十那天才能回家

他说走之前就不到我这来了

我说,好。到春天就好了

干活不用出那么多汗了

他说,习惯了,没觉得累

他在工厂里做临时工

装铁屑,已经三年

嫂子和侄女在老家

等他回去过年

他马上就五十岁了

我还在看着他

就在我想着这些的时候

我看见他回头望了一眼

走了两步,又回头望了一眼

我没有开灯

我隔着玻璃向他挥手

不知道他能否看见

我挥手的姿势一定在玻璃里

蒸汽一样挥发掉了

我在窗户里站着

继续望着他消失在

一个比夜晚还小的胡同里

我的灯很久才打开

2002 年

午后降雪

午后的雪提前了夜晚的阴暗

坚硬的雪粒粘在窗框上

不再有冬天的大和绵软

它填满了刚挖出的树坑

填满了自行车前面的篮筐

车辙把世界变成粗糙的黑白木刻

也许会有一辆发红的轿车滑到路旁

司机揭开覆雪的引擎盖

让雪落在沸腾的水里

而在室内,并没有沸腾的炉火

将人影投在玻璃上,对这场

冬天对春天的美的报复

发出或赞美或抱怨的咕咕声

2002 年

午 夜 雪
——致韦尔乔

午夜的雪干净得没有一丝声音

我们的脚印还没有变得凌乱

深渊中沉睡的卡利班

还没有将混沌的边疆延伸到爱丽尔的翅膀

如此轻盈的呼吸在树梢上消散

形成另一片白色的天空

就在那下面,世界存在着

高大美丽,让我们暗暗吃惊

2002 年

雪落在雪上

雪落在雪上,从树枝

落向下面的雪

这已是第几场雪了
我已忘记。我曾经想记下
每一场雪，可我不能
正如我无法一一回忆起
当所有雪光映亮室内
我长久地站在窗前
望着外面无人的雪地时
到底在想着什么
这些日子我常常这样
在深夜临睡前，望望外面的世界
雪，黑暗，天空，中途消失的行人
像一个孩子或者上帝
数数他的财富，然后才放下心来

2002 年

2003

写在人行道上的预言

把嗓子与声音分开

把爱情和肉体分开

把蓝色和天空分开

把距离和遥远分开

把赫拉克利特与河流分开

把门和敲门声分开

把悬在半空的手势和手分开

把目光和眼睛分开

把祈祷和涌出教堂的雪分开

把老和一个咬不动的词分开

把脚步和道路分开

把死亡和尸体分开

把冷和冰雪分开

把心跳和寂静分开

把思想和大脑分开

把风和空气分开

把光环和圣者分开

把幻想和想象分开

前者是过分轻信的孩子

把我和你分开——

你这渐渐与纸页

和我的手分开的诗
你这只黑鸟标出的白房屋

2003 年

问　题

一只手和一只狗有什么关系
狗越来越近,可怕的鼻吻
黑色潮湿的闪光。手在紧张地摸索

地上什么都没有。这构成了一个问题
石头在狗后面
在远远的树荫里闪烁
像白色的面包

狗呼出的热气越来越近
手还在半空里犹豫
仿佛随时一挥
狗和手不复存在

我们在纸上又画了根打狗棒
反握在背后的另一只手里
问题呢?——什么问题

2003 年

在我的生日

一个羞怯的男婴降生在

黑龙江伊春的一个军人家庭

天空平静,没有任何响动

透过树林,夏日烟霭中

汤旺河在奔流。没有任何征兆显示

他日后会成为一名诗人

据母亲回忆,刚生下来的他

小鸡鸡状如黝黑的海螺

翌日清晨,突然大如成人拇指

并向父亲的脸上射出一股

激越的液体

2003 年

死去的人们

父亲,马显恒,1990 年,膀胱结石术后综合征。昏迷。
1 米 80。军人。使双枪。善游泳、篮球。这些,
我一概不会。小时受欺负,开始教我们三个
男孩打拳。
一书包沾满新鲜泥土的子弹壳和一前襟的功
章。没用。

母亲,高淑珍,1997 年春,脑出血。爱干净,

　　擦了一上午玻璃。点上烟想到炕上歇一会儿,

　　却坐到了地上。有一年在哈尔滨我们上商

　　店,在自动

　　扶梯上她向后仰倒,我险些没有扶住她。"这

　　是怎么了?"

　　她说。我终于没有扶住她。"这是怎么了?"我说。

小慧,崔先慧,比女孩子还好看。初中同学。摔跤的

　　对手。

　　卒年不详。死因:骨头都黑了。我帮他写过

　　情书。

　　我用《小慧》摆脱了小慧的纠缠,我要活下去,

　　虽然我爱他。

麦可,刘永权,1997 年,马凡氏综合征。1 米 97。需

　　要仰视。

　　在他面前我觉得自己是个小孩。我们五个诗

　　歌兄弟

　　常常鱼贯走入饭店,他总是最后一个,常惹人

　　惊叹,

　　"越来越高!"是啊,他真是越来越高了。

韦尔乔,2008 年夏死于肺癌。画家,医生。

　　我们去看他,他躺在轮床上吃萝卜,家里人说

　　萝卜抗癌,

　　他那时已经高位截瘫,仍开玩笑地说,把他炼

　　了他都不知道。

　　那时我正考虑去南京工作,这是他最喜欢的

　　城市,

在他病中用软玉温香、美馔佳肴收留过他的
那些金陵美姝，

我总想知道她们现在哪里，在什么所在调弄素琴。

马永波，卒年不详，死因不详。巨蟹座。该星座还有
普鲁斯特

和蓬皮杜（蓬皮肚哈哈）。世上有人远远地
爱他。

爱恨都只能触及复数的一个他。"我爱你。"

"等我成为我之后再说。"他的命运就这样定了。

有人在死亡中怀念着你们大家。

2003 年

内心哭泣的孩子

内心哭泣的孩子

你猫在角落里不肯出来

沙子落在我眼里

是你的泪把它哭出来

有人打我时，你变成了石头

向世界挥舞起瘦小的拳头

你的尖叫在空房间里蒸发成暗褐的血

恐惧和屈辱培养我们

我老了，你还是那么小

小得我无法保护你

小得连我都找不到你

小得连沙子都能把我们击倒

你在等我慢慢变小

再和你玩从前的游戏

你有着我的双手

温柔得近乎女人

我有着你的眼睛

善良得近乎伤害

世界！请停止伤害

一个老人和一个儿童

2003 年

大 画 廊

在一个巨大的肖像画廊

我们不时地停下来

端详着一幅幅画像

然后转身彼此交谈

伙伴们不时地消失陌生人中

或者突然从人群中出现

笑嘻嘻的,或一脸严肃

仿佛刚刚去了厕所

我们不知道等在前面的是谁的画像

我们等待有人回答,最长的交谈
恰恰就是最长的等待
我们向前一步,又向后一步
我们脸上的空白在晃动
无论我们是谁
我们一直在那里慢慢变冷
在空无一人的画廊
被遗弃在厕所的手机孤独地响着
荧光照亮了黑暗和泥泞的脚印

2003 年

雪后的宁静

下雪的时候,万物都在倾斜着
接受来自燃烧天穹的使者
树木和行人都绷紧了身体
在风和大地的两种力量作用下
保持着微妙的平衡,沐浴着
从天空这个大建筑现场深处的
搅拌机中倾泻出的白色雪尘

在这样的时候,似乎宇宙间
正在上演一幕伟大的戏剧
万物都是角色,灯光也不够明朗
或者像建筑活动把喧闹的焦点

转移到别处,它转移到哪里
哪里就被照亮。而其他的活动
依然在继续,只是难以同时
被我们充分和不间断地关注到

因此,作为置身其中的我们
同时也是这幕戏剧真正的观众
这种双重身份使我们恍惚
我们走在街上,眯缝起眼睛
仅仅看到眼前不远的景物
以及细小的雪尘在睫毛上
和衣服上的闪耀,但当我们
攀上更高处的时候,比如
透过落地的玻璃窗
我们却看到"雪"正在落下
我们和雪之间的透明距离
在玻璃深处弯折了,在玻璃的表面
两个世界相遇了,摇曳着
明灭着,对质着,互相扮着鬼脸

而雪后的寂静和雪中的寂静
是不同的。一片雪地终于成形
它不像水那样随物赋形
它更像一个孩子,把事物
与事物之间的缝隙填满
让之前没有关联的东西
发生一种洁白蓬松温暖的关联

是的,温暖,在六角形的花朵之中
燃烧着来自高处的寒冷的精华
停放了两个季节的自行车
篮筐里盛满了雪,链条和后座
也蒙着雪,显出摩托车的模样
花坛的边界更加清晰,更有秩序
小叶丁香和水腊树篱上
一层松软的雪,这些树篱
把形状各异的花坛统一在
一个秩序之中。在那之外
楼群和街道,通过雪的笔触
连接起来,扩大到整个城市
形成一个错杂又整齐的白色网络

而更远处,雪仿佛也堆积在
灰色的云朵上,将它压低
与灰色的郊区、原野
在地平线上混合起来,让目光
在垂直和水平两个方向上
游移不定。在光影交错广袤的
白色上面,万物是无形的巨人
留下的脚印,清晰而深刻
而在窗前的雪地上,已经开始
有小动物和人的印迹出现
徘徊,重叠,最后渐渐模糊

2003 年

2004

我不敢说出你的名字

我不敢说出你的名字
想到我曾经对你的伤害
我也不配再亲密地叫你"兰"
这些年我们已失去了联系
我只知道你在大庆
一个离我并不远的地方
却远得仿佛是另一个星球
而你真的去了另一个星球
在三年前一个没有我的日子

那是在我们读大学的时候
记得是冬天,另一个女同学
邀请我们一大帮人去她家玩
我们处过对象,那时已经分手了
我们喝了酒,跳了八十年代流行的
摇摆舞。之后我送你回家
走在黑漆漆的西大沟沿上
小时候沟里还有水,和泥鳅鱼
现在都是垃圾了
那时我们刚刚开始恋爱

我们在黑暗和寒冷中走了很久
你一直在哭,你说你看出来
那个她是想和我恢复关系
你不该夹在中间
我抱住你,吻你,试图安慰你
并趁机把手伸进你的上衣
(我真不是东西!)
你流着泪说——"你摸不到的
我穿了小衣。"
快到你家的时候,你突然
要回去,要去黑漆漆的大沟里
你说那顶白色的毛线帽子掉了
我们都刚刚发觉
你说那是你自己织的

现在我想不起来我们到底找到了没有
现在你再也用不着哭泣和寻找了
现在我把手探进虚空,试图
重新感受到你十八岁胸脯的温热
都没有了。三年前你就不在人世了
而我一直以为我还能找到你
还能摸到我十八岁时没摸到的
一定已经非常饱满的温热

2004 年 6 月 13 日

在初秋的阴影中

阳光陡峭。一个父亲
背着两只孩子的书包
两手还拎得满满
黑色白色的塑料袋
从后面看去,他应该和我同龄
或者更小。他的双胞胎女儿
一个在他前面,从一个荫凉
跳到另一个荫凉,另一个
懒懒地落在后面,踢着树叶
那父亲始终没有看她们
他走在中间,始终没有说话
他们就那样走在楼群和阳光之间
一会儿明,一会儿暗

2004 年 9 月 25 日

秋天的话

"我在不停地走,你看不见我的。"

我看见你行走在每条街道上
在月亮和大气层之间

你的身体因此裹上了银雾

我也在不停地走,你也看不见我
分开渐渐变黄的叶子
我看见月亮裹上了银雾

这是秋天,你的手悄悄握紧了
就在我们的行走之间
那云层和叶簇上真实的月亮,渐渐地圆了

2004 年

秋天的契合

天色愁惨,风也大了起来
透着些冰冷的消息
万物都在彷徨着告别
又不知道向谁告别——
万物分崩离析,似乎并没有一只
巨大无形的手将其托住
街上的车也显得疯狂
似乎随时会有意外的动作
最好的选择是在家里
在床上,围着芳香的被子
在音乐和热茶中翻翻闲书
而秋雨会带来一阵冷似一阵的天气
等雨过去,树叶将落光

街上的行人将散去

将有白雪闪耀在树梢

我们将会习惯,我们将会领悟

我们将会去爱一个人

有如爱一个还未成现实的季节

2004 年

秋天的气味

秋天,我想打开所有的窗户

让远方的气味飘进来

那是沼泽腐烂的气味

陈年落叶的气味

燃烧的干草和鱼子饱满的腥味

村庄里吹来的豆腐坊的酸臭气味

成熟内部衰败的凄凉的气味

在比风还薄的墙后

我想安顿下疲惫而沉重的身体

我想原谅所有的人,包括自己

我想好好爱一个人

知道她也会打开久已关闭的窗子

让街上的声音飘进来

而我会闻到她头发里太阳的糊巴味

2004 年

秋天的尘埃

秋天,一粒尘埃飘浮在半空中

她想被什么抓住,她厌倦了风

她是一粒小小的尘埃,不能再小

这个秋天的风似乎比以往都大

闪电击打着黑暗的平原,屋顶飘摇

人的头发和衣袖也开始飞起来

任何地方都无法停住。这时她看见

白杨树上还翻动着最后一片叶子

似乎要努力挣脱树枝的挽留

尘埃抓住了叶子,喘息着紧贴在

他不大的身躯上,她还能感觉到

夏天的太阳留在叶脉里的温度

他们一起在风中翻动

叶子紧紧地抓住树枝

他忘记了向大地的深渊纵身一跃的冲动

他感到尘埃像一颗微小的心脏在他胸中跳动

他开始感觉到尘埃所经历的一切

那些风和雨,那些在低处等待的日子

那些泥土中的愿望。就这样

不知道过了多久,风终于平息了

远方重新明亮起来

叶子抱着尘埃还在树梢上静静地停着

天地一片寂静,仿佛要做出什么决定

又是许多日子过去

空空的枝头上一片寂静

在某个地方,尘埃和叶子安静地躺在低处

一动不动,始终没有分开

2004 年

秋天的玻璃马车

秋天的玻璃马车拐进了一条

人烟稀少满是老房子的街道

日本人留下的铁皮屋顶的黄房子

沙果树荫蔽着屋檐,和灰白的木栅栏

它们有的改成了阴暗的酒吧

有穿衬衫的女学生安静地坐着

有的改成了工薪族的小酒馆

开着的门里冒着白色的蒸汽

我在那里喝一碗热热的杂碎汤

仿佛一下子就越过了栅栏

和年轻时那样,在平房的院子里

望着一个比一个更深的房间

而秋天的玻璃马车上,身影笔直

在一个车间连着一个车间

地下室漆黑一片,浴池白汽蒸腾

连绵无尽如迷宫的旧工厂中

我像一个刚来报到的大学生

仰望着烟囱,期待着泥泞

2004 年

满地的黑蟋蟀是活棺材在爬

深秋的站台上,蟋蟀
在胆怯地抽泣
密密麻麻,在黑暗中
闪着黑色的寒光
几乎一动不动
几乎让人无处下脚

去年我就想写一首关于蟋蟀的诗
可到了现在还只是一个标题
而蟋蟀还在继续爬动
爬满了站台,继续胆怯地抽泣
继续消失。我为什么没写呢

秋天更深了,蟋蟀早已消失
车站上一片空荡
我也很久没去那个小站了
文字爬满纸页,每一个都是一具
漆黑的小棺材。一切到此为止

2004 年

忽明忽暗的阅读

天色忽明忽暗,这是秋天
我在北方某小城的十字街头
等一个朋友,一边
读一本在当地小店买的旧书
我读着,有一两个穿靴子的女孩
蹬蹬蹬走了过去
每一个都像她

她会从哪个方向出现
是过去,还是未来?
我不知道。天色还是忽明忽暗
如果她不来,我会一直读下去
直到纸页上一片空白
直到满街走动的
都是一个个黑黑的词语

我早已忘记,那是哪个星球的哪个秋天
我到底在等谁

2004 年

极少主义（组诗）

1. 启　程

起风了。灵魂已在颤抖
躯体还在犹豫
连黑暗也不会持续太久
秋天吹下树叶
雨下了三日。天晴后
我们离开白色的堤岸
仿佛在船上缓缓转身
被划向对岸

2. 夏天中午的老人

明亮的夏天中午
我看见一个老人
弯着腰走向一个角落
像要去攫住什么
他很久都不动

我知道这个夏天会过得很快
我会比往年,更疲倦

3. 它

它从云中吹出大风
它把船放在海上
它让奥德修斯的伤疤愤怒地发亮
它让黑暗降临在所有道路

它把婴儿车留在深夜
它让婴儿避开明亮的邪恶
它在我家中父亲一样移动

4. 忧郁的夏天

院子里矮墙上潮红的烟头
"南大河涨水了。孙寡妇又失踪了。"
夏夜,没有风,窗纸沙沙作响
大人们在谈着什么。可能是父亲
摸黑到外屋咕噜噜喝了一瓢凉水

一个孩子抱头蹲在潮湿的土炕上
感觉一群蚊子,像小雨沙沙降临

5. 大雷雨的夏天为马原的 简短祈祷

别怕,孩子,一切都会好的

让我们躲开厄运,像两只快乐的乌鸦

别怕,孩子,你搂紧我的手你说那影子正在进来

那只是车灯照亮了雨中的脸

在上帝的屋檐下,我们都是永恒力量的一部分

是风,雨水和雷电,也是他眷顾的种子

别怕,孩子,我已放飞了鸽子

在雾气和阴暗中远方移动

你可以在船中走走,喂喂蚊子和大象

6. 儿子的睡眠

你站在门口喝水

你仿佛并不在那里

只有在梦中你才被生命充满

仿佛一只肺在深海中呼吸

慢慢改变着形状

随着每一阵更为黑暗的潮汐

7. 睡前写下的十行半诗

灰色的日子,灰色的冰

沿河迁徙的乌鸦在天空焚烧

领马原洗澡。蒸汽和天窗上的一小块蓝

使我虚脱。上楼喝一瓶啤酒

睡前写下:正是下午

时间半明半暗,或者

"室内微暗,而室外阳光明媚"

窗台上仍拥着蓬松的新雪
外面,孩子们的尖叫像积雪消融
每一个听起来都像儿子受了欺负
(我无法醒来)

8. 这一切是怎么开始的

这一切是怎么开始的,我已忘记
种子撒在土里,连同碎玻璃和纸屑
把内心包裹在硬壳里,直到长成
空气中的绿色通道,充满风声

我站在这里,感受自己的衰老
像一棵鸟儿刚刚离去的树
感受树枝的震颤,和羽毛间的温暖
我不会离红色围墙边的垃圾太远

9. 第一场雨

雨就这样落了下来
天地之间空荡荡的,好像什么都没有发生过
许多事一下子便记不起来了
但在雨后,它们还会像渣滓从河水里泛起

这是今年的第一场雨
它带来暂时的泥泞,它把基础建在土里
它落在河上、屋顶上、行驶的汽车上

它提醒一个人他得到了怜悯——
夏天开始了。一片灰蒙中的几点绿色
燕子在喘息中弓起它苍黑的脊背

10. 给 儿 子

你信任地把手放到我的手里
你的信任让我战栗
像树木迎着时间的风生长,你越来越高
但在黑暗前你还会犹豫着向我靠近
有时你从睡梦中爬起,端正地坐在桌边
吃一条凉了的煎鱼,严肃,专注
你会突然问我,小时候过年吃几盘菜
在我来得及回答之前,时间只剩下明亮的鱼头

11. 午夜的拖拉机

能停止的都停了
骨头也不再生长
我们只能听见他
在越来越高的房间里剪指甲

一辆拖拉机向地层钻去
一双拖鞋远远地隔开
镜子里水雾浮动,浮标鲜红
我们不知道他还会做些什么

12. 顿　悟

放下枯燥的书卷
已是深夜
我关上灯，看见了窗外的月亮
但我无法在黑暗中写下这些

13. 在音乐中

在音乐中变成鱼
浮起来，肚子翻过来
一直向上，不要停
一直接近那蓝色的屋顶
不呼吸，只把发白的肚皮
翻到天空外面
给那个永生的人看

14. 背

我背着自己的背行走
有时像背着屈辱的牌子

但当我的正面越来越薄
当我躺下，它像黑暗的河床越来越厚

15. 沙漠中的哈姆雷特

写还是不写,这是个问题
与其忍受诗歌带来的耻辱
不如挺身反抗生活无涯的苦难

有一天你把摇篮放在靠门口的地方
它很快就灌满了沙子
重得无法再移动
你是说有人一直在帐篷里进进出出吗

16. 赞　美

阳光普照。严酷的命运压迫着我
我已倦于赞颂。灰白的杨树叶子
在宇宙的漩涡中翻卷
在诗人滚烫的屋顶上
没有青草,只有铁皮闪亮

17. 失　眠

什么时候世界变得如此荒凉
风起云涌的夜空阴影散乱
雷声在天边滚过
街道上只有集市散去的潮湿
也许还会有铁环转着缩小的圈子

向中心倾倒

一个人醒来,仿佛月亮

不断地向越来越暗的深处的房间移去

18. 论诗人工作的徒劳

我整天辛劳工作

为了可怜的食粮

就像觅食的鸟儿

转眼间披上雪花

那严厉的女主人

睫毛里藏着轻蔑

只是匆匆的一瞥

把油灯轻轻掐灭

19. 致 海 子

暴烈青春的火车,已经脱轨

你以你的死谴责了我们

纯洁的走了,肮脏的苟活下来

多么耻辱,我们,竟然还在写诗!

20. 太阳照亮一半的尘土

太阳照亮一半的尘土

它照到哪里

哪里的人就起来奔跑
另一半的人就躺下等待
仿佛舞台上的演员和道具
按照聚光灯行动
那旋转灯光的家伙没有面孔

21. 从混乱大脑中流出的诗

从混乱大脑中流出的诗
清澈，寒冷，拖在大脑的石头上
冷却着历史的热度
于是有人开始泛舟垂钓
于是有村庄和车站
褐色蘑菇一样沿岸冒出来
于是我承认，虚构才是现实的起源
于是白花花的大脑一般的石头越来越多
它们将水流分散，让我们
再不能把水聚拢在一块石头周围

22. 进　化

踏着溪流里的石头
一个孩子踏着一个个
或明或暗，或光滑或粗糙的星球
向我走来，他的脸上
逐渐显示出我现在的神情和模样

23. 隔夜的雨

风吹树叶如翻动书页

风吹落树叶上的雨水

风也把我吹斜——

我是雨水、书,还是树叶

这个,由你,亲爱的读者来定

24. 带着爱从泰山返回

世界像一块石头

挤进我的身体

或者像一座大山

挤进一颗谷粒

我们回来了,我的爱

有了你,生活变得不同

有了你,生活还是生活

仿佛谷粒也变成了石头

25. 废墟上的寂静

暗红色的废墟中

一把白色的椅子

凌乱的垃圾和土坑

几棵剩下的树,鸡一样羽毛蓬乱

天空从悬崖上俯身
椅子上坐着没有面目的寂静
空荡荡的回声
透明的麻雀,时聚时散

26. 瞬　间

雾气弥漫的田野
闪电亮了一下
照亮了绿色堆积的树

河流闪烁着众多的信号
流过去

一个人的心里
思想的宝石亮了一下

寂寥的宇宙
狂风乍起

27. 儿 童 诗

深夜,我把这枚瓶盖
一直踢到黎明
它就成了太阳

28. 意 象 派

生锈的大"永久牌"自行车上缠满了盛开的牵牛花
无人光顾的公共厕所前系着红丝带的矮小向日葵

29. 独上高楼

乱发,云雾
远处,树顶
长过一生的灰白
浓绿翻涌
南北西东
一片朦胧
巨大的积云垂下
光线,雨丝
交织成瞬间隐约的形象

30. 对一个意象的分析

劈开一只蟋蟀
就是在入夜的肥堆
移走一团绿色的火

这首诗中歌唱的事物
都带有我的音色

31. 最初的蟋蟀

这灵魂的试唱者还在犹豫

它怕一旦开口,严霜的手指就会伸来

粗暴地拨弄

因此它一直把自己憋到和夜一样黑

才胆怯地结巴出:秋,秋,秋了

32. 杯子倒空了

杯子倒空了,还会注满

树枝折断了,还会继续折断

我所读的这本书还会被翻开

但那轻轻的手指已不是我的

33. 阅读的恍惚中关于时间与轮回的错觉

临窗读书

随便抬头望去

都能看见有人在过街

每一次仿佛都是同一个人

34. 古　意

溪水里不会再有新生的苍蝇

闪烁岩石的色泽

已是八月,山间的人迹渐渐冷下去

微风吹动深谷中的松树

近前去听,风声依然遥远

树下读经人头发斑白,想起

城里还有几个熟人

来时的路早已被黄草淹没

还是喝酒吧

把铁皮罐放在晒裂的岩石上

35. 窗　前

把窗子都打开吧

这样的时日已经不多

白霜很快将蒙上灰色的窗扇

我更愿意在早晨的窗前

慢慢读一册薄薄的诗集

仿佛赤足踏上清溪中的白石

或者在向晚的窗前

饮下一杯淡淡的红酒

在灯光转暗的宇宙的剧场

沉思地再坐上片刻

36. 木　偶

死神用双手各操纵一只木偶对弈

两只木偶互相杀伐,世上生灵涂炭

最后两只木偶瘫倒在棋盘上
死神不解地停下，看看左手，又看看右手——
咦，啥破玩意啊，不好玩！

37. 早晨的原罪

从一次不成功的爱中起身
他回头发现，在床上
她还拖着一只血红的袜子
而窗外，一个星球正慢慢变得透明

38. 另 一 个

白天，那另一个我在深处等待
忍耐着我的声音、气味，我白天的角色
深夜，当我疲惫地睡去
那另一个我会醒来，悄悄地
俯身擦去我脸上的灰和泪水
怜悯地看着我，像看着他的孩子
然后探身望望窗外暗蓝的宇宙
在一切结束之前

39. 呻 吟 语

深夜，万物都在呻吟
细小的声音使火焰忽明忽暗
我在守夜，广大的世界在周围起伏

微弱的烛火温暖我的双手
在世间,我不再需要别的事物

40. 告　别

当落下的大幕重新打开
当人群散去,面具破碎
彩色的纸屑堆积在舞台
请擦去你的眼泪,我的朋友
因为我也将离去,离开
这场叫作生活的戏剧
消失在严冬黑色的人流

41. 风从北方吹来

风从北方吹来,吹着积雪的荆棘
道路开始解冻,大卡车停在路边
它的阴影慢慢洇开,如渗漏的油
蓝帽子的司机停下手,望着更北的家乡

42. 过　冬

妻子在厨房忙碌,油腻的碗碗碟碟
唠叨和洗涤剂的泡沫一起膨胀
椅子,阳光,旧衣服,凌乱在客厅
肥皂和白雪的气味,竹子的气味
儿子在电脑游戏里骂个不停

一棵透明的树在屋中吸收着灰尘
我放下书,仿佛能永远活着

43. 劳 作

劳作有多么美好,就在这白色的房间
足不出户,疆域却一日日扩大
铲除冰雪的人,随沙沙的道路走远
他们辛劳到路灯一盏盏亮起
在红日的那边,在嶙峋的灰色楼群外
听不到一点喧闹的市尘
那里有一群麻雀嬉戏,越飞越高
宁静像一个巨人,抖开了蓝色的面纱

44. 休 息

白雪覆盖了你的园子,亲爱的
不要着急,这是休息和等待的时候
把绳子盘起,收拾好你的农具
再把多余的器物搬出你的房间

做工的绝不会只有你一人
他在暗中把我们一刻不停地塑造
忙碌会让我们忘记
那白昼的云柱和夜晚的火光

45. 无 穷 的

如果事物是无尽的
水将流回自身
每个人都将同时是迷宫，
公牛与英雄,沙沙的干草
等待时间弯曲的脚步

每个人都抛出一个观念的线团
随之进入更大的迷宫——世界
更多的高墙与惊叫的拐角
更多倒下的阴影与喘息
更多天空与海洋上透明延伸的通道

想要获救吗? 我们没有翅膀
而且,迷宫不一定是露天的

46. 父与子：恐怖华尔兹

一个孩子站在我的脚趾上
我们跳舞,我们旋转
我们直挺挺地走动
我们笑,我们的笑声一高一低

一个孩子渐渐消失在我内部
两排白牙无声地咔嗒着

含铅的重量挂在我已然僵直的腿上
而双膝,上了釉的脸孔,还在微笑

47. 你 的 美

在长期的斗争之后,你将留在这里
和开始的日子一样清新
在你衰老的疲惫中
隐含着对世界的蔑视
更换风景的时候到了
消失的是原来的风浪和旗帜
最后,只有你的美
像船头笔直的雕像,翠绿而沉着

48. 从你最初的岁月里

从你最初的岁月里,你在此留下了你的根须
它在死叶下蜿蜒盘绕,一直来到我的脚边
它像年年死去又复活的常春藤
让我的手漫不经心地编织成花环
放在一个没有框子的画像前
放在一个丧失了时间与地点的灵魂旁边

49. 在以前的歌中

在以前的歌中我高声赞美过未来的尊严
以及辛酸的自由,当然还有死亡

将灰色破损的船帆不停地
从一个港口吹向另一个港口的大风

如今,我的朋友,在狂欢之夜的人群外
让我们悄悄走到一边,去大路边
压低了声音,让我们把说过的再说一遍
以回忆的姿态,再把同样辛酸的爱提起

50. 当那还没有完全成熟的

当那还没有完全成熟的人到来的时候
他说,你是我的,你的一切
你的浑圆,你的高耸,你的深陷
你比白昼更为明亮炫目的黑夜
但是,骄傲的灵魂却在抗争
她翅膀上的彩色粉末震动着
比雾气还要轻盈冰冷
——于是,时间如溪水开始流动
从他们中间流过,从此再没有断绝

51. 失　眠

你在你到不了的地方醒着
一座座无人的坟墓堆在头上
脑出血——硕大的猩红花朵
在白得发绿的弯折的茎上

一台老式拖拉机在远处原地踏步
星球周行,我比镜子懒散
这一夜我没有记下宇宙的动静
也许我已经消失

52. 魔 堡

没有绿色潮湿的手掌
空空的橱柜里没有眼睛
没有黑斗篷,没有人移动蜡烛
没有微风掀动窗帘
吹凉受困公主的铜盘和汤
也没有魔鬼和金发的毒龙
真无聊,我离开后
那里又亮起了灯

53. 小 念 头

每天都有许多念头
像空心树桩里的蚂蚁
忙忙碌碌不知为了什么
一个念头一经出现便不会离开
即便与它有关的事物已经消亡
你想暂时把它们忘记
可是这又成了一个新的念头

54. 梦的靴子

一个办公室的梦对我说
"你看我这靴子,不垫垫穿紧
垫了垫还这么紧。"她的脸白得茫然
快下班了,楼道里黑黑的,就我们俩
我突然笑了起来,笑得不行
小梦愣了愣,也跟着笑了
黑暗中我看不清她靴子的颜色

55. 祈　祷

我闭上眼睛说,上帝,爱我吧
一阵寒战从我脸上掠过
我又闭上眼说,上帝,爱我吧
一阵寒战透过了脊柱
我再次闭上眼,上帝,爱我吧
我听见了,自己的心跳

56. 乡村秋夜

风,柴垛后怪怪的影子在晃
栅栏关着,云层下的红光
窗子里蜡烛远远的
屋子像小猫伏在黑色里
背上沾满白色的草

月亮也来了,云淡下去
远处公路上的汽车,尾灯很红

57. 蓝 与 白

白色的旷野上有一座天蓝色的烟囱
远远的,隔着褐色的树丛就能看见
没有烟冒出来,附近也没有什么建筑
不知道是做什么用的,似乎已经废弃
如果我想知道,随便问问谁就可以了
可我没有。事物保持着陈旧的温暖

58. 雪 夜

夜晚是一个客人坐到很晚
我必须放下手中的事情,陪他
他始终黑着脸不发一言
只是寂寞地偶尔换一下姿势
我的呼吸像灰尘撒落在晚餐的花边上
等夜晚起身离开
我送他至门口,奇怪地发现
他原来穿了一件白色的衣服

59. 周 围

周围五公里的事物我早已熟悉
道路尽头的田野就是奥德修斯扬帆的大海

道路曲着肘伏在大地的桌面上

入夜后的开发区灯红酒绿

中学时我们把它当贬义词

现在那里真的飘着红灯笼,落了雪

新酿的蚂蚁酒,喝的不一定是朋友

几个新小区正在空中落成

如果有一条路超越这个范围

我敢保证飞机肯定是个醉鬼

翻过了一堵蓝色的墙,吧唧一声

我并不熟悉我身体的郊区

如果有两个人争吵着进了同一扇门

60. 狗仗人势

一条狗不远不近地跟在我后面

我停它停,我走它走

它的目光始终躲躲闪闪的

我正在进入一片陌生的街区

突然,前面又出现了一群狗

它们的眼睛直盯着我

有的已经露出了牙齿

向我发出低低的咆哮

后面的狗这时也加快了脚步

跟过来,眼睛直盯着我

硬着头皮,我匀速行走

在群狗热烘烘的吠叫声中

终于穿过了那片街区

身后的狗始终没有叫

一出街口,它马上跑得没影了

61. 冬天的猎鸟者

冬天的猎鸟者是个诗人

他不用猎枪就能把鸟打下来

他只需叫出鸟的名字

他说"黑鸟",电线只是晃了晃

他说"老鸹",榆树上就呱了一声

他说"乌鸦",空中就掉下一团影子

他东游西逛,缩头缩脑

袖着手,也和一只鸟差不多

这时你大喊一声,呔,你这呆鸟

白纸上的夜马上就黑了下来

只有寂静还在枝头摇晃

62. 春天的一个瞬间

滴着蓝油漆的雪堆在悲伤地融化

雪堆上蹲着一个人,专注地

在围着工地的灰色铁皮墙上

写着口号。我经过的时候

一些笔画还没有出现

他时不时地停下,木匠一样侧脸打量着

他的刷子在变硬,蓝油漆

加速着雪堆的融化

远处,工厂的玻璃窗更黑了

等我回来的时候,雪堆不见了

空气中弥漫着一股怡人的油漆味

他到底写了句什么,我始终没有看到

63. 色 彩

春天到了,世界刚刚有了点色彩

天空是淡淡的蓝色

松树是深深的绿色

土地是潮湿的褐色

我们的肉体是温暖的黄色

你问我生命是什么颜色

我回答——红色

我问你爱情是什么颜色

你娇嗔地一笑

绕在我颈边,模糊地低语

那么死亡呢,不知谁在发问

我们沉默着,颤抖地望着远方

64. 可以互换的角色

你是我的

我把你抱在怀里,我就是水

你是一块温暖的石头

我在你身体上雕刻
留下湿湿的痕迹

你不是我的
我进入你,反复地进入
像石头沉进水里
一阵涟漪,你又恢复了平静
微笑着映着蓝天和纷繁的枝叶

65. 牵狗散步

一个穿皱巴巴蓝棉裤的老人
把铁链倒背在身后,一条黄狗
城市里难得一见的大狗跟在身后
他们保持着均匀的步速
但也许是狗的步速比人快,每三步
它的脑袋就从人的右边伸出
下三步,就从左边伸出
一左一右走出无形的之字形
它闻不到正在消失的白雪
也闻不到经冬枯黄的草叶
就那么耐心而机械地穿梭着
证明钟表的力量掌控着世界

66. 等 待

你等待一个人,知道

他会回来,在暮色昏黄时刻
从冬天黑色的人流中
你一下子就能把他分辨

你在等待,等待一个人回来
直到有一天你离开那里
那时,轮到他来等待
知道一个人永远不再回来
在外面黑色的人流中隐藏起发亮的脸庞

67. 早春的越洋电话

早上的电话像白色的石头落在我的门口
磐石一样稳定,又像一只苹果
可以轻轻移开——阳光透了进来

你的声音,以少妇的慵倦和漫不经心的自信
用一只鼓胀在褐色枝头的青苹果
将墓门边的巨石轻轻移开
你是谁,我又是谁
这个春天复活的带着翅膀的苦涩芳香

68. 秋山望月

在山顶上望月
在山下望山上的月
一个是霜,一个是风

霜风无尽,月亮走动
香气沙沙响

69. 最美的初恋

两个乡下读书的孩子
每天都一起放学回家
隔着一片庄稼地

春天时,她还能远远地看见他
到了秋天,她只能隐约听见他的脚步。

70. 有关重新恢复诗歌与
生活关联的尝试

这是一首诗
它的内容由你阅读这首诗时
头脑中出现的所有事物
和你的周边环境构成
包括你的疑惑、愤怒、身体和性别
对,这首诗是有性别的
它由你,亲爱的读者
亲爱的同谋
决定

71. 春天的檐滴

春天的檐滴响了一夜又一夜

一个困倦的小和尚敲了一夜木鱼

有时瞌睡让他的敲打滑偏

黑暗中有人坐入更深的黑暗

土地闪光,直到被早晨的市声淹没

仿佛寺庙把高墙更高地竖起

72. 野鸟鸣叫

春天,终于听到了野鸟的叫声

我很高兴,想写首诗

诗一直没有写出来

野鸟还在某处叫着

如果那首诗写出来了

叫的就不是鸭子,而是词语吗

73. 每个人的涟漪

变冷的湖水中褐色的野鸟

每一个身边都围绕着一圈小小的涟漪

那是它们全部的话语

当它们游离这片水面

圆圈还在不断地扩大和交融

74. 母亲的盐约

你曾是我的生命

我握住你尖叫,握住一个

正在碎裂的充满的水罐

你是我的死亡

你是乳房里的风

75. 每 一 天

每一天,都是池水秘密的循环

每一天都从树林的幽暗前转身

没有勇气深入——然而一旦置身其间

幽暗将变得透明

2002 年至 2004 年

2005

为什么三轮车司机比我起得早

先是突突突的车声响起来
不用起床,我就能知道
它在雪上拐弯的样子
车声渐小,说明车子已经驶远了
驶向了灯光更亮或者更暗的地方
我有时想,树枝上的雪是不是被震落了
和苹果花瓣一样飘到道路上
飘到黑雪凝成的垄沟一样的车辙里
听不见车声的时候
我肯定是在想自己的事情
比如我想起二哥开了好几年三轮
在车站拉脚,他穿得臃肿,我都认不出了
他在黑暗的出站口向我挥手——波子!
小广场边上停着一大排三轮出租车
他一边和同行们开玩笑
一边给我殷勤地拉开车门
车子经过我已经分辨不出的故乡的街道
只有漆黑低矮的房子趴在地上酣睡
我望着他挺直在寒风中的后背
望着望着他就到了离我更远的地方
贫穷夺走了我和亲人一起生活的权利

车声又响了,证明黎明已经到来

曙光女神将在灰色的天际微笑

褐色的树枝上还有积雪

没有印上鸟的足迹和呼吸

我也起来吧,起来记录下这一切

我知道听不见车声的时候

我肯定是在想一首诗

并且请求我所写下的一切原谅我

2005 年 1 月 21 日

褐色的春天

白色消失之后,石头也消失了

褐色的树木和露着煤块的火车头出现

土地还没有变黑,潮湿的闪光还没有连成一片

鸟巢在风中摇荡,变得柔软

巢里的树枝和叶子在慢慢干燥

冬天时它曾覆满了白雪

现在,每隔几根电线杆子

便会有一只鸟巢出现

让折断树枝也变得不那么容易

在白色和绿色之间,垄沟变平了

有人在春风中无端地哭泣

有人在街上突然奔跑起来

有人走着走着就停了下来

望着空荡荡灰色的天空

像老人走向一个角落

而夜里，鸟巢中将传出婴儿的哭声

2005 年

起 风 了

起风了

松树摇动它阴沉的绿

杨树绷紧了身躯

柳树则随风摇曳

连阴影也变得不安

连灰尘那么小的胸脯也在喘息

碎屑，从天空巨大的银幕上落下来

我们靠着漆黑的电线杆子争吵

仿佛刚刚从一部国产恐怖片中出来

手心里还微微地发黏

2005 年 4 月 4 日

夜 行 车

午夜,你们由远而近的声音
在我的窗下骤然达到高潮
仿佛突然加速。我能分辨出
拖拉机激动的颤抖
卡车未来主义的呼啸
和出租车幽灵一般
平稳而寂寞的滑行
有时我起身,在窗前站上一会儿
我的脸模糊地出现在窗户上
我知道,外面的黑暗和室内的黑暗
是不同的,并安于这样的想法:
你们参与了我的生活
我却对你们一无所知

2005 年

大桥下面

大桥下面停了许多大型车辆
天蓝色的卡车,黄色的带起重臂的
和一些型号很旧的车
早晨,它们杂乱而有序地斜排着

在大桥灰色的阴影下
这些巨人在安静地沉思

夜里,它们一定用钢铁的臂膀
兄弟一样拥抱过
钢铁和玻璃返回深山的矿穴
车厢的木头回到呼啸的山林
和它们的祖先亲密地交谈
让筋骨恢复活力
夜里,它们一定经历了
我们所无法了解的变化
到早晨,又恢复成白日模样

它们带着遥远的灰尘和雨的气息
远方未知而凶险的气息
它们的主人在驾驶室里假寐
脸上盖着有水渍的报纸
或者在它们中间走来走去
爱着我们,并且对着经过的人眯起眼睛

2005 年

午后的街道

阴影在延长,街道在延长
一个人并无必要出现在这夏日午后的街道

她的小青伞,她红丝绸的水果的闪光
她向街对面慢慢走去
不回头,仿佛渡过了忘川

室内清凉,而夏日悠长
蛛丝在长窗的高处闪烁
水果在田野的各个部位成熟
或者被端进镶着云纹的大门
颤动着,像刚刚割下的乳房

突然,一个滚铁环的孩子出现
铁环的阴影越来越长,越来越扁
他向着长街的尽头
仿佛一个炫目的出口:滚烫的童年的郊区
儿子从别的房间冒出来
高大,亲密,微微的陌生

2005 年

主 与 客

你是我的客人,殷勤优雅
可我并不是慌张的主人
这房子确实归我所有
还有这端在胸前的鲜艳的水果
你把它叫作我的,我的家

可里面住的却是别人

他狭长的脸在家具背后浮现

他细长的手指戳着体侧的伤口

从那伤口中鲜花怒放,群鸟飞鸣

陌生人,我们还是走吧

这房子已经阴影憧憧

我们都是永恒的客人

被过去所遗忘,被未来所抛弃

无可挽回地陷入了危险的人生

已经忘记,是谁,为了什么

派遣了我们,如同脱队的士兵

在炮火闪烁的中间地带,手持白花

孤单地游荡在无人的暮色中

2005 年 9 月 4 日

一匹白马向我奔来

一匹白马向我奔来

褐色的树林头巾一样展开

一匹白马向我奔来

大地缓慢地开始倾斜

从幽暗中倾倒出一条银线

一匹白马向我奔来

撒到泥土里的种子跳回到开裂的手掌
折断的角回到独角兽的头上

一匹白马向我奔来
泉水里的落叶回到树顶
苹果变回成花,变回成瘦小的拳头

一匹白马向我奔来
它在奔跑中渐落形骸
死者坐起,还有些茫然

一匹白马向我奔来
不知是初春,还是秋天
我突然变成了一群人,如花怒放

一匹白马向我奔来
它径直穿过了我
像穿过一扇还在震颤的门

2005 年

我向一匹白马走去

我向一匹白马走去
它一直站在城市巨大的广场边
在一辆倾倒的木头马车的尸骸旁

我没有鞭子,也没有扛着鞍具
我的脚步像霜落在地上

周围都是巨大的红砖烟囱
烟灰在身后飘落
它忍耐着

我向它走去,它在等我
静止着远了,越来越模糊
我始终看不清它眼中黄色的表情
肮脏的雪堆像蓬乱的鬃毛围在它颈边

我向它走去
黑夜来临了
它孤零零忍耐着
高过了烟囱和一场降到半空的雪

高过了城市石头的围墙,在星空中
俯视着廊柱下醉卧的人群
它是木头的,在火光下盔甲一样乌黑

我还在向它走去
提着我继续变白的头颅

2005 年

花丛中的白马

花丛中的白马像风暴过后的幽灵

巨大的头颅低垂在胸前

摆脱了沉香木的颈轭

此刻却不堪思想的重负

它的肋圈支棱着——半空中的闪电

它的呼吸如白色的苹果花瓣

在空气透明的海上漂浮，染上其他事物的色彩

它的汗水和草汁混合在暗处

散发出禁欲的气息

风暴还没有完全走远

还在天空中徘徊

把灰暗的部分——照亮

把金黄的橙子树林抛下山谷，像蓬乱的鸡

折弯房前的金属旗杆

像顽童折弯一棵小杨树，又突然放手

把无形的树叶弹向天空

而褐色的村落，像一件件破衣服

散落在打了彩色补丁的原野

白马卧在那里，屈起前蹄

将蹄子挖进松软的泥土，挖进

土层中白生生盘结的花根和流血的蚯蚓

挖进浑浊的黄泉
它的耳朵像两面破烂的旗帜
一会儿竖起，一会儿垂下
遮住它眼中逐渐加深的白色

它的肚子膨胀如鼓
它的心在融化，融化成灰色的水
它的鬃毛如棉絮片片脱落
而星星像一群肮脏的小女孩爬上树梢
握着石头，向它藏身的山冈张望

它的肋圈越来越高
成了石头的拱门
已脱却血肉温暖的轮回
而一群白蝴蝶正以奔马的姿态
从中呼啸而过

2005 年 2 月 6 日

画　马

必须用黑色才能画出一匹白马
在一张悬浮于深渊的白纸上
必须有足够的想象
才能让它慢慢成形
让我的欲望不至在半空中凝固

成为灰色的麒麟

先是一张长长的嘴
紧张地闭着,唯恐一阵嘶鸣
把它的上颚掀到脑后
也不能让鼻孔火山一样冒烟,喷硫黄

然后是一对毛茸茸的耳朵
柔嫩光滑,像姑娘的头巾
竖着还是垂下,还拿不定主意
暂时还是由风声来决定

鬃毛?用火焰,大海的波涛
或者是纠缠的风
背脊的曲线,一道银亮的海湾
把整个大海的暗绿轻轻揽住
像揽住情人果冻般颤抖的青春

两条后腿有些不安,前后交替着挪动
而前腿,一条直立
一条弯曲提起,把阴影收紧
在半空里犹豫,不知该选择哪条道路
或者干脆还是隐入云彩的虚空

我添上新漆过的栅栏,阳光,草场
我看见白纸如皮毛微微掀动,鼓起
纸上的轮廓银光闪烁,又暗淡下去

我侧头趴在白纸的边缘
从历史的幽暗中向它凝视
我不敢画出它的眼睛，哪怕一只
因为我实在猜想不出
它看我的眼神是怜悯，嘲笑，还是感激！

2005 年

白马的白

第一个问题：白马的白来自哪里

来自万物的白——
苹果花瓣，白蝴蝶，少女的手腕
海伦的胸，阿喀琉斯的剑
黑海上的白帽浪，石头的内部
盲人的眼睛，琴弦上白雪的闪光
白马把白从万物中收集起来
如同把溪流收回大海幽暗的铜镜
收回到"白"这个词语之中

第二个问题：白马在成为白马之前是什么

肯定是枣红马、黑马、花马，等等
是"白"使白马成为白马
白从天而降，像一件衣服

套住一匹匹具体的马
这些具体的马当然是除了白马之外的马

第三个问题：所有白马都是白马吗

在白从天而降的过程中
它染上了云的色彩
阳光的色彩，灰尘的色彩
以至于等它套在一千匹具体的马身上
就产生了一千匹深浅不同的白马
既然深浅不同，它们就都不是白马
而是浅白的马，银白的马，雪白的马，灰白的马

重复第一个问题：白马的白来自哪里

白马的白来自周围事物的非白
白杨是绿的，白桦是黑白相间的
白雪是接近白的黑（因为落上了城市的煤灰）
少女的手腕是肉色的白，苹果花瓣是微微的绿
美人的胸是柔和的阴影，勇士的剑是金属的银白
火焰的白是金黄的，有时还会突然泛红

那唯一真正的白马
还在一个大脑冰冻的白中沉睡
像一个神秘的微笑

2005 年

门前的白马

夜里,总有一群白马来到我的门前
没有铃铛,也没有蹄子的践踏
它们站在门前,火热的鼻息嗅着门缝
白色的脚并齐,就那样低着头
镇子上仿佛只有这一条街路了
它们来的时候,人们都已入睡
广大黑暗的原野上一片寂静
只有幽灵的雾气飘过苍白冰冷的月亮
我蜷缩在顶楼,门厅里都是灰尘
黎明的时候,它们磕磕绊绊地离开
长脸刮擦着墙壁,血肉脱落
匕首一样的耳朵一层层耸起
任苍蝇如群氓一般追逐,哄笑
让我仿佛骑在它们锋利的背上颠簸了一夜
它们有足够的耐心等待我取下墙上黝黑的矛

2005 年 2 月 7 日

春日下午和一位可爱的
女士交谈至晚

你曾经透过柏树望见过星光
也曾长久地把种子携带在衣服的皱褶里
这样说时,你的眼睛明亮而严肃
鼻窝的阴影也在加深
仿佛猎鹰和旗帜依然在盘旋
满载英雄的船依然在落日外航行

落地窗外,灰色的风在空地上旋转
白雪消失后,褐色的土地越过树顶
我们不时地走到窗前
每当谈话抽空了房间里的空气

关于记忆,无非是一间日渐阴暗的杂货铺
它就在对面玻璃幕墙下的一个角落
颤抖着,像一朵蒙尘的纸花
我们为什么不去那里买包香烟,葡萄牌的
我们都有点老,膝盖磨得发白

可是你永远像波浪一样清新
你不断地靠近,又大笑着远离

你又不说话了,你向窗户走去
然后迅速地转身,严厉地看了我一眼

暮色降临了。我不知道该如何打发
剩余的夜晚。那以后我还会遇见你
但只会点头,寒暄,开开玩笑
就像在杧果和灰尘的街道
遇见束着血红腰带的海伦
和她平胸而时髦的女伴

2006 年 3 月 7 日

突然不流动了

虽然已是春天,这股泉水
突然失去了声音,沙子变成了石头
堵在了刚刚扒开经年落叶的出口
其他的石头占据了水道
只有它们的阴影还像潮湿一样
像羞怯的尾巴,逐渐收缩

那些知更鸟、灰背鸫
那些三声夜鹰和翠鸟
甚至燕子、鹌鹑、鸽子与麻雀
都远远地回到高处的绿叶
和低处蓬乱的灌木当中

梳理羽毛，在温暖的尘土中旋转

高处的冰雪继续融化
继续渗入看不见的地下
这股泉水却突然不流动了
在它曾经欢唱着奔忙过的地方
一些语言的石头静静留下
一些语言的淤泥慢慢渗流

也许，到夏天，会有不知名的野花
沿着它一路开放
也许，到秋天，还会有落叶将它覆盖
形成一条金黄的小路

2006 年

忧愁夫人

静静的忧愁夫人在我们中间
她的扑克牌有七种花色
在风中，她预尝我们的受难
她怀抱婴儿时的我们经历逃亡
她遗失我们，在灰尘中苦寻三日
她同情地拔去我们头上的荆棘
中午她眼见我们在十字路口丧命
傍晚我们的伤口，如荨麻燃烧

午夜她在我们白色的坟边久久徘徊

静静的忧愁夫人在我们中间
光着脚走动,不惊动一丝光影
和楼梯上沉默的家神
有时她按着跳动的肋部,回到座位上
有时她说话,眼睛望着我们身后
谁也不知道她为什么忧愁
一切已经过去,或是重新开始了
我们也已经忘记,可她还是常常
消失在某个我们从未去过的房间

2006 年

野地天堂

田野向一棵大树的浓荫汇聚
我和你,坐在树下
远处,有懒洋洋的云朵
路边,有银光闪闪的坟墓
我的头枕在你腿上
闭上眼睛就能找到你苦涩的呼吸
悄悄睁开,便能看见
你披覆在我脸上的金发里
新生的嫩枝和珠宝

我的手像树皮一样硬而粗糙

我知道丝绸的滑腻和凉爽

可你不穿它们已经很久

我也早将书卷抛在越来越深的草中

让虫鸣停顿了片刻

水瓶翻倒在地上

农具散落在一旁

我们来时所乘的白马已经沉思着走远

树影缓慢旋转,亲爱的

我们是否也要跟随

如果你的头发飘起

那一定不是我的手指

它们已经在白生生的草根下发芽

如果夜里周围有走动的脚步,不必害怕

那是我们早已不在人世的朋友,像一支大军

沉默地围绕着我们挂满星斗和犁铧的树

2006 年

由花开花谢所起的关于因果的遐想

京桃已经谢了,它的开谢都没有声音

当你注意到的时候已经是一树绿叶

可如果花开不败,就不会有果实

如果种子不死,就不会有生命

所有的事物都只是其他事物的因或者果
无穷的因果链条闪着建筑工地一样刺目的光

京桃谢后,丁香却开到了最盛
它们在夜里热烈得同样没有声音
一阵风把花香如一件衣服抛在你脸上
让你窒息。对了,据说找到五瓣丁香
就能交到好运,我真的找到了一片
它杂在众多四瓣的花朵中间
我把它放在上衣口袋里
它的香气仿佛淡淡的灰尘
奇怪的是,另一天我又发现了一个三瓣的

这让我重新记起物质不灭的道理
事物互相连接,此盈彼亏
我们吃的食物是死的或活的生命
我们住的房屋原来是土地
我们听的音乐是正在消亡的声音
而我们爱的,哈哈,有时,也是别人的"财产"

2006 年

爱是不走直道的服务员

爱是不走直道的服务员
用胡说八道给老板治病

释放出许多个小帽子,以至
云彩再次充满了蓝色房间
仿佛你本来就属于那里

这里没有什么需要照顾
没有什么需要我们为之取
一个动画片中的名字
连天气都不用照顾,它们自动
端着各种颜色的盘子
盘旋在不需要名字的客人中间

不美,但无害
那些污团可以随时擦去
露出玻璃后的嘴脸
也许下一次我们能接近
那扇画在墙上的门
仿佛一觉就睡过了黑暗的故乡

2006 年

又一个早晨

又一个早晨,打开罐头
努力分辨,没什么变化
一条冰冷的鱼
残缺的依然残缺

但总有些什么不同
从时代那么高的窗户看下去
几天前不知从何而来的蓝色罐车
还停在那里,依然落满了雪
而雪早都停了
几个油污的工人跳上跳下
不时地消失在车底
似乎对进化的速度
抱有难以察觉的歉意
越来越高且越来越窄的窗户
把空气压缩到发热
雪给另一处空白带来白色
是事物的持续而非消失
带来了暂时的晕眩

2006 年

我喜欢阴霾的天气

天空突然变得阴暗
好像有什么事情就要发生
苍黄弥漫,万物静止下来

远处的大地上
被阳光晒得翘起的木板
像枯骨堆积,或者相反

也许会落下一阵稀疏的泥雨
在窗户上留下印记
告诉我们,自然也有慌乱的时候

也许会有一个人留下
留下,在寒冷的初春
点燃炉火,并让它一直燃着

2006 年 3 月 10 日

平　行

你修理玻璃,我修理诗篇
你修完就站在那里看风景
你看到的风景是真实的,流动的

我修完诗篇也去看风景
但在我和风景之间
总是不仅仅隔着窗户

我通过诗篇同时看到了风景的各个侧面
还看到了你
你却永远不知道这点
因此我有些窃喜
这稍微填补了写作带来的空虚
至于别人透过我的诗看到了什么

我一无所知

2006 年 3 月 10 日

告　别

受难远未结束,幸福遥遥无期
没有太多记忆,也来不及眺望未来
白色马车的轮子已经脱落
独自滚向人群遮没的来路
天空更高了,大风抬走了屋顶
也吹散屋顶上悲痛的群鸦

我把腐烂的种子,播在石头袍子的皱褶里
而你,那见证了命运对我的暗示的人
愿你的秘密不要被尘世所认识
愿你能决然地离开这一片永不开花的国土
不回顾,也不展望,就像我一样
在炎热的荆棘中忍住了饥饿

2006 年 5 月 16 日

听人诉说婚姻不幸的愚蠢

倾听者鱼一样的表情

他在黏滑的水里
根据光线和温度的变化
在不同的层次游着
有些无助,似乎他比她更不幸

夜里,房间突然空旷起来
但似乎多了一个人
她的恐惧是侧着身的

她继续诉说,时间在流逝
他有些爱她,不知道该怎样安慰她
他只知道时间在流逝
他也会死去,他忘了自己要做什么
她还在说吗

他向外面看去
仿佛他一直在潜水
在越来越黏稠的空气里吐着彩色泡泡

2006 年

失　眠

失眠又像一个软绵绵的人爬到我身上
试图安慰我,试图与我合为一体
可是徒劳,他嗅着我

找不到我身体的裂缝

这个和我长得很像的人，我说

你进来吧，你本来可以是一阵风

把我灌满，或者像一只瓶子

把我内部的空虚装走，像一封信

他不回应，继续呻吟，颤抖

似乎他果真变成了瓶子

热度未消，他终于进入了

我像折刀一样折起，可是徒劳——

我的头上满是死亡的冷汗

2006 年

这 些 歌

你的消息先于众人抵达

他们拿着明亮的鞭子也在赶来

我在等你，我的屋子空着

风吹着我发烫的脸颊

我用草叶占卜，唱着歌，摆弄着衣角

当我去阴凉僻静的地方为你采摘葡萄

这些歌会自己长大，代替我等你

你站在那里，像一句没有说出的谎言

屋子里没有人了，风吹着阴影

在一个深得我浮不上来的

在一个甚至你都去不了的深处
我依然在等你
灰色的水流冲刷着我水草的头发
那些歌都沉默了，像白色的婴儿
围住你，因饥饿而目光严肃

2006 年

雨 夹 雪

白色的雨夹雪覆盖着突然暗下来的街道
落叶变得潮湿，在汽车尾气中打旋
又无力地粘在人行道的石头上

冬天到了。草坪上只有树周围的草还绿着
或者附近有下水道的热气蒸腾的地方
雪在空中旋转着，幽灵一样
匆忙而倾斜，在无形的斜坡上
它们还未落地就已经融化
在行人的睫毛上，在散漫的水上
在黑暗中，像一些闪烁的话语
透露着无人能解的消息
透过明亮的玻璃，我望着外面
知道他们不久就会出现
仿佛一列火车从黑暗和雪的隧道中
仿佛从历史的深处
但其实他们是刚刚离开充满灯光的水箱一样的家

地板上放着黄澄澄的橘子

卧室的白色窗帘后藏着芳香的茶叶桶

还有温暖的浴室，挂满了绒绒的毛巾——

雨夹雪还在落下——这么多汽车驶向黑暗

这么多的人匆忙而倾斜地赶路

雪花仿佛在和时间争论着一个问题

又突然静止下来：星星开始出现了

它们的光芒给万物笼罩上暂时的银色

2006 年 11 月 14 日

没有雪的感恩节

天黑得还是那么早，原野上只有石头

事物之间的连续性暂时被中断

和灰尘中鸟的足迹一样

内心生活的连续性也暂时中断了

我暂时不存在了

哈利路亚堂大门紧闭

上帝不需要任何人的感谢，他在未完成之中

任何的不善都是这种未完成性的体现

每个人都携带着自己的死，一颗发白的绿色种子

它在我们内部慢慢成长，被生所培育

每个人，哪怕比我的邻居还落魄的人

都因怀揣着这不可让渡的死而变得尊严

这是每个人的秘密

生命被抛到一个给定的世界上
但是他可以完成自己的死
这是唯一无法剥夺的权利
冬天来了,到了清理灰烬的时候了
我在等待白雪落下,恢复我和万物的关联

2006 年 11 月 23 日

透过威廉斯的窗户

一夜
无知觉的
雪后
道旁
多了一辆
橘黄色车头拖着的
长长的(几十米?)
蓝色罐车
装满了容易沸腾的液体(也许)
此刻却落满了雪
它让我想起
威廉斯
那首
雨中红色
小推车
和白色

鸡雏

的诗

尽管现在

雪依然在下

2006 年

在田野的中心

它一点点把我们带走

在别处堆积起来

在灌木丛下

田野的中心空了出来

有一些小坑留下

还没有灌满水

发黑的肥料堆在周围

它不是刻意的

它的背影始终很模糊

在微明中始终没有看清

它可能是简单的

一个农民或一个战役过后的士兵

我们是谁？我们仿佛始终在低处，在暗中

它把我们移走

仿佛在别处我们能重新开始

变得简单,伸出一根细长的旧铅笔

空出的田野中心

逐渐布满了浅坑

那里,将有新的黑暗繁茂起来

2006 年

读　者

一圈灯光照亮了书页

和书页上冷酷的词语

一只手伸来,仿佛从世界之外

用铅笔尖钉住一个

蠕动的句子的脑袋

一个黑色的“我”

我一直是我自己

谁是我自己

我一直在我外面

尽管外面一直在下雪

你一直在我里面

那里暖和吗,喂喂,你睡着了吗

而我自己始终在暗中

沉重,潮湿,茫然,微微尴尬

刚刚从身体中的某处醒来——

外面,雪还在下吗,喂喂,你在那里吗
你在和谁胡说什么呢

2006 年

唯一的事实

他们只知道他死了
他们哭泣,走来走去
拿起又放下一些什么
喝凉水,接着哭泣
他们发现眼泪变成了石头
于是停下,偶尔说点什么
轻声地。可话语也变成了石头
于是他们走开,发现
屋子外面的空间也是石头
他们回来,坐下,喝凉水,沉默
发现那沉默也变成了石头
而死者,变成了类似石头粉末的东西
这是唯一的事实,唯一的机会

2006 年

我的田里满是石头

秋天,我的田里满是石头

当别人的田地一片金黄

我只有石头中间的一棵小苗

错过了季节。可它是我唯一的指望

我夜里不睡,和衣卧在它旁边

风来了,我用手围着它

像护住一束微弱的火苗

天渐渐冷了,我的棚屋

也哆嗦着倒在了雪堆里

人们已经不再好奇地探望

四周黑暗的村落渐渐寂静

我和我的小苗互相温暖着

我的饥饿,我的食粮

它将在我一睡不醒的春天悄悄成熟

2006 年

脸红什么

脸红什么? 我从来没这样问过

第一次你转身抱住我,把脸埋在我怀里

那是在你家楼下,后来你告诉我

因为我说的话,你脸红了

我说了什么? 春天的风很大

我肯定说了什么。是什么呢

带着这样的疑问,我去看画

发现画上的鱼,脸都是红的

而身子是青的,我问,是什么鱼啊

画家抱着膀说,老头鱼啊啥鱼

老头鱼? 小时候我们管脸长的伙伴

叫老头鱼,也管臭鞋垫叫老头鱼

于是我走开,去水边看影子,都是黑的

样板戏里是怎么说的? 脸红什么?

精神焕发。怎么又黄了?

防冷涂的蜡。我只在高潮时

看见你的脸慢慢红起来,白中透红

和桃子一样。但你的身体

无论在窗帘过滤的日光

还是黑暗中,都和鱼一样

(告诉你啊,我可没说是老头鱼,嘻嘻)

你怎么会那么爱脸红呢

还有一种情况:你在要撒谎时

就会脸红。树叶也躲躲闪闪的

第一次是我提议去你家

后来你说那是你最后的阵地

又一次是我想认识你信教的女朋友

我知道你不想让我们认识

因为你自己,没有信仰

2006 年

转弯处的风声

或浓密或疏朗的树顶
与时间的命令保持着一致
在星空倾斜的夜晚
树叶间将挂满闪亮的犁铧

分层的树,树枝分蘖出道路
鸟儿把羽毛别在身后
谨慎而轻盈地走到尽头
然后,突然展开带花纹的翅膀

道路越来越多,大多中途断绝
春天时从一个枝头出发的黑苞蕾
走成了花,走成了果实
发现彼此已不在一条路上

那夜晚的孩子,依然坐在树下
发凉的脊背抵抗着粗糙树身的震动
咀嚼着坟墓,到午夜
他会变成蛇,爬上树顶倾听风声

2006 年

远处升起了那无待之爱的
耀眼形象

密林中,道路互相沟通又断绝

我随身携带着巨大的深渊独行

狭窄的阳光暂时照亮了迷雾

它翻滚着幻化成饥饿的人形

在这搏斗中,你要站在深渊的对面

你不可站在我这一边

道路尽处,荒草上连风的形状都没有留下

裹着金针的层云从树梢升起

余生中一座巨大廊柱支撑的宫殿

从中流泻出热带梦影笼罩的清泉

一切,都将和你有关,又远远超乎其上

请原谅这一切,我们

终于来到了阳光普照的平原

2006 年

傍晚的沉寂

生命即将沉寂下来的北方

我在园中散步，天起凉风
水藻窒息的池塘鱼苗惊散
鸣虫随着阳光变换音量

两个小伙伴在水中嬉戏
一个扯下了另一个的裤衩
他们黄色的拖鞋漂去了深水
好像不久前马原还在水里喊我

一只半大的白鸡拴在路上的纸盒里
我经过时它站了起来
一个小姑娘赶忙跑过来安抚它
用力按着它的背——趴下，别怕
等我走远，它又站了起来

突然，那林中的哭，无端而无名
水流暗中加快了速度
老人们低声道着再见
我不知去向哪里

2006 年

2007

每天我走进密室

每天,我都打开这个心灵的密室
沐浴,祷告,心中的波浪平息
而为深沉寂静的蔚蓝。每天
我都把这个密室的门在身后
轻轻关上,把白色的噪声挡在外面
因为在这里,我要会见
最尊贵的客人,和最温暖的主人

我打扫角落里的灰尘,我清理
积年陈旧的杂志,封面上
也许还有一个时代夸张的
大头婴儿的头像,我抛弃
一层层蜕下的皮肤,那上面
也许还带着血丝,和鳞片
它们还是凉的,我曾经
把它们竖起来,在草叶上行走

像一个昏黄田野上
对着夕阳的熔炉垂下头颅的农人
默默地伫立,因为我知道
等待我的,是灯光,食物,休息

当我用关节灌了铅的双腿

迈过那永远不会冰冻的门槛

那些浪游的人,还在光线模糊的

泥泞的小酒馆之间,走来走去

我祷告他们平安,祷告他们穿过街道

在大桥下面,找到星星的碎片

我祷告翅膀覆雪的鸽子,和钟声一起

在空中转身,停住,把锯齿形的

火焰,重新投射在人世的屋顶

我祷告,所有我尚未来得及认识的人

在通往伟大的路上又前进了小小的一步

对于那些我所熟悉的灵魂

我祷告他们像褐色的树枝

不容易折断,而至于我自己

我为还有力气祷告而感谢

一个与我同在的人,一个

走在我左边的,补足了我

又在我灰白的乱发上刻下波涛的你

2007 年 2 月 1 日

尸体、语言和石头

一句话把事物从存在的幽暗中拉出

就像薅着头发把一个溺水者从水中拉上来

整个大海都在与他对抗，试图把苍白的尸体
再度拉回混沌的深处，拉回水草、泥沙中间
事物不情愿与其他事物的联系被打破
事物不情愿被分离出来，是我们的目光赋予它形体
它不愿意出生，像歌声从寂静的整体上剥落下来

如果只看到这尸体浮肿的五官和鼓一样的肚子
我们会马上捂着嘴跑开，扶着大树呕吐
而如果我们同时看到它的后背，后背的黑暗和沙子
它的腐烂就会成为一个陷阱，让我们拔不出腿来
它的臭气让我们迷失了逃逸的方向
它的无数个侧面像无数只黏糊糊的手
拉住我们的脚，直到我们和它一样面目全非

在夜晚的海滩，我们用语言的手电筒
在每个时刻，照亮尸体的一个侧面
它的衣服是灰色的，硬如石头
我们以为它就是一块沙子里冒出来的石头
我们踢了踢，它发出空洞的响声
我们放心地离开，吹着口哨
而大海，在远处的泡沫里暗暗嘲笑着我们
把又一块石头悄悄推到我们前往的海滩

2007 年

走向最高抽象的沉默

用有组织的噪声抵抗窗外无组织的噪声，音乐归为
    寂静
当记忆与遗忘抽象成无声的祈祷，诗歌化为无言
当空虚混沌中耸起震颤的高塔，"我"抵达了无我
那里有闭目的杜鹃如智者整日细数你的眉毛
自我的石榴隔墙终于可以打开了
让宝石显露出来，让宝石散落在草丛
让它们回到万物跪拜的大洋之滨
在不断地拍击沙滩、躬身退去
又不断地从最深最远处重新涌来的原始力量之中
重新成为卵石、沙砾、飞沫

当外在的音乐沉默，你的内心将亮起微弱而耀眼的
    明灯
当内心的明灯熄灭，不要害怕那周遭聚拢的黑暗
不要担心那暗中的脚步和摸索的手指，只有置身黑
    暗之中
你才能最终找到那眼睛所看不见的白色的大门
它永远敞开着，在一条险峻崎岖的狭路上
白昼永远无法抵达的地方，一路上狮狼出没
石头崩塌，洪水横过，这些虽不能真正伤害你
却会让你失去勇气。而在黑暗中，一只温暖的大手
将引领你穿过你理性所造成的幻觉，穿过那永远

像僧侣一样向着这伟大之门鞠躬的松柏
直到群星燃烧着滚落在你面前

当诗歌像一件老年褴褛的衣服,从碧空落在你的拐
　杖上
从你同样破败不堪的心灵中,升起了烟缕一般的
　祈祷
应和着天上大理石的火柱和精金的云柱
把你的帐篷再向前挪动一里

2007 年

单数的人

每个人都是一群人
傍晚你穿过广场上的人群
却仅仅是和一个人擦肩而过
每个人的身后都是一群人
面目模糊,却姿态清晰
他们在每个人的后面打着哑巴谜
他们互相勾结,彼此做着鬼脸
他们指手画脚嘀嘀咕咕
他们形成一个背景,透明却难以穿透
每个人都是他者的背景
每个人都站在别人的背后指手画脚嘀嘀咕咕
每个人都不是他自己,每个人都面目模糊

每个人的脑袋都长在别人的脖子上

每个人都长着无数个脑袋,砍掉一个又长出一个

每个人都占据着一个泥坑,在周围释放瘴气

这时有一个孤零零的小人出现了

他拒绝走进人群,他不想被别人的意志强奸

广场上的所有人便立即组合成了一个人

一个巨人,一个复数与单数统一的人

有着金属的身躯和开裂的泥足

花岗岩的脑袋,千手观音一样挥舞着千般兵器

这些兵器都是一个个龇牙咧嘴的小人儿

而在这个变形金刚和那个脆弱的肉虫虫之间

横亘着一个并不存在的国度,或者比地图还要广大
　　的荒漠

2007 年

那些污浊的有福了

那些污浊的,或正在变得污浊的雪

那些污浊的热气,或正在变得灼热的雪

那些人工的污浊,正在变成自然的

那些没有形状的却占据了雪地的

那些人们绕着走的冒着热气的正在变硬的

那些没有形状却固执地要求变形的

那些纯洁的,或曾经纯洁的

或正在从污浊中重新恢复纯洁的,你们有福了

因为你们曾经是在他眼中的

因为那些正在消失的纯洁的气息

冰冷的而不是灼热的呵气

如今在他手上凝结成未来的形状

一颗心脏的形状,正在抽动如一个红色的婴儿

发出第一声呐喊——那是什么样的未来呢

那些被热气分割的土地,越来越剧烈地倾斜着

那些曾经在他眼中的,如今仅仅是一些虚弱的气息
　　罢了

是白色绿色烟灰色的幽灵,轻飘飘地落在城市后面

那些曾经在他心里的,如今瑟缩在他的眼角哭泣

一滴眼泪就能把它们彻底清除,像抹去曾经坚硬的
　　沙砾

在冬天跳水者优美的弧线尽头出现了粗糙的农夫的
　　土地

他们红着脸坐在热气蒸腾的地狱的厨房,他们的毛
　　发潮湿纠结

他们张开到 95 度的大腿间横陈着塑料捆扎的森林
　　的尸体

他们一言不发地吞下大颗大颗冰冷的宝石和稀粥

他们推迟着未来的军队,步兵、骑兵和舰队

那稀疏的一群,在冬天窒息的花园里盼望着奇迹

奢侈地盼望着落日,爆开石头的喷泉

从石棺凿通的两端垂下透明的尖刻

那些污浊的,涂抹的,烟雾的脸孔

和炼人炉里盘旋而出的浓烟一起

堵塞了挖掘机黄色的咽喉,堵塞了所有正直的道路

他们并无实体,却无处不在

他们从屋顶上掀起琉璃瓦和落雪的灯笼

向和平的大街上投掷,他们带口臭的呼吸在窗玻
　　璃上

画下对自己的诅咒,画下黑色的大卫星

画下手指油腻的纹路

他们用破书中的数字占卜

他们用没有用过的卫生巾在摆满骨头和虚词的餐桌
　　开着玩笑

他们说着麻雀的语言,巴别塔的语言

在肮脏后院结冰的水桶里炮制过的陕西口语

睡在乌黑的散发老鼠味的棉拖鞋里的语言

他们睡觉时把大脚趾苍白的花蕾露在乌黑的被子
　　外面

他们本是纯洁的婴儿,早上吃一个鸡蛋

屁股上甩着书包,奔跑在天才的乡间小路上

他们曾背着小手安静地坐在泥做的凳子上

如今都变了,一种可怕的族类已经诞生

而不是叶芝眼中那"可怕的美"

他们聚在一起成为彼此的噩梦,交换着氧化的词语

那词语本来是血一样纯洁到冰冷的

那词语本来是自杀者一样热烈的

那词语本来是人的唯一的标志

可是,一切都变了,一个可怕的词语已经诞生

它粗壮的大腿肚如独眼巨人缓慢地擦过无辜的眼睛

擦过那些荒凉悬崖上的教堂,草地,和失去轮子的婴
　　儿车

你们有福了,你们融入了一个广阔的世界,这世界是
　你们的
而那雪岭上孤独的苦修者,将独自忍受伟大的爱情
他将独自被狂风中的柏树之弓,射向敞开的白色
　大门
他不再关心你们的死亡,不再提醒你们桌子上闪光
　的慢性毒药
他不再关心你们,和你们的虚词,你们结结巴巴的
　虚无
当他人之恋像一块被翻开的石头释放出惊慌细长的
　绿色
当眼泪和落叶围住一个混乱的中心

2007 年 1 月 14 日

墙 角 诗

两堵墙争执了起来
它们最后低声地说:墙角见
在那里,两颗抵在一起的小脑袋下面
是揿亮了的打火机
火焰和污渍互换了身份

我们变得愤怒的爱沿着墙壁延伸
两根被描得越来越粗的箭头
至于墙角是直角还是斜角

143

墙体是木板还是砖头,厚度有多少
至于墙后面是谁,是什么东西
我们都没有在意

那以后,我频频地梦见童年
仿佛我们一直是兄妹
每逢淘气遭大人训斥
就一人站一个墙角,黑而笔直
当然,我想得最多的
还是高潮时你说的话:
我要爆发了,你把我堵在墙角了

2007 年 7 月 24 日

菱角也分公母啊

她为我买来早晨的菱角
趁梦还喘息着伏在我身上
把它们全部煮熟,然后
用她嫩嫩的小牙把它们咬开
说老的比较好吃,很粉
我发现菱角有四只角
和牛脑袋一样,是公的

早上她就提到母菱角
是两只角的,我想象不出

浮萍般的叶子下面它们的样子

女人都划着木盆去采

这一点，她承认比不过自己的母亲

下午的菱角从稍远一点的池塘

由另一双南方女子的小手不停地递来

它们全是母的，而且

怎么说呢？样子和叉开腿的那个

一样，还是快别说这个了

它们摊在隔夜发潮的报纸上

很容易从中间咬开

我用早上吃剩的公菱角的硬

挖掘着母菱角的软

但总没有小时候挖得那么彻底

总会剩下一点顽固的内容

像我们体内一点点得意的脏

2007 年 9 月 25 日，中秋节黄昏

光 脊 背

他们泼溅的水花在暗黄之上

白亮了片刻，又还原成水

听不见他们说什么，可我知道

一定有一个从水底爬过来

用只有鱼能听见的细小的声音
告诉我——别理岸上那两个女生
当他们全部出水,深陷的腰窝
将积下一摊水底的幽暗,一块洗不去的泥

他们的两个女同学坐在岸边的木板上
闲闲地说话,同样听不清楚
可我知道,她们将从那些光滑脊背中
选出一个,把他的鞋藏在闷热的草丛
开学时他们将走进不同的校门
她们光着脚走开,把瓜子壳吐在水里
让那留在水中的一个,憋着气游回家
在一盏放在门口的灯里吹着泡泡

2007 年 8 月 23 日

活死人城

热气在地上很快就消散了
黑暗中,秘密的人民面无表情
两个放学的孩子背着书包
还在小区门口热烈地说着什么
一个说,他要了一个二锅头
还要一个二锅头
不久,他们也将告别,消失
枯萎的叶子上沾着黄色的灯光

我故意兜个大圈,为了验证自己还活着
并透过日渐稀疏的树叶,看见星光

2007 年 12 月 13 日

叶子不停地落

叶子不停地落,它还蹲在树上数叶子
和小老头数金币一样
不时地吐口唾沫,喊两嗓子
叶子越数越少了,梧桐树底层
还有绿的,上面就都是黄的了
细小的水杉叶子也开始不停地落了
落得树下装作等人的我无法抬头
今天,那种凄凉的感觉没有来拜访我
因为在我走后,还会有一只乌鸦
蹲在树上数它的叶子
把寒冷聚集在羽管里

2007 年 12 月 20 日

2008

清晨的考古学

譬如有一首诗遗忘在梦中
清晨你在林中散步,把鸭子的叫声
列入让你欣喜的事物清单

一切就可以一直这样下去了
被你关上的门后,灰尘不再发光
无论你怎么努力
那些词语都像是重新滑回深水的鱼
你所写下的都是那首梦中之诗的影子

于是你继续散步,继续遇见
半生不熟的面孔,微笑,点头,打着招呼
仿佛你可以醒来,仿佛你一直坐在清晨的阳光中
有些茫然

2008 年

秋天的锯木者

有阳光的中午,房前的空地

都会传来持续不断的刨木声
好像有一个勤劳的木匠
在趁着光线好的时候赶着活计
但是始终看不见人影

他很有耐心地又锯又刨
我想象他有一副南方人的身量
在长条案子周围灵巧地转来转去
不时把尚未成型的未来端起来,眯起眼打量

这声音一日日深入粗糙的树身
这声音让叶子落得越来越快
仿佛是要把锯屑遮盖起来
大路变得空旷而明亮,像头痛
好像有人就要永远地离开家乡

那声音呢?什么声音
你是在问我吗?谁在那儿,谁在说话?

2008 年

房子与家的距离

房子与家的距离,远过半个中国
要途经安徽的一部分贫穷与灰暗
江苏的一部分炎热,泰山脚下
一岁一枯荣的野草与茅屋

切开河北大地那成片的干燥

穿出山海关的万里雄襟,把血液里的山东

转换成东北口音,再恢复到哈尔滨的纯正

在以朋友们的名字标出的版图上

一个被风围拢的房子,在这旅行中

逐渐由石头城四面透风的薄

被磨成哈尔滨二十年温暖的灰尘

由一个家的概念,恢复成家的实质

在这期间奔走的,已绝不仅仅是一个人

在这期间多出的,已绝不仅仅是衣服的皱褶

还有一颗被生锈的齿轮磨损着的心脏

2008 年

雪的消息

在我的故乡,下雪

是时常发生的事情

那些我向他们打听过雪的消息的人

都消失在故乡深处

就像雪消失在天空之中

于是,寒冷从一个词中渗透出来

像从石头内部泛出的霜

一些人呵着气回来了

他们没有名字却显得非常熟悉

因为下雪,在我的故乡
是时常发生的事情
仿佛在汽车上,道路迎面而来
一些粗糙的景物被照亮
片刻后又是无穷的黑暗

2008 年

扫 树 叶

庙门前,树上的银杏
早已被青衣的僧人捡走
只有黄色的叶子还剩在枝头
等待一阵阵风的摇落
它们在半空中打着旋
在秋雨后湿湿地粘在石阶上

那些被带回僧舍的银杏
脱落了果肉,已经逐渐干燥
将香气紧缩起来
而山中的叶子越落越快
和往年的叶子一起撒了满坡
只有庙门前,还不时有人出来打扫
东一下,西一下
毫不奇怪叶子会边扫边落

他知道,黑暗中叶子落得更快
那些还留在树顶上的
就仿佛放学路上玩晚了的孩子
在潮湿的灯火中犹豫
被满山的沙沙声惊吓,突然加快了脚步

2008 年

瞬　间

这是在南方,我正经历的第一个冬天
一座小城,不知起源于什么岁月的运河
我在等一个人,夜越来越深了
这座城的寂静也越来越深了
我向漆黑的园子里张望
踱上几步,我并没有着急
我甚至忘记了等待的原因
忘记了在雨后的深夜,我们要去往哪里
漆黑的枝头上,每隔一段时间
就凝聚出一颗透亮的水珠
从我的手指一直凉下去

那是在什么时候,在南方的哪一座城市
我已回想不起,但那水珠的冰凉
那春天般的气息,漆黑的树枝
远处观音庙的微光,还有古老的运河

它们,将比我长久,长过我的记忆
和我所等待的人,以及等待的原因

2008 年 1 月 11 日于南京冬雨中

致 爱 人

又一次度过亲密之夜,在江南的清寒里
我们的窗帘是两片暗色的沉沉
用你的金别针钉起的千山万水
两张旧被子间隔着羞涩的微热
让我这书生在夫妻的平常中说教
要在一个大心跳中一起跃上别样的小径
让月亮平衡梅香的深浅,统一着万物
可是怎么可能,我们原是相隔如重山
我原是在一场春梦中劝慰你的陌生

2008 年 2 月 23 日夜,正月十六,寒假结束从哈尔滨
返回南京

游 记

1. 古雨花台

(阴本)
蓝孔雀飞入了松林的阴暗

我还要在梅岗的花树下久坐

等待那些残缺的陌生幽灵

从逐渐变热的白色草根中间冒出来

那些穿蓝白校服的少女

轻盈的膝盖在台阶上展开

她们的窃笑流下芳香的灰尘

在人世间，我不会再遇见她们

（阳本）

那些穿蓝白校服的少女

轻盈的膝盖在台阶上展开

她们的窃笑流下芳香的灰尘

在人世间，我不会再遇见她们

从逐渐变热的白色草根中间

冒出那些残缺的陌生幽灵

蓝孔雀飞入了松林的阴暗

我还要在梅冈的花树下久坐

2008 年 4 月 2 日

2. 林中的振翅

路过叶子日渐浓密的水杉林

头上有翅膀的呼呼声，如车轮

这是一种黑颈白身短尾的大鸟

不知道叫什么名字

它们总是停在树的最顶端

而喜鹊和乌鸦在更低些的空间活动
它们不大会像我们一样擦肩而过
这些笨拙的鸟总是飞得不远
也就几棵树的距离，声音很大
有的衔着褐色的枯枝犹豫
还有两只选择了林中最细小的树
很难看清它们筑巢的动作
不知道它们是否一直如此
只听见它们在降落前加重了翅膀的拍击

3. 夜登紫金山

这山上没有灯，如果你停下
黑暗就会迅速聚拢在你的脚边
潮水一样沙沙上涨
这时总能够忘记来时的路了
像那采药人带着妻儿，消失无踪
头上的高处，人声隐约
转弯处不时有汽车和摩托车
提前发出的喘息，和摸索的光柱
不会有漆黑的身体犹豫着向我靠近
我只上到半山，天文台高过了星空
回来的路上，风声似乎大了许多

4. 玄武湖遇春鸟

它们飞得不高也不远

小翅膀几乎还没有和身体分开

有一只栽到了路边的花叶上

缩在那里转动毛茸茸的小脑袋

惊慌地四下观瞧,以为谁也看不见

可是老年的手快过了眼神

快过了它微弱而急促的心跳

它的兄弟在半空中被另一个老人

一把扇到了湖水里,扑棱着

老人的妻子还在责备老人杀生

那雏鸟已经挣脱了水面

斜飞到树干上,停在那里

因为还没有力气一下子飞上树梢

5. 阳山碑材

你个姓朱的,把整座大山当作墓碑

你又能如何? 天空更高,大地更辽阔

甚至空气中植物的香气,也

难以穷尽! 但是这里依然有些什么

让人久久地坐在山谷对面,久久地望着

监工台下那十万能工巧匠,十万

就拥挤在这样一条狭谷中

把山丘肢解,然后永远地停下手

挂靠着自己的工具,像众神围观巨人凌乱的肢体

我也是这样,坐在自己的石头上,把它捂热

6. 寺庙檐下的蜂子

在宝华山隆昌寺,律宗第一名山
黑瓦的屋顶下,紫色的梁木
有黑金色蜜蜂出没,大如拇指肚
随着嗡嗡声,从梁上不断撒下细小的木屑
撒在游人的头上,眼睛里,阳光中
更加深了庙堂内神圣的幽暗
抬头细看,木头上油漆剥落
布满一个个新鲜的小孔,那些蜜蜂缩一下腰身
就消失在芳香的木头深处,它们不知疲倦
惹得下院的中年尼姑喃喃抱怨
而我心生羡慕,这些蜂子真是有福
连僧尼尚且不敢驱散,我等俗客只有仰视
当它们恶作剧般从颈边掠过,我们还必须
谦卑地缩起脑袋,谁知道它们是何方神圣脱胎转世
让人纳闷,到午夜,它们的工作是否中止
或者一阵阵的咬啮声越发锯着尼姑的神经

7. 夜游灵谷

蜡像馆的阴森,红墙内有和尚与工人夜话
"八功德水"里的鱼也看不见了
白天它们聚在龙首下面接饮清凉的新鲜泉水
只有满林子的萤火,明明灭灭
沾在衣服上抖也抖不掉

它们大多在树根部,偶尔飘到眼前

捞在手里,光亮会暂时弱下去

显露出褐色小蝇子的原型

还有人把它们装在纱笼里读书,或者提着夜游吗

或许还有三五幽灵在"流杯渠"旁

把空杯子放在水上

清风徐来,巨轮回转

那些人早已消失在林子深处

那些小虫子已在汗湿的手心,恢复了光亮

8. 独立紫金山巅

楼群如巨人的军队立定

蔓延到天边,一直没入了烟尘

把长江围在腰间,他们急欲背水一战

安静,肉乎乎的安静和晕眩

多么孤单! 极目远眺,看不到有未来在兼程

那些古老的英灵被美人包围

越来越深地陷入了棉花堆中

闭上眼睛,再深呼吸一次

然后,握紧我那微微震颤的长矛

9. 灵谷寺的橡子落了

要不了多大的风,要不了多久的等待

橡子落了,在洗过的木头栈桥上

在走路都会把脚步声传回明朝的琵琶街

在和入秋的美人一起消瘦的山溪里
而且,在我头发尚密的脑袋上敲出
掰指节一样的脆响
橡子落了,橡子也落在越来越深的庭院
在雨后裹紧的轻颤中,在病酒的杯盏倾斜向山谷的时候
有人回来了,捂着被弹得空空洞洞的脑袋
回来了,回来,在人声渐远的另一个秋天
用裂开的橡子升起一堆火,等待我们

10. 湖熟,湖熟

湖熟,湖熟
湖里的鸭子熟了
还能飞上几百年
飞到明朝那些我们不认识的人面前

我们撵不上这些鸭子了
我们嘎嘎叫,长出扁扁的羽毛
重新摸进村

我们看不见鸭子
曾经是野鸭的鸭子
和曾经是野湖的湖
除非地狱的叉子
下到我们的胃里

湖熟,湖熟,一个抵达不了的地方

那里的天空,飞满了绿色的鸭子

2008 年 4 月 2 日

固执的方言

固执的东北话把身份携带在普遍的发音中
对于一个没有故乡的人,大地
过于辽阔,甚至这江南的小桥流水

钳住鸡肠子的日本虾被拖出水面
"水里有三个虾子!"南方女人的小脑袋马上凑了过来
低过我的指引。"水里有三个瞎子,还有两个聋子!"
"两个笼子? 在哪在哪?"

巴别塔还没奠基,圣灵也没有充满
大脑的池塘,陌生的舌头
我的笑声,多像这片水杉林中新来的鹳
它们直接降落在树叶上,看,它们绷得弯弯的尾巴

2008 年

空无一人的故乡

不会再好了

它已不在大地的任何地方
我怎么能够虚构出
一个彩绘的天堂
在打开的门里一片幽暗
当记忆的阳光泛起
当尘埃也带着微黄的体温
我早已经忘记了你的声音
它在人生之外,在死亡之外
诉说着早已不在的我们
当大理石封住我的嘴唇
当我来不及向你告别

2008 年

如何做,怎么办

就坐在这块突出的石头上吧
下午的阳光还使它温热着
它是坚实的,探身向着深渊
我们就坐在这里吧,我们可以谈谈这块石头
除了阳光,也有风雨的痕迹,青苔的痕迹
时间与风还没有将它松动
反而将它与悬崖更紧密地结合为一体

秋天了,望着越来越高的青天
感觉衰老像身体里的石头一天天在长大

总有一天我们会举着它
敲敲不知什么时候升起的月亮
看,它也不过是一面蒙尘的镜子嘛

那些人都陆续下山了,或者消失在拐弯的石缝里
石头里都亮起灯来了
我们还要等待一阵突然的大风
把我们攫起,像两块小石头
砸向一个因无辜而愤怒得发亮的额头

2008 年

深渊与石头

五岁时我发现了它,在我内部
一个我也抵达不了的地方
很大,冒着烟,有时又似乎完全不存在
似乎一片叶子就能把它盖住
在游戏中,它会突然在对面的树叶中出现
把我吓呆,那时,我会脸色苍白
抓起卵石,默默地离开伙伴们

语言也掩盖不了它。它无法刻画
于是,携带着这个时大时小忽隐忽现的深渊
我行走在世上,慢慢带上了与年龄不相称的
严肃的表情,仿佛夏日的光景

隐隐现出那不祥铁环的阴影
我把脸整夜藏在书中，我走得远远的
我会突然认不出自己的亲人

现在，我时常把它掏出来
像掏出一块石头，它比拳头硬
炽热，闪烁了一会，外表就变黑了
我不会用它打狗，也不会把它抛入山谷
或是放在泉水里煮肉，像原始人那样
我把它放在山上，我想
它也许会慢慢凉下来
慢慢地消失在斑斓的山石里

2008 年 12 月 7 日

2009

剩下一个土豆

一个土豆被忘在角落里
发青了,绝望地发了芽
它会变空,芽会变长
这未能实现的自我是有毒的

我用刀耐心地剜掉那些芽子
把皮削得很厚,不留一点青色
在北方的冬天我常常要面对
热烘烘的土腥味和钻出麻袋的白幽灵

种土豆的时候要割成几瓣
每瓣上要留一个芽根
秋天,一铁锹下去
大大小小一嘟噜,整个一个小偷家族

新鲜土豆的甜汁,你笑容里的泥
那些受伤的就撒在猪圈里
在硬硬的拱嘴下还能翻滚上一阵子

2009 年 2 月 22 日

紫金山的初夏

荒径边车辙留下的小水坑里
漂着大团蛙卵,像泡得发黏的小白葡萄
那些已经孵出的不肯离开
蝌蚪蝌蚪,快快长出腿来吧
树林变得更深了,水坑将要干涸

每条人迹罕至的小路尽头都有停车恋爱的人
路只是穿过发热的榛莽,拐向另一个
能挡住炮弹的有弹性的斜坡
顶端闪烁着晦涩的信号
我不得不在每一个蛙卵里生活和死去

没人的下午,拔起的艾蒿发出更浓的气味
我还在惦记那几团蛙卵
最好是多下几场雨
雨中和蝴蝶一起登山
满山都是青蛙在快乐地搬运地雷
大叫着,和我一样卷着裤腿

2009 年 3 月 24 日

菜　诗

——给凤姐

南京又到了吃青菜的时候了
油焖春笋我刚在汤山吃过
还带着大哥泡了五块钱的国营温泉
马兰头炒香干，那苦咧咧的味啊
荸荠白白的身子等待奉献
哦，野芹菜用来包大饺子，烧汤
菊花脑用开水焯一下，蘸酱
韭菜炒河蚌，每个有半拉脸盆那么大
把河道都堵啦，油菜花才是真正的炼金术士
老板娘，再来两箱金陵干！

可惜你不喝酒，你在紫金山中悠游
天黑了，我打开方厅所有的灯
拉下暗红色的百叶窗
让你在山中就能看见
去年春天我们去了宝华山
它把律法藏在山坳里
我们从窄门进到大有作为的广阔天地
白酒在大学门口的竹筐里呕吐
我那高大有力不施粉黛的三角眼姐姐啊
半夜你悄悄摸进我屋，看我醒酒了没有
你那走过千山万水的大脚

可别趁机把我践踏

2009 年 4 月 7 日

距离的抽象

你们站在远处,隔一段时间
就冒出来一句"想你呢"
然后倚靠在我不认识的树上
掏出腋下的花,你们是一些女人和水果
或者是每天早上拉动卷尺量地盘的喜鹊

有时我捏捏果柄脱落后变得扁平的凹处
那里总是软的,继续着潮湿和深
我闻闻气味,然后在粗糙的树身上擦去指纹

而动过手术的鲜艳水果,终于
连塞尚的口袋都撑不起来了
"想你呢",烂穿了底的电池冒着化学气泡
用死亡原谅了我,但这一次
我要侧身走过,把手插在更深的裤兜里

2009 年 2 月 22 日

正午的神学

草地边缘一棵开花的梨树
一只喜鹊在草地中央用力撕扯着什么
绷紧的尾巴微微颤抖着
我一开始没有走近
梨花、喜鹊与这个中午

梨花落了满地,风刮着
风似乎是在我走近时刮起来的
梨花、风与我,还有树上的蜜蜂
构成了某种关系,我担心
蜜蜂的翅膀会被打湿
因为天色暗了下来

当我走开,喜鹊又回到草地上打量着什么
更远处,又闪现出另外的梨树
我发现的事物越来越多
甚至一对无言的压缩在一起的情侣
它们构成的中午让我头晕

如果我没有进入,如果我只是路过呢
可是太晚了,雨开始落了下来
我不在雨中时,梨树、喜鹊和雨
会不会合成一个身体,消失上一段时间

2009 年 3 月 21 日

清明，一大群人在家中等我

他们肯定在交头接耳
荷马调好了里拉琴，准备歌唱一个人的愤怒
弥尔顿正在向女儿描述撒旦和硫黄的火焰
博尔赫斯则趁机把宇宙缩成一张图表
赫拉克利特与巴门尼德
一直在争论过程和实体
卢克莱修悬挂起灵魂的蜂群
累累垂垂，直到变成最远的星星
奥维德在黑海之滨独自徘徊
只有时间是他的伙伴
但丁细数维吉尔头上的月桂树叶
头痛欲裂的浮士德不是厌倦知识
只是厌倦了固执的情人学生
济慈，急于邀请我与他一同闪耀
玩同性恋的毕晓普，准备用绿色的酒瓶
教给我一门并不难掌握的"丧失的艺术"
鸽子从深渊中升起，裹着浓雾
阿里阿德涅依然缠着线团，剑放在脚边
奥德修斯的黑帆依然向落日之外航行
这一帮家伙吵吵嚷嚷，互相碰着脑门
唯独那无名的客人倚在窗边，望着外面的雨
仿佛我走在外面，雨就去了更远的地方
仿佛从此我一直走在回家的路上

知道等我猛地推开门,他们都会收起表情
像在书架的悬崖上筑巢的海鸟目光明亮
沉默地俯视着一个刚出生的婴儿

2009 年 4 月 4 日

写给马原 (祝福他高考顺利)

那一年,我孤单的旧提包
装着一点点衣物,和无能的悲愤
那一年啊,在寒冷的车站,你九岁
你的九岁抱住我的腿:"爸爸我不占地方,
你把我放你提包里,带我一起走吧。"
如今又是一年白色的时光

如今又是生离,生离之后,终究是死别
每一次生离,都仅仅是预演
让我们能够习惯别无选择
人生不可推迟,列车总要出站
从黑暗中启程,中间是熹微,而终点
也是黑暗,不同的黑暗

在我的存在之外你静静成长,无奈地长大
要面对一个并不宽大的世界
总有一天,你撞入的不再是爸爸的怀抱
不要怕,我高大的孩子,我在世上唯一的结果

在一个更大更温暖的怀抱中永无分离

至于命运,我们猛地推开门

撞他个满脸花,哈哈,让他满地找牙

2009 年 6 月 5 日凌晨

肚 肚 疼

你还不太会说话

你不知道自己里面怎么了

你只是哭,哭,哭

我们都不知道自己里面怎么了

我们,是我们所达不到的

毛衣可以反着穿,我们不能

你整夜地哭,你一直在哭

偶尔哭累了睡一小会

又被疼痛揪起来

我们疲惫得像两个刚刚新婚归来的人

一张窄床像独木舟,摇颤着

你那时有一尺长吗

浑身通红,眼睛黑得像恐怖片

疼痛在我们看不见够不到的地方

妈妈也哭,她找不到通向你的路

仿佛你是一只蝴蝶,在黑暗的深渊中独自飘坠

我们甩下的绳索再粗,也够不到你

把你放在妈妈的肚子上
你趴在那里,你想重新回到里面
那里温暖而安全,有微微发亮的水
你趴在那里,一只手就能把你盖住
你听着妈妈的呼吸,终于睡着了

疼痛在我肚子里生根,邪恶的红色的根
扭转着向下。我,没有妈妈了

2009 年 6 月 28 日

新鲜的大坑

一整年,那个田野中央的大粪坑都没有消失
太阳一天一天使它变得迟钝
变成褐色,结了硬壳
分布着冻出来一般的蜿蜒裂缝
雨水和新鲜的粪便似乎总是在夜晚
加入进来,它偶尔发出懒洋洋的咕噜声
它隔在树林和学校之间
每天我们都要路过它,离得稍远一些
天晴的时候,总有大群的乌鸦起起落落
发出阳光一样明朗的叫声
在午后的田野,叫声传得很远

连同热烘烘的臭气
它们有时在厚厚的硬壳上行走
一直走到大坑的中央
就在这样的时候,我们的土块
总是以优美的弧线落入坑中
被砸开的地方露出新鲜粪便的黄色
然后土块慢慢下沉,大坑慢慢合拢
那些乌鸦只是飞起来盘旋上一会儿
又聚集在坑边。我总在等待粪坑被掏空
彻底干涸,露出坑底的秘密
夏天很快过去了,学校变得空荡荡的
大坑不知什么时候彻底消失了
还有那些乌鸦,就像从来没有存在过
田野上弥漫着得了霉病的苞米的气味

2009 年 9 月 29 日

深秋窗上的呵气

这是寒冷的北方,寒冷的秋天的清晨
我走过胡同里,似乎从很远的地方回来
我还是小学生,那时我惯于早起
踏露水,打拳,或是端着颜料和小碗
爬到仓房上画日出的云
我似乎不急于回家,只是路过

院子里的土豆花屋檐那么高
硕大的花朵垂着,有耐寒的扫帚梅陪着
天蓝油漆窗户没有支起来,静悄悄
穿白内衣的母亲,没有开灯
在清晨幽暗的玻璃窗后梳头
家人们夜晚的呼吸让窗户有些模糊
可我还是能清晰地看见母亲
和她洗脸用的微微冒着热气的铁盆
知道自己只是路过,只是看看

许多年,小院子早已被寂静所代替
我独独忘不了天冷的时候
那平房窗玻璃上夜晚凝结的呼吸
还有窗前梳头的母亲,柔软的白衣
大约和我现在一样年龄

2009 年 10 月 15 日

有鸟声的下午

一只鸟在叫
深一脚浅一脚
忽而屋前,忽而屋后
瓦片覆盖的土墙上趴着酩酊的阳光
风吹着屋后深草中坐着的孩子
他以为自己还躺在芳香的土炕上

174

空空的山谷下睡着牛羊和流水
白杨林中飘着母亲透明的衣裳
村子里空无一人
只有阳光,和一只鸟忽远忽近的叫声
一个孩子坐在后院
等待暮色拨开越来越深的阴影
找到他困倦的眼睛

2009 年

为鸟声驻足

傍晚六点多
有谁想和我一起
听水杉林中密集如会议的鸟鸣
并分辨出若干种鸟的,请——电话预约
今天,去上课的途中,我想停下脚步
像弗罗斯特那样,可我没有

这是一首诗,其中有一个男人
或一名心事重重的中年文学教师
在密集如雨声倾洒的鸟鸣中走过
因孤独而羞愧得说不出话来

而那些鸟,几乎都是看不见的

2009 年

早晨和夜晚的鸣鸟

这是一首分成两部分的诗
就像白昼和夜晚组成一个完整的日子
可是我却不在那个日子里
就像有两只鸟在一片林子里叫
彼此看不见，也听不见
林子被光线分成明暗的两半
或者干脆就没有什么鸟
林子里只有两片黄色的叶子互相摩擦

不过早晨总会有一只喜鹊
他沿着道路走来，和小男孩一样吹着口哨
背着手，吃饱了小肚子，因为不用上学
而感到满意。他一路东瞅西望
灰色的羽毛上镶嵌着蓝色晨光
有时突然猛冲进灌木丛
让那里抖动得像一只蓬松的鸡
又从另一边钻出来，搓搓手，若无其事
你要是遇见他，要给他让路鞠躬问好
他不会理你，只会把越来越深的眼珠转向树梢

而夜晚的鸣鸟却始终藏在半空的黑暗中
到午夜越发密集，在几棵水杉周围
好像一群孩子翻翻滚滚打成一团

这回轮到我吃饱了,背着手

因为不用上班而感到满意

在只有小路发亮的林中散步

像个小男孩吹着断续的口哨

像童年重新接起来的断掉的皮带

而鸟鸣,总会在口哨响起时戛然停止

稍后,便会更热烈地响成一片

2009 年

白色鸟屎

白色鸟屎从黑暗的高处落下

闪着光,落在青石小路上

看不清树头上的鸟是什么颜色

到黎明,小路上将点点斑斑

有的集中在一个地方

就像我们开班会后留下的瓜子壳

它们很快就会干掉

和白色油漆一样,也许在空中就干了

林子里依然住着密集的寂静

即便鸟屎滴落,发出扑啦啦的声响

即便有鸟随后飞落在地上

昂着鼓胀的胸脯散步,有点得意

这些在黑暗中留下闪光语言的小家伙

这些在黑暗中落下的半流质的固体
也洒在低处的叶子上，甚至恋人的肩膀上

当你在初冬的黑暗中穿过这样的一片树林
当你在远方，把火车的汽笛藏在草丛
你会笑一笑，原谅这些和肩章一样闪亮的痕迹
你会停下，抬头望着树顶，长久地
直到树越来越高，高入了星空
直到那些白色的星尘再一次
从宇宙深处的水泥搅拌机里，旋转着吹出

2009 年

八哥你好

小区里住一楼的，各家都有一个小院子
生长着无花果、桂花，和别的树
花花草草，有的还种上点小青菜
一次我走过，从背后传来清晰的"你好"
在这个地方，我几乎没有熟人，转身
只有鸟笼子像冬天的果实静止在树枝上
一只八哥蹲在里面，若无其事
鼻子上插着几根毛，一动不动
"你好你好你好。"这呆鸟没有反应
那以后轮到我走过，总要用东北话先给它问好
却再也没有听见南京腔的"你好"从背后传来

偶尔在我接近时，它会先发制人地说声"你好"
语调尖细怪异，带着一丝嘲弄
始终弄不明白它在什么情况下会说话
是阳光好的时候，还是吃饱了的时候
于是，每次走过，我都会放慢脚步
提防着这呆鸟一高兴大叫一声，吓我一跳

我把这些句子钉在告示板上
和那些寻鸟启事挨在一起
这些日子鸟儿失踪的事情时有发生
往往只有鸟声还留在笼子里或沿着叶子边缘滚动
一个朋友过来，在这些句子下面写道——
我家小区也有一只相当友好的八哥
经常不停地先行问候路过的人
你如果回答它，它还会用本地方言问："做什么呀？"

"做什么呀？"但我想你即便如实回答了，比如你说
"去吃饭。""来抓你这黑呆鸟。"甚至，"关你屁事！"
那呆鸟脑袋里的种子也绝不会发芽
除非有一把躺在它身体里的钥匙开始转动
另外一天，又一个朋友路过
在这首诗下面写上——
我只是路过，顺便说"你好"
仿佛这首诗是一只入冬的八哥

2009 年

像鸟儿原谅了冬天
荒凉的打谷场

首先是鸟声,能辨认出一开始总是喜鹊
然后其他不知名的鸟们应和、加入进来
这些鸟冬天也会起得这么早
让早起捡银杏的和尚暗中羞愧
如果下雪,鸟的背上一定会落上雪花
它们从树丛跳到路上,或者相反
它们飞起时,不会刻意抖落身上的雪花
鸟声一开始总是稀疏而犹豫
等到密集起来的时候,太阳一定已升起老高
它们先是把我唤醒,然后让我重新入梦
在半睡半醒中,这些声音开始显示出意义
正如我的身体像一架被夜晚拆散的机器
自动组装起来,轻微地开始震动
譬如说:"像鸟儿原谅了冬天荒凉的打谷场。"
这个句子像一把干草叉斜着伸进画面中来
看不见那操纵它的手。我的头脑
也像机器,把一些词语组装成思想
譬如,"如果鸟儿飞走,冬天的打谷场
是否会原谅自身的荒凉
或者所有鸣叫的思想早已飞离我的身体?"
显然,这样的想法来自早晨的寒意
它让我再次原谅了自己,暂时忘记了

那目光明亮的生活,和初冬刺眼的阳光

2009 年

晨鸟鸣叫

冬天,它们来得依然是那么准时
这些大自然的小钟表,精密无比
花花绿绿,而且形状各异
它们一种种相继到来,滴滴答答
发出各种不同的音响,在朦胧中
让我醒来,赖在床上,听着

它们的鸣叫就是它们的歌
只为自己而唱的晨曲,它们或许是听话的好孩子
不用被拍打脚心,就起来活动了
我还分辨不清窗外这几个常客的名字
只知道喜鹊在开合它们的剪刀,和剪刀手爱德华
　　一样
在宣布,那三株桂花,和两株落叶松
以及下面所有散落的纤维,都属于它们

然后是褐色的乌鸫,鸽子大小
总是占据地面的落叶,像小男孩
把叶子高高地扬起,宣称所有的黑色树籽
都归它们所有,并且有特权不展开翅膀

从一堆落叶下面田鼠一样钻到另一堆中

接着是乌鸦,它们粗哑着嗓子
因为晚上熬夜煮墨汁,眼圈微红
这些绅士背着手,在树的台阶上与山斑鸠争论
坚持着那棵正在枯萎的老榆树
以及附近的种种虫子和灌木丛的所有权

体格最小的黑白大山雀加入进来,合唱开始了
早先的次序慢慢变得散乱,失控
停顿和犹豫,像在扭紧闹钟的发条
太阳就要升起了,当这些杂乱而愉快的声音停歇
我头脑里争论了一个晚上的声音也将停歇

2009 年

今天早上我是一只鸟

今天早上我是一只鸟
还不知道自己的名字,也不知道
为什么醒来就在一个干燥的空巢里
充满了我自己褐色的、粉红色的体温
当然还有白色,而白色的肯定是灰尘

从不存在的树顶上,众星鞠躬退去
他们越来越暗淡的长袍拖曳着

皱褶里闪耀着随时会爆裂的孢子
他们也老了,他们整夜都俯身在透风的巢上
甚至有时像童年那样,抵着脑袋
(但愿他们的头上没有长角)

于是这只鸟从透明的树干上溜达下来
它先是从落叶的手心里喝了点水
有些涩。又尝了几只有裂纹的小核桃
然后跑到草丛里啄了十来只冷了的栗子
还踢了几下墙角冻得发绿的白菜和麻土豆
它吃饱了小肚子,开始抬头看着树顶
那里一片光秃,叶子都不见了

这时一只狗狗跑过来闻它,它就把翅膀挡在脸上
退后几步,看见狗狗的主人背着手
"真是猪狗不如的生活啊!"
这只猪狗不如的鸟开始有些郁闷
它的自由需要管理,而那无形的园丁
也许正直起腰来,无心地望着大海

2009 年

一只黑鸟引导我

它总在我前面不远的地方
它从生叶的瑞香飞到桂花树上

183

又从无花的桂花树飞上樱花树
也不搭理在那里开班会的麻雀
我跟着它，从一棵树到另一棵树
我想我总能看清它的模样

一棵棵树的间隔好像始终没变
它每落到树枝上便会一动不动
不回头看我，也不鸣叫，嘴喙笔直
我曾在越来越浓密的树顶听见它
这一袭黑衣的使者，歌声却婉转多变

它总在前面等我，一种力量
引导它穿过海浪捕捉的千万只巨手
现在它引导我，离人世越来越远
这维吉尔的神鸟，终于落在地上
迅速长成参天大树，和一地浓荫

2009 年 4 月 2 日

圣 天 牛

黑背白点，你叫个啥名字
在人行道上不慌不忙，又像个帝王
两条长须捕捉着空气中的波动
我跟在你后面，看你到底要去哪里
人行道上人来人往，多危险啊

你好像根本是不管不顾

我超过你,拦在你前头,用黄色皮鞋

哪知你居然转过来跟着我

我不断后退,不知道你是龙颜大怒

还是被黄色或者运动所吸引

也许是我身体的热度

我不断后退,一直到人行道边缘

我站在路边石上,你居然爬了上来

我赶紧跳开,躲远,看着你在绿草地旁

继续不慌不忙,仍然朝着一个方向

2009 年 5 月 27 日

家 制 的

松花蛋是家制的,土取自榆柳成荫的屋后

香肠是家制的,从猪到肉,不过半个院子的距离

足够哼哼叽叽,扭扭捏捏

大鹅蛋是家制的,一只就能把衣兜撑得鼓鼓溜溜

清晨把蛋下在草窠里,高声提醒你微温的惊喜

家制的炒面,不加糖,加雪,加香椿芽的绿

蚕豆的黑色豆荚,大麦的褐色颗粒

在屋前铺了满地阳光,随便踩得脆响

河豚睡在河湾,在你的表情里藏毒

老宅把周边起伏的地势蔓延到你身上

在凉爽的堂屋听雨,雨就落在路边自家的田地里

雨停了，月亮从楼上某个幽暗的房间

鲜红地下来，麻布晨衣拍打着银鱼的大腿

清新得仿佛创世之初，亲爱的，你，也是家制的

2009 年 6 月 10 日晨

暴君尼禄

午夜的暴君被白日的混乱气味所纠缠

从僵硬的领口向下，穿黑衬衫的温柔

将艺术家苍白纤细的手指伸向黑色的根

这暴君又开始呻吟着唱歌了

他唱歌的时候暂时允许被称作"亲耐滴"

"有毒的大土豆"，"好家伙"

允许那些嫔妃姬妾吱哇乱叫

他在山坡上起伏

他从起伏的山坡上滚下来

像一头被喂了太多白糖的灰色大象

他的统治在黎明变成绝望的游戏

越发黑白分明的眼神形而上地斜着

"hip，too narrow"，太窄的臀部

暂时消除了他的嫉妒，作为艺术家

他的金顶打开了天空的"空"

他的罗马在灰烬里呼吸，他的孤独

是在布满镜子的大厅寻找一只倾听的耳朵

和一个叫作"人民"的影子捉迷藏

作为暴君,他的皇袍遮盖了幽暗的蓄水池
一个被他废弃的身体,用时髦的平胸
把他自己的软刀子压进他的肋骨
骨头缓慢而清晰的破裂声
帮助他最后一次经历人道

2009 年 6 月 11 日

君子之交

很多东西都和跑气的啤酒一样走了味
君子之交淡如水,果真和自来水一样
说来就来,说关就关,还带着漂白粉味
爱情也和窗户纸一样,一捅就破

口口声声好朋友,好朋友
一年到头连个电话也没有
一个短信一毛来钱,几分钟的热情
就像案子上摆的纸老虎
经不住磕头燎蜡烛微弱的火烧

我们都很端庄,把虚构的自我端起来
供在脑袋顶上,像个佛爷
再把真实的自己装到套子里
我们都活成了别人,是别人给我们上足了发条
在不超过脸盆大小的空间转来转去

我们都是行尸走肉,扛着自己的尸体行于无人的
人间

2009 年 7 月

北方的沙果红了

沙果树老了,在院子一角,它的手臂伸出篱笆外面
几根树枝折断,带着累累果实垂下来
园子里的青菜已经稀疏
黄色老房子里已亮起了灯光
黄昏像一种预感从远山漫过来
我去茅房,它就搭在沙果树下
随着暮色,沙果一颗颗落在茅房的木板屋顶上
又蹦到黑色垄沟里,腐烂
我听着,蹲了很久
沙果一颗颗砰砰地落在我的头上,越来越急
盖过了入夜小镇的所有声响

2009 年 9 月 25 日

中秋节与妻书

她随一枚月亮退入了深山
她越来越冷了

溪水的声音越来越远
当它消失在雪下
她把潮湿的木柴和耙子拿回来
她在冰冷的粗布上擦手
看月亮在雪松上旋转
喝酒,把落叶堆在窗下

2009 年

心灵排干的表面

你把岸边的水搅浑了
就离开了,你以为那是真的
海底的泥沙翻上来,水成了暗黄色
而我在远处,依然是蓝的

我知道,你终于绝望了
我想说,对不起
正有一千只虾笼子排在我的表面上

2009 年 11 月 27 日

冬 蛾

还有很多这样的单元

里面已很久没有生火
皮带轮上上下下
窗帘是深红色的
皱褶里排列着没有蛋壳的卵
你在那里被灰尘哺育着
外面一直是黑夜

这是抽象的，它明亮而无辜
这是裸着的你，待在冬天的厨房里
颤抖着，无辜得仿佛刚刚出生
整个身体缩简成一双大眼睛
赛璐珞一般的硬，黑而茫然

多年之后，我打开门
那整个一屋子被愤怒加热的空气
那从破碎的麻袋中惊起的发黄的纸片

我靠在门边，好像我一直在那里
多少年
我的手上还沾着一点褐色的污迹
不知道发生了什么

2009 年 12 月 23 日

2010

我在南方的第三个冬天

这南方的冬天
把我闷在被子里
用她白霜的拳头
痛打我越缩越小的骨头

我寻找灵魂
却只遇见肉体
越来越多的,漂白的肉体

让我难以原谅
那逼迫我远走他乡的
黑暗中的雾气,嘴脸
和窃窃私语

2010 年 1 月 8 日

后半夜的游戏

游戏机的荧光照亮着他的脸
有时我惊醒,从眼角望见他

仿佛潜水入沉船的人开亮着头灯
珍宝的微光照得他的脸有些变形
甚至有些邪恶。在掌中的小世界中
他在扮演角斗士,渔网角斗士
或斯巴达克斯,沉重的光剑
连筋带肉砍下别人的肩膀
像斩断一条条小虫子样的代码
他在一个我够不到的深处扮演我的儿子
不断地吐出彩色的泡泡
每一个里面都有一个他,全副武装
和小米粒一样大小的呀呀怪叫的小人搏斗
他执意要把水搅浑,让我看不见他
他就要窒息了,他的脸憋得都快要绿了
他不会回答我的问话
他的专注让黑夜像淤泥一样堆积在我的嘴里

2010 年 1 月 30 日

卡珊德拉

你的美变得僵硬了
包括你唇边的阴影
那些近乎少女的绒毛
你的预言,那些斜拉桥的神经
就要绷断了
卡珊德拉,你的话无人听见

人们只是被你的美所迷

卡珊德拉，你在隔海的希腊

独自伤心

离那个时刻不远了

即便没有这一场战争

即便你从来没有爱上

那夺目的光辉

2010 年 2 月 8 日

幸福的蒸汽

——给大姐

她还是像在老家的县城那样习惯早起

或者当外面黑暗一片的时候

就能听见她在厨房里忙碌地响动

往常冰冷的厨房也慢慢热了起来

不久，玻璃上就满是蒸汽

这些白色的香喷喷的精灵

不消散，只是升高，升高

不断地向上攀升，冒出天花板

与屋顶上的寒霜再次遭遇并获胜之后

一直向树顶上或蓝色或黑暗的天空升去

这些日子她得习惯这个城市暧昧的表情

冰冷刺骨的自来水和成串的灰尘

习惯我的睡眠将早餐推迟到中午
让她热腾腾的劳动一再变凉
习惯我的沉默寡言，就像习惯我开着电视看书

她先是检查了永平写出来的诗
纠正有关童年担水的一点记忆差错
小心地藏起对那些没有写出的期待
有许多事都想不起来了
当我靠着门框，一边看她忙碌
一边问起小时候的事情
就像把五只绿色的土豆摆上窗台

我们姐弟三人有时坐在屋里说说话
说着说着，想起来的事情就多了起来
仿佛闷热地窖里的块根都生出了白生生的芽子
仿佛爸爸就在隔壁抽烟，写材料
妈妈还在厨房里炸土豆，油锅嗞嗞响
而当她对自己的厨艺偶尔露出一丝不安的歉意
这时，透过蒸汽的云朵，我的大姐
怎么越来越像
我那早已不在人世的母亲

2010 年 1 月 22 日

凌晨读书，读到世界之恶

屋子里还是很冷，没有火炉的噼啪

也没有暖气中热水循环的声响
来淹没奥古斯丁的古老训诫
他说恶乃自由意志的滥用
我嘟囔着，失眠乃非我所愿
我乃睡在我的深渊，深渊是醒着的

然后火光一闪，莱布尼茨
从原子中冒出峥嵘头角
宣称神意主宰世界
恶只是局部观照的结果
它实为善之部分，乃未完成之善
他刚刚说完，儿子就侧过身去
和鱼儿一样规避灯光粗鲁的手指
但从黎明前的黑暗宇宙看过来
我脑袋大小的窗子
为早行者投上了粗糙而温暖的颗粒

阴沉的别尔嘉耶夫从旷野发言
身边围绕着石头、羊群和雪花
他说恶的本质是对存在秩序的颠倒
是存在的漫画，是把低级的放到高级的位置上
比如霜落在雪上
比如把诗歌凌驾于生命之上
比如像我这样颠倒黑白，读书，并且消逝

于是，我合上书
窗外，一个冬天正在消逝

2010 年 2 月 7 日

与宜凡有关的一点记忆

十七岁,我悄悄走在与你平行的路上

在西安满是樱花的校园

我羡慕你米色的风衣

那是第一次,也是最后一次

我近乎崇拜地爱上了一个人

我给你写信,尽管我总能看见你

你的宿舍就在我宿舍的后面

一次你回信很迟,你说手坏了

是同学代写的,这让我感到羞惭

你给你写诗,写了很多很多

它们都消失了,似乎从未存在过

我朗诵《不系之舟》

你说那是一个风云男子汉的心声

有一年备考研究生,春节我没有回东北

你领我去你家吃饺子

坐在小凳上,靠在床边

就像是你的弟弟,很小的弟弟

其实你只比我大了两岁

你的朗诵,你在电台的播音

你大学时发表的诗,星火朗诵会

交大之星,你领导的文学社

是你出题考试把我和晓锋招了进去

你的小提琴的优雅和 G 弦上的颤音

你指导我朗诵时"的"怎么发音……

可一毕业你就出国了

我觉得这辈子再也见不着你了

我甚至觉得你背叛了诗

你要从上海的真如出发

我去车站送你,我始终都没和你道别

只是站在那孤零零的站台上看着你

我们偶尔通信,我毕业后回到哈尔滨

你不知道我的地址,把信寄到了克山

那封信也散佚了,永远没有了

我只记得信中你谈到"老"

你给我从美国海运英文《圣经》

奥登诗集和《40后的美国诗歌》

如果不是这样,我可能不会翻译后现代

当时你也很困窘,有时只啃面包

就着墙上的水管子喝水

你在信中说我就像狂风中的橡树

我觉得年轻时的自己更像春天的白杨或秋天的白桦

我保存着你戴硕士帽的照片

还有你手写的诗稿《在暮色中遥望》

我们失联的那些年你曾写信给晓锋

"像永波这样的人来到我们中间

可能不会陪我们太久

要照顾好他,珍惜他,为他做点事情。"

非典时期我们在北京终于又见面了

我还在低烧,咳嗽,你毫不介意

很自然地为我布菜

我又成了那个坐在小凳上
在你床边吃饺子的小弟弟了
这让我颇为不适
在一本《十大传媒人物访谈录》中
你谈到早年写诗的战友
只有马永波还坚守着这块高地
2009年你在北大博士论文答辩
我在网上查到了答辩名单
发了祝贺的短信,你刚好从答辩现场出来
电话过来,高兴地问我的消息怎么这么灵通
去年你带给我凤凰卫视制作的《文理大师顾毓琇》
写着,愿我们"两种速度播放的"人生
平静而美好！我还做不到平静
我还在与一些巨大而无形的东西搏斗
我们都累了。你做蓝海电视那些年
每天只能睡四个小时
我去公司看你,午夜你送我下楼
在路边等出租车时,你轻声地说
"只想到六十五岁。"
我毛骨悚然,赶紧说,只要身体好
八十岁还能继续战斗
你平静地说:"太累了。"
你总是那么平静,从来看不出
你心情的波动,你的表情和语气
总是那么超然,似乎说的不是你自己
而是没有什么关系的别人
你的平静的高贵让我总有点紧张

那是一块透明又不可逾越的屏障

尽管我深信,在这世界上

存在着不变的近乎永恒的东西

又是春天了,宜凡

我写下这些,我又走在长安的春天

隔着灌木丛和大片风中翻卷的玫瑰

走在和你平行的另一条梧桐大道上

我还能时时地看见你米色风衣的飘扬

我知道,我可以一直这样跟从着你

什么都不说,从春到秋,从此生到来世

2010 年 3 月 20 日

一点点的毒,一点点的春天
——早上散步时与家兄永平的短信

报告老大,博爱园溪流中发现大量死龙虾

大大小小,呈青白色,侧卧

岸边大多是刚成形的小虾

原因待查

"怎么搞的都死了"

经观察,有的跳起来,有的爪子不停地动

我得找根树枝来

"捞点回来"

捞到一只发红的大虾，可能是水冷
放石头上暖着，脚还会动
我把它放了吧

"放就放了吧，那也是一条命啊"

据附近人说，是有人下毒毒鱼所致
鱼和小龟都死在桥头
毒昏的鱼，拿去卖

清洁工用长如手臂的竹筷子夹龙虾
死的，喂猫狗

溪水一直流入秧鸡栖息的小湖
春天的毒继续向下
在它们做窝的芦苇那黑暗的根里凝固下来

有些源头是不可回溯的

2010 年 3 月 26 日

鸽子与大象

终于能够让光照时时透入囚门了
终于能够在黑椅子上
在宽敞的三面见光的东窗下读书

把足有八十斤重的两条象腿搁在
齐膝高的白色大理石窗台上
下面就是人间的大街,他却动弹不得
日渐强烈的上午的阳光直晒着他
让书中的字迹模糊,让他对书中人
和自己的命运不时产生恍惚的混淆感

这时,他唯一想到的是,如果
要摆脱这种被活活晒死或饿死的处境
就必须从椅子上自己滚下来
摔断胳膊腿什么的
在地板凝固的海浪皱褶中
爬向一台红色震颤的电话机

翅膀也是蒸汽,缩成后背上的两个小鼓包
泥泞不堪的天空,笼罩着西南和东北的两角天空
中间是一座满是脚印的巨大城堡
它的院子里都是凌乱的稻草,灰色的大象
还跪在那里,扬起祈祷的鼻子
等待一只野鸽子落在上面

他从椅子上自己滚下来,很多年
很多年,屋子里没有人来了
他的脑子凝固在发红的坩埚里
像一只放得太久,软了的核桃

2010 年 7 月 21 日

黎明的火车

深夜里的火车汽笛声

不知从什么地方传来

隐约，低沉，近乎叹息

断断续续的，隔很久

才会传来同样微弱的呼应

像寂寞的守夜人隔着山谷闪一闪马灯

附近没有车站和铁轨

车站远在紫金山的北面

而且还隔着偌大的玄武湖

这些日子，火车声更加清晰了

它们越过日渐稀疏的梧桐树顶而来

像白霜一样战栗着

黎明的出发和别离

也总是蒙着霜的

譬如在家乡的末等小站

黑漆漆的月台上人影绰约

远方的战栗从铁轨上传来

火车大睁着巨眼，呼哧着白色蒸汽

奔跑到面前，突然停住

那时我年少，陌生的远方，兴奋

黎明前的黑暗和冷

而今黎明的火车

却让我如此犹豫着不愿醒来

2010 年

冬日阳光

冬日正午,我靠在窗前
偶尔读几页小说
阳光照在我的后背上
透过衣服,慢慢温暖起来
我的脸朝向室内的阴暗
慢慢地,我的身体成了一棵树
变软了,它背阴的一面还是冷的

屋子里没有一丝声音
外面也很安静
落叶都被运去了深山
偶尔到访的鸟儿落在窗台上
好奇地歪着头看着我
在它们眼里,这个红羽毛的大家伙
是一只被关傻了的鸟
它们不会敲响玻璃
它们的叫声仿佛是对我的嘲讽
在远处浮起的一排小旗

梧桐树几乎完全光秃了

视野更开阔了,不用出门

我就知道田野还在那里

山和茶树还在那里

漂浮在青色的果冻里

一个少年在里面跋涉,哪都去不了

而这些阳光像血液里的小球

一遍遍循环,呼喊着——

这就是你的生活,你的生活

不可能像合上一本书那么简单

也很难说是对是错

2010 年

哈尔滨之春

雪水增加着路边的凉意

白桦树都发出汩汩的声响

黄色低矮的俄式旧居

爬山虎的卷须刺探着空气的分子

我蹲在马路边,清理鞋底

蘸着路上坑凹里的积水

用一把旧铅笔刀

挖皮鞋后跟深深花纹中的硬泥和煤渣

它们足足有七双,空气长了翅膀

傍晚的空气是有轨电车里摇晃的酒

照着手风琴键盘上的光

脸上淡黄色的绒毛

那时我多么年轻,渴望着爱情

抠着鞋跟上的泥巴

它们来自无名的早早变黑的小巷

小巷通往春天的大街

那时我年轻,一掷千金

2010 年

秋天的敲击

秋天,我们坐在屋子里

听树叶上的风声,说着一些什么

我们有时停下,听一听外面

风声和雨声,有时分不清楚

有阳光的时候,我们会压低声音

我们并没有谈到树木和外面

那些好看的鸟儿按时来吃黑亮的树籽

吐了一地,秋天很空旷了

黎明的火车把鸣叫藏在草里

"有人在我们头上钉钉子。"

我偶然说出了这样的话

我们坐在那里,不动

从一开始,我们就应该一动不动

2010 年 10 月 25 日

我所欣喜的事物收藏单

校园小湖中，一个校工用两只塑料戳子划水
沿岸收起鱼笼，看了看
把一条挺大的鱼又倒回了湖里
戳子的颜色，一黄一绿

雨后清晨，博爱园山溪的藤蔓
鼓胀出淡绿色小葫芦
一只成年秧鸡不停地扎入水下捉鱼虾
没入幽暗之前，它直立的尾巴发动机一样颤动

两只小鸟乖乖地在荷叶中间慢慢游动
等老鸟在一段距离外浮出，便加速开过去
小胸脯挺着，这样的动作反复了十几次
不知道老鸟是爸爸还是妈妈
也不知道另一只老鸟在哪儿

等我在溪水里洗了手，等我跺脚
惊得水岸边的草虾弯曲地向后弹跳
等我回到家，马原还和大虾一样弯曲地睡在床上
妃子笑、樱桃、杨梅、杏子、油桃和李子
几乎已全军覆没

2010 年 6 月 11 日

2011

漂流的酒杯

暮春时节,经过砂石过滤的水声又大了起来
溪水把大块的漂砾像灰白色的脑壳一样留在浅滩
我们面向下游而坐,在山坳里
我们身后的草越来越深了
深得可以把脚藏在里面,把根须藏在里面

而往日,隔着溪水就可以传递杯子和草莓
传递树影,传递一枚刚刚脱落的去秋的黄叶
在水面的轻轻一点,我们也将来自高处的震颤
一直向下游传递,通过水底的卵石和黑泥
传向松软的岸边,岸边的柳树,柳树上的翅膀

我们背对着源头,源头之外的高山和云的故乡
我们不知道有什么从身后漂过来
我们忘记了来时的路
我们背对未来,寂然不动
等待水面开阔的气息,远远传来
等待整个世界,从我们身边旋转着顺流而下

2011 年 5 月 2 日

白 色 集

——早春接仝晓锋诗集有感并贺老友四十八岁诞辰

一本 66 首诗歌的白色诗集

写在 99 页纸上，早春二月的青色气流

从群山和书页上掠过

多日不出门，中午变得高了起来

在学校的南门外，我坐在一家简陋的小店中

靠近门口，吃一碗难吃的盖浇饭

不时地翻阅一下诗集，看上两行

或者抬头看着北边隐隐的紫金山

像一头刚刚从树洞里醒来的熊

书里边有人在讲着我们生活的故事

我也在其中，我们的谈话没有扰乱任何事物

我们深夜翻越爬满蜗牛的围墙

那些干净的字句，像水洗过的卵石

洁白出水，它们在夜里会微微发光

早晨，我们把它们摆在窗台上

看上面的花纹时而清晰，时而暗淡

也许会有神秘的不知名的鸟向它们喷吐气息

那些坠着草绳的日子过去了

你变得越来越沉默

可我依然能听见你在说话

讲着我们生活的故事

看见你的手伸出去,扭亮一盏灯

当黄昏像一个不速之客,来到你的房间

那时你的脸,总是一半明亮,一半阴暗

那些日子过去了,日子还在继续

还在到来,像一条不断分岔的道路

怒放的海棠,仿佛褪色的纸花

回去的路上,依然能看见隐隐的青山

我故意走得很慢,阳光真好

阳光一定照在青山之外

而青山,仿佛一种不变的确证

一路上,我心情愉快,带着虚无的微笑

感谢每一粒辛辣的空气分子

2011 年 4 月 23 日

树 与 信

整个冬天,香樟树将香气收拢在腋下

蒙尘的桂花也憋住自己的绿

等到光秃的梧桐萌发出黄色的嫩芽

掩住枯萎的褐色球果

它们才在暗绿色的围裙上擦净自己的无数手掌

在发间点缀上红色新芽,等着鸟来啄

鸟越是啄,叶子长得越快

这些树依照遥远的星星的指令

按时长叶子,按时枯萎

它们相信风还在吹着大地

巨轮回转,主的约还在践行

因此梅花过后,总是连翘黄色的小铃铛

白玉兰,夜晚的幽灵高过头顶

等她们硕大的白色花瓣在树身周围撒出一个圆

广玉兰还在睥睨着她的邻居

摆弄着青铜般叶子背面的阴暗

海棠露出了粉色内衣的一角

合欢的金色睫毛还没有长出来

她们还是处女,樱花上一片粉白的雪

推迟着某些事物的到来

让麻雀的羽毛变得蓬松

斑鸠的花纹日益清晰

到了晚上,那些树仿佛僧侣陷入了沉思

一动不动,它们已经来到了另一个门口

那时,树身内会闪现出火光

在这样的日子,夜里总有人在树下叫我

看不清他的脸

2011 年 4 月 9 日

那片起风前的树林

路旁的那片树林

投下圆圆的阴影和斑驳的

秋日的阳光,糖槭树下

一个瘦高的老人,从清早到近午

一直坐在小马扎上

他手里没有报纸,也没有烟斗

只有一个水杯放在草上

他似乎一直都不动

那片树林,远远地

让我惦记

仿佛我的父亲一直坐在那里

仿佛我一直坐在那里

仿佛我的儿子一直坐在那里

等待一个人远远地走过

投以一种暗绿色的目光

风起之后,林中什么都没有

只有落叶

2011 年 9 月 5 日

2012

冬日与岳父散步

北方冬日的午后，阳光垂直而猛烈
街道上没有什么雪，散着些炮仗纸
春节的颜色还停留在空中
八十三岁的岳父，越来越不爱说话了

我们向下坡慢慢走去
那里的阳光，显得更加浓密
竟似一个明亮摇晃的出口
路口的加油站也凝聚着油腻的阳光

我们偶尔说话，岳父年轻时的上海
说起新鲜无花果鲜红的内部
岳父轻易就适应了北方的天气
这让如今寓居南京的我，好奇又惭愧

二十多年来，我和岳父说的话
少之又少，少得像这个冬天的雪
我时常望向别处，时常要独自面对
一个明亮得一无所见的出口

我的话也越来越少了，我知道

我和岳父看见的东西,越来越相似
风硬起来,我们从下坡又慢慢走回来
看坡上的阳光,同样强烈,仿佛另一个出口

2012 年 2 月 23 日

生日快乐

那年还有人给买蓝莓蛋糕呢
现在完了吧
小马哥人真好
是建国前的人

马原自己去买了蛋糕
60 块
我们分享了最后一块
蛋糕里面有雨丝
凉凉的,谢谢

2012 年 4 月 9 日

深夜的酒

深渊中,我和一瓶酒对坐
我发现酒怀着和我一样的心思

我们都不再能使对方燃烧

结束了疲惫的一天

深夜的一瓶酒,冷却的绿色火焰

没有什么幸福比这个更沉默

甚至没有声音

甚至在深夜里倒酒的声音

都显得多余

我们是彼此剩余的部分

如果我一直这么坐着

我也会成为一个酒瓶

没有腰,甚至没有耳朵

因为我们不需要倾听

两个老人互相倾倒的声音

2012 年 4 月 18 日

1970 年的记忆片段

仿佛坐了一夜的火车,从伊春到克山

仿佛那火车被煤烟熏得漆黑

午夜,我们和几只木箱抵达了车站的泥泞

黑色的泥泞在闪光,那应该是早春

县城一片漆黑,仿佛一座空城

我伏在母亲背上,刚刚睡醒

努力地透过她的灰棉猴吸取着温暖

听她年轻的心跳透过棉絮的隔音层

仿佛透过遥远的岁月传来

站台上只有我们一家人，高大的父亲军装笔挺

还有一个十四岁的少女

和她的两个弟弟，垂手站在光的裂缝里

说不出话来，仿佛一下子沮丧地进入了成年

2012 年 4 月 23 日

民国小说

有时我是一部响了很久的电话

没有一双莫名的手把我接起

铃声响在午夜

一个房间孤悬在海上

细小的阴影惊散

蒸汽回到墙缝

楼梯上花纹模糊

红色的地毯上生长着白发

那一定是春天

一场雨刚刚停下来

像一个邻居自己吵够了

收起透明的床单

我有时是红色的

像高跟鞋一样孤单

拨号盘自己转动

窗外有一条小街还醒着

微微发烫
星空刚刚冷静下来

2012 年 4 月 25 日

只为了你

如果没有我,你该拿这世界怎么办
最小的蓝色都是难以吞咽的药片
我吞下简单的食物,只为了你
我穿上旧日的衣服,我在屋里劳动
我把潮湿的种子移进来,只为了你
我在日与夜之间俯首徘徊
像两堆干草之间的驴子,只为了你
每当天空传来声响
我就靠在门框上,装作若无其事,只为了你
风轻轻吹着我发烫的额角
风从一个门洞吹向广阔的田野
只为了你,田野的胸脯鼓胀
把神经放在破布上
只为了你,一碗饭变冷,变成山
风吹进陌生的房间,只为了你
万物饥馑,窥见宇宙的盛宴

2012 年 4 月 25 日

相　依

午夜,闪电撕裂厚重的天空的帷幕
他从黑暗中醒来
雨在外面诉说着微不足道的小事
像幽怨的妇人擦亮一颗又一颗钉子
房门无声地打开了,或者是一直开着
一行小小的赤裸的脚印
啪嗒啪嗒走到他的床边
他闭着眼睛,一只小手掀开他的被子
一个发抖的小身体,在他身边躺下
转过身,抱着被角,满足地,很快睡着了
呼吸像炉膛里忽明忽暗的余烬

依然是午夜,梧桐树光秃的枝型烛台
雨寻找着万物的缝隙
闪电偶尔照亮小教堂白色的尖顶
漆黑的栅栏,一个木十字架上枯萎的小花环
他在黑暗中睁着眼睛
房门无声地打开,或者是一直开着
一行小小的湿漉漉的脚印
像落叶,啪嗒啪嗒走到他床边
他希望看到一个小小的身影,光裸的青色腿弯
但什么也没有,只有一股寒气钻到他的被子里
雨从红砖烟囱里落到冰冷的炉膛里

远处废墟上的灯光,照亮一个空空的房间
阴影靠在墙上

2012 年 5 月 25 日

凤凰湖晨歌

这一方山水也容不下这个人
和这个灵魂,果真是茂林修竹啊
根部包裹着褐衣的新竹还在和云雾一同生长
无风自落的,不只是叶子,还有山路上的寂静
当飞机的隆隆远雷被竹雾吸收
你也摇头,像胸脯鼓胀的鸟儿发出抗议
空秋千独自摇荡,露水滴到石头上的信心
山月也湿了,让人原谅了多少辗转的山水
在更深的山中也没有你的朋友
而你就是这僻路上一场将下未下的雨

2012 年 6 月 5 日

一下午的惊恐

还未到傍晚,骨架嶙峋的马
黑暗,还在道路之外徘徊
我与幽灵在镜面相遇

风嗅着落叶下面,嗅着门缝

嗅着肉体泄露的光亮

斧子、弹弓、菜刀都摆在蓝油漆的窗台

我僵硬的六岁的肘也烙上了木纹

院子灰白的木门锁了,平房的门也锁了

我盯着木门的每一丝颤抖

和白杨树呼啸而过的声音

母亲还没有回来,不知过了多少年

多少个冬天,我听到门轴轻轻的转动

家人悄悄的说话声,以及慢慢移动的一盏金黄的灯

可我无法醒来,无法闩紧那扇裹着麻袋的门

2012 年 11 月 17 日

嫁接的自我

我也有假象,起初你会以为我很难相处

A difficult man,一个困难的人

然后会发觉我其实很随和

但过一阵子,或者十年

我又变得难起来,但也还是假象

你说:"真相也是假象。"

有许多天,我想不起你是谁,你是鲍德里亚吗

不对,你是本地人,生错了时代

你的嗓子里住着复合的幽灵

而我有个难以消毒的外地人的自我
从词语的引领中，像灯泡从天顶弯下来
我们，一个唱戏的，一个写诗的
我们浪漫去，让别人死去吧
我们把他们的弯路走直
踩得又滑又白，像小小的银鲑鱼

又过了些日子，我经过没有灯光的后台
发现你在空气里，是一个头发上撒着苹果花的女子
我们生活于此地的年月不会被轻易抹去
我们是谁——寒冷天穹上燃烧的碎冰

2012 年 12 月 22 日凌晨

2013

与一位女诗人的短信

亲爱的，我在解放碑这儿呢
你的家乡很魔幻
我在想念着你，我的朋友

"诗人的天职是还乡"
永波你在我的故乡看风景
我在别人的故乡看信息
我们都生活在别处
这真是太魔幻了

我回来了，重庆的雾让人迷
果真是迷雾

哈哈，没有让你迷了回家的路就好

去了你的故乡，好像离你更近了
失去故乡的你，却成了我心深处的故乡
一个我无条件信任的相似的灵魂

谢谢永波！岁寒，时深；加衣，勿病

2013 年 1 月 18 日

与蓬热有关的一个时刻

泡沫包裹着《采取事物的立场》
在研究生食堂,五元酸汤面
锁住的玻璃门蒙着蒸汽和阳光
中年白衣女工坐读《圣经》
低头,手插在二郎腿里
烦人的我突然对人类起了一点喜爱
她的红帽在近午渐强的光中清晰浮动

2013 年 1 月 25 日

一句重庆话

斗硬,俺们东北人叫斗狠,而且好勇
就是喜欢勇敢的人,好勇是好的
斗狠是不好的,而且斗硬,应该是男人的事
女人的软怎么用来和别人比硬
不过也对,女人本就是男人的肋骨
所以比男人身上的一切都硬,除了脑门
脑门里的思想其实最硬,而且软硬不吃
你说这些的时候,我正从磁器口往江边走
看见码头汇,隐龙门,蓦然,穿出迷雾
江对面的半岛上,凭空显出一座正在生长的高楼

大唐·方舟,然后,一系列大词耸立起来

如纽约·纽约,洲际停车场,星际酒店

国际金融中心,全球招租的金字招牌

闪闪发光,和杜甫茅屋周围的五个五星级厕所

遥相呼应。另外一天,你又说

浮木和池塘的故事,池塘想跟着浮木到处流浪

我仔细想了想,发现,原来我一直站在沙滩上

我的脚在陷入流沙中,我的球形脚跟

在和柔软的时间斗硬,而我真正想说的是

别和任何东西斗硬,无论它是软是硬

正如无论门是关是开,都不能用脑门去撞

那时,我们可以在嘉陵江和长江清浊分明的交汇处

坐下来,坐下来,不停地,慢动作地,坐下来

像两只玩累了的气球,挨在一起

不说话,让我们里面无法用软硬形容的空气

隔着红色和蓝色的皮肤,互相触摸

2013 年 1 月 25 日

元 宵 节

月亮和雪地很亮

微醺回家,卧室黑着,静悄悄

不开灯,床上隆起的形状

摸到被子的余温

你就不能把被子叠起来啊你

许多年后,马原回家了,灯还亮着
他以为我们还睡着,因为
被子隆起着,怎么摸
都只有不断缩小的骨头
不作声,躲到更深的角落

2013 年 2 月 24 日

红 眼 泪

草莓一碰就哭,眼泪红红的,大大的
我端着一盘子红眼泪,潜入马原的房间
他的大脚趾露在棉被外,也是红红的
偶尔抽动一下,像是还在哭
春天了,蠢蠢欲动的必须是两条虫子
土里有了动静,雷也埋在土里
那叫地雷,戴白手套的小鬼子一挖
满手黏黏的黄金,甩也甩不掉
我更像是一条虫子,老得满身白刺
在土里东游西逛,至于草莓
还是让它们哭吧,把满身的小子弹吐出来
因为有些人在春天需要说点蠢话
马原嘟嘟囔囔地接话道
一碰就哭是因为很傻很天真
满盘子草莓转眼就不见了
只留下一点淡绿色的裙边

2013 年 3 月 3 日

与大师在一起

钟绳在钟的天空中摇晃

在钟的黑暗中升高

并不影响我无情地占据

你的大床，把你满床的书和情人

都挤走，让你蜷缩到沙发上

变得更小，哈，亲爱的大师

五十岁的大师，还有比这个更开心的事吗

至于开花的绿豆，和开花的树枝

让它们在发黑的锅里再等上一春天

我们把手插在兜里，冷冷地看着

我们，又吹起了口哨

2013 年 3 月 10 日

灰鸽子和路易

365 个黑夜和大海中的海

鸟鸣使睡眠的山涧更加幽深

在最幽深处，一切都不会真的分离

一只大手将崩坠的万有托住

今生,感谢那些小生命陪伴我们一程

来世,我们陪伴他们永久

在辉煌的大殿,在爱的圆环之中

我们就是那圆环,那不会破裂的金链

2013 年 4 月 12 日

北国之春

树叶越长越快,笑声越来越响

满面尘土的人和影子在天上

越跑越远。散落在尘土中的花环

我捡起三朵绿的,三朵粉的,一朵长枝橙色的

用红丝带扎好,继续游荡

三名小女生奔过去,每人默默地捡起一朵

这个夜晚马上开成了一朵黑色大花

星光、灯影和我们,都是跳舞的花粉

2013 年 4 月 21 日

可爱的南昌人

有时,不是因为太多复杂的原因

一个人会突然爱上一个城市

仅仅因为一个细节,和一个

比细节更妙的人，比如今天上午
当我顶着炽热的液体太阳
从丁公路步行到人民公园
想去青山湖广场的书店时
一个女出租司机，让我顿时
对这座热情的城市有了格外的好感
她建议我去洪都北路的书城
说那里的书多，我看见她的脸色微红
显然也是很热，她的语声柔软
仿佛薄薄的衣衫，她很小
可能也就马原的同龄人
十一块车费。看我只有十块零的
爽快地抹了一块，弄得我连连不好意思
凉风吹起，起于青山湖
和更远的庐山，以及陶潜的东篱
在凉风中随便说些话，便是风凉话
话里话外，是风吹不动的故乡

2013 年 5 月 14 日

听　雨

廊下听雨，下雨是我最愉悦的时候
心如被雨搅浑的水中浮起展开的莲花
雨使晨昏莫辨，带来前生回忆
和早已不在人世的故人。廊下

一中年男子为一老妇人按摩
老妇人和个卷发狮子狗似的躺着
近一小时,他还在更换手法继续
他们可能是母子,不是也一样
一样要感谢你们,亲爱的陌生人
我坐下,装作无事人,分享
这份温馨。我早已没有母亲
我很爱她,她比那南方妇人更美
上早班的朋友说:"听雨是最好的禅修。"
我说,我要踩着两只癞蛤蟆
呱唧呱唧地回家,吃米酒,继续听雨

2013 年 5 月 15 日

孤独的遗传

我在翻译一首史蒂文斯论混乱的诗
我一边工作,一边注意着马原
他在厨房里独自吃完了火锅面
没有收拾餐具,然后站起身
犹豫了一下,在玻璃后面显得异常高大
分明是年轻时的我,他站了片刻
走去烧了一壶水,未等水烧开
他的消失便使卧室多出了一间
分明是多年后他独自吃午餐
烧一壶水并等它凉下来

当他想起水终于凉下来,发现

屋子里只有他一个人,还有整个夏天

2013 年 7 月 22 日

白色巨轮

当白昼行将结束的时候

他们后退着告别,低声地

也许还带着某种歉意

一个白色巨轮的旋转慢下来

它的辐条是一道道光辉的射线或者骸骨

黄昏中模糊的人语

诉说着生活的艰辛和命运的奥秘

隔着黑魆魆的树丛和毛茸茸的山丘

有时看不见他们

他们的声音微弱而清晰

他们的声音更低了

有些人住进了树丛

山丘里面亮起了灯

好像他们从来没有来过

好像我从来没有像自己或别人那样活过

广场上只有巨大的孤零零的夜

颤抖着,像一个新来的神

没有什么伤害过我,除了永恒

2013 年 8 月 31 日

2014

饥饿的粮食

用饥饿喂养饱满的籽粒,粮食

你是少女脸色发青的胃下垂

是乌黑铁砧上直冒火星子的麦穗

是贴在纸墙上失血而苍白的弯月镰刀

是失侣农田鞋里发酵的臭石头

是粗糙掌纹垄沟里飞滚的黏豆包

是在你微笑的注目中

由人嘴里吐出的癞蛤蟆中途变成的莲花

是背上隆起的通红的鞭痕山脉

是老母亲羞怯的干瘪乳房的棉布口袋

是麦芒上飘挂的闪闪游丝

是蝈蝈最后的歌带着血丝

是炉灰中蛐蛐埋藏的最后一枚黑子

粮食,你的别名,是饥饿的瘦灵魂

2014 年 8 月 19 日于哈尔滨三合路寓所

遇仙记

七点半下楼散步,路边黄花圃中

居然有一只大扑棱蛾子样的蜂鸟

长针的喙，风车的翅膀

也许恼怒我打扰了它工作

便径直向我的脸飞来，惊得我一闪

它便盘旋飞进钻天杨后的夜空

错愕间，又见一颗星调皮地闪了下眼

原来是萤火虫，遭到这俩小家伙的戏弄

我退入黑暗，背后却响起低沉的人声

一白裙小美女问，大爷，山水文章在哪儿

下边，挺远的。一阵更深沉的叹息

从她的小胸脯里升起，白影转眼不见

仿佛从未存在过。我不知自己这是在哪里

2014 年 8 月 19 日于哈尔滨三合路寓所

在南京怎样抵达金陵

不用做但丁就可遍历三界：在南京。

短暂的春秋可谓天堂，

春天坐在梅花山的梅树下，

有认真地挨在一起唱圣歌的三姐妹，

秋天蚊虫渐稀，敞窗而卧，

风尘中都带着甜丝丝的桂花香。

六七八三月，立即进入炼狱，

直熬到你每个毛孔渗出沥青来，

早晨七八点钟的太阳，眉毛胡子一把抓。

而冬天的地狱冰湖，没有咀嚼个不停的三脸判官
却有细钢丝在关节骨头缝里胡乱钻研。
那莫须有的手引导我来此度过中年，
其意深不可测，其名高不可问。
熬炼吧，你这须发皆白的炼金术士，
直到你的骨头可敲响明月。

2014 年 8 月 19 日

北方的黑悠悠，南方的麦明子

哥哥带着弟弟采猪食菜，拿着麻袋
野地里都是苋菜灰菜苣荬菜
哥十五，弟十二
哥哥突然大叫起来——
好大一棵黑悠悠
老弟快来躺着吃！
弟弟躺在地上仰头吃
浆果比指甲盖还要小
哥哥继续干活去
青草和背影都向斜坡那边滑过去
微微的甜味一直渗透到弟弟的五十岁
黑色的小星星汁水很少
薄皮里面一包籽儿
和草莓籽镶嵌在外面正相反
不知道学名

232

也不知道时间都去哪儿了

2014 年 8 月 19 日

寺庙中的秋蛾

油漆开裂的红色圆柱上
这些毛茸茸胖乎乎的狗
有拇指粗细,翅膀上睁开唬人的星星
静止在秋凉中,仿佛在沉思
或是患了老年痴呆症,不懂爱情
随着断续的风铃,噼噼啪啪落在地上
扑腾,打转,沾上灰尘,拖着大肚子爬上几步
与蝴蝶相比,这些红褐色的生灵身躯沉重
紧抱住水泥缝隙里伸出的草茎
像抱住最后一根救命稻草
有的缓慢地沿廊柱向上攀登
一直爬进屋檐的暗影,在铜钟的内部天空
回收身体发动机的余热
其固执有悖佛陀的教诲
夜里,随着钟鸣振动翅膀的小旗
它们会重新飞升,绕着水银灯
画出佛头般光滑的圆圈,然后消失无踪

2014 年 8 月 22 日于哈尔滨三合路寓所

夜晚被雪映得通亮

真是奇怪，人在屋里想去外面
回来又透过玻璃看外面
似乎外面真的存在
其实外面什么都没有

午夜的街头空荡荡的
只有一辆自行车
后架上夹着冰冷的饭盒
慢慢行驶在溜滑的路上

这个没有性别的人
似乎是整个冬天贡献出的一个形象

2014 年

秋天开始了

天色昏暗，是北方秋天最愁惨的颜色
风也大了起来，透着些冰冷的消息
万物都在彷徨着告别，又不知道向谁告别
这样的时候，就连街上的车也显得疯狂
随时会有意外的动作

这样的时候,最好是猫在家里

在床上,围着芳香的被子

在音乐和热茶中,翻翻闲书

这样的时候,唯有美酒、诗歌和爱情

才能暂时打破内心与外物的契合

不久,雨就会落下,落在屋檐下空空的水缸中

不久,雨就会带来一阵冷似一阵的天气

树叶将落光,街上的行人将散去

白雪和泡沫将出现在树梢

万物分崩离析,没有一只无形的巨手将万物托住

这样的时候,我们将会习惯,我们将会领悟

我们将会去爱一个人,有如爱一个正在转身的季节

2014 年

美,必招致毁灭,何况唐诗之美

当明净的秋天照见高堂上堆积的雪,

逐渐僵硬的向日葵头颅就睁开复眼,

当蒙尘的明镜照见嵌在衣袖上的鲛人泪,

驼铃就坠在耳朵上摇荡风铃的远方,

当孤悬天地之间的银镯扁舟,

照见鸳鸯头顶的墨绿,照见纱帽上的浅绿,

多了二两肉的瘦诗人就用乌纱滤去新酒的混浊,

再把帽子变灯笼,头顶着去深草里寻找私生子,
当灯笼上的雪照见那么几棵树就构成的黑暗,
照见林边徘徊被刀光映得惨白的英雄,
当英雄正梦见自己在路上种石头,
当低语的雪片如大批幽灵嗅着地面而来。

2014 年 8 月 24 日于哈尔滨三合路寓所

绿皮火车

——致战继民和由唯宏二兄

我们是几根不安分的手指
在长得过分的绿手套里
时而弯曲,时而又伸直
试一试这旧手套的舒适度与安全性

于是,这绿手套越抻越长
松松垮垮,和邋遢女人的裤裆一般
在白杨树和柳树组成的高草丛中
向蓝玻璃的远方伸去,要试一试
金色秋光小鱼丸的温度和弹性

试一试,雨便在车窗上泼下大批透明的精子
你追我赶,奔赴生命荒凉的出口
将细密的种子扎在搁置过久的烂草莓上
试一试,这绿手套的坎德姆先生,这带刺的大黄瓜

236

便偷偷塞入，日渐松垮的时间虫洞

2014 年 9 月 12 日于哈尔滨三合路寓所

我失去了那个孩子

我失去了那么多，也没有得到自己

我失去了那个孩子含在嘴里的手指的甜

失去了那双好奇眼睛里黑白分明的吃惊

失去了那眼睛里的笑意，它已带上了嘲讽

甚至这嘲讽也已经消散，或是成了白内障

甚至失去了那眼睛里微微辗转的一整片大陆

甚至远方云层里归来的白马那垂下的头，和背上的火焰

我失去了那曾经众多的身体

只有母亲吻过的嘴唇的纯洁

毛玻璃后随着水声而激动的爱的坚强

正在灌浆的玉米那还没有被老太阳的大黄牙污染的新鲜

我同时失去了那些身体里的废墟和圣殿

失去了那一对站在我左右的夫妻

不知道什么时候，我失去了那拉着我的手

手上芳香的烟草味和掌纹里温暖的种子

我失去了他们，他们在越来越少的骨灰里说话

还在说着我与生俱来的疲惫，我头顶上的灰

说着我的命运，仿佛隔壁的邻居命悬一线

我失去了那片秋雨中的田野

和每一座坟头沉默的黑羊

我把黑夜蒙在脸上，回到无人之家
无地之国，回到没有母亲的子宫
抱紧所剩无几的我，强忍着一口气，活到死

2014 年 9 月 14 日于哈尔滨

午夜的街头与一只猫相遇

你侧身躺在大街中央，眼睛还半睁着
可怜的小东西，出了什么事
你的眼神好像在问我，生命是什么
我刚从一个讨论生命是什么的会议上回来
喝醉了酒，因为生命是多么美好
虽然那讨论会很无聊，发言的都是僵尸
我可绝没有想到会这样与你相遇
"死"就躺在我这个"生"必经的路上
好像在向我发问，未知死，何知生
午夜街头，突然静了下来，我徘徊片刻
想找根树枝把你扁平的尸体挑到路边去
那些呼啸而过的汽车会一次次碾过
直到你瘦骨棱棱的疼痛被太阳的清洁工收走
或是变成一个金黄的蜂窝，淌着血蜜
可最终我什么也没做，和你交换过会意的眼神
我转身离开，像一个灵魂离开自己的躯壳

2014 年 9 月 17 日于哈尔滨

238

白雪不见了

白雪的爸爸很爱吹牛
几百块钱的下岗工人,整天想着盖大楼

大楼还没盖起来,白雪的爸爸
就得了癌症,再也不说话了

白雪和马原,还刚上小学
他们常一起放学回家

白雪的爸爸死后,马原的妈妈
给马原买小食品时,常常买两份

白雪和马原一边吃小食品
一边在放学的路边互相吹牛

马原说,我爸会写东西
白雪答,我爸还躺棺材里了呢

马原工作了,甚至都不爱和老爸说话了
白雪呢,白雪不见了,白雪像白雪一样消失了

2014 年 9 月 15 日

于是我说，这不是神话，
尤其不是希腊神话

早晨孤零零的，于是我说
"我还活着。"早晨便把彩衣挂在窗台上
早晨不想看见白昼诞生在树梢上

她进到屋子里，把金红的折扇收起
同时隐藏起背后的翅膀
当整个天际线烧成一根白炽灯丝

这时，如果我跳出镜子（镜子也是墙壁）
跌落到早晨怀抱的
一定是刚刚降生的带鳞的白昼，踩着贝壳

2014 年 9 月 17 日

冬烘先生

冬烘先生一定要是个土豆圆滚滚，
一定要抄着手烤带牛粪的泥炭火，
眼角一定要长年残留黄色化妆品像琥珀，
一定要抽着鼻子讲话，袖口锃亮，
冬烘先生一定要收几个小土豆学生，

都小脸溜圆带麻子,小眼吧唧

都两桶纯淀粉的大黄鼻涕反复下垂

马上要落地时再吸溜回鼻腔,

有时吸猛了就会脑瓜仁子发凉,

他们围着先生前仰后合地听古,

眼睛装作不经意地瞄向火盆,

冬烘先生偶尔来了精神

就眍眼浪上一首英文诗《当你老了》,

然后在忽明忽暗的火畔转圈踱步,

用枯萎的大手挖出些滚热稀软的土豆,

撒在炕席上,微笑着看着小冬烘们

和土豆滚成一片,鬼哭狼嚎,这时,

他显得异常高大,仿佛又回到了青年时代

2014 年 12 月 10 日

可爱的海南人

昏聩的黄蛾子嗅探处女的污渍时

不知道海边弥漫着作废精子的气息

砍开椰子的绿色圆脑袋吸取的

还是乳白色的联想,虽是国产

每一个也足以击沉一座小岛

环岛轻轨将未来端到倾斜的塑料桌子上

足以让我们半空中犹豫的黑暗身体落下帷幕

打边炉里犹豫的却是真正的鱿鱼

痛风的白色,用68度的茅台和XO的瓶子

从鹿鞭一直传递到扒皮鱼鳃边

一些话说了也就说了

一些酒喝了还会再喝

一条无名小街却最好保持无名

比如我在骑楼老街走

两个女孩子在后面,光顾着走啊说啊

差点撞到我黑铁墙一样的后背上

她们抬头吐出一句国骂

然后小声嬉笑着从我身边快步行过

我看着她们走在乱糟糟的老房子中间

手拉着手,一边高

一个绿短裙,一个粉短裙

我跟着她们走了一段路

想看见她们汗毛茸茸的脸

却始终赶不上她们年轻

这情状也许更适合我,或者我们

正如在那条人迹罕至的小街

我费力地辨识着你们

海岸线一般在夜色中闪烁的语言

像一个年久失修的家那样

安静地咀嚼着回声

2014 年 12 月 10 日

242

冬至的狮群

冬至的阳光把肥肉搭上窗台

却没有阳光馅的饺子配合方言

趁我备课时悄悄集合成军团

大哥在附近给学生看门

二哥在附近给学生送饭

还需要多少钱，才能把个人境遇

兑换成普遍象征

没有二两肉也要嘚瑟个够

留点人口才能继续必要的恶

在一定高度铅球就可以平衡气球

把小鸡雏的蛋黄捏出来

历史也没有把握母鸡是否存在过

整夜从地下室爬上台阶的狮群

唱得再响，也抵不过气球啪啪糊在脸上

到白天它们便缩回一只小猫的呼噜

隔着玻璃的翡冷翠把前爪按在你手上

于是我上楼，继续吹到腮帮子酸

阳光馅的饺子和白雪馅的汤圆

都不如我在彩色气球中跋涉

任凭地下室的猫恨恨地长大

用越来越多的气球排干整个房间的黑

2014 年 12 月 23 日

玩 语 言

我都五十岁了,还要你来教育我怎么生活?

我倒要看看,作为男人的肋骨

离开伊甸园后,你会不会成为谁的软肋

把一辆独轮车反复推向弧光的峰顶

也终归要躬身后退,互道晚安

手能抓住把柄,也能堵住漏洞

正如你说,看你那样吧,一定是单身

所有人都是单身,所有人只一个身体,孕妇除外

失去平衡的床乃陷阱的活动翻板

久不经人道就不人道了

更何谈人道主义,神道已黄昏

黄昏是从大地内部升起的

你不问,我不说,不活在因为所以的解释中

因为我们之间循环的,是空气也是呼吸

即便就着整座大海喝二锅头,也只是个蓝瓶的

2014 年 12 月 26 日

橘子和白菜和阳光

一只橘子能包含多少克拉的阳光

橘子在春天的铁轨上

244

橘子在春天黑亮的枕木间

橘子滚动,落入一个空口袋

空口袋在阳光里,在春天的寒意中抖动

对阳光该有多么大的仇恨

才能用锃亮冰冷的铁轨

将一只圆溜溜快活的橘子车裂,脑浆迸溅

那暂时减速的绿皮火车

如古蛇钻过隧道,在山那边

蜕变成带弹簧的高速动车

而橘子还会漫山遍野滚动

而橘子还会在口袋里轻轻欢叫着吐血

而白菜,白菜里的阳光是含着雪的

是北方孩子的银行

是二姨妈冒着热气的胸怀

在秋阳浇筑的院子

在仿佛永远不会结束的下午

我躺在父兄刚刚码好的白菜堆上

后背感受着那种甜丝丝的冷

和白菜帮子的轻微脆响

2014 年 12 月 26 日

平 安 夜

这被绿色夏天囚禁的巨人

终于,筋肉虬结,走到窗前

245

用裸露的枝条摸索着要进来

要与我分享一个来自河外星系的消息

一种普遍的同一性，无需任何语言

或许，就站在桌边，望着我打开的书

沉默终晚，这迟迟不去的客人

并没有使我和我周围的灰尘不安

只是那么站着，这剥了皮的红人，全身目光

一枚球果旋转在他的指尖

一个恒星，随时会在我的杯中炸裂

窗外，依然是荒芜的母亲横陈

依然是微微的呐喊从海底升起又破灭

依然是我所驾驶的红色行星

再次转过熄灯的街角

依然是火柴在砖墙上轻轻摩擦

宇宙存在着。黎明，我把书合上

树还在窗外，彼此离得远远的

而整座大洋，溢出书页，提着满网

丫丫叉叉明晃晃沉甸甸的刀子

2014 年 12 月 28 日

2015

并非习惯

暑假与 85 岁的岳父一起下馆子
岳父走不远,也走不快
我们就在家跟前的饺子馆坐下
有一句没一句地说说话
岳父语速更慢了,作为上海人
他在异乡的寒冷中度过了一生
常年不出屋的岳母早已过世
她最后的眼泪是女儿的哭叫
"爸,爸,我妈哭了!"
岳父从不提起岳母
似乎全然忘记了她
却清楚记得上次见到我的时间
天生海量的岳父,我们不喝酒
我们偶尔望向外面的街道
我看着他小心地吃完最小的蘑菇
我看着他节省着每一点生命
刚刚五十岁,我也有了
这不是习惯的习惯

2015 年 1 月 1 日

母亲的手

我的母亲是悲哀的

她有一双不停忙碌的手

她有冬天的冷水和劳动

她有手指上经常缠着的白胶布

我的母亲在搓衣板上唱歌

泡沫在大大的洋铁洗衣盆里越堆越高

我的母亲是悲哀的

悲哀的是她的眼睛

她的歌却是快乐的

她坐在屋地中央

稍微抬起眼就能看见

并排四个小黑脑袋瓜

在磨得溜光水滑的木头炕沿上

其中一个会不时偷偷抬起来

看她，期待着她干完活

擦干粗糙开裂的手

伸进被子暖暖，上下抚摸他的光脊背

那手凉凉的，那背上发痒的疙瘩

马上睡着了，像疹子啪啪掉了一地

我的母亲是快乐的

2015 年 1 月 4 日

下马坊驿站的下午，
闲览科恩的《渴望之书》

驿站里挤满了孩子

捏彩色橡皮泥,烤手工点心

大人们一脸疲惫

小人们兴致勃勃

我忽略那些彩色的奔忙

伪装成简单的无名植物

迎着逐渐倾斜的阳光

读了你半本的诗

实话说,有些写得不错

但整个一本,我不想拥有

我想告诉你奥丽雅的话

我们每到一处

都微微惊呼人太多

每个人都嫌别人太多

就是不觉着自己多

你用的词语如果再少一点

也许我就会同意

年轻人低声的亲切

老年人愤怒的响亮

同意欲望蒙面

爱神穿网眼服

却让母亲暗中欢喜

这时，一张在我课堂上

漂浮过的小脸

伸了进来，作为义工

她来自西藏高原的小红脸蛋上

黄绒毛微微闪着汗珠

"你忙你的吧。"

她不再是我的学生

我也不是老师

她是这个下午

你诗集中逃出的一首诗

我继续读

不去打量她的工作

"老师，喝水。"

不知什么时候，驿站里空了

一杯水像黄昏出现在桌上

我点点头，没有动

我更希望她什么都不说

让我继续走向山里

露西亚的回忆

而从前是这样，门廊上的灯整夜摇晃

那些以我为敌的人，对不起

我只是把你们弄丢了

我应该报警，或者等待

鸟巢里传出电流声

而你们占据长条桌子

故意高声谈笑

胸前的白绒球一直在摇,在响

而你们身边,阳光走动

让我的孤独有了异乡人的借口

让门廊上枯萎的藤蔓也微微抖动

而骨头里的漂泊是哑掉的雪

而雪是整夜醒着的

而门口的桌子下聚集着脚印和寒意

很久以后,你们还会嘲笑我

不敢自己如约而来,不敢

像流放黑海之滨的奥维德

写下女英雄书简,写给你们的未来

而从前是这样,在有雨的午后

格瓦斯和奥丽雅的胡萝卜果酱

怀念着南西伯利亚的秋天与白嘴鸦

怀念着明净的天空,和一个穿麻布长裙

久久坐在马路水洼里的突厥女子

2015 年 2 月 9 日

葬在春天

祖先的希望拍打我的脚心

催我醒在一个绝望的世界

那本是物质的一场热病

我看到我们时代最优秀的头脑

已毁于概念的暴力,无一幸免

幸存的天才也可耻地发胖了

在更加肥胖的美女怀里藏起发光的小脸

羞愧地记忆起自己的姓氏

这片古老土地过时的理想

如同泰坦尼克倾斜着雕像高耸的船首

潜入无比深沉的梦,当我醒来

春天的老鼠小鲜肉四仰八叉

在人行道旁,尾巴鲜红

它曾熬过了怎样的寒冬

从卷帙浩繁的灰尘和干燥的小骨头中间出生

弄得寂寞也发出响声,离开毛发灰颓的父母

我看到老年的气味从领子里冒出来

瓦楞上有黑猫洗脸,祷告,盯视着众生

我看到哀悼之柳在坟墓上

披散开头发,挤干来自大海的白水沫

当我醒在空空的墓室,只有心跳的回声

那劈裂天空的黑色的根

便穿透我的心脏

向大地深处的宫殿延伸

2015 年 3 月 2 日

我回到自己的城市

我回到自己的城市

如冰冷的包裹

投递到无人经过的后楼梯

请快些饮下这黑暗

你就能被恋爱的人看见

如路灯里的残酒

白昼迅速注入午后的昏黄

而黄昏认出了你

认出了远天之上那不祥的云象

一场将落未落的雪

还可以唤起白色的回声

你还没有资格去死

还来得及按响黄铜的门铃

如头痛,如去而复返的客人

为了遗落在地板上的

一句含义模糊的话语

为了那整夜拖曳着脚步的

胆怯而固执的记忆

2015 年 2 月

吃的哲学

一个儿子早夭的俄罗斯妇女
不流泪,坐在哀悼的人群外
专心致志地喝一盆汤
嘴里念叨着,汤里有盐呢

马原小的时候我问他,人为什么活着
答,为了多吃东西
现在马原二十五岁了,比我还高大
吃得不多,人生三分之一已经过完

我小的时候看到电影里的印度大象
用鼻子卷起一团白东西塞进嘴里
总以为那是白糖,六十年代缺糖
小伙伴们到处找汁液多的草根甜秆
嘴里念叨,倒啃甘蔗节节甜

马原他妈告诉我
岳父大人每天醒得很早
安静地等着开饭
而且吃得很慢,很仔细

有天我说,人吃什么都应该开心
因为你不知道自己这辈子

最后一餐会吃什么

我的美女同事们纷纷点赞

而且更加起劲地起五更爬半夜地

做美食,晒美照,这些有觉悟的人啊

一般人俺不告诉他

2015 年 5 月 9 日

终于忍不住衰老了

一盘残局留在山水

春风吹我白发

耳朵被加了消音器

声音却戴了雾霾的口罩

正好和所有人云山雾罩

好在还有太阳让我们真实

好在还有雪使我们变老

好在我真正的不幸

是爱上了我的不幸

在每况愈下中忙于不朽

不把自己当人

或是自己把自己当人

好在黑香蕉和花牛奶

都让我厌倦了人脸

我愿它们是一张白板或是门帘

可以随时卷起来

或是呱嗒一下子拉下来

但质量优良

不会轻易撕破脸

我尤其厌倦人的眼睛

没有一双黑白无辜

还有那后面他们自己

都说不清楚的一点可怜的脏

我厌倦了地铁里混乱的气味

无法把这些烂肉和冒泡的体腔

想象成湿漉漉的花朵

我也厌倦了人的声音

它们总是把活体青蛙钉在黑板上

我终于厌倦了我的厌倦

也许每个人看别人

都和我看别人一样厌倦

2015 年 5 月 1 日

潇湘夜雨

——写给远人、王凯两位兄弟

雨中有黄鸭叫吗,有俏巴鱼翘尾巴吗

有活土狗肉叫吗,叫着,鲜红地望着你

午夜已过,雨还在从武陵赶到巴陵

从更远的巴山给柳毅传书

传尺素也传微信,而威信

来自视而不见和听而不闻

我吸取这些教训,让身体内的发动机冷却下来

把语言仅仅当作语言,从无所指

尤其不指向雨本身,以及从古至今

所有在雨中失踪的人物

这样,我们就会让雨暂时停歇

让我们听见最后的雨滴

在树叶上滚动,却始终等不到

它落地的声音

2015 年 5 月 7 日于赴西安列车上

哈尔滨午夜的街头

"我不想听你说这些!"

男人沉默,身体倾斜

他们的女友站在他们中间说,你俩吧……

三个人站在大巴车逐渐冷却下来的车头前

仿佛刚从外县来到城里

已近午夜

有多少痛苦的奥秘隐藏在黑夜的皱褶中

那女子的声音越来越高

即将打烊的小店
思忖着起身的最后的客人

怀着这些痛苦的奥秘
像怀着死胎
我在人世中继续漫游

2015 年 7 月 1 日

中央大街的夏日午后

面包石还热着，好像刚刚出炉
它把马车的轮声和雨水压缩在内部
作为富有弹性的酵母，这白色的小药片
让你突然叫出一个久已遗忘的名字
慌乱的回声从旁边的小巷子里响起
有人慢动作停下，有人突然跑开
他们往昔的秘密仿佛绿叶间透进了金光
我顾自游荡，穿过一个个自己
从一条街道走到另一条街道
折中主义门面上满是后现代的招牌杂烩
新艺术运动的绿屋顶上耸立起狰狞雕像
拜占庭的内部，苍白赤足戏弄着寂寞
巴洛克旋梯和加速度运动的转门
裹挟着风和古典主义带角的幽灵
只有早已停止生长的糖槭树向微风低语

时间的奥秘,告诉你,不消几年

这些钩心斗角的老建筑就会一睡不起

沉默至今的那根琴弦就会微微跳动

当下午的仁慈加深了阴影

当独自涉过忘川的人平静地归来

把沉甸甸的头颅和祈祷歇靠在无名的胸前

2015 年 7 月 7 日

巴洛克的黄昏

古典的均衡,哥特的虔诚

都无法抵挡,不规则的激情

随屋顶烟囱里长出的柳树一同招摇

那些奇形怪状的珍珠

成了松花江边晒网场的网结

挂在民族商业浮肿的粗脖根上

任灰尘累积出金黄的色泽

那些习惯背着手的生意人

冷眼瞄着中央大街

巴洛克的富丽繁杂

折衷主义无立场的包容

或是新艺术运动浪漫起伏的立面

用灰泥涂抹着些许自尊和些许炫耀

于是,爱奥尼亚的双倚柱

从鼓座式柱础上昂昂然升起

披挂着中国结,与拱券的幽暗交合

壁柱则如谦逊的女史侧身隐退

菊花浮雕围住黑底金字的牌匾

蝙蝠,石榴,金蟾,牡丹,甚至金钱

堆砌出错杂的光影,让眉头锁得更深

让眼睑的阴影遮住心里的微澜

这些立柱,尖塔,穹顶

大法官假头套一般的涡卷

围住背后四合院的寂静

像传教士脸上来不及抹去的泡沫

那些天井,户外楼梯,闭合的回廊

云破月来花弄影的女儿墙

斗拱,台阶,红油漆开裂的栏杆

还在庆幸有些事物并不需要理解

它们完全配得上如许的不幸

鬼影森森,如咒语定住的怪物

这些百年建筑吐出灰色的哈欠

国际青旅寂寞的小狗

听见动静,赶紧跑出来察看

即将打烊的老店里,灯焰在低语

疲惫的服务员漫不经心

厨师或老板坐在门口

把手安静地藏在大褂的衣褶里

这是他们灵魂显现的时辰

这也是灵魂转身入夜的时辰

2015 年 7 月 1 日

这 些 人

这些人,冬天赶着狗拉爬犁

将彩轿拉过结冻的大江,去接新娘

新娘衣服后背上刺绣的生命树

从黄泉一直穿过人世,伸向天堂

有好多彩色的鱼咬着树枝愣是不下来

这些颧骨高眼睛小的赫哲族人

从早上就开始喝酒,一声不吭

把绝非马大哈的大马哈

吊在灰色的板障子上

用木片剥下鱼皮,晾干

这些鱼洄游到乌苏里江产卵

然后母鱼会守在一边

任由不会觅食的孩子们撕咬

小鱼们长大了,母鱼却只剩下刺眼的骨架

鱼皮坚硬,自然存放一百年不坏

鱼背鱼肚的颜色渐变

画家用来造型,说起创造

还得是神明造人,捏泥人,捏着捏着

下雨了,神就把泥人放鱼嘴里

来不及收起的都被淋成了残废

小时候我把泥人成排放在草编鸡窝里

它们的长枪还是断的断掉的掉

再也无法开战,像坚定的锡兵

还是这些人，用正在消失的语言

将伊玛堪说唱美妙的饶舌

递给大洋彼岸漆黑的耳朵

这些跳大神的人，头戴鹿角

作为天地沟通的天线，万物有灵

这些人，把万物变成图腾

把鱼皮当被，缀满星云难解的符号

踩着一层层树枝的阶梯，越爬越高

2015 年 7 月 1 日，观张琳鱼皮画后作

挤倭瓜籽

先把倭瓜瓢用小勺子挖出来

或白或黄的一排排，紧咬着一丝纤维

要一个个从软软的瓢子里

挤出来，挤到小洋铁盆里

看它们越堆越高，金灿灿

像不规则的金币，散发出

清苦的气息，远方卵石的气息

为了彻底除尽丝丝缕缕的瓢子

还得用水洗，这是最考验耐心的工序

先用双手拢住，轻轻搓洗

把黄色的瓢子从指缝间挤出去

倭瓜籽这时成了溜滑的小鱼

也纷纷从指缝间溜走，潜入水底

要反复换水，直到水中不再有黄色
把籽整齐摊开在报纸上，摆上窗台
之后很多天，就等着它们慢慢晒干
它们一天天干燥，也一天天减少
因为总有性急的六岁的小手
偷偷取走几粒，再把周围拨拉匀乎
不让它们的阵型出现明显缺口
没有干透的倭瓜籽又甜又脆
无辜的小身子白生生的
而我总是记得，母亲伸手
帮我抓捞那些溜滑的小黄鱼
我们的手在水中滑滑地摸在一起时
我幸福得小肚子一跳跳的感觉
听见母亲一直在笑着对父亲说：
你看你看，他还知道用小手扑撸呢

2015 年 7 月 16 日

中央大街的糖槭树

你认出了我，你装作不认识我
从我的青年时代，你就停止了生长
为了等我。你兀自生长
无论冬夏，发出新叶
还是一片光秃，你都只遵循
自己的心意，你几乎遗忘了我们

遗忘了我们共同虚度的岁月

你向晴空，向黑暗

展开自我，如此信任

我们不能理解的力量

我们靠着你，扶着你

依然无法与你同在一个时空

在你的荫蔽下，我们成长

成为面带笑容的战士

作为北方的树，作为父兄

你的刀，你的飒飒风声

都催促一个闪亮的秋天

因为秋天，不只要收获

还要复仇，向虚无，向生命

如今，我倚靠在你粗糙的身上

你，就是我疲惫坚忍的战友

你的汁液流在我身上，而我

有你的挺拔，你的傲慢

和你的不屈

2015 年 7 月 16 日

生日早晨，宿醉难消，我像纸一样薄，像纸一样颤抖

51 年前的今天，一对年轻夫妇心中

第四块皱巴巴的石头终于落地了

那以后，每年的今天都只是

一个日子而已，没有任何不同

一年年不同的只是，沙子在增多

我离生越来越远，离死越来越近

我出生时的房间早已不复存在

没有人知道我的生辰

那应该是黄昏到深夜之间

光在退向深山，黑暗在漫过河川

跟随着光向山中静静蔓延

填满一道道山谷的皱纹

就像我的命运，不为尘世所知

使我得以在词语中藏身，水火不侵

既无法照亮，也无法抹黑

我以群山为台阶

向光明中央的空虚攀登

直到51座山峰俯首列队

黄色的气流将一切卷入漩涡

天空深处的回声像又一个夏天渐渐消失

2015 年 7 月 17 日

生日夜想起我那早已
不在人世的妈妈

我的妈妈死在蓝窗格的春天

我的爱干净的妈妈擦了一上午的玻璃

停下手,用我用过的旧作业本

卷了一根旱烟,用唾沫粘好

她想倒退着坐到炕上

却坐空摔在了炕沿下

脑出血像她刚刚吐出的烟圈

还在屋子中央渐渐扩散

我的妈妈就那样死在

阴影变成池塘的春天

满院子的阳光都闭上了柳叶的眼睛

爸爸去世后,我的妈妈常常不睡觉

她要故意累自己,想早点去到爸爸身边

我的爱干净的妈妈,早年在伊春

我会帮她给红漆地板打蜡

光滑得穿着袜子无法行走

我们就打出溜滑玩儿,有几年

我的妈妈好像只属于我一个人

我烧得滚烫的小脸紧贴着她后背

迷迷糊糊听着她芳香的心跳

我不记得她那时候的样子

只是偶尔,当我的眼睛疲惫发黑

像从一口寂静的深井里

荡漾出妈妈的微笑,带着孤儿的忧郁

和坚忍,随着细碎的阳光变形又消失

我的妈妈在一个飘满形象的空间

我无法把她找回来,那天顶垂下的巨钟

没有指针,钟摆掠过大地

驱赶着那些羞怯的灵魂

我的妈妈是个漂亮的姑娘
可我只记得她老年的模样

2015 年 7 月 17 日

奇 迹

山坳里,两只黑白两色的大鸟
随着看不见的气流平稳漂浮
随后突然升高,超出山肩
翅膀弯曲,试探地触碰一下
又倏地分开,收拢,像立正的士兵
或者瞬间瘫痪的雕像,并排向下栽去
接近河面才掠水而起,重新舒展羽翼
分别从山的两侧飞过去,迅速消失

闷热的林子,两只指甲大的小青蛙
趴在树叶上一动不动
似乎刚刚把尾巴缩回体内
似乎从出生起就没有兴趣睁开眼睛
浅水处的软泥中,倒扣竖立着
成排黑乎乎的蛤蜊,下面
寄生着密麻麻小如绿豆的田螺
蛤蜊肉早已被吸得精光
只剩下发珠光的空壳

废弃的钢缆和蜘蛛的游丝平行
闪烁着没入尚未遮住垄沟的稻田
石头不断分娩出细小的沙子
我们继续攀登,握紧石头
或者把它们和蝴蝶一起抛下深谷
河对岸,白色的墓地如羊群,离开牧人
啃着不断退缩的阴影,风吹过河去
到黄昏,河水的声音变得格外清晰

2015 年 7 月 19 日

麦田里的蚂蚱

走过半人高的金黄麦田
走过只可双足交替而行的田埂
绿蚂蚱就会乱纷纷四散跳开
唰啦啦一阵小雨,背上嵌着种子
或跳或飞,附在麦穗后和草茎上
慢慢转到你看不见的那一面

大杨树的影子躺在麦田里
躺得太久,成了下沉的池塘
收割好的麦捆成排码在收割后
只留下扎脚麦茬的空地上
当你走近,扑通仰倒在麦垛上
像石头溅起水花,蚂蚱纷飞

与土地枯枝的颜色混在一起

在你起身后，你压出的凹坑
慢慢恢复原状，麦捆又成了
这些不会唱歌的昆虫躲避夜露的家
它们是成串珠宝，坠在麦穗的发辫上
摩擦着沉重的大腿
当蟋蟀尚未变黑的时候
涉过麦田的人，和向日葵一起站着
眺望大地倾斜的方向

2015 年 7 月 19 日

与荷花相遇时想起万物的
普遍关联性

不过是一些或肥大或枯干的叶子
过是一些或红或白重复的花瓣
是一些粉色的毛笔尖蘸着露水
在起皱变暗的水的宣纸上犹豫
不过是一些不出水的莲蓬头
花灭了，不过是一些灯盏暗成了绿色
莲叶下惊散的游鱼
不过是黑水变得更黑
钩心斗角的肢体充塞在高楼围困的小湖里
不过是一堆等待清理的线索

花开并蒂,不过是被一只偶然的手
安排在了一起,开放的时刻
却共同服从来自星空深处的指令
她们被偶然的眼睛收留
像一个暴发户,将姐妹花拥入豪宅
将莲花换成骨肉
也难以偿还前世遗忘的债务
正如我走到花叶中间
想看清她们的根系在暗中如何勾结
却被更多的花,更多的叶子
更多的姐妹,更多重复的美包围
又不敢抽身而去
只能装作是偶然经过
拂开木头栈道上纠缠的柳丝
深知荷花不是为我而开
不是为任何人而开
甚至也不是为她们自己而开
我们来到这里,也不是为了荷花
当我们如楔形船头逐渐深入
荷叶的裙裾一层层分开
让出一片越来越暗的水面

2015 年 7 月 21 日

虚无的力量

严厉而悲伤的教师,今夜

是谁松开了你的手

又有谁微微冒汗的手

信任地塞进你的手里

在陡峭的黑暗中

是谁的年轻的呼吸

为你挡开了危险的使者

让你旋低收音机的音量

当白雪在山坡上慢慢蠕动

我白发干燥的勇敢教师

你将在哪个园中独自祈祷

感到无助,感到你所坚信的一切

都在如波浪崩散在礁石上

那些年轻的呼吸散落在周围

多么无辜的睡眠

而你的孤单又是多么神圣

虚无的力量如同看不见的巨人

今夜和永远,你和它的搏斗难见分晓

即便你脚筋扭伤,即便是你

我的严厉而悲伤的勇敢教师

午夜时分与我同时返回无人的乐园

2015 年 7 月 22 日

老会堂或以诗之名的羞辱

她们把泰戈尔读成真爱无敌

给鱼挤奶,让马粪蛋发烧

让一些于连式的人物挺着肚子

黑红不分,也不想分地蹀进来

以为蹀进了诗的殿堂或缪斯的闺帏

他们的呼吸加热了空气,楼上

我们像特务或不速之客

倚靠在柱子上,冷冷旁观

看着她们把话筒从背后递来递去

那么多美得让人心碎的声音

在真诚地读着俗不可耐的词语

就像本该口吐莲花却蹦出些癞蛤蟆

跳到过道上,跳到你脚上,黏糊糊

向你裤腿里喷出一股股热烘烘的臭气

她们字正腔圆地远离了诗意

将泰戈尔的沉思变成响亮的口号

将李清照的凄苦变成酒鬼的呻吟

她们将椅子在半空里摞起来

在玻璃彩窗中互相做鬼脸

只有老会堂默默地忍受着

咀嚼着回声,知道一切都会过去

知道自己老了,无法从墙壁里

释放出神圣的祈祷与合唱

或者从楼上抛下一把椅子

把那些癞蛤蟆砸个稀巴烂

砸成绿色的烂泥,老会堂老会堂

我和你一起默默忍受

以诗之名的羞辱,并心怀怜悯

因为她们不知道自己在做什么

2015 年 7 月 30 日

猫一样自满的一天

天鹅台风说来的这一天
走出平原的炼金术士
在研究纽约派诗人
在一个抽象的时代
为什么喜欢具象的绘画
自己却泼洒颜料一样使用词语
就像薰衣草之雾或白色饕餮
为服务于光明而说出黑暗
证明苹果也是瀑布而瀑布
是一个下楼梯的裸体在下雪
复调变成了同音
雨滴在玻璃窗上画出虚线
一下午,天鹅也没有来
微风鼓荡纱窗
钻天杨的绿火苗还没有歪斜
体重不怕风吹的朋友们
正在老动物园里痛饮未来
东窗小憩后我继续工作
并偶尔望一眼暗下来的宇宙

2015 年 8 月 27 日

哈尔滨初秋的晚上

它居然用镣铐的声音催促你活下去
用树叶背面隐藏的密码
北方天空游移的绿光
用越过黑色大海吹来的风
冷却你额头后的思想

还有雨后水洼里沉重的脚印，还有雨
似乎落在许多年前的同一条街道
同一些冒着热气和金光的头顶
当我们聚拢在时明时暗的灯下
低声谈起诗歌，燕子和往昔

而往昔算什么，如果没有一个
目光明亮而严肃的高挑女子
沉默地从我们的肩膀上俯视
如果没有她那只白皙沉重的手
按住那翅膀一样扑腾的诗章

也许并不存在这样光荣的往昔
依然是和平的大街
像人们散去的酒店一样安静
你茫然四顾，仿佛朋友们还在原地
消失在不同方向的

只是从身体中分离出去的影子

站在闪着寒光的深夜的街头
你听到一片树叶
在城市上空犹豫了片刻
然后跃入黑暗深处

2015 年 8 月 31 日

月亮与白马

月出层云

照耀大河上下

月亮雕刻最细小的波浪

它照着白马,马背上的霜

白马站在河边

垂着头一动不动

脚下的盾牌上一片废墟

白马在沉思

河水放慢了速度

河床上都是刀子

震颤的波纹向河岸推送

那白马忍住了黑暗

和月亮一起回到无人的故乡

2015 年 9 月 3 日

进 行 曲

业余的国家,专业的百姓
墙上的建筑,即兴的生活
一条正在融解的鱼或自行车
神魂颠倒,倒立着玩轮子
永不会进化到无须即兴
连汗毛都刮得溜光的程度
人可以变畜生,畜生却变不成人
格言,教条,宣言,万物
用一生证明别人是错的
这本身就是错误

可怕的是,这场人生居然是真的
那就佯装不知,努力扮演真相
在从未去过的城市
从未有人住过的房间
彻夜不眠地大声读鬼故事
从袖子里梯子一样
缓慢伸出弯曲的长指甲
搔着书页和小腿上的鳞片
就像孩子坐在沉默的父亲脚边
从他的面容上研究和声学

魔女们骑着粪叉赶来山上

参加几个才女在后山举行的
美学茶话会
她们对所有诗人做出定评
在他们背后砰的一声
盖上烫漆描金的棺材盖子
她们羊皮纸古抄本的脸
可刮去旧字，另写新欢
在修士们抄写的教父文稿之下
透出一位古希腊爱情诗人
墨痕尚未全消的诗句

靠着拱形窗户坐在姑娘们身边
嘲笑她们的笑声
让她们用鲜花打你的不要脸
假装生气，直到她们把山上的秘密
用粉笔写在棕色的门上
让丑陋的女仆用围裙裹着月亮人头
埋在后院的柳篱下面
让你那红色断头台进行曲
将旁边的白杨吓得瑟瑟发抖

醒在哪里，哪里就是末日
将光斑扩大成为天空
云彩也永远是另一块云彩
再展现成另一块云彩，以致无穷
你带穹顶的声音
你带翅膀的眼睛

陷入白纸的泥淖

风暴和地狱的喷发物

云和蒸汽都够不到的山顶

是疲惫的群星歇息之处

不久，你也将安歇

2015 年 9 月 18 日

你有一个下午的自己需要忍受

这个下午雨在半空停住了

像无数孩子转身返回了天堂

收回笑声，他们有一些词语需要清算

他们忍住了秘密却没有忍住黑暗

于是，黑暗越来越早地降临

向白杨树低语，你不能这样

瑟瑟发抖，也不能继续炫耀

你成色不一的金币

那是我迟迟未下的雨

压迫着你凹陷的肋骨

为了在街车每一次停顿时

都能看见你从后面

从一排比一排整齐的白杨后

慢慢走过来，低着头绕过树影

一次次走向那个永恒的拐角

忍受着鞋子里紫色的沙子

忍受着街上所有的人
忍受着逐渐多出来的自己
就像我忍受着逐渐空旷起来的身体
和大海上越来越远的黑房间

2015 年 9 月 20 日

你的故乡已经沦陷

古老的烟囱四周飞舞着衰老的麻雀
打烊的小店门口，一只蛐蛐
叫着不断剥落的蓝油漆
你的故乡已经沦陷
只有几个旧友像胆怯的小蛐蛐
在为你鸣不平
还有几颗星星在负隅顽抗

2015 年

窗上的蚂蚱

六楼的玻璃窗轻轻响了一夜
是秋风的震颤，严霜的预感
我打开灯，寻找自己的身体
却照见一只绿色的蚂蚱

肚子坚硬如铠甲
对光线和黑暗同样无动于衷

从街边钻天杨的某一根
弹性十足的树枝上纵身一跃
或是一点点抠着砖缝
也有可能是随风而至
拖着皱巴巴的薄纱翅膀

站在窗前,我如临深渊
它一定是停留了一夜
无声无息,一动不动
渴望进入我温暖的生活
渴望将碧玉镶嵌在我的脉搏上

阳光出来后它消失了
随之消失的
还有一整个夏天

2015 年 9 月 24 日返回南京的飞机起飞前

和马原在一起的日子

那样的日子总是短暂而温馨
晚上他玩电脑,我翻翻闲书
父子偶尔交换一两个词语

在水井里投下一小束秋光的稻穗

从一只手就可以盖住的婴孩
到如今比我还高的大汉
似乎我只是出门转了一圈
发现泥泞的车辙里都是石头

两千里微雨的秋夜
满屋的书还在等待
这些忠实而陌生的朋友
我的血认出了他们

为什么要在这个宇宙生活
于是,望着漆黑的窗口
我在楼下的黑暗中站了片刻
才让钥匙哗啦啦响起来

2015 年 9 月 24 日

恋爱的少年始终没有长大

总有一个安静而固执的少年
每天尽力用有限的装备打扮起来
一条没有皱褶的蓝色喇叭裤
头油和哥哥气味辛辣的皮鞋
长达膝盖的大红毛围脖

他会固定去某个谁也不知道的地方
等他沉默着从江湖上回到家
总会把骨节粗大的手,放在桌子上
用四根手指轻轻敲打出一个节奏
偶尔叹息,仿佛很累

仿佛一个革命者,怀揣秘密

在他的敲打下,暮色深了
家里静悄悄的,桌子上没有纸条
仿佛亲人们都去了邻居家里
只有座钟舌头僵硬的哽咽
他就那样久久地坐着,不开灯
没有人爱他,他始终没有说话

2015 年 9 月 26 日

阳台的风铃响了一夜

阳台的风铃响了一夜
没有古代的杀伐之声
没有穷途末路的英雄
与马背上流逝的风雨
没有高山古寺的飞檐和冷月
甚至没有屋檐上陈旧发黑的雨
和宿鸟微弱的呢喃
那越过大海和高山
在大路上吹拂的风

如今只属于哈姆雷特的无眠
和空巢里寒冷的预感

风铃响起的秋天总有人上路
没有人知道他的离开和去向
没有人告别,秋天只属于
通天的大路,地平线上
变得同样蔚蓝的尘埃和远山
属于层层叠叠无尽的云堡
永不能抵达的对岸的村庄
属于堂吉诃德颠簸的瘦马
还有那短暂的奇遇和心酸的自由

那辽远的少年的幻想
那一次次壮丽的出发
都是全副武装,在屋后兜上一圈
又回到狭窄的巷子
当一夜风雨在山中消逝
早上,满城落叶和行人
你像从前那样
穿上旧靴子,去泉边打水
让木桶荡开斑斓的树叶

2015 年 9 月 30 日

中 年

下午类似于中年的江水

水流平缓,将横流和涡流藏在深处
只有鸟鸣系着铅垂线一下下
试探着阴影和寂静,阳光久久不动
我与自己不远不近
像天天碰面的邻居不知姓名
没有什么特别的愿望
也没有风声传来宇宙的消息
五十年过去,不变的
依然是低到尘埃的晴空
依然是无人哀悼的光明的消逝
满地虫鸣也挪不动的微寒

2015 年 10 月 2 日

中央大街的雨

夏天我想写一首中央大街的诗
诗里会有雨,雨水落在
那些黄色的巴洛克老房子的
坡屋顶上,顺着两边流到
百年的石头道上,雨水
还会透过停止生长多年的糖槭树
那并不茂盛的树叶落下来
有人还站在树下,为雨的寒意
微微颤抖,或是在藤蔓纠缠的门廊
看见每一滴雨都回到不同的小门内

一百年很快过去了,雨还在下
街上行走的还是同一群人
一定有一个没有情节的故事
闪烁在某一条雨雾弥漫的小街
有一些词语在冷酷的灯光下
在久久不动的一只素手边
像羞怯的虫子一动不动
一定有一个房间,永远通向
更深的房间,有女子沉重地走下楼梯
既然夏天已经消失在天空深处
这首诗还没有写出来
既然我早已离开了那条老街
又不断地随着每一场雨回到那里

2015 年 10 月 12 日

蓝屋顶上的云

炉灶下豆荚焦煳的香味
一大铁锅的水还没有烧开
蒸汽还没有弥散在
庄稼成熟的气息中
小路上金黄的干牛粪
几乎还原成了稻草
土墙发出盐碱的气味
风只在远处吹着

屋子里没有人，很多年

人们都在大地那边

弯身而立，久久不动

为远天叹息般的蓝色

那些云也始终不动

它们在孵化屋顶

那一定是北方

一定是围栏已经打开的秋天

蓝铁皮屋顶，在午后

还会保持一阵痉挛的温暖

2015 年 10 月 14 日课前

上课的路上遇见侄子大超

在梧桐树薄暮的阴影下

送外卖的侄子从电瓶车上叫我

我们都没有停下来

就那样打了个招呼

已经身为人父的侄子

和我一般高，生活还是那样

没有起色，只是一直维系着

像摇摇晃晃推着独轮车

载着仅有的几件旧东西

走了千山万水，摇晃着不倒

我总想起他小时候

在老家洒满阳光的院子里

我用大木盆给他洗澡，很多泡沫

他一直在笑，好像很多年

我都没有看见他笑了

安静地跟在下岗的哥嫂后面

讨份生活，或是被生活追讨

从克山到大庆，长春，银川

从哈尔滨到深圳，再到南京

就在这路上，侄子长大了

就在这路上，变得沉默了

我们还会偶尔一起看看电视

有一句没一句地说说话

而入夜的林荫道，朦胧，空荡

说不上是什么季节

2015 年 10 月 18 日

校园单车

梧桐树日渐稀疏了

黄绿相间的长廊透出细碎的蓝天

坐在自行车横梁上的女生

长发微微向后飘着

男生骑得很慢，不说话

车轮有时歪一下，摇晃着

驶向道路尽头隐隐的青山

譬如在八十年代的郊区

在黑暗中大声吹口哨,玩儿撒把

或者把车子倒放在倾斜的草地

闲卧一个下午,看白衣少女

黄昏变得沉重,慢慢走向湖边

还是看你学单车,表情如树叶

父亲在后面扶着,帮你平衡

你不敢回头,怕一回头

见父亲早已松开了手

远远落在后面

你就那样一直骑出了童年

骑到我的面前

骑到陡峭的蓝天前面才停住

2015 年 10 月 20 日

重阳节读奥维德度过
一个宁静的下午

阳光在高处闪烁

菊花随处挥舞抗议的小拳头

青山不远,我不去

它也在那里

秋天和寂静也在那里

褐色的鸟也在那里

很多年一路翻动落叶

向更深的山中前进

像一群翻翻滚滚的放学的孩子

枯瘦的小湖也在那里

思念着蓝天与回声

芦苇里黑色的淤泥

人类脆弱的象征也在那里

于是我留在家里

在紫金山南麓的低处

在奥维德的回忆中

消磨一个缓慢的下午

将秋樱桃保存在暗红的酒渣中

因为他曾说过

只要不知道自己是谁

就可以活到长寿的老年

2015 年 10 月 21 日

秋日读荷马

世代如落叶，我们也将如此

心中的火花已经熄灭

不再有任何热情

只有同为有死之人的怜悯

充塞心胸，不想念任何人

也不愿意见到任何人

所有的关系都可以一笔勾销

所有的人和事都与我无关

甚至厌倦明晃晃的白日

让我无处可躲

唯愿黑夜早早到来

将我遮蔽,也藏起那些

我不再关心的事物

万物光秃秃,没有秘密

我带着厌倦的同情

看着它们哀嚎,和凋落

2015 年 10 月 25 日

水 缸 诗

它一直放在屋檐下

似乎一开始就在那里

酱紫色,童年的你

踮脚扒着缸沿向里边喊话

就会有沉闷的成年的回声

夏天它每天都是盈满的

漂着几根暗绿色的黄瓜

等你从山谷中回来

现在,夜晚总有些声音

像是有人一路在折断树枝而来

凌晨你起身,水缸里

又充满了清冷冷的水

漂着一层薄冰和斑斓的落叶

你用木瓢把冰敲碎

尝到了冰凉的甜味，然后

长久地倾听着四野的黑暗

2015 年 10 月 27 日

树林的神秘（与波德莱尔的《契合》相对）

远远地，那片树林很神秘

你走过去，树林里什么都没有

不过是落叶，光影，蜿蜒的小径

林中一下子静了下来

树木沉默地注视着你

这秘密议会上的不速之客

它们保持着距离

伪装出圆柱形透明的寂静

喜鹊抛下半流质的白色抗议

转移到更深的林中

正午阳光拨动的最后的

秋蝉的翅膀也停止了振动

林子里有两条小路

聚拢又分开，仿佛碰了头

密谋了一番，又分头逸去

在更远的你看不到的地方

它们又会聚拢成一条

林子里只有你一个人

风从树顶吹过

你站了片刻，等你走远

那些树木又变得神秘

枝叶重叠，凑在一起

仿佛从来没有人来过

2015 年 11 月 3 日

黄昏的忧郁

华灯初上，人们都加快了速度

奔向温暖的家，食物和芳香的休息

我又要开始西西弗斯的劳作

把一些话语像石头滚来滚去

我即将踏着潮湿的落叶

穿过黑暗，走向更深的黑暗

而我最想做的，是揪住

随便一个缩着脖子的家伙

对准他的眉心来上一拳

因为在黑暗中他对我的模仿

惟妙惟肖，让那些幸福的统治者

在灯光中微笑，露出善良的牙齿

2015 年 11 月 18 日

十一月的微光

树篱上有蛛网留住的宿雨
借着暗淡的天光读书至晚
你起身开灯,决定开始生活

阴郁的僧侣注视着地平线
手握不知出处的樱桃
鸟巢逐渐露出来
人的说话声也传得更远了。

秋虫在路灯里叫
灯埋在树根
穷得只能吃土
从脖腔子或脖领子里冒出酸腐气

一个女博士朋友疯了
每天在食堂对着电视
和讲话的大人物辩论

邻居女主人每次回家
都优美地高声喊开门
她喊的名字我始终没有听清

正如你想念一个人

却想不起他的名字

2015 年 11 月 25 日

冬日闭门读旧书

下午的光影在墙上久久不动
你久久不动
只有膝盖下加深的寒意
让你觉察到天色已黄昏
更早暗下来的是城外的山

艾略特说，所有伟大作品
都以对生活的厌倦为基础
你还不够伟大，因为你只是厌倦了
别人的生活，尤其冬天
所有人类的活动都变得那么明显

一个快要死了的人在静静地生气
冬天消失在雪花石膏的窗口
草地上的乌鸦留下一本烧黑的书
谁翻开，谁就会呀呀叫着飞走
并且对人世投以冷冷的一瞥

2015 年 12 月 7 日

294

有轨电车的回忆

那是八十年代的典型街景
陡峭的街道从绿色的秋林公司
向东经过有小火车的儿童公园
红色的教堂,驶向拜占庭式的图书馆
那条下坡的路叫作奋斗路
典型有时代色彩的名字
我刚刚工作不久,靠着烟囱写诗
那时的大冬天,我会骑着自行车
从单位所在的松花江边的九站
一直经过霁虹桥,古色古香的三中
一路上坡,然后在溜滑的路面上
顺奋斗路而下,石头的街道
是冻硬的灰面包,每块都方方正正
雪总是清不干净,也许是故意的
每棵树下都围着一堆保暖的雪
我的第二个对象就在奋斗路
地势最低的一个小街道上
我们在她的单身宿舍打扑克
玩钓鱼,谁赢了谁就主动吻对方
二十二岁,更多的时候
我会乘末班车回自己的单身宿舍
在灯光暗淡的小店半醉之后
有轨道电车的黄色木头车厢里

乘客稀疏,车咣当咣当一路响
车顶的大辫子噼啪直冒火星子
有时脱落了,电车猛地停住
中间两节车厢的接合部
就像手风琴一样堆出褶皱
空气像冰凉的伏特加带着绿意
那时这条街还不叫果戈里大街
那时我满城还没有几个认识的
既没有朋友,也没有
和朋友增长的速度匹配的敌人
那时的嘴唇还是软的,有点凉
而生活,仿佛才刚刚开始

2015 年 12 月 12 日

2016

冬日晨起的喜悦

窗玻璃上蒙上了哈气
证明屋子里虽然并不温暖
但总是强过户外
静悄悄,只有电流嘶嘶响
证明那些看不见的奴隶仍在工作
遥远北方的蓝色坡屋顶上
猪头和旅游鞋一起供在积雪上
冰上卖冻品与年货的人
与狗一起倒腾着双脚,呵气取暖
我再想不起是谁,在梦中告诉我
在南方,太阳落山之后
溪水的声音会高起来
不久,透过窗玻璃上的水汽
流进殷红的晨曦,伴随着密集起来的鸟鸣

2016 年 1 月 8 日

我的故乡只有雪和黑暗

我的故乡只有雪和黑暗

和黑暗中忽隐忽现的几个朋友
红灯笼上落着雪,雪中没有陌生人

许多个春天就这样过去
胡同里突然涌出的孩子们呢
他们迅速换上了成人的面孔
把燃尽的纸灯留在巷子深处

雨水依然以雪的形态出现
那些雨都分散在词语之中
树枝已开始变得柔软
傍晚还会有一阵美好的寒意

鞭炮声是为了掩盖凶猛的寂静
生活像是无边的死亡面包上的糖霜
晚安,寂静,晚安,死神

没见过的风景不想再见
没读完的书轻轻合上,不再打开
万事有定时,而今我时常望着窗外
然后转身回到房间和工作最黑暗的部分

2016 年 2 月

惊蛰小令

湖中草虾跳

水底的螺蛳不动

一只蟾蜍背着一串坟墓

从潮湿的草岸爬进水里

它还有些迟缓

仿佛刚刚产完卵

它的眼睛还是红的

雷声还埋在土里

只有风吹过若有若无的柳色

吹过土地翻花的肌肉

吹着我的白发

吹向北方的山谷

那一念不生的寂静

2016 年 3 月 5 日

春 风 吹

春风吹着十字路口的寂静

吹着空空的坟墓和身体里的寂静

吹着保存着孩子们脚步声的房间

吹着无人的村口的寂静

吹着母亲寂寞的怀抱

吹着炉膛里灰烬的寂静

春风从小路吹上大路

吹着群山中空空的茅屋

吹着波浪崩溃的小河

吹着目送大雁飞过的僧人的寂静

吹着他们绣着羽毛的袍子的寂静

吹着无人记得的姓名

吹着阴暗厅堂里没有镜框的肖像的寂静

吹着海与海之间绵延的寂静

吹着往回翻动的书页

吹着空荡荡的人世

吹着道路上融雪的寂静，吹着你和我

2016 年 3 月 7 日

他们比我活得真实

他们在新竣工的图书馆对面

住在集装箱里，一排蜂房

两扇窗户，门常常开着

黄昏我路过那里，灯光晕黄

颇像凡·高《吃土豆的人》里的灯光

他们果真围着纸箱拼成的桌子

几盘菜，一些饼和啤酒

气氛热烈，只言片语如灰尘飘过

"你得负责，这是道德问题。"

或是，"我去过了，都是人！"

一个站在门口打电话

不时向黑暗中张望一下

另一间门口，有人穿着拖鞋蹲着抽烟

还是初春，天气寒冷

从敞开的门可以看见铁丝上晾着工装

塑料盆摞在床脚，上铺上堆着杂物

又有一天，集装箱屋顶上

多了一盆粉色的小花

正开着，旁边有一面小镜子

"有人在爱我们。"有人在生活着

我知道他们比我活得真实

当我写下这些词语的时候

2016 年 3 月 8 日

哈尔滨初春的晚上

那个夜晚无所不在

那个既有神庙也有废墟的身体

不会缺乏与骨灰混在一起的血

那是个比树叶的嫩芽

还要小的初春的夜晚

那是一个你寻找真理

却只能遇见抽象的年代

我刚刚恋爱，在夜色渐深的

一个十分偏僻的无名小街

没有行人，甚至也没有什么灯光

我也忘记了在那里徘徊的原因

高大的白杨和老柳树

将带白色绒毛的树籽抖了满地
被风吹拢在路边石下面
形成长长的白色绳索
整条街一个人都没有
我散漫地走去,鼻孔发痒
突然觉得身后多了些什么
回头望去,一个少女
正蹲在路边,用打火机
反复地点燃那些白色的绳索
微弱的火焰唰的一声烧出一溜
她又蹲着挪过去,继续这个游戏
看不清她脸上的表情
她那么专注,专注而寂寞
只能看见露出的一截白色腰身
如今多少个春天已经过去
那个夜晚的寂静一直在延续
那是在哪个星球,哪个久已失去的国度
我好像刚刚爱上了一些无名的事物

2016 年 3 月 10 日

我的姐姐就要回家了

深秋来到南京的姐姐
熬过了冻裂水管的最冷的冬天
在梅花、二月兰、樱花和玉兰

302

列队而来接受检阅的季节

在梧桐树上的鸟巢都要绿了的时候

要回到北方她寂静的小屋了

望着窗外灰色萧索的北国之春

在脱下笨重棉衣的日子

想念起她的三个老去的弟弟

这些日子我总是拉着姐姐

东走西看,手机里都是照片

我们吃婆婆丁,我们烙饼

我们把姐姐会做的好吃的

全做个遍,包饺子下馄饨

我们起大早去梅花山赏花

我们长时间地看蛤蟆骨朵

看水鸟吃螺蛳,听风从远方吹来

我们偶尔谈起小时候的事儿

我的姐姐总会掩饰住离别的惆怅

嘱咐来嘱咐去,好像要出门的是我

好像还有很多亲人,父母和我们

在那个空荡荡的故乡等待着她

好像春天过了,一年也就过去了

2016 年 3 月 10 日

今 夜

送大姐进站后,我们隔着玻璃

如临深渊,张望扶梯载着她

向高处升去,她高高的身影

在人丛中显得神秘而孤单

她在变小,先是变成那个讲台后的教师

只是她说的什么,我们不再能够听清

仿佛全部空气已经凝固成了玻璃

接着她变成了那个刚结婚的女子

刚刚把白毛女的头发扎起来

我在她绿透的窗下看她学生的作文

然后她成了那个领我买东西

准备让我上大学用的姐姐

在油漆斑驳的县城二商店

人们在说,看这姐俩,眼睛毛突突的

转眼,她又是那个和我在路上赛跑的少女

那个冬天深夜我去院子里方便时

在外屋开着门缝等着,怕我害怕

不时召唤一声的少女。这一切

随着扶梯的上升迅速完成了

我和大哥又回到空出一个房间的家

我们一边骂人玩儿,一边估算着

大姐明早在火车上醒来

应该就已经过了泰山

风景变得开阔,车出山海关

北国春天的广袤和驱散雾霭的朝阳

那事物的原型,会让姐姐愉快起来

2016 年 3 月 11 日深夜

304

诗歌日阳光明媚的下午,抛开厌倦的书本,去荒山里游逛至晚

下午进山的人都会多活上一天
他们从这山望着更高的山
搓着通红的大手望山气变化
或是望着下面的山谷
那里有一只白色大鸟展开翅膀
沿溪流滑翔,捕捉无形的气流

空山寂寂,最初的蝉鸣断断续续
去年的野蔷薇还没有开
纽扣大小的草花无风自落
这山静得好像从未有人来过
那些荒芜的小径不是通往人世
而是通往遗忘

草丛中似乎有众多蚱蜢的大腿
无数把小锯条在锯着各种无形之物
和各种锁头。诗歌终究是徒劳的
它通达不了他人的心灵
像那些不断分岔的歧路
再回不到原处。可为什么还有人歌唱
在看不见的高处,在深林幽谷
把鼓满风的蓝布衫猎猎振动

还是回到,草木,石头,流水

它们组成了山,而山的本身

还在更远的山里,像矿脉

保持着沉默。也许这是唯一的道路

虽然已经荒芜,杳无人迹

却让你安于时间带来的一切

2016 年 3 月 21 日

春分日想起笑容模糊的古人

梅花过了,杏花开了

春分的绿腰肥了

谁在客舟上独对轻愁

蜡烛味随着寒意在船篷下聚集

清昼与昏夜平分了江水

谁在竹林里推磨,唱歌

歌声又被浓密的簌叶过滤和吸收

谁取出土窖里绿色藤枝的酒

朝雨过后,坐在涨水的溪边

与看不见的朋友喝酒

偶尔望一眼被林带

遮得断断续续的云

谁眼见玉兰花的腰带碎落一地

像女神的裙裾褪落在羞怯的纤足

在哪里,旌旗遍野,儿童满坡

在哪里，人们不分高下，席地而坐

像过冬的蛰虫等待远天的雷声

在哪里，又是何人

脱下半湿的靴子，在门槛上磕掉泥巴

闻到老家熏黑的屋梁下

鸡黍渐浓的香味

从篱笆间窥见邻家女簪花而过

当空空的秋千逐渐停止摆动

梨花掩映的庭院寂然无声

谁将离开田园，攀缘着藤萝

去往无名的云山

不再想探究尘世的命运

2016 年 3 月 20 日

寂静的站台：题泥耳的一张照片

譬如小时候，在阳光凝固的下午

一个人，背着爸爸的军用水壶

和压缩饼干，向城市的另一端出发

去找一个转学搬走的小伙伴

沿途陌生的风景不断吸引你

偏离正确的道路，你边走边玩

以为自己随时可以回来

可是转眼天就黑了下来

路上的行人都加快了脚步

水早已喝完，或是喂给了蚂蚁洞
口袋里也只剩下了饼干的碎渣
你还在半路上，于是你掉头回来
整个晚上不吃不喝也不说话
从此与那个玩伴再没有见面
譬如此刻，在某个秋天的车站
站台上空无一人，你独自站着
长久地盛装而立，吸引你的
不是远方，而是火车进站之前
远方的那一种寂静

2016 年 3 月 19 日

运粮河：访家兄不遇

我没有来过这里，作为运河
它再普通不过了，经过疏浚的河道
曲折通向外秦淮河
它不再担负从城东运粮进城的任务
曾经站在河边的人都已消失不见
也没有什么新鲜的事物
从河的源头而来

沿途，油菜花的黄金分割田野
有人把绿漆耐心地刷在栏杆上
掩盖住铁锈，就像掩住自己的眼神

为什么要爱世界，如果世界

只是春天生锈的栅栏

围着一堆灰色的木头

有人在爱着他们，不让他们知道

否则这爱就会退化

我没有来过这里，这里住着

我的一个亲人，他或早晨或傍晚

会在河边打拳，望着河水久久不动

你回到明代，才有机会看见他

束发青袍，面容清癯，不说话

那时，你或许可以站在远处的柳树下

悄悄听河水的声音一浪浪高起来

春风浩荡，慢慢涨满你们的衣服

2016 年 3 月 19 日

邵 家 山

山外看它只有一条窄窄的鲫鱼背

到山顶发现还有一条，两山夹一谷

谷底枯黄一片，废弃的水泥拱洞边

有单薄的杏花斜身探向黑暗

胆子比我大，几座民国碉堡如同盲人

看不见抗日的硝烟已成满山落叶

而落叶也是我的，落叶已千年

鸟鸣也是我的,滴落在寂静的井中
山中储藏的脚步声腐烂了也是我的
还有面目模糊的鬼魂,未经本人许可
也不得随便穿上艳丽的春装
或者像薄雾挂在无名的骨头上

至于野菜,我头一回认出了小根蒜
它那亲切的土腥味和微微的辣味
一瞬间让我又置身于北国的春天
堤坝后的水声,白生生的草根
那幽灵的烟丝,从大地黑暗的袖子里
慢慢伸出,穿透我们年轻发烫的身体

山中没有溪水,哪怕只能从
树根的拱门下流过的小溪
正是这缺乏吸引着我
思考同样缺乏意义的尘世
我必须在更深的林前止步
我必须回去,学会忍受
尘世的责任或者是爱
于是,下山时我加快了脚步

2016 年 3 月 15 日

植树节的愿望

阳光照耀,草坡顶端的小山上

美龄宫露出绿色的屋顶

不久,它会被绿色掩没

草坪上有放风筝的和卖风筝的

有围成一圈玩游戏的学生

有野餐的家庭,湖边有人钓鱼

有人看钓鱼,有人散步或者发呆

有人坐在地上挖叫作草头的野菜

另一圈人在做周末荒野崇拜

中央站着一只黑鸟,在用话筒布道

我从边上经过,它的话就是耳旁风

我走到密林边上,探身观望

斑鸠在唰啦唰啦翻动枯叶

野花一定是费尽力气才走到林边

微笑着探身观望人世,正如我

观望且倾听林中的声音

啄木鸟和时隐时现的水声

2016 年 3 月 12 日

夜晚站在花树下

更重大的损失在等着他

他的自我的一部分

遗失在幽黑潮湿的草丛

在幻想中遭受种种真实的不幸

他的另一部分自我

是圆柱形的虚空与树木平行生长
那在夜晚的花树下相遇的
只能是同样心怀叵测的无言之人
我今生所遭受的痛苦
来生必毫厘不爽地
要另一个不相干的人再次承受
每念及此,我便心花怒放
不亚于这夜晚繁花的一树幽灵
我们互相认出了,凭这无来由的
痛苦的希望和非人的呼吸

2016 年 3 月 19 日

大风日于山间散步,想起万物
并没有普遍的关联性

天色昏暗,河边的风尤其大
风从山谷里吹出来,没有原因
但这样想一想,风就从幽深处吹起
那些奥秘的所在,大地的孔窍
甚至来自地下暗河,涓涓细流的
坚冰的源头,于是便可以忽略
丛林中传来的鸟鸣并不是
在呼应你体内的风或暗水
但这无妨我对其做出一番"过度阐释"
只听一鸟反复在说:"钉杠锤钉杠锤。"

其他鸟或反对或赞同,然后
继续重复这个模式,它们的赌注
恐怕不会是一块领地和上面
所有的草籽、虫子和异性
这让我想起一次学术会议
我和晓华在谈着一个严肃的话题
他突然指着落入草丛的麻雀说
"它也在杀。"麻雀在啄一条花花虫子
我吃了一惊,因为那场会议谈论的
正是生态问题,我们退回黑屋檐下
突然沉默下来。一些细节
一些话语的片段,从时间深处浮现
我惊奇于它们进入我意识的方式
和时机,有时几乎毫不相干
比如一次诗歌课上,突然闪过
一个画面,一个偷情的女诗人
早晨蹲在厨房里,正在耐心地
用打火机烧两只黏糊糊的安全套
大明湖的风吹着,吹向城外
还有一回,单志远说,当年
他们大学刚毕业,在果戈里大街
一家报社,我曾给他们看过我的存折
上面有多少钱,我们都不记得了
也不记得为什么我会有此举
我们都不是坏人。存在的地图
微微揭开了一角,事物终归是神秘的
尽管和我们有关的越来越少

这正是它们迷人的地方,譬如

鸟群顾自喧闹,溪流屈服于引力

野花有你没你照样开了又谢

地球坚定的运转让人安心

也许没了人的眼光万物会更自在

于是便有了诗的想象力

帮助人类重回万物的共和国

而万物却用陌生的语言发出嘲笑

我们把它听成温馨的回应或是赞美

2016 年 3 月 23 日

深夜与永平在水杉林里听鸟

死亡无时无刻不在羞辱着我们

夜色变得透明,林子里好像没人了

动作笨拙的大白鸟在树顶筑巢

常会从黑暗的高处掉下些小鱼

它们的鸣声近乎老人漱口

含混,沉闷,只持续很短的时间

喜鹊、斑鸠和乌鸫各从其类

分别居住在水杉树高度不同的树枝上

我们只是听着,并不关心它们的问题

小径从各个方位反复进入树林

像某种意念或是种子要留在身体里

像我们把所有话题全都说上一遍

等我们停下脚步,才发现

林子里已一片沉寂,没有鸟鸣

甚至没有鸟的呼吸,似乎

它们和漆黑的树木一起

在俯视着我们,倾听着

试图理解我们的语言和死亡

2016 年 3 月 23 日

相 似 性

山坡上妇女三五成群

头裹防风巾,手持长把锄头

偶尔刨刨毫无必要的杂草

多数时候就呆呆地杵在那里

很少交谈,偶尔望望远方

远方还是正在返青的草坡

还是傻站着和他们一样的人

好像那种叫"长脖子老等"的鸟

在等着什么东西从水草间冒出来

并一下子啄住它,无论那是什么

就像写诗,随时准备用尖锐的铅笔

钉住一个毛茸茸或湿漉漉的词语

这种类比并不能赋予写作

以劳动的合法性,只是说明

有时心不在焉,事物才会

自动出现,进入澄明之境

如果用力过猛,反会错过它们

正如自由来自适当的放弃

把土块当成鹌鹑,把少当成多

而当你是你,你便是一切

是那些妇女手中的时间

是开端、词语和草坡上蓝色的弧线

2016 年 3 月 23 日

我在这里,而这里无处不在
(入夜的二月兰)

这些花上面沉积着一层薄薄的黑暗

点缀着灯光的贝壳碎片与树化石

黑暗上升到高处,逐渐成为天空

沉积着另一种非人工的灯火

这层黑暗我们称之为人类文明

一层脆弱而珍贵的胎膜包裹着地壳

这里,人类的呼吸和大地的起伏

形成某种呼应,使黑暗激动起来

花的铺盖下面,沉积着叶子

风声,昆虫的颤抖和生锈的水

再下面是岩石,大地灰白的骨骼

钙和盐,煤和钻石,取出来抛向身后

就会长出人类有时会缺钙的骨骼

最下面沉积着亘古的黑暗

不同于鲜花沉积层上面的黑暗

这黑暗厚重无比且充满引力

纯然一色，从未被照亮

我们大脑和灵魂的某些部分

更有可能是以此黑铁锻造而成

整个地质构造显示出从重浊向轻盈的演进

让你有片刻几乎相信

那雅各的梯子依然存在

只是每一层都似乎没有人住过

万物的流浪仅仅是在表层

在真正的黑暗中始终埋着一个秘密电台

2016 年 3 月 25 日

芝诺如是说

我又来到这里，但无论我来多少次

我都是只来一次

我无法把肉体的毛衣反着穿

这里，那里，一阵闪光

这里，隔着一个银河系的漩涡

如果你想继续生活

你就得伪装成别的东西

沙漏容不下的石头，不会发音的词语

一棵独自开花的树,戒指的空圆环
每天更新自己的流水穿过它落下

你只有一次机会彻底解放这里
这里,是一个独自旅行的座位
是背叛了地球的一个半明半暗的时辰
这里什么都不缺,就是没有名字
你只有一次机会为它辩护

而你是白日持烛的舞者
身体里都是跃跃欲试的小人

2016 年 3 月 25 日

复活节颂歌:这一天

这一天,所有的坟墓都空了
这一天,兔子跑了,草浪翻滚
这一天,煮熟的鸡蛋滚下
倾斜的街道,最后都碎了
赢了的孩子独自回家
输了的孩子一哄而散
脸上挂彩,互相骂着滚蛋

这一天,那亘古的苦杯你已喝光
从此,我跌倒时,痛的却是你

这一天,活在伤口里的爱,为我
死在亚当里的众人,没有我

这一天,像一个被小伙伴开除的男孩
死亡抱怨着,用柳条抽打着
所有看不见的东西
他的鱼钩变成了大头针

这一天,空中充满无形的脚印、翅膀和欢呼
这一天,我们在你的身体里坐起
刚睡醒的孩子,嘴角含着星星,揉着眼睛

2016 年 3 月 27 日

论纯粹的存在

天近黄昏,又登邵家山
山还是那座山,不高,也没有神仙
只有我一介凡人,想来去去俗气
变得纯粹一些,最好不食人间烟火
就不会因为要活着而每天遭受羞辱
我的玉液琼浆的诗才能交上好运
一百年后终获知音而野蛮地复活
可这和我这随时可以取消的存在又有何干
这个堕落的世界怎配享受
那艰辛困苦的血泪诗篇

算了算了,且让他们把词语搬弄

不到粉身碎骨的自戕就不算纯粹

所有无声的坚忍和信仰的承担

都是苟活的借口,统统打发干净

算了算了,既然昨日今日和明日

登山的已不是同一个人

既然风从山前吹到山后,风还是风

落叶追逐脚跟,也不见幽灵显现

相比于人类,我更愿意和鬼打交道

像奥德修斯那样相信,人到了阴间

便能知悉生者的命运

而我对自己虽生犹死的命运

已减却了好奇之心

曾经那是我唯一活着的动力

如今我更相信一草一木皆是纯粹的火焰

过去曾在,将来永在

就是现在不在的东西

才配得上被蔑视的忠诚和诗歌

2016 年 3 月 26 日

仲春日林畔听蝉

它们在土里潜伏了三年

甚至十七年,才趁着夜色

爬上附近的树,羽化欢歌

在黑色树皮上留下金色盔甲

音量随阳光变化,树叶稀疏

但很难看见它们的身姿

想起古人称它们为五色或日暮

我刚刚要说,蝉噪林逾静

它们暂停一下,随后又大声齐鸣

这些会排水散热的绿宝石

似乎在嘲笑我不会应节而变

审藏用之机,择高枝而栖

春已过半,今年的蝉叫得格外早

提醒你怡人的日子就要结束

楼房即将变成灰色的树林

空调的铁蝉,即将不停地

嗡嗡赞美夏天,彼此喷吐热气

那时,树皮上便会出现

许多钉子拔出的小孔

整个夏天,便会有整齐的鸣叫

伪装成阵雨,直到让位给蟋蟀

越爬越高,渐渐消失在天空

当我长久仰望暗色的树枝

它们一定像麦秆上的蝈蝈那样

向树枝避光的另一面挪过去

2016 年 3 月 27 日

春 水 流

桃花开在歧路

春风吹老了故乡

与其春风里相逢

不如看你

单人匹马

不辞而别

在疏林后一起一伏地走远

与其看你走远

不如独自来在溪边

看岸边残雪，静静枯草

和不知流向何方的春水

看得久了

你就懂了

懂了，也还是不如春水一掬

2016 年 3 月 28 日

有朋要自远方来

她说过几天要带瓶好酒来南京

想和我继续二十五年前的争论：

为什么裴多菲要把自己比成破碎的大旗

而他的爱人是黄昏的太阳！
年轻的时候，我们在一个工厂里写诗
她拥有我所没有的关于我的记忆
这是一件相当可怕的事情
我们或许曾经熟悉，有过交谈
关于诗，关于人生，或许还有
那些不切实际的理想，苦闷的工厂
如生锈的轮饼让人动弹不得
我在厂部大楼的十三楼
经常对着窗外的松花江发呆
四季流过的总是同一些波澜不惊的水
或者下班去空旷的车间洗澡
那里的水管很粗，水特别热
能让你忘记时间的流逝
同事们最多的话题和绝望
是自己能看到自己怎么老的
那些退休的老高工迅速消失在城中
那是九十年代前期，人心思变
诗歌已经成为奢侈。我还记得
一个女同事并无恶意地说：
"你还真把诗当回事了啊！"
至于林众，陌生的老朋友
我们也许曾在稀稀拉拉的杨树下
偶尔遇见，聊上几句，树毛子落在头上
我们都在厂报《三十六棚》发东西
作为中东铁路修建时的总工厂
它已辉煌不再，许多人都已离开

我继续坚守,要和它共存亡

怎么也想不到我也会被迫离开

那埋葬了我青年时代的地方

林众是什么时候走的,我不知道

那时仿佛大战在即,大家各自逃命

但我似乎不可能和她争论诗歌

或任何东西,我只和自己过不去

我只是静静地躲开,语言

只会让人更深地陷入迷宫

陌生的老朋友林众,我只记得

她小小的,脸色黑红,热情

特别能说,这正是让我恐惧的地方

2016 年 3 月 29 日

春日晨起,抑郁难消,
作新诗以自遣

春日晨起,抑郁难消

一定是昨晚又把无名的事物梦见

它带来的启示模糊不清

就像众神离去的大殿迅速黯淡

眼神固执的黑羊裹着雾气到处出现

也许是故去的亲朋曾脸色黑黑

坐在我的床边,凝视我的酣眠

又失望地离去,未发一言
没能保住的老屋越来越矮
小如拇指肚的樱桃已映亮了屋檐

也许曾有一群巨人脚踏大山
把高峰堆叠起来向虚无开战
一场炎热的革命,你不知要站在哪边
只顾像满头花果的农神,垂首沉思
忘记了计数豆荚,盐粒,岁月和种子

也许曾有一个美丽的仙岛
又把它失落在凶险的海洋
随之消失了,那泅渡夜海的骑士
和悬崖上推窗悬望的姑娘

又或者是你,我目光严肃的诗神
当我摆弄词语像一队英勇的锡兵
不知善,也不去计算人的恶
你撩开面纱,越过我的肩头
俯视我无害的游戏,我不敢回顾
你微微的气息吹拂在我的耳际

也许并没有一片证据的海滩
让清水慢慢盈满我的脚印
没有纠葛的树丛,也没有"理念"的洞穴
炎热且回荡着退潮的声音
一个以诗开始的日子或许能获得拯救

但很难说清，它如何参与这一天的昏晕

2016 年 3 月 31 日

阔别三载始归来：为马原返回南京作

他高大的身躯一步就跨进了屋中的黑暗

一下子，他就站在了三年前的寂静中

仿佛自己从来没有离开过

远方沉寂，只有火车离去的震动

从屋顶向天空深处传递

卷边的书，伪装成人形的被子

花花绿绿的零食包装纸

鞋子里雨水肿胀的身体

杯子里总是剩下一口水

他总是觉得最后一口水是脏的

他破洞的背心穿在我身上

它发誓要比我存在得长久

他电话里低沉的声音

一开始总是被人当成是我

我也因此几次被他妈大玲叫成儿子

他仿佛还坐在我明亮的教室

既是我的学生，又是我的孩子

他坐在那里，庞大安稳有如巨石

我讲叶芝："你要轻松地去爱，像树枝发芽。"

我偶尔瞟上他一眼，我要忍住笑

不让他知道,热病和蔷薇

都会不断地重临,划着缩小的圈子

而他漫不经心,像一个新来的修道士

从两排蜡烛中间走过

一边走,一边用手掐灭其中的一排

只是为了嗅一嗅它们绝望呛人的烟味儿

2016 年 3 月 31 日

欢会与别离:为马原返回南京作

你站在楼下的黑暗中等我

你让黑暗发出了声音

你不再是那个自己把石子

不断投入黑暗并哈哈大笑的孩子

你在桂花树的暗绿中

平静地回答我的召唤

你又回到四年前的黑暗

你打开每个房间的灯

看看一切都没有什么变化

桌子上还是落满灰尘

两张大床被我们威武的身躯

压断了床板,还是用别人的书支撑着

你的课本还封存在纸箱里

校园中依然弥漫着青春的腥气

漏水的水管继续滴答着生锈的时间

WIFI还是你当初设定的密码

你的手机自动恢复了状态

接通了天边的云彩和油菜花

竹子书架和辟作读书角的南阳台

让你微微有些欣喜,有些亲切

晚上我赶去上课,讲到聂鲁达

二十岁时的绝望,情诗和流亡

想到书柜里还有你毕业那年

买的一对情侣杯,一件被轻蔑的礼物

你什么都没说,留给了我

"不用惯着任何人,马原。"

那年我在微博里这样告诉你

你没有留意。你好像完全忘记了

有一瞬间你还忘记了家在几楼

再过一些年,你的记忆

会更清晰,仿佛你在火车上

背对前方而坐,凝视着过去

我们挤在大床上看了会儿电视

我们只有一个晚上

所以我们都不说什么了

午夜我起身,听见门后你的呼吸声

好像你会一直在那里

安静而耐心,等待我慢慢衰老

把一屋子的黑暗完全腾给你

2016年4月1日,送马原至禄口机场,返回途中于地

铁上作

那并无实体的春天的喧嚣

当并无实体的春天的喧嚣

鸟鸣,树芽,雨和土里的翻身

变成楼上邻居装修的电钻

突突突在你头上钉钉子

仿佛正在盖棺论定,把你活埋

绷紧的树身里便有无数婴孩一起醒来

无数个吊桶在竖井里七上八下

无数个互相咬啮的亮晶晶的小齿轮

一起发动,春天并无实体的革命

从走走停停,不断从大路分蘖的想法

变成一个热火朝天的大工地

一个巨大的实验室,满是烧瓶和试管

色彩,运动与静止,突然地化合

当我一想到在我死后,我爱过的一切

和来不及爱的人,书籍,风景和虚无

还会在没有我的世界上继续存在

我就无法忍受,恨不能一股脑儿

全部带走,包括又敲又钻的邻居

他发狠要改变自己的生活

这种勇气和兴致,我早已失去

我不会敲门拜访,我要感谢他

将满是皱褶的猥琐的通风管

和成袋垃圾堆放在初绽的花旁

还有杜尚来不及搬走的小便池
我要感谢这些垃圾,泄露了
我绝不想参与的生活的部分内容
不能改变世界,就在自己家闹革命
站在窗口,望着纹丝不动的世界
于是,当这看不见的美尚未完成
我端坐祝福,等待下一阵巨响和颤抖
好证明诗歌能使不可忍受的
变得可以忍受,我要感谢他
用时时的变调、停顿与突转
把我大脑灰色的池塘排干
把我赶到户外,加入春天
那万物融合而成的并无实体的洪流

2016 年 4 月 2 日

春已过半,寄远人,不知姓名

春分已过,白昼渐长
植物的气息也渐渐浓了
清明将至,雨水渐多
独饮新醅的时候也渐渐多了

时运如风,吹到东又吹到西
携鸡拨榛莽,闲过故人居
篱边野花自在,渐自成蹊

黄茸茸的雏鸡,乱过篱笆去

谁家的老屋越发暗了
屋中高坐的人阴晴不定
永远奔跑在奔跑之处
远在江湖的远人,没有姓名

轻雷隐隐在天边滚过
有人放下了心事,在江湖之外
他隔着发烫的灌木丛,躺在草坡
帽子盖在脸上,似睡非睡
他的狗和倒扣的书,也隔得不远

2016 年 4 月 2 日

玄武湖边送客回海上

湖边的树倾身湖面
努力想倒着生长
它们是远路而来
黑黝黝的身体布满疤痕
所有在湖边站过的人
都是为我们才消失的
随后又站在其他的湖边
随后又消失
每次都不是为了自己

白鹭飞过一个又一个湖泊
却不是为了追赶消失的人
它也许是同一只
仅仅是比消失本身还快
反复飞过我们的前世今生
或许慢下来的是雨雾中
那艘暗红色的楼船
拖着一道无声无息
越来越宽的犁沟
将这湖与难以消失的大海连接

2016 年 4 月 2 日

寒食节的诗

"大家好,我很久没有心动过了
我是无辜的。割肉奉君
不如割肉喂鹰,舍身饲虎。"
"说句人话。"他恰恰说的不是人话
是类似于青蛙吹泡泡的语言
且脸上带有一副挨揍的表情
"我那时拿着你的简历。"
"不不不,你你,我,我们。"
两个男人站在被早市菜摊
压缩的胡同里,握着对方的手
始终不松开,在那里说着过去和现在

早起看二哥搬家,还是晚了
租住八年的房子已还给一把锁头
电话从双拜冈越过长江及其间的生活
问:"连小孙子也一车搬走了吗?"
二嫂答:"搬走了,休息时过来。"
他们早就把我家钥匙还了
说以后也不能常过江南来
要换三次地铁,单程路费
就要十二块,够两个人饭钱了
天没亮他们就悄悄搬走了
细雨无声,落在长江两岸

干脆微雨中山游
介子推背着老母退到更远的山中
在树下死于烟火是为什么
蚯蚓在雨中过道,甚难幸免
喜鹊从路这边的树飞到
路那边的树是为什么
洗车的用喷雾水管冲掉车身上的樱花
中央体育场前山坡上有人
用螺丝刀子挑地皮菜
路上有车祸中丧生的蛤蟆肚皮翻白
我为什么要来无人的山中
没人回答,为此我继续上山

2016 年 4 月 3 日

如是我闻

"我在南方,我要一天天一夜夜地
生活,享受每一个时刻。我写作
跳舞,也让女孩靠在我背上倒立。"
马戏团剩下的一个小丑,细腿裤子
用一条腿站着,回忆着南方的南方

另一个浪子,一过升仙桥,人就不见了
"人群中走在前面的女孩悠荡着手
擦到了不方便的地方
这怎么算。"别走脏地方,学学鸟巢
向树顶运动,越来越接近天空

"儿子,我愿意做你家的一条狗。"
坟头草青青,夹杂着麦子,羊也不啃
草根又长又白如铁丝,穿透坟墓中
缩小的骨头,一直向下,伸向黄泉
"连狗都不如,一拍脑瓜顶,脚底冒脓。"

"美和恐惧培养我明朗的灵魂,
在储干草的仓房里,我见过恐怖的美,
你那山楂般瘦硬尖锐的乳房。"
你还在那些幽暗的角落,睁着眼睛
你的纯真是一根棍子胡乱抽打,草屑横飞

初出茅庐的语言新手,一肚子灯笼
且要打着灯笼寻找比喻,在万物中
寻找自己的形象,而不是万物本身
野餐篮里油渍的报纸,骨头和流亡笔记
"用正确的调子写作,森林已失去青春。"

"这山都是空的,绕上一大圈,
也碰不上什么东西。"有些路不能走
它们通往寂静,你参与不了的寂静
它们通向尘世之外,你的自言自语
都会被听见,被记录,又无人回答

2016 年 4 月 4 日

约　谈

我去约谈飞鸟
喜鹊,乌鸫,斑鸠,叽叽喳喳
都不认识叫作"飞鸟"的东西
它们与我保持着审美的距离

我去约谈小溪
小溪打了一个旋儿便径自流去
它只知道是水就要到更多的水里去

我去约谈大树

榔榆,山核桃,橡树和枫杨

它们只为啄木鸟开门

它们继续在空中聚首私语

围成一圈,俯视,等待我走开

我去约谈昆虫

它们种类繁多,披盔戴甲,五颜六色

小爪子小翅膀,有独角大仙,有天线宝宝

还有的举着大螯,比脑袋还大

它们和密集恐惧症无关

我去约谈故人

故人旧居已空

案几瓶中的野花兀自开着

松间遗落的棋子被雨露洗得黑亮

没有面目的人坐在刚刚开花的李树上

悠荡着两脚,黑布鞋不知所终

我去约谈自己

自己在给自己挖坑

铁锹闪亮,背影一起一伏

2016 年 4 月 4 日

戏拟的诺奖演讲词

据说任何诗的第一行一向是最困难的

现在这对我已不成问题了

但是,接下来的每一行

对我都是一样的困难

都有可能像倒木把我绊倒

写诗是个危险的活计

每一次都是从头开始

过去的经验帮不上大忙

反倒会扯你的后腿

像不放你出门的鼻涕虫熊孩子

我承认写诗是情非得已

这个身份有点像高居云上的

大帽子,遮不住雨也挡不了太阳

连马原在小学时就知道和同学撇着嘴说

我爸是翻译家,从不说我爸写诗

以免对方不知道该作何表情

更有甚者,会被当成社会寄生虫

像布罗茨基那样遭到流放

往底舱一塞,也不告诉你去哪儿

反叛,尊严,自由,这些个大词儿

仅仅是斗篷和廉价的装饰品

温暖不了美女胸前起伏的阴影

面对无辜的白纸,心生荒凉的

总是大有人在,他静止不动

长久地盯着墙壁,天花板上的漩涡

或是空洞的窗户,偶尔提笔

写下几行,过一会又涂掉一行

就像毁尸灭迹后的罪犯在现场徘徊

出于奇怪的好奇,看看谁会首先发现
谁假装不知道,谁害死了灵感的猫
这样的人已然不多,如果幸运
隔个几百里地会冒出来一个
他们也许并不热爱自己的工作
安排词语,自以为就能改变世界
他们用望远镜观察过去
用显微镜观察现在
用老花镜观察未来
再用近视眼镜观察自个儿
他们对事物的爱也许还比不过
各类拷问者,专制者,狂热的群众
他们除了自己知道的事儿
不想知道其他任何事情
任何引不起疑问的知识
都无法从他们身上吸取需要的温度
太阳底下没有新鲜事
我们所谓的知识仅仅是遗忘
所罗门所坐的丝柏树不曾生长
维吉尔也没有读过你的诗
拿维吉尔的诗句占卜的
也不是坐在西西弗斯石头上的你
你也没有勇气说自己写下了一切
早已死灭的行星依然
从你的屋顶、国家和生活上经过
白天和夜晚接续而来
这一切都是奇迹,也都事属寻常

甚至这些词语,尽管因为自己
被迫组成了一首诗而愧疚不已

2016 年 4 月 4 日

从隐喻开始的实体

"过冬的蜜蜂在太阳里营巢。"
太阳流蜜,熊瞎子把太阳掰开
葵盘压满子弹,转盘机枪朝鲜造

蝌蚪突然爆裂成你无数的自我
吹鼓着腮帮的,愠怒的青蛙
如果被抓住,就把腿再缩回黑脑袋里头

老夫老妻在白丁香树下捶背
戴柳条花环的少女有弹性地走向
一个光合作用的身体

入夜双肩各顶着一盏灯
走路时不要回头看,灯会灭
姐姐说完,去给关着雨滴的路灯加油

马原带了春笋回北方,腹中空空
打电话问怎么做,答,切片清炒
竹子长得太快,你也来吧

2016 年 4 月 4 日

终南山的杏子黄了

（给老友仝晓锋、屠本健、李周仁，纪念 2015 年
春天睽别三十载后的重逢）

别墅里的凉爽按住眼皮儿

来自山间的河水从院子里流过

带来雪意，我们在里面洗手

五月末杏子就黄了

阳光如蜡，凝结在果皮上

高处的杏总是最大也最熟

够不到的便留给鸟和雨水

累累果实将下层树枝压向地面

草丛中的落果则属于蚂蚁和腐烂

我捡起一个，用树叶擦去泥土

咬了一口微微变异的甜

很多不知被什么咬出了缺口

总是一面黄一面青

我们把摘下来的杏整齐地摆在门廊

让它们冷静下来

然后我们瓜分了别墅的各个空间

暂时忘记了世界的苦难

透过渐渐稀疏的树枝

终南山的积雪还在熠熠闪烁

2016 年 4 月 4 日

清明刚过，作自祭诗兼致陶潜

是死在南京还是死在哈尔滨，这是个问题
是个莎士比亚都回答不了的大问题
他只思考到生存还是死亡
就说明他认为自己还有活路
而这些年我时常会纠结这个事情
每当我在小区门口的告示板上
看到两张 A4 纸大小的讣告
写着谁谁谁，原哪哪学院
正教授或副教授或工程师
哪天哪天在哪哪举行遗体告别式
我就知道我在劫难逃，死路一条
必死无疑。尤其让我难受的是
非得把副教授职称写上
以区别于正教授，本来评不上正高
这辈子谁都会感觉窝囊
那死了呢，继续拿这个来恶心你
就不能人性一点，统统写上
某某或某某某教师云云
难道阴间还需要分个等级
还整个上校团副的干活？
如果那样，只能说明，我们
现在就在阴间，阴间和阳世
没什么本质区别。我倒不是怕死

虽然我非党员,死过不止一次了

没什么大不了的,只要别太疼

我从小宁吃药不打针

再苦的药都和吃糖豆一样不带喝水的

就是怕打针,爸爸老说跟蚊子咬一样

可每次我都紧张得冒汗

女护士漂亮能稍微管点用

我最怕的是丢人,没有尊严

你想,一帮你不喜欢他们,他们也

暗中仇恨你的人,或者是和你

根本不认识没半分钱关系的家伙

来把你庞大丑陋的尸体像垃圾一样

弄出去,也许马原还得亲自动手

给我穿什么装老衣服

趁我的关节还没有完全僵直

把那黑不拉叽的破玩意套吧上

再给我扣个比博士帽还可笑的帽子

像个伪军,再足蹬莲花布鞋

把我惯于和各种恶势力搏斗的双手

规规矩矩交叠摆放在

一咽气马上瘪下去不老少的胸前

我的个娘哎,我可不干

如果是别人摆弄我,暗中带着厌烦

和不耐,甚至欢喜,如果我的敌人

装出大度的样子来到葬礼上

就是为了嘲笑我终于倒下了

这真是莫大耻辱啊,是可忍孰不可忍啊

我说不定会气得诈尸,目眦尽裂

从纸糊的棺材里坐起来

伸出我的龙虎双爪,那非得

一片混乱,哭爹喊娘,叽里咕噜

而如果只有马原整我,那他

可能自己也搬不动我啊

人死了就和喝醉了一样

死沉死沉的。不行,我得减肥

要身轻如燕,最好像包身工那样

或者是个提线木偶,嘎啦嘎啦直响

马原可以拎着给小朋友们看

好玩吧,这原来是我爸

一想到马原也许悲伤得说不出话来

等他遇到人生的困惑,想和老豆说说话

屋里屋外都找不到人影

我我我就难过得不行不行的

唉,人有躯壳真是麻烦

活着时因为要吃饭会受羞辱

死了还是给儿女添乱

这么大一堆两百来斤,可咋整

一想就替马原犯愁,那也不能玩失踪

活不见人死不见尸

又会让家属受到别人的指指点点

还是向先贤们看齐吧

死都死了,金蝉脱壳

一副皮囊,让他们笑话就笑话吧

反正到了天堂,一看,哈哈

原来你们这帮龟孙子王八蛋的小人

胡编乱造点分行文字大要社会厚黑学

也敢妄称诗人的狗东西,也在天堂

我马上转身就下地狱,崩子儿不带犹豫的

而到了地狱再一看,他妈的你们

又都跑地狱里祸害人玩来了

那可不像在阳间有法律我不能随心所欲

反正都地狱了,我这铁拳可劲招呼吧就

把你们这帮有娘养没爹教育的败类

全都削你老实儿服帖乖乖跪地求饶

所以,死在南京还是死在哈尔滨

完全不成为一个问题

对于邪恶势力,我必有撒旦之大恶

也必有佛陀之金刚手段

让永恒之火将这旧世界和我

和所有的你们,一起烧掉吧

我将在烈火、硫黄和飓风中得到永生!

2016 年 4 月 5 日,清明后第一天

一个冒充军旗手的知识分子的
爱与死之歌

"你把你肮脏的未来留在我身体里了。"

我会负责的,这关乎道德。

哪个要你负责,自作多情。

那就用一根稻草把门闩住。
我不是寂寞的烟花，我是山中的雾霭。
亨伯特亨伯特，一树梨花压海棠。

"死亡是对我们最后的羞辱。"
爱比死坚强。人生实难，死如之何？
那么你爱我吗？请原谅我这么问。
有人在我身体里垂钓。
听，是风吹过门道，拨弄缩小的骨头。
你有一双鼹鼠般小铲子的手，挖心。

"但愿你没被宠坏，不然就不好吃了。"
清明前后，蝙蝠出现，梧桐发芽。
去年的干球果开始炸裂。
蕨菜还像个虫子羞怯地勾着头。
雷在土里茁壮成长起来。
结出巨人的豌豆一直窜向云端。

"今年你种的龙牙长出巨人来了吗？"
别作声，先往人群中扔一块石头看看。
真可怕，雷把整个山都罩住了。
响雷之后必有阵雨，灿蒂柏。
希望，而希望，天黑了还是亮了？
我已不想知道，再见，明天见。

2016 年 4 月 5 日

一些瞬间或词语

下楼吃饭，一楼不知姓名的邻居
正在开门，我垂下头不去看他
他家啥样我根本也没兴趣看
他瞅瞅我，用力关上了门
去年，这个房子里的孕妇怕猫的味
二哥家地下室出生和独居的猫
便成了野猫。孕妇浓烈的芹菜馅饺子味
或者是酸菜馅的，反正我鼻子不灵

对门的女主人每次回家
无论光天化日还是半夜三更
都是甜甜地高声叫着，开门儿
拖着松鼠尾巴一样的长调
在楼道里久久回荡，她并不是
在提醒或是嘲笑我家里没人
她只是习惯了，也让我成了习惯
我要刻意忍住，才能不跑去开门

我远远躲开精神失常的女博士
有一天，又在小区门口碰见了
不得已搭讪说，你这是干吗去啊
实际上我根本不想知道她去哪儿
"去科研院报销。"好神奇的行政机构

他们研究报销的学问，什么时候
把他们自己报销掉呢。"再见。"
"马老师，祝你顺利！"她突然大声喊道

一个 90 年代初的老诗友
一年夏天，在中央大街碰见他
光脚穿拖鞋，低头坐在路边石上
我赶紧快步离开。又过了几年
还是在那条街，碰见他大步流星
他七八岁的儿子颠颠跟在后面
这回我停住，一直看着他们
走过琳琅的店铺和糖槭树稀疏的阴影

他曾经躺在我大走廊的家的破沙发上
叹息自己和幽灵一样。我揍过他
一拳砸在颧骨上，看他脸色灰死
摇摇欲坠，我薅他脖领子拖着走
他连连问我要干啥，我说
找个没人地方我们老朋友好好聊聊
满街筒子食杂店洗发店的都出来看
还鼓掌，那是与中央大街垂直的上游街
后来他说，那是场噩梦
我们一度恢复了关系，最终还是疏远了
我有时想起他，但想不起为什么揍他

2013 年春天的北京，傍晚在十字路口
一个男人被另一个夹着脖子拖着走

他显然已失去斗志,向报摊老头
虚弱地叫:"快帮我报警!"
周围很多人,都停下看着
我继续过路,从他们身边平静地走过
吱嘎开来一辆车,跳下来几个人
把那人弄走了。我一直走,不回头

还是那年,在通州,半夜打车
刚上车,噌噌蹿上来两个带刺青的家伙
副驾上一个,我旁边一个
我挪到里面,四周漆黑,好似旷野
他们北方口音,说着卡里剩十块钱了
又对司机说,天太黑了,给你押车
我不作声,下车后,他们热情地道再见
我好像突然爱上了什么,我也不知道

2016 年 4 月 6 日

寂静的演出:题泥耳照片

握一支不存在的长笛,曲终人散
寂静入耳,寂静无一失手
寂静高八度,暗红的帷幕停于半空
"耳朵是泥做的,耳朵里不能有泥,
有泥就要揪耳朵。"没有人笑
你在后台搓手,跺脚,有点冷

"我是小东西,经常在楼道里怪叫
回声听起来我是个大东西。"
回声放大,揭穿了你童年的隐身术
你便全副武装每天出征,身上各种古怪
空着隔壁,在寂静的豆荚里数数

那些纤细的窘迫,谨慎的慌张
同样万无一失,雀斑就是玫瑰的灰烬
你声音的黑匣子装着潘多拉的心跳
"我回头再向模仿我的人学习我,
看的方法变了就看到许多方法。"
裙子微凹的阴影不能少,你很少笑

午夜过马路的猫有八条腿
在路对面,把一连串的动作
收束为一个漆黑的姿势和回望
夜晚的单车只剩一个轮子
不停地空转,"非我的本质就是我。"
你手中的虚无,将在大海边得到祝福

2016 年 4 月 6 日

一 致 性

1

一个无望地等待拆迁的大杂院

灰色开裂的木头栅栏,低矮的屋檐
阴暗幽深的室内,狭长的小巷里
垫着废砖头,两旁堆满蒙着塑料的杂物
猜不出是什么,可能很久也派不上用场
下午时分的寂静,阳光似乎很久都不移动
一个中年女子正在耐心地浇花
各种玻璃瓶子,红色的粗陶花盆
大多数植物都不认识,紫色的看椒照亮了窗口
另一个女子一动不动坐在木头上
托着腮,陷入了沉思,也不抬头
小巷后面矗立起一面爬满藤蔓的红色砖墙
没人住,户外楼梯上缠着很多布条
无法再深入了,那些花证明有人在爱着
我的到来似乎让一场谈话或一件事情
暂时悬置起来。地上散发雨水隔夜的气息
当我回到巷口,身后传来那浇花女子的声音
快做饭吧,别寻思了
那沉思的女子始终没有回应
我没有看清她一直低垂着的脸

2

当天晚上,我在梦中走过洪水漫溢的街道
古堡,广场,废旧的工厂和灰白矮小的平房
看见一大群人在张皇地排队
队伍不时鼓起一个包
是有人一脸严肃地离开队列

我又错过了什么通知，迟到了

排队是要给什么表格盖章

我找不到在哪里排队

负责盖章的公务员忽隐忽现

正焦虑之际，却见队伍最后

二哥的背影，他耐心地告诉我

哪些表格要去哪里盖章

他似乎就剩下最后一个章了

我亲热地抚摸着他的背，感到安心

3

另一天，在路边的丁香丛后

一个男人在掩埋一条狗

黄狗已经躺在浅浅的坑里

男人拿着一根木头在树后转来转去

似乎在寻找什么，或是在比量着什么

他的女人坐在隔了几棵树的路边

托着腮，陷入了沉思，或是睡着了

悲伤会使人困倦，这个我有经验

她的金色罗马凉鞋在薄暮中十分显眼

又过了几天，我在东窗下阅读

偶然转头向外望去，一个女人

正一边打电话，一边站在路边等待车流中断

她的凉鞋闪出金光，她向远处望了一下

她终于渡过了忘川，进入行道树的阴影

迅速融入绿色之中，彻底消失不见了

没有任何事情发生，这正是让我迷惑不解的地方

2015 年 10 月 8 日和 2016 年 4 月 6 日

陆　沉

下课后侧身，给汹涌的人群让路
唯恐碰落他们肩膀上的灯火
自行车棚如唱诗班半埋于地下
围成一圈的学生排练哑剧
有时久久不动，有时你也置身其中

把自己供在墙上，肚里的小人密密麻麻
无名无姓，捧着小肚子交头接耳，又指指点点
在世却不属世，说这话的人在练习隐身
如同俄罗斯套娃，越来越小
却无法彻底消失，不看不听不说

无路可走，你就和自己玩玩失踪
翅膀一高一低，歪着脖转圈抓小鸡
任身体中的祖国无家可归
哪个指头长，哪个指头短
数来数去，自己才是多余的那一根

江湖夜雨鬼吹灯，窗下独酌
主客集于一身，每一世都身份不明
袍子上绣花，也绣远方的阴暗

一言不发或满口胡话,都不如窗户纸一张
相逢不相识,迟暮的美人缓缓
戒掉满身的荒凉

2016 年 4 月 7 日

我的死者,我的礼物

1. 麦 可

一些细节,一些当时并不在意的瞬间
重新回来了,在同样漫不经心的时刻
它们似乎是逝去多年的故人
早就送出的小礼物,或者是提醒
只不过在他们离开之后,很久才到达
比如,九十年代的普通的一天
在我新开街的大走廊宿舍里
麦可和我从早上一直待到傍晚
酒也喝不动了,话题也说完了
我们沉默下来,我有点感到惭愧
"也没啥事,却消耗了你一天。"
麦可答:"值得。"于是我们继续
并排坐在长沙发上发呆,望着同一面墙
房间慢慢暗下来,过了几年他就走了
他有两米高,我总得仰头和他说话
像个小孩,而实际上我要长他八岁

麦可死的时候又是一个寒冬

我们把他抬到院子里，看着他的父亲

扑在儿子身上，亲吻他苍白的脸颊

那带花的纸棺材实在太小了

我过去一把将后堵头掰了下来扔到雪里

活着，人间容不下他的高大

死了，凭啥还要受这个委屈！

像个逆行者，我离我们一起发呆的

那个不复存在的房间越来越近了

他仿佛还在《回忆那一场初雪》的诗中

在雨夹雪的九月的最后一天

在车站的雨檐下等我

看我头上落满了雪，扑闪的白蝶

围绕我群舞，把我写成一个

纯银的歌手，站在大地上笔直歌唱

而他的诗集，我已很多年，不再翻开

2. 韦 尔 乔

尔乔与我算是知交，可是很奇怪

我俩见面时必须有第三者在场

作为缓冲区或是限位器

尤其他这么感觉，我们还不能

一起沉默。寂静会让人不安

似乎它是不祥之物，是海水灭顶

我向与世违，常有八表同昏之慨

尔乔背后曾对一群半人半鬼的人讲

"像老马这样的人,你和他处不好,
那纯粹是你的问题。"他可能也是在说
与我单独相处时那种微妙的尴尬吧
又有一次,我们五六人去吃锅烙
尔乔越过别人,一直和我论说信仰
从佛陀到基督,从《金刚经》到《圣经》
他说现在他才最有资格说信仰
我们都以为他的病情已无大碍
他曾对着满墙的书和光碟
淡淡地说,恨不能把这些都烧了
人能拥有什么呢。然后撩开衬衣
给我们看手术留下的通红的伤疤
隆起着,像粗麻绳斜捆在肋下
那时的春天风很大,人很小
那时的春天,我们蹲在松花江边
看开江,江风浩荡,江水清冽
冰排哗啦啦很快就流过去了
尔乔墓地里红色的山楂树
也应该已经连续八年,把累累果实
压弯的枝条,垂向他的坟头了吧

3. 王 炳 克

炳克是我大学同班同学,河南人
我们一起写诗,冬天在宿舍里
用电炉子偷摸煮元宵
他说我吃得多,像个馋嘴骡子

那年寒假我们都没有回家
准备考研,西安很冷,没暖气
我就把靠背椅子压在身上
后来炳克精神分裂,走失数日
我们赶到时,他正坐在马路牙子上
一只脚穿了只破平底布鞋
一见我就扑了过来,老马你可来了
我说,你皮鞋呢? 让人给换了呜呜
炳克最终是肄业,回了老家
我们还通信,他写诗说我坐在
菩提树下,吸收全宇宙的射线
结婚照上他一副很正常的样子
可是不久,他父亲的信就来了
炳克又没了,问是不是在哈尔滨呢
这回,他是彻底走丢了,算算
已经有将近三十年了吧
临毕业那年,晓锋给我俩拍照
我们坐在台阶上,我满脸对世界的蔑视
炳克坐在我身后高两级的地方
背后有扇门,戴着眼镜,没什么表情

4. 刘 雪 峰

雪峰脑出血住院的那个冬天
特别冷,我和元正从医院出来
等一辆末班车,我们都有点饿了
但谁都没有心思先去喝点

那车久久不来，我的皮夹克冻得梆硬

我一个人，数次穿过荒凉的野地

去松江电机厂医院看他

总要途经一片幽暗的松林

总是有一枚纸月亮跟着我

一次我见床空了，以为他死了

还没人通知我。护士说是出院回家了

雪峰是朋友中最有活力的一个

喜欢呼朋引伴，纵酒高歌

最爱唱"沧海一声笑，滔滔两岸潮"

雪峰很率真，下班到元正的食杂店

看见花生好吃，就抓一把揣进他

昂贵的西服兜里，油乎乎的也不在乎

我遭难的时候，他在家给我做鲇鱼

胳膊被油崩出一片大大小小的红点子

我们曾坐在小雨里，在松花江旅社外面

喝酒，一边痛骂徐元正重色轻友

和小曼去北方剧场听音乐会

却让我们俩来见活佛，那密宗

小活佛刚三十来岁

摩挲着我的脑瓜顶唱了两首歌

听不懂的好听。雪峰写诗，豪迈而深情

他要回到宋朝，回到《诗经》

在庙里想着蒹葭和水中的女人

在山中断句，"姐，我们下山吧，

高处多么孤单，结草为庐的人

在大地之上。"雪峰病倒后

再没有说过话，我们去看他

他会斜着眼睛偷偷看我们

我们说要走了，他就把脸扭过一边

2016 年 4 月 7 日

卸 甲 甸

地铁二号线，孝陵卫到大行宫

转三号线到泰冯路，再转 S8

车过长江，如鱼浮出地面

工地处处，新鲜的土丘上

树绝望地绿着，等待或伐或留

它们比人被动，无法用藏由己

它们的宁静在另一个世界

不觉目标将近，车速似乎变快

远方迎面而来，我自如如不动

真是心旷神怡啊二哥

长江以北尽归你所有

你的王国里美人无数

芬芳馥郁莺歌燕舞

化装成树鸟花云

许是怕兄弟目迷五色而不知所终奚

这夏天比江南要几度凉爽

大可作为北方的前锋，北方之北

过泰山，越京畿，出山海关

便是雄襟万里长风吹不动的故乡
卸甲卸甲,我们这疲惫平静的老将
尚不能日月于征之后,收心向佛
想当年,你在长春包大肉包子
我喝醉了爬上火车就去看你
看你一家三口睡在装煤的麻袋上
我总怕夜里那火炉闷燃的烟熏
如今在高压线下,油菜花片片金黄
傍着鲜红的巴士,零星有人烟
座座新楼拔地起,入住率不高
却也少了争吵,利于养老
野塘里放生的乌龟搂着一只破鞋
小青菜可为琴弦,目送飞鸿
再往前,有大厂与葛塘
有长芦和龙池,雄州犹在啊
再往前,过沈桥,过八百桥
就捧出一湖春水名谓金牛
那岂不比烟花三月瘦西湖
那二十四孔明月还多出许多
以少总多的年代过去了
现在流行群体行为,譬如过马路
我的二哥啊,我们也人多势众
瞧,兄弟我这就来了
我身后跟着一支无形的大军
来了,哈哈,就是我马家的江山

2016 年 4 月 8 日

冷酷的爱

很多年我没有对什么人

产生爱或同情的感觉了

我以为我已经是行尸走肉

无论男人女人,我都没有兴趣

我不想知道他们想什么

干什么,说什么,甚至吃什么

哪怕他们玩出花来,也和我无关

这些年我在人群边缘行走

就像在蛇窟旁经过

我看见一个个脑袋钻出来

喘口气,又被其他脑袋压下去

他们交缠在一起

又绝不是互相在恋爱

他们彼此吐舌头,嘶嘶叫

绝不是在讨论诗

无数的细长身子立起来又软下去

像突然断掉的麻绳

我连往里边扔块石头的心思都没有

我已经过了顽皮的年龄

可或许我真该做做善事

先往里倒桶汽油

再往里撒泼野尿

然后转身走开

平静地划着一根火柴

抛过肩后

让它画着优美的弧线

落下，让爆发声和熊熊的火光

成为我慢动作的背景

2016 年 4 月 8 日

天　赋

我和我的母亲都是从十来岁

就学会了失眠，盯着天花板上

糊着的旧报纸，盯着盯着就漏了

每个星星都是一个漩涡向我而来

越来越大，中间金黄，边缘黑蓝

它们既不是气体，也不是液体

而是没有五官搅着乱发的头颅

似乎有重要的信息急于传递

又没法说出来，于是就反复

俯冲，掠过又飞升，无声无息

我闭上眼睛，眼球随之转来转去

又有一大队色彩缤纷的小人儿

像马戏团演员，在我的眼角跳绳

而到了冬天，失眠就是烟草味的了

母亲的烟头在黑暗中一红一暗

我更着迷的是她用唾沫卷好的纸烟

整齐地插在小圆铁盒里

像一些白色铅笔,我抽出一根

横拖过鼻下,吸一下干烟草的甜香

它们没有燃烧时绝望的辣味

多年以后,这种干烟草的甜香

与白雪混合在一起的寒冽气息

依然让我兴奋,仿佛母亲

又向我吹过来她逐渐扩大的烟圈

要把我套住,带进她的空虚之中

仿佛这样,那骨头里祖传的不安

就会继续沉默,多年后

在同样的黑暗里,我就会耐心地

整夜不眠,将手指穿过那些

逐渐扩大的白色绞索,徒劳地

想按住那些星星的漩涡

2016 年 4 月 8 日

纯属习惯

这纯属从小母亲教给我的

节约的习惯,她常会念叨说

"宁撑死个人,别占个盆儿。"

不许剩饭,我就一粒粒吃

一边望房笆,也就是天花板

那里也没有花,只有一根筷头子

准确及时地敲在我这脑门的木鱼上
不疼不疼，嘻嘻嘻嘻。快吃

母亲从小到大只打过我一巴掌
那是小学下乡劳动回来
母亲让我用她洗过手的水
把脚洗洗，水其实很干净
我却脱口而出，那是泥汤子
死活不肯往里伸脚
这回一个大大的耳光挥来
那声音很响，让空气也站住了

节约只是贫穷训练的结果
也有的纯属习惯，我的上海人岳母
每次都是先吃上顿的剩菜
结果新做的菜又成了剩菜
如此循环往复，以至无穷
再比如那年，我和永平去苏州游玩
诗人小海独自个儿招待我们
点了好多菜，实在吃不完
小海说，别浪费，嚼嚼吐掉，嚼嚼味儿
这话挺有味道，我一直记到现在

　　　　　　　　　　2016 年 4 月 11 日

母亲的背影

我已经忘记了母亲年轻时的模样
只记得在伊春，水从红色地板缝里
呲呲冒出来，很快就没过了膝盖
四五岁的我便要母亲背着
去小屋取长白糕吃
母亲还常常背着我到河边
寻找偷跑出来下河洗澡的两个哥哥
喊着永平永刚的小名瓶子缸子
这边喊，人家那边猫着小腰
早已从另一边，在草木掩护下
先行潜回了家，正襟危坐
不愧是军人后代，训练有素

母亲用带松树油子的木头桦子
啪啪抽过大哥，只是没给我看见
并让我接受这种宝贵的教育
母亲年轻时的背影我已经忘记了
只记得贴在她后背上
听她有力的心跳，让我着迷
我常缠着她磨叽，听心跳听心跳
听什么听，妈一把把我拨楞开
她还有很多活得干，她只说过一次
真烦人，我却记了一辈子

母亲去世后,有两三年
见到前边走着身材仿佛的老妇人
我有时就会赶超过去,看看脸儿
恍惚中以为母亲还活着
只是生活在另一个地方
在另一个我不认识的人家
已经成了别人的母亲
完全忘记了我们,就像我
已经完全忘记了她年轻时的模样
只有她老年时干燥的白发
羞涩的笑容和温暖的皱纹

2016 年 4 月 11 日

赠书题词

这是一个"现象"的偶尔闪烁
当这现象在现象界熄灭的时候
如果你偶尔需要和他说话
他,就在这里

我曾像一个孩子或一直像一个孩子
那样激动,虽然没有什么发生
也没有什么将要发生

你把那本《炼金术士》弄丢了

365

我说再给你一本

可我一直没有寄出，也许

2016 年 4 月 13 日

七桥瓮湿地公园散步时的遐想

树毛子满地都是，草坪白了

有人留下了雪中足迹

这开花的柳树

怎么看都不像北方的柳树

像殖民者和土著的串种

观鸟屋像虫子的空壳

白鹭只有一只，立在小水杉树顶

过兵桥上走着平头百姓

唯有我的血管里流动着尖刀

六百年的古桥，连接起城中村

杂乱而令人愉快的活力

公园对面的花木鸟鱼市场

褐色的大麦虫和面包虫

照样不为密集恐惧症负责

十块钱买了三种肉肉

观音莲，虹之玉，摇钱树

都巴掌大小，我落叶纷纷

366

不远的运粮河就是大哥的地盘

他一定在单人床上闭目端坐

他坐下就是一座江山

我沿着他王国的边疆

逆河北上,原路返回

乘兴而来,尽兴而返

2016 年 4 月 14 日

沿途的风景

一路收复失地,江山尽入篓中

龙王山,馒头山,老山

杂花生树,无人爱,少人烟

珍珠泉还在冒泡,总也不开锅

凤凰山,刺山,滴水村

哪怕仅仅是些词语,佛手湖

犯规的尼姑躺在水里腐烂

玄武湖边转身

林大的樱花就谢了

鸡鸣寺的樱花几年未见

竟然敢私自开放

且陪着那些暗鬼在路边喝清酒

浮桥还没有拆,敌兵已至

是一些寻找身体的旧衣服

大行宫,扎满了五颜六色的帐篷

明故宫空了,皇帝的后花园

妃子们都散入民间柳巷磨豆腐

西安门,西望长安落日圆

大唐的樱花遮住了盈盈井口

苜蓿园,爱情的紫苜蓿一望无际

那是我大学时种下的诗句

下马坊无人下马,孝陵卫大营

只有石头马槽积存着雨水

今年没有蝌蚪存身

韦陀巷,罗汉巷,双拜冈

身体里埋下无数把刀子

走着多年前的尚田、红雨和我

"踏平罗汉巷,统一孝陵卫,

封马永平为孝陵卫指挥使。"

现在我一个人,从葛家大塘的集市

回到围城,继续茶壶里煮饺子

继续把壶盖捂得紧紧,干着急

二哥说:"他们不喜欢是因为够不着。"

二嫂说:"你二哥打牌的那个角,

早上的青菜新鲜又便宜。"

2016 年 4 月 5 日于赴沪车上

上海地铁中所见

我来出席朋友的诗歌研讨会

我们坐在拥挤的地铁里

正在热烈地说着什么

身边猛然响起一声凄惨的叫喊

"爸爸，我不能活喽！"

地上多了一个人，在打电话

反复地让父母到虹桥来接他

四川或湖北口音，穿得很整齐

他来找工作，被骗子打了

钱都被抢走了，两天没吃东西

没有银行卡，家人也无法打钱过来

能听出他几天前曾报过警

曾请求110的人暂时用自己的卡

接收父母给他的救急钱

但遭到了拒绝，被打发出来

110几次挂断他电话

他又打120，对方说110很忙

警察也不是万能的

他只需要180块钱就能回家

我的朋友给了他面包和十块钱

另一个女孩也给了他面包

还有人给了他二十块

让他赶紧给手机充值

这时我才看清，他是残疾人

胳膊肘上有暗红色伤疤

一条腿从膝盖处弯曲

像筷子在水中的折射部分

他很费劲地站着，有人让出座位

他坐下,一边大口撕咬面包
一边拍打多空出的一个座位
"坐吧,别怕,我不是乞丐,
我有残疾证的。"
几次我想掏出两张大票给他
看看周围的沉默和若无其事
又有点怕他们会嘲笑我上当了
便想着等没人时再给他
这时他开始念诵《使徒信经》
大声地说阿门,呼求"上帝救我"
我微笑地看着他
我知道,帮助他的福气
将落在另一个弟兄身上
我为此忏悔,随即又安下心来
1999 年在北京,我差点因为
没有暂住证,也沦落到这个地步

2016 年 4 月 16 日于上海

巴 别 塔

大哥,我突然特别想对你说,
我喜欢你特别真实地生活着。
特别真实。(有人的生活是假的?
假装活着,或是装死,像小孩
或受惊的虫子? 或许并不存在

生活这个比死亡还短暂的发音。)

你永远像一个天真的孩子,令人羡慕!
(一个孩子的天真和一个老人的天真,
应该羡慕哪个呢? 没有人是无辜的。)

你生活的这种本真的状态,
直接反映在你的诗歌中。
(如何本真地生活? 担水劈柴,
还是另有所爱? 破罐子破摔,
连带满身的野兽、幽灵和繁花。
诗歌不过是一个活下去的借口,
他一个人走过深夜的墓地
吹着口哨,墓地里有亲人在听着。)

你的诗让人内心中最纯真的一面
总是能不断地被触动。
常常会让人感动得落泪!
(小时候他最爱哭,不出声,
只是吧嗒吧嗒掉眼泪,
他从不笑。有时趴在土炕上看书,
高兴了就会用脚乱刨,哈哈怪笑。
父亲死时,他没哭,他感到愤怒,
对死亡的无能,对自己的无能。
母亲死时,他也没哭,
他独自和母亲待在冰冷的太平间,
摸了摸母亲依然有弹性的脸,

然后亲手把母亲推进火炉，

看着火光腾起，他太爱她了。）

就好像我静静地坐在门口，

看着飞来的小麻雀，

吃我面前的青菜叶的那种感觉。

（青菜叶上有虫子吧。

现在城里麻雀都很少见了，

它们更像是顽童们抛出的土块。）

又好像看到风吹动树叶的感觉。

一个人要能活到真实如孩童，

是多么幸福和不容易的事。

（树叶不动，是风动。

人类忍受不了真实，所以

分泌出文化，如离开大海的蚌，

在沙滩上吐出泡沫，把自己包起来。

幸福的确是件不容易的事情，

我把它看作人类特有的某种致幻机能，

类似于昏厥，为了遗忘真实。）

你有一颗水晶的心。（我的心，

早已失落在无地，现在我以万物为心，

心游万仞，而且万刃穿心。）

2016 年 4 月 17 日晨于上海返回南京前

幸福的一天多么容易

暮春晨起，没有宿醉让你言志

也没有人需要你回忆

且去山间漫步，看太阳雨

想 80 年代的恋爱，小清新

站在古桥上，看着流水，写下新诗

像老年残疾的惠特曼

蹲在溪边观鱼戏浅水

观学生用白线系着鸭肠钓龙虾

回校近午，清真食堂吃牛肉面

看两个小情人将身体里的

暗物质喂给对方

午睡甘甜，醒来就是童年

阳台发呆，晒晒太阳

三两首宋词，几段记忆

一阵阵越陷越深的鸟鸣

来自大海的风铃偶尔叮当

远方的风，大漠与孤烟

与满屋寂静的书

割草机慢慢走向树林

花生百合粥，香椿炒蛋

等粥熟，等老之将至

那个世界上唯一爱你的女人

已于 1997 年死去

2016 年 4 月 18 日

彩色的洪流

下雨时,教学楼的走廊上
就排满了五颜六色的伞
它们大大小小,性格各异
不分性别地挨挤在一起
在晴天,它们可没有这般亲密
在晴天,它们就成了门背后倒挂的蝙蝠

此刻,它们彼此倾诉着彩色的雨水
就像相濡以沫的鱼儿思念着
没有回声的远方,晦暗的风雨
未曾发生的爱情,和失落在天边的流星

而葱翠的田野,湍急入海的河流
雨后螺钿般的青山之巅高挂的彩虹
还有那翅膀洒下清露与晨光的飞翔
当然,一定还会有互相倾斜的爱情
都一同汇聚在静静的走廊
倾听阶梯教室里,未来发出的声音

我偶尔走过,它们便沉默下来

散发阴凉和青春苦涩而甜柔的气息
用水花悄悄制造着小块阴影
仿佛有一些秘密向我隐藏起来

它们渐渐融合,形成一股色彩的洪流
似乎要将我衰老犹豫的身体
裹挟而去,流向远方
流向一个疼痛的新的身体
一个未知的来生,一个茫茫江湖

2016 年 4 月 21 日晨五点四十六分

雨后清晨散步偶拾

山上碉堡的枪眼被水泥封死
像盲目的勇士直视着山路
雨后清晨的树上,蜗牛在往下爬
它们一定是趁夜晚攻上了树顶
现在凯旋回家,柔软的身体满是伤痕
灵谷寺里的工人,边扫落叶
边嘟囔:就一把笤帚,扫什么扫
一把没把儿的笤帚扫净了江山

伪装着苔藓迷彩的虫子
在树身的绝壁上攀缘
它每次先是抬起上半身探索四周

再拱起后身,形成一小堆绿色颗粒
然后舒展开来,横过树皮的皱纹
有时静止上好半天
似乎在思索自己从哪里来
又要到哪里去,像人类的智者

膨胀的青溪变得浑浊
龙虾草虾小鱼都不见踪影
黄泥和杂草很滑,无法靠近
水声也显得浑浊含糊,没有态度
像后现代,悬搁了判断
而那些北方冰雪中涌流的小溪
流的不是水声,而是亘古的寂静
你要逆流而上,回到自我的源头
在那里倾听永恒的回声
看太阳的勇士,拨开纷披的枝叶
如同失散的战友,向你走来

2016 年 4 月 21 日

存在的惊异

雨后清晨
阳台外面的白色花盆里
多了一只淡红色蚯蚓
身上粘着一个沙漠

每天夜里

总好像有渐沥的雨声

从排烟罩的蓝色管子里传出

麻雀做了窝，衔出碎蛋壳

驿站寂寂

门前的桐花落了一地

无人扫

老卒烂醉在后院泥泞的花丛

深山闻鹧鸪

它的胸脯里种子在膨胀

它在坟墓上呕吐，白杨俯首

路的尽头走来一条不断融化的鱼

2016 年 4 月 21 日

过陵园邮局

这座绿色琉璃瓦顶的小宫殿

曾经属于一个女人

属于她的国家和心事

屋侧高大的旗杆上绿旗低垂

门前的桃花年年开放

屋后有大片苗圃在耐心培育风景

从此向西，数里之遥

目力可见的山丘之上

便是她真正的宫殿

同样也是绿色琉璃瓦顶

她在那里读经,礼拜

接待一些有头有脸的人物

处理一些无头无尾的事务

春秋多佳日,她透过树木的空隙

眺望北边的钟山,山边的玄武湖

写下悠长的书信

也许写给另一个世界,另一个自己

然后步行向东去邮局

没有车马,没有随从

她的短斗篷擦过新生的枝叶

如今,这座阴暗幽秘的小院

栏杆后只有几个穿绿衣的蜡人

值班的姑娘面容苍白

半天不动,手机的荧光

照绿她的脸,怎么看

都不是真人,也不是蜡人

而你,每天经过,不再向里面张望

你继续向东,向更深的山中行去

你总担心它把你吸进去

寄回一个作废的地址

一个和这个人世一样

空荡荡的前世或来生

2016 年 4 月 22 日,于陵园邮局,该地原为民国时期
邮局,宋美龄常常从美龄宫步行来此寄信

378

冰凌花之约

紧握着顶开冰雪的小拳头
婴儿一样勾着头，微睡的花苞
点着小灯笼，打薄的黄金花瓣
具有蝉翼的柔韧与透明

它们稀疏地散立在大地的边缘
褐色叶鞘中露出白色的剑
悄然等待来自宇宙深处的指令

或一人独处，犹在沉思梦中的预兆
或并肩而立，交换会心的眼神
它们隔得远远的，无意结成阵列
也从不交头接耳，专注而放松
因为一切的工作已在昨夜完成

这些瘦削结实的美少年
分散在自然幽暗空荡的大厅
冰雪的台阶旁，树木的廊柱之间
为早春的宴席准备金色的酒盏
等待将太阳的神液一一斟满

这里唯独没有人类的地盘
万物都在参与这无声的狂欢

出席盛宴的是透明的春风

从冰雪下面挣脱出身体的流泉

青春,爱情,还有好奇的死亡

盛宴的主人始终没有露面

聚拢而来的群山也停下脚步

雪帽歪斜,胸佩松林晦暗的徽章

宇宙停顿,沉浸于花开之前的寂静

只有我们,正从十年后的今天

兼程而来,举杯祝祷,一起眺望来生

2016年4月4日晨七点十七分

一本书改变不了命运

（给一位有现实感的女士）

"那又如何,一本书又改变不了命运。"

你漫不经心,以怜惜的语气说道

我却分明听见了靡菲斯特

附身在浮士德博士的耳边

他说有成就有毁,何必白费力气

我同意,确实,再多的书也改变不了

作者必定消亡、肉身不复存在的命运

他依然要一个人吃饭,一个人睡觉

一个人吃黄连,身边连个哑巴都没有

但或许，我只是说或许和如果
一本书暗中改变了别人的命运
让一个悲伤的人平静下来，低下头
让一个孩子抬起头，露出漆黑的笑容

一本可以从后往前读的书
让人倒退着前进，一路脱去衣服
和衣服上刺绣的财富，赤裸裸
把自我的尸婴夹在胳膊下面

或者是一本回忆之书
赎回被大海扣押的盐
抵抗身体里说变就变的天气
古琴横于膝上，一根弦就是大千

一本书改变不了命运
它却是一个孩子，会有自己的命运
是箭矢钉在时间的树上，是一座图书馆
是大海，星宿，红色的播种机

"那又如何，一本书又改变不了命运。"
你的这句话，改变不了书和人的命运
却无形中改变了我们的关系

2016 年 4 月 4 日

暮春的最后几天

（为老友仝晓锋大师五十三岁生日而作）

暮春的最后几天
还会有几个晴朗的日子
让你穿着缩水的毛衣，用手洗衣服
还会有一些阴郁的时辰
让屋子里比外面凉爽
还会有暮雨增加入夜的寒凉

水泥缝里还会涌出蚂蚁的军团
柿子打结成淡绿色的纽扣
逐渐膨胀，装填甜蜜的炸药
樱桃还会融化，滴落在车顶
绿色弹坑还会遍布二月兰的阵地
一切都在变，甚至水中的倒影

还来得及细嗅旧书的荒凉
把腐烂发黑的柴火抛入深谷
还来得及让一只优雅的斑鸠
斜落在积水的林间小径
让你选择另一条路，放慢脚步
隔着越来越高的花丛互相打量

在大地的边缘，还会有人悄然独立

向深渊眺望,还会有风暴
从遥远的行星上吹来
还会有无名的时刻对你满怀信任
你还会听从鹧鸪的催促,彻夜不眠
反复爱上那些正在消逝的事物

2016 年 4 月 24 日

你一直在岛上插花

事物总是有其幽暗之处
它们在你那里的形象
是否如你的插花一般简单清晰
一枝有了锈铁质感的干莲蓬
三两枝发丝低垂的春兰叶
枝头的寂静便摇曳起来
你似乎一直在岛上插花
耐心地摆正花草和你的关系
偶尔抬头,就能望见另一座岛
有人释放出蜂群的轰炸机编队
那时,你总是草帽遮颜头戴黄花的女子
太阳穿过你倾斜上升成为屋顶
太阳是你唯一的盾牌,刻着传说
一座座小岛不断出现在我们中间
像是我们童年放进水盆的软木塞
每座岛上都有一模一样的人

模仿我盖黄泥巴房,修整白栅栏

把出墙的果树枝拉回来,用红线捆住

播种盐粒,抱着干柴尖叫

你始终没有从岛上回来

岛上似乎只有你一个人

你越来越小了,垂着鸭蛋青的衣裳

像一个无为而治的女王

那是座没有地平线的岛屿

海滩上的脚印迅速充满闪光的潮水

当其他的岛屿都悄悄驶入雾中

你的衣裳变得透明,你从岛屿上升起

你终于看清了,水和土的边界

而那些蜂群也早已裹着云霞

撤回林下黑色的蜂箱,沉默下来

2016 年 4 月 25 日

白桦树之恋

你瘦削的青春独自站在池塘边

眼睫低垂,不忍看到自己洁白的身体

当春风吹过,大地微微震颤

那些爱情的疤痕还会裂开

像郊外的夜晚变深,发黑

像池塘一夜之间就盈满春水

你在草中摸不到自己暗红的心跳

你似睡非睡，把凉爽的睡意洒向水边
你的四周滴着水晶的雨
你茫然地站在两个世界之间
你在另一个世界的欢乐
在这里只是一道疼痛的闪电
无数绿叶的心在你的阴影中跳动

北方的美少年，你永远年轻
你曾和我们一起流放，像奥维德
在黑海之滨为女英雄写下书简
是女巫的魔法和芸香将你拘束
当白嘴鸦带来冰雪的气息
秋天你退回林中，秉烛而游
你独自一人，又像是一群人
你吩咐我们去活，道路和远方
还有手风琴的闪光，就会横过树顶

那些因太过漫长的等待
而在黑森林中睡去的女巫
无法分享你晦涩的沉默
她们无法抚摸你身体的全部
只能撕下你一层层的皮肤
写下咒语，沉浸在自己的声音中
渐渐在水中化成了你的倒影
而你始终置身于另一种寂静之中

2016 年 4 月 26 日

蓝色诗人，题赠金匠博士

第一眼看去像头可爱的小猪

一只眼睛忧郁，一只眼睛深情

似乎对世界怀有不肯说出的偏见

而偏见是蓝色的，是对天堂的乡愁

偌大的脑袋不堪思想的重量

两条退化的小腿直直地撑着

那铃铛在远方便会化身为巨钟

鸣响在另一种人类无法抵达的寂静

转眼再看，他分明就是萨福的神兽

在青青草坡，聆听山水清音

并妄图扯下一名女弟子的长裙

他就是蓝波，乘着醉舟飘摇在长河

他就是波德莱尔那愤怒的忧郁

游荡在巴黎的拱廊与贵妇人的沙龙

他就是阿什贝利那词语的人

是埃利蒂斯那地中海的阳光和石榴

他就是曼德尔施塔姆，流放在远东

他也是陶潜，重阳节空对秋菊

路旁静候城里的朋友送来绿色的酒

他就是遇见了歧路的嵇康

坐下来回忆穷途英雄愤怒的泪光

他也是马永波的炼金术士

用尘土建造一座人工的彩绘天堂

他也是你,传承古希腊的工匠精神
再用克利的本体论散步的线条
夏加尔的纯真和卢梭的稚拙
为缪斯的战士们画像立传
与所有诗人一起组成了永恒的"我们"

2016 年 5 月 6 日

夜游黄公望结庐处

很久没有和人类一起散步了
都是和一些陌生的草木鸟虫盘桓
它们深知我骨头里的磷和黑暗
就像群星伸缩明灭的光芒
测量彼此的距离,在入夜的山中
释放出蚊子、卫星和一阵阵凉风

砂石过滤的溪水将整座竹林运送
土蜂在林畔孕育初夏的雷声
夫妻夜话的石鸡,搅拧一条泥泞的裤腿
它们已饮下各自的黑暗,变得透明
唯有我们,还沉浸在词语的黑暗中
等待自我尚未成型的意义

那暗中支配的嘴唇
迫使我们模仿万物的语言

而说出的不过是人类任性的爱情
一路将熄灭的松明抛入山谷,气息浓烈
用骨头的卷轴把山水变成风景
抵达另一个虚构的自己

只有山中的黑暗始终还是当年的黑暗
它遮住了我们尴尬的表情
让流水声格外响亮,让我们学会
以万物校正自己的时辰
恢复真实的姓氏和发音
并悄悄互换寂静的身体

2016 年 5 月 7 日晨于富阳陇林山居

辩证法种种

友谊——
再不见面我们就老了,老了
依然老死不相往来,炊烟在空中融合
你递来橄榄枝,他抽出干枝梅
你投以木瓜,他报以铅球

阶级立场——
奶奶领孙子过道
快跑快跑,车子来了
开车的想,你咋走那么慢呢

走路的想,你咋开那么快呢

从来是人等车,没有车等人

留学回来的不少就被撞死了

诗歌——

不是因为世界变快了

而是因为你变慢了

不是因为小溪的声音变响了

而是因为你沉默了就是大海

故乡——

永远无法归来的归来者

回到伊萨卡的是另一个人

奥德修斯早已回到别人的故乡

人力资源——

老板挖坑你就得跳啊

而且要把坑填得圆满

一个人吃黄连

身边连个哑巴都没有

学生的恋爱——

你再说一遍,她在半明半暗中停住

他揽住她腰,往自己要去的方向推送

她微微抵抗,你再说一遍

再说一遍,还是再干一遍

延迟退休——

他活着时属于别人

属于责任和各种规矩,他偶尔活着

他死了还是属于别人

被一张张臭嘴嚼来嚼去

教师的恋爱——

他沮丧是因为累了就感到虚无

她沮丧是因为觉得自己没用

他说,其实你挺有用的,你会插花

她说,你真是的,大家都累了,睡吧

学术研讨——

主持人把自己和话筒隔着桌子递过来

去旁边抽烟,想心事

等待嘉宾发言结束

窗上爬满绿色的声音

阅读的伦理——

把新书放旧了再读,等海潮退去

再看看留下什么小鱼小螃蟹

泡沫堆积,继续膨大,闪着虹彩破灭

就像小时候把新衣服洗一遍再穿

柔软贴身自然,有洗衣粉的清香味儿

2016 年 5 月 10 日

一个人的浪漫

春天的梅花树下,木凳微湿
读《圣经》,唱圣诗,花瓣在空中静止

采一枝喂蝈蝈的黄色倭瓜花
带着晨露,送给朋友的未婚妻

下雨不打伞,穿着皮鞋踩路上的小水坑
脚抬起后,水又回到坑里
水少了一些,变得浑浊了

十岁时桥头遇见两个小流氓
被他们往身上弹泥球,一声不响
回家拖出比自己身高还长的七节铁鞭
哗啷啷拖在身后,一路猛追

把一条人迹罕至的荒芜小径
走到无路可走,停下听自己的心跳

寒冷的冬天把硬币握在手里
在温暖的大衣口袋里捂热,嘎啦嘎啦响
或是在结冰的窗玻璃上印出花纹

盛夏在灰尘扑面的陌生郊区闲逛

渴了,路边买一个农民的大西瓜
一巴掌拍开,啃得满脸汁水

春节即将来临的雪地里的寂静
去废品收购站,中途掉出一个雪碧瓶子
腾不出手,就一路用脚踢到地方

看到一个有趣的词语,狂笑上半天
做各种鬼脸,把一切写成诗
在词语中安天下,为自己摆设筵席
把一个个词语的福杯充满,排列到天边

2016 年 5 月 11 日

枇 杷 树

第一个有关枇杷的记忆
是在古都西安满是梧桐的校园
凭想象写下的《枇杷岛传说》
那时既没见过,也没吃过枇杷
就像诗中的爱情,现在却显得
如此真实,"你带来你所有的夏天,
我们走进没有标题的夜,仁仁。"
翻看当年的记诗簿,发现
仁仁被涂改成了暖暖
第二个有关枇杷的记忆

是 1993 年云台山的青春诗会
我和叶玉琳提起没吃过枇杷
小叶直接笑我可怜
她家院子里就都是枇杷树,没人吃
真正吃到枇杷还是 2008 年春天
风姐姐来南京看我,她买了几个
说不可抱太大期望,就是一股清香味
椭圆形,黄黄的,毛茸茸
用指甲就能剥皮,大种子黑亮黑亮
在窗台上摆一排,后来也不见了
就像仁仁和暖暖,本来就不存在
校园里另有一种小枇杷树
春天结出圆圆的果子,鸽子蛋大小
一簇簇挤在一起,像一些童稚的小脸
树下走过,总要看看灰暗的叶子中间
它们半青变黄,直到有一天消失了
你才想起,今年又忘了吃枇杷
林君说,她家院子里的枇杷
有的熟了,而孝陵卫的枇杷
还是青涩的,她在城南的江宁
我在城东的紫金山下
距离只有三十来里
却仿佛差了一个节气

2016 年 5 月 11 日

我 反 对

我反对你的诗

我不反对你人

我反对你的领结

我不反对你的喉结

我反对你身上的罪

我不反对你人

我反对瓦屋山和王屋山

我不反对愚公移山

我反对伟人们在乡间漫步

我不反对他们回到巴士底狱

从高处往学究和寂寞的警察身上撒尿

我反对你的反对

我不反对你反对的

我反对我自己

也反对我对自己的反对

我反对我身上所有不属于我的东西

我就是反对了我的父母

他们始终活在我身上

我反对别人的东西

我不反对别人东西里有我的东西

它们是高利贷

早晚得还

比如叙述,伪叙述和元诗歌

我反对空气

我的反对就是空气

我反对把远方变成风景

而我就是远方和风景

我反对诗人互相学习

最好老死不相往来

共同向老子学习

我反对我心里所有不属于我的东西

我反对"反对"这个词语

我反对词语

我反对被世界借走的我

因为我活于世界却不属于世界

2016 年 5 月 13 日于宁甬高铁上作

古老的寂静如一面逐渐开裂的墙

终得以放眼远眺大海的宁静

岛屿如圆坟静止在南方

石鸡整夜磕碰火山石的池塘以北

一列青山之上

旋舞长矛的白色巨人

慢慢向山村围拢

把头藏在流岚之中

山脚下的诗人们

还兀自沉醉在番薯土烧的透明热度中

沉醉在时辰和词语的浓荫

大海也暂时忍住了波涛

这些以词语为矛的堂吉诃德们

要把大海镶嵌在胸前

作为骑士的徽章

要以太阳为盾牌

向另一种蔚蓝的永恒发起冲击

让海的汹涌和山的凝重

成为诗的民主原则

而山村依然是静的

静得人心里长草

静得仿佛从来没有人来过

山村的原则在于避开

词语的漩涡，在于用静默

用缓慢，抵抗现代的野蛮

仿佛一条虎鲸在黎明的网中

黑黝黝地下沉

沉默而顽强地加速游动

要将那些风车巨人

连同一座词语的城市

一起拖向亘古的黑暗和寂静

2016 年

乱礁洋颂

堆积的礁石被泡沫肆意放大

来自奥林匹斯紧锁的云雾

是众神惊慌中抛掷的盛宴的杯盏

宙斯的球形闪电和白母牛

阿波罗抽搐的琴弦

赫尔墨斯的飞靴和手杖

还有雅典娜金黄的头盔

这个大家庭骤经变故

眼珠惊愕如冰雹滚动

原来是泰坦巨人脚踏大山

挥舞橡树的火把向天庭再度进攻

战争的结局早已预定

人类和众神也忘记了这古老的仇恨

只有大海依旧,如阿喀琉斯的盾牌

堆积着无数燃烧的城池

接纳神明忧郁的愤怒和巨人的残肢

凝固成花环,纪念没有面目的胜利

数千年过去,又一群小神悄然出现

他们怀抱激流,望洋兴叹

交换嘴角的玫瑰和头上的荆棘

用草莓陷入皮肤的种子

唾弃那烟波深处跳荡明灭的形影

他们保留了原初之爱的神髓

置身于水和石头永恒的争斗之间

骑士般地一视同仁,软硬兼施

将汹涌翻译成澎湃

将温暖的洋流和暗流

拧成缰绳,要勒住万顷波涛

这些衣衫单薄的小神,吹吹打打
将灯光的长矛插向鲸鱼漆黑的背脊
让大海一退再退,让出蔚蓝
让出身体内部暗黄的房间
并将新神旧神的姿容
合为一首非人的颂歌

2016 年 5 月 17 日

在老山与耀东一起发呆

地铁一路经过没有莫愁女的莫愁湖
经过电线杆子上满是塑料袋的云锦路
经过没有人做美梦的梦都大街
再经过空无一人临江舟自横
只有葡萄在悄悄装填甜蜜弹药的江心洲

老山杂树上没有乱花
只有莺声渐老,只有一个
和我分别在长江两岸坐定的朋友
和他诗里愈老弥坚的骨头
在汤泉,他的体温无法与温泉较量
他的痛风也敌不过时间通红的虾螯
他的南通口音却可以穿过
午后弥散的阳光,催促落日
将晚霞的桌布铺展在天空

宴请的是周围的群山,鸟和词语

在寂静的滴水村,在浦泉玉成的庭院
我们调低音量如深夜的老式收音机
我们甚至可以不说话
不看对方的细长眼睛
各自望着各自方向的风景
而风景在我们的心里化成一片寂静
从中涌出乡愁、花朵和野兽
涌出清泉,一路放送绿荫和清凉的水声

在老山,下午漫长,足够
你把一杯茶从容地反复喝到
谷雨之前,清明之前
喝到嫩绿手指上的余音袅袅
喝到惠济寺的大银杏落叶纷纷
喝到落日停住,把大江向两岸推开
在老山,变老的不是我们
而是时间,以及时间暗中改变的一切

2016 年 5 月 17 日

它们只能在我的舌头上留下 尘土的味道

高过双膝的门槛内,雾气翻腾

跨越这道障碍的人，毫无声息
我默数他们的名字
如捻动玫瑰经念珠
这些名字曾经像纸条
粘在我亲爱的人们那发亮的脑门上

而那些肉身还在活动
但在我的生活和生命中
已经彻底死灭的人
我纪念你们就是纪念我自己

时间猛烈地燃烧，万物化为尘土
高大的星空，深广的漩涡
遥不可及的未来
逝无可追的过去
永不抵达的现在
在一个个时辰那孤零零的碎片上
生命被分割，捆绑
没有统一，没有完全

可是我们依然保有渴望
渴望被道路修直
用石头压住写上姓氏的纸条
继续少年的游戏

那些在暮色中向我倾斜的温暖的身体
那些尚未来得及认识的面孔上的清新

像柳树和杨树栽在催人入眠的溪水旁

永不干枯，让至高者成为脸上的光辉

2014 年 8 月 24 日和 2016 年 5 月 19 日

北部湾夜话

小说家说，诗人走路

都横着走，晃着膀子

且走走停停，想一想，望望天

诗人说，这习惯类似于苏格拉底

如果在人流中，会造成漩涡

诗人不懂心意的精准投放

不懂在座位左右设定圆概率误差

以避免精确制导的语言

对散漫语言的附带伤害

可他知道，和小说家在一起

诗人马上成了傻子和局外人

驻马店籍剧作家唱起了广西新民歌

又有资深美女拿"推拿"说事

如贝壳在海底开合，闪烁

于是，诗人从自我的贝壳里溜出来

逃离烟雾腾腾笑声阵阵的海鲜餐厅

观望夜海的墨汁向远方蔓延

去一阵阵颤抖的大巴车头前面

和"80 后"司机聊起人生和教育

司机听不懂他们在里面说什么
司机认为,知识分子想得太多
很累,也让别人很累
知识分子需要好好睡觉
而不是在海边熬墨汁
这耐心等待宴会结束的小战士
腰杆笔直,满面英气
不像诗人腰椎坚硬,枢轴生锈
他的妻子在银行早出晚归
孩子尚小,父母远在乡下
三年后转业他要另谋生计
他耸耸肩膀上的列兵肩章
似乎抖落了所有的焦虑和不满
他们聊到南北方的天气和距离
青芒,八角,十万大山,轰趴馆
香樟上的蕨寄生,嫩仔和把爷
单纯的谈话如同夜气升起
在高处凝聚为模糊的星辰
不知不觉间,海水鞠躬退远
将饱墨稀释成色调丰富的蓝
露出水底成排的旧轮胎
诗人几乎忘记了来到此地的原因
而餐厅里的笑谈与灯光依然
延长一个不复存在的夜晚

2016 年 5 月 22 日

身　影

阳光明媚,这是哈尔滨初夏的早晨

马原和梦竹拉着手去上班

他们在楼下向六楼的我挥手

走过斑马线,走过阳光

走进对面的树荫和大楼的黑

他们将长时间走过交替的光影

才能走出我的视野,走过几天前

他们举行婚礼的满汉楼酒店

走过锅炉厂家属区那片暗红的旧砖楼

在三大动力路拥挤的路口

马原将向右,走向工厂大门

走向八小时的围墙和现代的野蛮

梦竹继续沿三合路走向省医院

走向患者谨慎急切的白色眼神

我站在明亮的阳台玻璃窗后

似乎从前和未来并不存在

我只是望着他们的身影

越来越小,甚至1.90米的马原

在这个世上,在我俯视的目光中

也显得那么小,这是儿童节的早晨

阳光耀眼,我退回室内的幽暗

望着窗上大红的喜字

等待光影如某种预感

在棕色地板上向我慢慢爬来

2016 年 6 月 1 日

雨天喝茶

雨天我们喝茶，偶尔谈到天气
阴晴不定的初夏，毕竟会盛大起来
我们可以什么都说上几句
也可以长久地沉默
可以把一壶茶泡进骨头里边
来抵御地下室的阴冷
它像弯曲的细钢丝直往膝盖里钻

撒豆成冰的小人儿都成了转基因
封在玻璃板下面，作为人性的标本
从江湖上一阵阵传来的风雨之声
在我们中间化为一片无人的寂静

有闲心时，或许也会扯下皇帝的新装
剥下那些男男女女优雅的伪善
一言不发的世故和诗的画皮
露出他们扑了文学爽身粉的小屁股
用我们无产阶级烙铁般通红的大手
啪啪，啪啪，啪啪啪啪，啪啪
直到他们发出青蛙般的叫声

2016 年 5 月 2 日

洪昇：最后的流水

终于,水帮你完成了全本的人生
帷幕垂于暗下来的运河
你的饥饿也终止于乱流下面的平静
免费的恩典是垂直的火焰
是抱着自己如同抱着石头
潜入你自己的长生殿
那里,你依然白眼踞坐,纵饮波涛
那里,你可以夜夜欢歌,白发变黑

2016 年 6 月 14 日

风吹寂静

无论走哪条路,最后通向的都是寂静
阳光照耀红色蓝色褐色的屋顶
照耀菊花的头巾一闪而逝的村路
这村子好像很久没人来过了
每家的后窗都开着,向日葵探头探脑
炕上的被子整齐地摞着
看不见人,也没有犬吠
鹅的叫声从村子另一端远远传来
只有阳光,一动不动

照耀着闷热的树林,庄稼,尘土
和院子里逐渐开裂的白色蜂箱

十六岁的姐姐衣衫单薄
她在田里劳动,庄稼越来越高
风从亮银般蜿蜒的地平线吹来
吹着她单薄的青春
偶尔闪露的滚烫的腰身
十六岁的姐姐沉浸于劳动
当落日的芳香让她猛醒
田地里已空无一人,一片寂静
她蹲在垄沟里,风吹大地
风吹着蹲在大地上张望的姐姐
黄昏的阴影迅速蔓延过来
低矮下去的村庄仿佛在沉入水中
人世寂静,人时很长
十六岁的姐姐独自一人
留在田野里,沙沙作响的庄稼
很快高过了她,高过了旋转的星空

2016 年 8 月 20 日

我 承 认

我承认,我来到人间就是为了受苦的
但永远比不过你所受苦楚的万一

我承认,我始终活在
你永不结痂的肋下的伤口里
在你的血里睁着并非无辜的眼睛
我承认,我会嫉妒任何相爱的伴侣
哪怕他们长相丑陋得十分专业
我承认,你已经给了我永恒的福分
我却依然仰望每一扇透出灯光的窗口
尽管那里可能同样弥漫着不安
我承认,我终将是天使荣归
却还在时时希图人间的锦绣
我承认,我还没有打完这场美好的仗
却已经在致命的疲惫中期盼
早日回到你的座前,你的翼下
我承认,人世就是一场冒险
却时时止步,不敢向黑暗纵身一跃
我承认,我负有秘密而崇高的使命
却常常不知道自己走在什么样的路上
我承认,你与我同在
在渐渐委顿的炉火对面
在清晨的薄雾,在空荡的广场
在午夜凶猛的寂静中
在每一个来自天空的词语里面
我承认,你就在我身体的殿中
我却依然不懂得珍惜自己
我承认,你和我一起哭泣,疼痛和欢呼
在人群,在幽谷,在天涯
你都保守我,安慰我,我承认

我曾和你一起,历尽沧桑和宇宙的巨变
我承认,我将死去,为了让你得以成长

2016 年 9 月 6 日于哈尔滨太平机场

老街漫步

满洲里街,洞穿了我们的胸口
我几乎没有来过,它坐落在南岗区
一个已被车轮逐渐磨低的小山丘上
附近的老站上方,倾斜的红军街上
同样搁浅着一些老房子,龙门大厦
像一条黄色的船,龙骨很长
满洲里街,也许和那段历史
没有什么关联,正如果戈里大街
原来叫作奋斗路,和那个套子里的作家
也关系不大。我和诗人元正
一边吃菇娘,一边闲逛
四五处老房子,多是俄式建筑
后门廊的灯还积存着上个世纪
发黄的雨水,如果在清秋之夜
灯亮着,后院寂静,微风
深夜回家的醉鬼和哥萨克士兵
或许还有流浪歌手、妓女和继父
会压低声音,抱紧光裸的手臂
院子一角里高高瘦瘦的红砖烟囱

408

像一个想要离家出走的少年沉默着
这些想象，支撑着我们再去寻找
下一个白杨和丁香环绕的院落
它们都被生意惨淡的时装店
摇摇欲坠的小公司，面馆，鱼庄
占据着，如同一些枯萎的肿瘤
只有高大的白杨，像温柔的巨人
在它们日渐冷却的红屋顶上
撒下金色光斑和铁锈色的叶子
偶尔向它们俯身低语着

断头的光荣和苦涩的自由
还有风声传递的宇宙深处的信息
我们并不需要这样的往昔
这些老房子在我们体内逐渐衰败
会有白烟蓦然升腾吗，像弯曲的天鹅
这些和我们没有什么必然的关联
当我们骂骂咧咧地走过
眯起眼睛，当街道顶端
伟大领袖的绿色塑像
在秋天的宁静中闪耀出钢水般的火花

2016 年 9 月 6 日傍晚于哈尔滨太平机场

三张字条

雨夜潜回黑暗的城市

到处游荡着黄色的敌人

城市已经陷落

远处不时有烟囱喷出火焰

我找不到同志们

我必须接上头

才能明白我是谁

和我离开时一样原封不动的寓所

没有灰尘，各种设备功能正常

地板下没有黑色发报机

台灯压住三张纸条

字体有点熟悉，没有落款

有人来过，他一定非常熟悉我

第一张写于 2016 年 7 月 12 日

"丹妮诗集捐款，50 元整。"

丹妮又是谁，这本诗集里

一定埋有重要线索，或是密码

与我，与我此行的目的有关

第二张没有日期：

永波，请在网上查查以下的书

《规中指南》(闺中指南？)

《性命圭旨》(可有可无。谁的性命可有可无？)

《虚危直论》(这本是最重要的)

我给你买了袋泰国大米，很好的

永波又是谁,我吗
网,情报网吗
我一直是单线联系
最重要的这本《虚危直论》
是论虚无之危险的吗

第三张写于 2016 年 9 月 6 日下午
当时我正在从北方赶来的途中
语气很亲近——波子,冰箱里
有一碗米饭,晚上回来饿了
就用微波炉打一下,有咸鸭蛋一个
暖瓶里的水是新烧的

写字条的人,很可能就是我要找的人
我的上线,他一定知道我到底是谁
从关外赶来沦陷的南京
要完成什么样的秘密使命

我们是什么人,这又是哪一个
多事之秋,我无数次轮回的生命中
哪一次模糊的记忆
一个职业妇女必须睡在我的床上
我必须改变自己的口音
我必须忘掉更多的东西,才能成为自己

撩开厚重的紫红色窗帷
一个曾经以为是我的人

调暗了亚洲的台灯

俯瞰着外面的雨，和黑暗的黏土

2016 年 9 月 6 日午夜

流放地遇故人：朱元木

那些蚂蚁河边扛着大铁锹挖野菜包饺子

在酒厂下游滑溜溜的软泥中摸蛤蜊

在连路灯都没有的街头摸黑喝酒

站凳子上高唱春雷一声震天响

喝一会儿睡一会儿，在自家门口坐着

垂着脑袋睡到早晨，赶着马车

穿过满是马粪碎石的弯曲村巷上南大庙

看春天的溪水给山坡佩戴上深色绶带

在河边酒后的阳光下呼呼大睡，听水声

那些日子都无声无息地流走了

只剩下我们，像皱巴巴发黑的石头

你更瘦更黑了，那些低垂到地面的果子

总是一面红一面青，树根处总有灰烬

秋风吹动天涯，吹着塑料布裹住的老屋

庄稼如龙牙武士从地里齐刷刷站起

只要往里面扔块石头

大地上就会燃起绿色的战火

我们在无人居住的泥屋院子里

在没有轮子的破板车前拍照

你说，我们有房有车了

你十岁的女儿总在前面带路

她像饱满的玉米裹着薄薄的绿衣裳

她总是走向高处，停下等我们

而我们则不时停下，扶着咯吱作响的膝盖

听下面凹谷里隐约的水声

听风声渐紧，并沉默地望着

一动不动的秋云，灰色的地平线

和山坡上变幻的光影

2016 年 8 月 29 日

流放地遇故人：江南梅

2007 年春天，我博士毕业

拎着蓝白红条纹的编织袋

到处找工作，和下岗工人一样

袋子里装着我沉重的几十卷书

拉链还坏了。那是我第一次来南方

江南梅定好在茶社小聚

刚见面她就要把我的编织袋扔掉

给我买个拉杆箱，我捂住袋子

坚决不肯，我没用过拉杆箱

这件事，她已经记不起来了

而我见面就问她,哪里有卖大饼的
我要买两张吃,饿了
她订的茶社本来就是要吃饭的
这件事,我却怎么都不记得了

2003年某个秋天的深夜
江南梅回湖南安葬过世的父亲
正坐着硬板回浙江,突然收到
我的短信,问她在忙什么,怎么样
她告诉我家人去世的消息
据她回忆,我当时的信息中说
"没事的,梅花,我们就是亲人。"
作为流放地网站的元老
我习惯叫她梅花或者昭昭
这个细节,我同样毫无记忆
我不是会安慰人的人,但这样的口气
和用语,应该是我能说得出来的
"落地成兄弟,何必骨肉亲。"

2011年秋天,我们同上雪窦山
观礼弥勒文化节,夜气很冷
我刚见面,看见她戴个帽子
就一把把帽檐给拉下来,整个扣住
她可爱的小脸,这亲密的恶作剧啊
2015年秋天,还是在雪窦
山上的秋天还是很冷
她显得更加瘦小了,我搂住她

坚硬的小肩膀,像个大人

搂住自己的一个孩子,我们笑着

细雨潇潇,古寺干净的庭院中

我们的笑容就像银杏树叶一样灿烂

我们本就是亲人,是一起将自己

流放到心灵故乡的战友,我们在哪儿

流放地就在哪儿,而诗歌和人生

都不过是一场英雄的梦

2016 年 9 月 12 日凌晨于宁波

流放地遇故人:老剑

秋天,剑气纵横,山谷中

紊乱的气流变得平静澄澈

有白马静立于宝树之下

月圆之夜,红色的花瓣片片飘落

落在头上,而树下冥思的人不动

动的是花瓣,而花瓣不动

动的是风,是随时改变方向的旌旗

与此同时,某处无名的深山

一个刀客正在勤修苦练

准备出手时一刀定乾坤

他不停地磨刀磨刀,多少年过去了

茅屋越来越矮,山月越来越小

最后,他的手中只剩下了刀把
从此他就成了江湖闻名的老刀把子

这两个故事都与一个叫老剑的诗人
毫无关系,他现在悠游山水
他在词语和镜头中重整山河
他现在一举手,天下就落叶纷纷
他的爽朗和笑容依旧清晰
如晨光中的泉水和泉水埋藏的针
他看见所有的英雄消失在田埂小路
他看见万物在秋天上路,也不发一言

2016 年 9 月 12 日晨于宁波

流放地遇故人:金黄的老虎

一头金黄的老虎纵跃于群山的台阶
按住跳动的矿脉,按住斑斓的大地
他本该属于辽阔的北方
属于高处的寒冷,属于乌托邦
明月、松冈和大雪映亮的天空

只有不世的英雄,才配与他同在
俯瞰尘世的炊烟与精神的渊薮
从自身冶炼出黄金的光芒
这头老虎,曾在恒河岸边漫步

宁静得像一个陷入冥思的佛陀

这头老虎,在词语的热带雨林中悠游

他的啸吼,将花粉粘在低音区

又一爪将村庄的破草帽按在地上

他来自温煦的南方之南

那种植着胡须的山坡

他一路漫游,经过一个个前生

大海,熄灭的星辰,朝代与城池

衔着一支绯红的花朵

与巨大的落日隔着深渊相对

这本属于传说的神物

从天而降,身上插满了大风

温柔得如同一只大猫

明睇顾盼,偶尔从镜片后

闪出薄薄的刀光

仿佛心怀怜悯,对人世和我们

投以漫不经心的一瞥

2016 年 9 月 12 日晨于宁波

自己的黑暗:致沈水波

你唯一可以拥有的就是这黑暗

它不可被阳光照彻,它乃是你

真实的自我之源，是雨露和声息
你蜷缩在里面，这温暖的怀腹
从孕育出生起，就一直陪伴着你
它不是深渊，也不是你的反面
甚至也不是事物残余的部分
它是始基，是水本身，光本身
它化生万物，属于你又不属于你
它是部分，不盈一握
它同时也是整体，包容万有

可是，晨光已透过朱红的窗帷
在眼帘上血一样浸染蔓延
你在南窗下醒来，随手翻动书页
又把它们抛进院子里湿湿的泥土
雨后的藤蔓将纤细的手臂
斜伸过落地窗，它们会越来越长
叶簇后的黑暗，光明内部的黑暗
低处的黑暗和声音里的黑暗
将和包裹你的昨日的黑暗
一起蜷缩在你的体内，抬头
四季积雪的山顶倾斜下巨大的头颅
湖水的心跳扩散向蔓草的岸边
已经是秋天，你的疾病
也将沿着风吹的方向一起消失

2016 年 9 月 11 日晨于溪口四季青藤花园酒店

418

新安江畔

起源于雾和清晨,又消失在雾中
高压线从对岸的山头横江而过
在雾中时隐时现,歪扭的村舍
半天不见人类活动的迹象
白鹭时聚时散,恰如我们
能在不到一年中见上三面
实属奢侈。第一次在象山
你脸色阴沉,你的酒量和身材
不成比例,倒是和你的高昂声调
匹配完美,那晚你醉卧车中
独自一人,醒时已是海岛的黎明
多么惊险!幸好那车没有将海风密封
五月底,你坐了三十个小时的硬板
从建德到哈尔滨,你的口音
让我们困惑又开心,还有你的固执
和固执的可爱。我们说了很多
或者什么也没有说。这一次
我们一同在微雨中登临严子陵钓台
坐画舫游江,在新叶古村转悠
在方塘边看抟云塔的倒影
把时间吃成欸乃的鱼头,喝杨梅酒
新安江从我们身边静静流过
这是条缓慢的江,江面不宽

更像一条清澈见底的河流

它从古徽州出发，经过许多

未经我们允许就存在的短暂的事物

它一定也是从雾中悄悄而来

我们在清晨的细雨中沿江漫步

你说，江越到下游越宽阔

夏天水很凉，冬天十七度恒温

白沙桥上，一百多头狮子神态各异

而那些山头也依然时隐时现

2016 年 9 月 14 日晨

雾　江

新安江的晨雾与别处没有什么不同

它裹住连绵涌向天边的山头

与对岸的炊烟混在一起

它也笼罩住烂尾楼高大嶙峋的身影

有人从此寂寞无边，也风月无边

白鹭横江，仿佛有人大笑一声出门而去

雾总会散去，像我们的话语落入水中

明天总会有的，无论它属于雾还是雨

雾起的时候我们茫然无知

我们沉浸在另一种天气里

有人在里面张网，捕蝴蝶一样

捕捉从未存在过的饱含黄金的老虎

雾气在水面铺展,暂时形成一条
与江水平行等宽的条带
江水似乎停止了流动
只有雾,像一个同样从未存在的爱人
伏在江上,它们一起缓缓移动
它们无心地抹去了沿途的村庄
林立的山头,电线,龙船

一些词语似乎从未存在过
一些词语似乎还在呼吸
雾气的消音器,使一些
对岸传来的声音失去了含义
江水还在暗暗流动
等雾消散,就是另一场的人生

2016 年 9 月 15 日于建德

夜宿拱宸桥畔

两只暗红色的画舫从上游带来了暮色
久久停泊,冒烟,像两口陪嫁的箱子
等待被打开,运载砂石的驳船
从桥洞下穿过,几乎没有声音
船头的灯下,几个白色塑料箱子
养着花,有人在爱着,不为流水所动

细雨打湿灯盏,细雨中无人骑驴
穿门越户,也无人将瘦马拴在柳树下
从黄色包袱里取出诗卷和黝黑的剑
这沿河的柳色隐藏起多少陈旧的事物
它们只有在深夜无人的时候
才发出微弱的光亮和叹息

但依然会有人背靠墙壁醒来
他所支持的东西恰恰在等待他倒下
像一个布满盆景的死胡同
在运河南端,那些不规则的脑袋
像灯一样亮了,直觉一般纯净

我无法拥有一条河那么长的生活
那些骷髅飞蛾围绕我沉寂下来的大脑
不要遗憾,还是把灯关上吧
这就是你的夜晚,这就是世界的方式
秋雨,依然在黑暗中下着
依然消失在大运河的水里

2016 年

运河如是说

这世界上有那么多人
都有他们自己的生活

或圆满或残缺，或高或矮

他们都要依靠我生活

独独我没有自己的生活

独独我从众多的命运中经过

却没有任何事物可以依靠

我有的只是自己弯曲而固执的流向

永恒的蓝色和奔腾中消失的姿容

可这里来了个孩子，他刚刚苏醒

便含混地唱起了歌

他来到我身边，陪我走了很远

他一边走，一边长大，他会爱上

所有我们经过的短暂的事物

这年轻的亚当把想法种满了胸脯

他也将爱上一个单纯如水珠的夏娃

他属于清晨，我属于日暮

我们一起唱了一整天

含混而快乐的歌

2016 年 9 月 17 日晨于杭州运河畔

一天最后的时光

一天的工作终于做完

夜晚在温柔地死去

我可以最后离开阶梯教室

把走廊里的灯一路揿亮

拂开路边低垂的松枝

将新鲜的松针碾碎

嗅一嗅那种辛凉的气息

我可以慢慢走回家去

没有瘦小的园丁手握硕大的剪刀

沉默地跟在身后

呼吸吹着我的脖颈

路灯下的梧桐叶不是落向林荫道

而是向自己的影子迎去

这是一天中最安宁的时光

我可以不再将善恶分辨

没有看完的书倒扣在破旧的椅子上

杯子里的水渍还是圆圆的

它像哨兵站立在冷却下来的窗台

我还来得及写下几行冷酷的诗句

当着夜露在暗中滴落

群星在黑暗寂静的门口

无声而猛烈地燃烧

2016 年 9 月 27 日课后

你是你自己的远方

对于很多人,你就是远方
他们以为你已经抵达了

他们无法想象的世界和风景

而你始终在自己的身体里

你见过的青山碧水大漠云天

都成了你再也抵达不了的远方

哪怕你再一次去到那里

它们依然无法变得真实

就像一艘帆船,在茫茫海上

越来越远,却好像在慢慢沉没

你是你抵达不了的远方

你在你所不在的地方生活

你一动不动地旅行,像一个空座位

你既抵达不了任何外在的事物

它们只是潮水,不属于礁石

你也无法深入自己的内部

把里面的天气,像旧毛衣反穿起来

你本身并不存在

你是你所经历的一切

入夜的风雨,远方的晴空

你呼唤,回答你的

总是一个陌生的邻居

你是没有门框和枢轴的门

你打开,你关闭,远方都会砰的一响

你在此地和远方之间

如同一根松软的卷尺

不停地丈量,折叠和缩短

但永远无法将距离压缩成一个球果

一个枯萎的暗黄色的宇宙,在落叶中

向远方和你自己的虚空滚去

2016 年 9 月 28 日

国庆节的心情

这是个阴雨不断的日子
一个普通的南京或金陵的秋日
早上垂直的雨现在变成了斜雨
像一个人负重惯了，冷不丁空下来
一边肩膀依然向上拱着
他沿着溜滑的田埂回家
田野里只剩下庄稼茬和泥水
他努力保持着危险的平衡

从冷却下来的哈尔滨
一塑料袋菇娘递到我的桌上
湿漉漉的，都剥去了外衣
千里颠簸，有的破了，酸了
我把好的挑出来，吃了一碗
小时候，大姐会用针把菇娘的肚脐刺开
把里面的籽儿和瓤弄出来
只剩一层柔韧的黄色的皮
撮起嘴唇吹气，吹得鼓鼓的
再用牙轻轻咬，空气被挤出时
发出响亮的吱嘎声，就那么咬着玩儿

我总是学不会,大姐做好的给我
我也会一下子咬破掉,女孩子的游戏
我总是羡慕,又总是弄不明白

这是个和其他日子一样的日子
无悲无喜,更没有任何盼望
此时,我的朋友,诗人元正
正在九三农场阴云密布的草地上牧鹅
鹅越来越少,比年初时折损了一半
等到冰封大地,它们将全军覆没
元正说他自己从不动手杀鹅
而是把这功德让给我那大眼珠子一瞪
有点吓人的嫂子,元正可真是个好人
鹅毛纷纷,与纷纷的鹅毛大雪
混在一起,院子里一片狼藉
我那印第安女战士一样的胖嫂子
把沾满血渍的斧子砍在木头墩子上
在粗硬的围裙上擦拭手上的血
那时候,元正就会在屋里烧开水
一根根把空心的鹅毛薅个精光
嘴里还骂骂咧咧
不时噗地吐出一口
裹着绒毛的大黄痰

这是个普通的日子
我写下这些的时候
雨不知什么停了

天色近晚，屋子里更加阴暗了

2016 年 10 月 1 日

不存在的宇宙

风景都是空的，并不需要人
万物的语言，人并不懂得
他是万物共和国的一个野蛮游客
他真实的自我和真实的世界之间
永远隔着一个深渊，那就是"他"
此外什么都没有
每个人都是冒牌的
在大海上播撒透明的葵花籽

于是他哪儿都不去，继续等着天黑
继续在自己的墙角培育向日葵
天黑了，葵花就会成熟
葵盘里就有无数个自己，向外发射
然后继续等着，寂静降临
还有那未曾有过的生活
像巨大的白色热气球
一个溺水者肥大松软的裤子
从窗前慢慢飘过

2016 年 10 月 4 日

静谧的好时光

整天都是静谧的,如同夜晚
屋子里只有灰尘的心跳声
白天的时候,对面在修理阁楼
我也想有那样金字塔形的空间
空荡荡,只要一块干净的阴影
可以把自己藏起来,发呆
透过窗口望着远天的一小块发青的痣

那里一定能更清晰地感觉到
阳光的出现和偏移,以及时间的流逝
还有我自己的消逝
那里的阳光一定是一个人的体温
徘徊在一些事物剩余下来的部分
却无法收集起来,以备他日之用

很多时候,寂静将我隐藏在
它灰色的皱褶里,很多时候
世界并不存在,我只是重量和人形的体积
地球没有极地,也没有任何人的观念
像很大很大的严肃的大人,从天穹俯身
掀开寂静那单薄的屋顶,把我找到

2016 年 10 月 5 日午夜

关于临时性专项工作一词的阐释

活着成了业余爱好，这临时性
取消了有些事物的连续性
比如故乡，已经成了你憎恨的人
随意滋事的乐园，广场成了车站
你临时去一个地方，临时生活一下
再继续去另一个临时的地方
临时做一下自己，暂时不考虑别人

再说这个所谓的专项工作
不过是拆穿别人生活的形式
让它露出熏黑的内容
让基础在半空里落成
把句子拆成词语，斩断意义的链条
再像翻脸一样，翻出红砖头下面
黑红色的蚰蜒，一截截游走

临时性解除了事物的必然关联
木头和木头，窗户和门
堆在一起，只是因为它们都是雪
把未曾经历的和已成过去的
以及其中无数个自我及其可能
细分成永远趋近却无法重合的刻度
度量的是永远不会跑火车的枕木

什么时候才能从临时的变成专项的
用临时的工作支撑起专项的生活
把异乡和故乡,乌云和天空互换身份
让雪在高处,水在低处
从临时的寄居,向永恒的栖息
透明地飞翔,让自我的变量成为常数

2016 年 10 月 7 日

中午在水杉林中小坐

水杉的叶子已经变得稀疏
隐藏着的鸟巢会逐渐显露出来
风一阵一阵画着弧线
并没有太多的叶子随风而落
每一年你都没有记录下
水杉林变得光秃的确切时间
也许在一个深夜,它们接收到
一个不复存在的星球的指令
同时抛弃了这些假日的小旗
笔直地向星空竖起圆锥形的披屋

林子外面的阳光很亮
林子里则呼吸一般时明时灭
风鼓起透明的后摆
像一个骑自行车的信使

431

冲向斜坡尽头的另一个王国

因为久违的欢乐

而忘记了至关重要的口信

也许它本身就是信息

于是，在越来越大的漩涡的包裹下

树林中贮藏了一年的天气

就像捕鲸船上大大小小的木桶

随着海潮发出错杂的声响

你平静地坐在甲板上，仰头望去

周围倾斜的水杉如同一组桅杆

慢慢沉向黑漆漆的风暴深处

2016 年 10 月 8 日正午

自我意象论

人的一生就是不断地把自我

变成自我的意象，让别人

看不清自己，让自己也去崇拜

这个意象，慢慢变成一个雕像

黄铜或大理石的，甚或泥土石膏

但即便是铜像，即便立在广场上

他的内部也会由于寒冷而生出裂缝

在人群散尽的午夜披上雪花

发出空洞的断裂声，这时

如果有一只鸽子偶然落在
他绿色的肩头，轻轻一啄
雕像就会崩碎坍塌，里面
已经空空如也，只有黑暗和碎冰
或者露出那个真实渺小的自我
赤身裸体蹲在那里，瑟瑟发抖
像无家可归的小孩，满脸苞米面子
这个自我塑造的过程，从我们
产生自我意识的幼年即已开始
语言，社会规范，理想和信念
价值和情感，一层层包裹
促使我们逐渐向非我进化
有生之年能打破这个魔咒的人
少之又少，即便是创造性的劳动
比如诗歌，原本目的就在于
及时中断或延缓这个必然的过程
在我们无可奈何走向死亡的通衢
尽可能多地分蘖出一些岔道
让我们偶尔溜过去看看别的风景
你不可能像进攻罗马的蛮族战士
沿途敲锣打鼓，或者干脆筑房而居
诗歌是让你在大地对面喊话
但诗歌本身又像某种自我分泌物
类似于贝壳，在自身以外凝结出
奇形怪状的屋子，有的色彩艳丽
纹路复杂，极其精美，可谓巧夺天工
也有的毫无必要地叠床架屋亭台楼阁

一重重如各种地质年代的断层

甚或不成样子,而里边的主人只是

黏糊糊发绿的那么一点,比如牡蛎

冰凉而美味。故而,人类终其一生

也不可能有所谓自我完善之说

仅仅是自欺欺人,甚或自欺而已

所谓有觉悟者,也只不过

对此自欺的自动化过程有所警觉

对自我意象抱有某种嘲讽的同情

就像一个睡不着觉的小孩子

深夜出得门来,东游西逛

来到空荡的广场,看见一个

绿色的雕像还可笑地站在那里

忍不住跑到跟前,向冰冷的基座

倾泻出一股滚热的黄色液体

又由于夜寒而打了个寒战

再吹着口哨回家去,等待死神

2016 年 10 月 9 日,重阳

重阳节记事

微信上看看朋友们的状态

基本没有写重阳诗的

元正在搬家,从一个大院子

搬到小院子,房东涨价了

大鹅也得搬走,鹅毛就留下吧

人家也许还能做个掸子

没事刷刷脸,解解刺挠,咱也留个念想

佳然写了几幅非常好看的书法

是写的别人的诗,老毛头的吧

永平也没动静,估计还是在

为他那一千四的工资奋斗

还能怎么样,下课时去他值班的小区

张了一眼,一个陌生人坐在窗口

大姐一个人在克山,傍晚满县城

烟雾腾腾,哪里是芳香的炊烟啊

散步也没地方,县城比省城冷得快

兴贵呢,回山上给过世不久的老母亲

烧纸祭奠,抱着大树哭了一场

山上已经下雪了,冬天要到了

没有一个朋友对菊持蟹

或者登高岗振衣长啸,或者遍插茱萸

只有潘姐写了首心情不错的

上街嘚瑟的诗,说树叶很美

我呢,从午后梦魇的泥潭

挣扎起来,做了碗失败的炸酱面

去给学生讲荷马,英雄和淘气的神

讲讲凡人和英雄的区别就在于选择

而厄运总是和荣誉携手漫步

重阳节马上过去了,明天总会来的

我却怎么也想不起去年是怎么过的了

2016 年 10 月 9 日,二十三点四十六分

去年的那些鸟又来到
窗外的树上

去年的那些鸟又来到窗外的树上
啄种子,那树始终叫不出名字
而每年按时来吃种子,并因此
让路面油乎乎一片小黑壳的
总是一种黄脑壳的鸟,飞起来时
圆翅膀上会露出黄白相间的花纹
而窗外的草坪上,也总会有五六只
纯黑的乌鸫,在那里久久不动
然后伸脖快速出溜几步,又停住
有点像苏格拉底,不时从沉思中
醒过来,看看市场柱廊上的天色
它们从鸡一般蓬乱的灌木丛
慢慢靠近墙角,在铁皮落水管边喝水
波德莱尔说,老诗人的鬼魂
就在落水管里无声地一升一降
于是,那些鸟儿惊飞上了梧桐
再无法从开始发黄的阔叶中分辨出来
希区柯克在拍《惊魂记》时曾说
她不会全裸,她会戴着浴帽
他还说,为了更伟大的东西
我们必须牺牲鹅肝酱。我要补充一句
还有今天中午的鸟,有几天

它们还会戴着黄色浴帽,继续出现

2016 年 10 月 11 日

中午还是那两种鸟成群飞来

中午还是那两种鸟成群飞来
吃窗外树上的种子,不知道
种子还够它们吃几天的
也不见它们吐壳,但你从树下走过
就能看见水泥路面上的黑壳
油乎乎的。黄脑壳白背黑尾的鸟
啄种子的速度比乌鸫要快
会从意想不到的角度歪着头啄
像轻功高手随嫩枝上下摇曳
那些乌鸫则要笨拙得多
它们发现窗户缝里有人
就会相继飞走,人是最可怕的东西
但即便是鸟,找口吃食也很不容易
它们的叫声也显出多种含义
也许并不总是欢乐的表示
而人呢,也许人是所有生命中
谋生最难的,他们也要集体觅食
但分工过于专门化,采了不许吃
要上交给几只贼鸟,它们来随意分配
也不知道是谁给它们的权力

绝大部分果实都堆在云彩上酿酒

到你这里就剩下些干瘪的次品

而对于我这一介寒儒

日常生活就成了灾难

每天吃什么成了个玄学问题

而耻辱随之而来,恶性循环

如果喝西北风能活着,那该多好

现在正是刮西北风的季节

我一边这么想着,一边望着窗外

鸟都不见了,叫声还悬挂在空中

像是同情,又像是嘲笑

2016 年 10 月 12 日,二十三点四十一分

我深居闹市如一人独处深山

我深居闹市如一人独处深山

不是因为我穷,而是我憎恨人类

据说所有的大哲都憎恨人类

比如叔本华,没听说哪个和哈巴狗一样

见路上来个两条腿的

就可人家裤腿脚子那里磨蹭,打滚

四腿朝天露出红色小肚皮求摸摸

吧唧吧唧小红舌头舔人家皮鞋油

这样的哈巴狗哲学家恐不多见

有也是串种,这样的知识分子倒是

满大街都是，他们对不如自己的
马上把全身的立毛肌，也就是
从汗毛孔挤出根小毛毛的那点肉疙瘩
撮起来，硬实起来，且脸上马上没了
任何叫作人类表情的肌肉抽搐
于是我还是关门落锁，狗都不见
何况人乎。虽说我憎恨人类
却并不会憎恨任何具体的人
我观察他们杂乱而有趣的活动
始终研究不明白他们和狗
和鸟，和树，甚至草的本质区别
并从荷马那里取得了印证
他说，世代如落叶，我们也是如此

2016 年 10 月 13 日中午

关于说话，应该算得上一门学问

关于说话，应该算得上一门学问
比如见人说鬼话，见鬼就啥都不会说了
只剩下吐舌头做鬼脸了，再比如说方言
你马上就被各种阴阳怪气推得老远
成了局外人，你恨不得把他们舌头
用火钳拽出来，用熨斗给熨平乎点儿
他们解释道，说普通话舌头累
在北方人面前说南方小镇方言

439

显然有排外和没礼貌的嫌疑

在南方你要是不爱说话,别人就说你呆

这呆并不是发呆,也不是呆萌

而是发傻的意思,南京人叫呆逼

这呆逼如果用在端着刺刀缩头缩脑

摸进村来的鬼子身上倒挺合适

还是说我吧,小时候我不说话

可一说话,就很冲,比如说

我家从伊春刚搬到克山的时候

家里人在摆设东西,东邻的李明克小哥

过来跟着看热闹,挡住了窗口的光

我把他一扒拉——黑漆燎光靠边站

也就是说他的脸确(漆)黑,挡光

大姐要去绥化插队,送站时我说

广阔天地,大有作为(座位)

姐你就去坐着吧。我很不想让姐走

可说出来的话挺气人,大姐现在还记得

可我本意是想安慰安慰大姐

一直到现在我也不爱说话

尤其不与任何人争论问题

佛家叫作不争竞,我只会提出自己的观点

别人爱听不听,不讨论

点到为止,凭你自己去悟

大多数时候我连这样都嫌麻烦

于是便不说话,但不等于

我就同意你的话中有话了

我只是不想和人争竞而已

真理不是越辩越明，而是会更加

被语言所歪曲，于是我继续缄默

时间一久，果真舌头打结

不是舌灿莲花，而是吐出些干巴莲蓬

于是，去上课之前我总得照照镜子

吐出舌头，做做鬼脸，乎乎乎乎

2016 年 10 月 14 日

久不出门，冷不丁见到人还吓一跳

久不出门，冷不丁见到人还吓一跳

总感觉自己不属于人类

而是从冬眠中被提前唤醒的黑瞎子

眼睛也不知往哪里看了，人话也不懂了

也不知该做出什么表情才算正确

只见满大街都是落叶和人

这还得了，还反了天啦呢

可据说黑瞎子只喜欢掏蜂蜜吃

把蜂窝掰开，嘎巴嘎巴嚼

顺便把来不及或舍不得跑的蜜蜂

也吃下去一些，仗着毛厚

子弹都打不透，不对吧

子弹打不透是说人的脸皮厚吧

这黑瞎子，咋老瞎掰呢

据说一般黑瞎子不会吃人的

小时候在伊春,当狱长的爸爸说
黑瞎子大白天从北山上下来
穿过城市去南山,撵棺材吃
还说一个人采黄蘑,都和脸盆那么大
他采啊采,一抬头,哟,一个熊哥哥
正坐蘑菇堆里吃呢,这熊用大底座
往人脸上一坐,坐够了再用舌头一舔
那舌头带刺,呲啦,人脸就没了
爸还说,秋收夜里他们在屋里吃饭
忽听院里萝卜堆上咔吧咔吧响
一个黑乎乎的东西坐在萝卜堆上
大家别动,俺年轻的老爸用步枪
啾啾两枪,嗯嗵,没动静不咔吧了
过一会出去一看,一个黑瞎子
撂萝卜堆后头了,我一直觉得
俺老爸挺狠的,黑瞎子多可爱啊
可爱,哼哼,大巴掌一抡
可爱的就是你喽,保准小脸瘪瘪
于是乎,我到处踅摸一圈
发现世界依然故我,没我啥事儿
精彩的继续精彩,无奈的还是无奈
我磨磨蹭蹭回到自己的树洞
舔自己血糊连拉的手掌,养活自己
然后等着啄木鸟再来把我唤醒
再醒来,就该是永远的春天了

2016 年 10 月 15 日

哈气的版图

哈气的版图随着太阳升起

慢慢缩小，那是往黑猫头上撒盐

是生活的呼吸和世界的寂静

隔着玻璃交战的结果

我用手指在哈气上乱画

有时是一张带小辫的笑着的鬼脸

有时是一些偶然的字句

比如，某某，我不和你玩儿了

比如，某某某，你家着火了

还有一些笔画简单的骂人话

透过哈气，院子里一片朦胧

没有邪恶的黑羊一动不动盯着屋里

幽暗的煤棚前也没有翅膀累赘的天使

仓房的油毡纸和柴垛上白茫茫的

大门上方的横杠也是白茫茫的

要去两手吊在上面悠荡着玩

还得等待太阳继续升高

超出胡同口的电线杆子

让所有铁皮屋顶的颜色变轻

县城灰蒙蒙，炊烟向上摇摆游动

像要升上水面换气的泥鳅

不久就混同于深秋弥散的光和碎云

太阳像烤得很不均匀的烧饼

下边红上边黄,黄中透亮,越来越小

外屋勺子叮当,锅盖缝里蒸汽呲呲响

母亲和姐姐裹着蒸汽的说话声

透过芳香的黄泥玉米秆墙壁

隐约透露着成人世界的奥秘

那个世界有多么辛酸,我还一无所知

蒸汽熏软了天花板上糊的报纸

我还在窗上画着,用自己的哈气

显影出灰尘的笔迹,看哈气凝成

细小的蚯蚓蜿蜒而下

我的杰作都已破烂不堪

2016 年 10 月

纱窗上来了一只黑色昆虫

纱窗上来了一只黑色昆虫

像天牛附在外面

亮灯的时候我才看见它

似乎想渗透我的生活

进入我并不温暖的灯光

天一天比一天冷了

我开始节省每一点力气,恨和思想

节省每一粒粘着桂花的阳光

埋头工作,几乎忘记了它

有一天它果真渗透进来了

这特务拙劣地潜伏在纱窗一角
动也不动,以为这样就安全了
我佯装不知,让它陪着我
像一个不用说话的小伙伴
也不用担心它会突然尖叫起来
屋子里暖和了许多,晚上
我开始梦见黑暗中脖子上的抓搔
或者回锅的面包在我腰下粉碎
不知过了几天,它终于不见了
也许在哪个角落里,沾满了灰尘
窗户上一片空白的光
屋子里的寂静像一头灰色的大象
越来越大,直到把整个房间撑满

2016 年 10 月

平静是心灵的智慧

就这么一天天地过吧
平静是心灵的智慧
但更可能是来自迟钝
突然的光让蛾子吃惊
让它的眼睛蒙上黑漆
那个不懂事的孩子犯下的错误
却要一个老人来独自承受

不要再企望晚年的从容
那只是死期临近时的麻木
但又没有动物那种不知命的宁静
连阿喀琉斯的愤怒都不能改变些什么
美还会重新诞生
尽管是在脆弱的卵中
尽管没有另一个特洛伊

不要以为有人会真正地关心你
你一生编织的不过是游丝
从一个孤独的海岬
到另一个孤独的海岬
它们慢慢都会失效
你还是孤身一人

有人耐心地等着你死,就已属幸运
就这么一天天地过吧
你身后的港口都在渐次沉没
你说话无人听见
听见也是徒劳
就这样,你生命的小船终会靠岸

2016 年 10 月 19 日

人间烟火

他们管书呆子叫不食人间烟火

那食什么烟火,餐风饮露那是神仙
或者以词语为生,品尝词语迷宫的华美
它们的色泽,温度,气息,声音
把词的肉体掰开,同时掰开太阳
骆驼和豪猪。诗确实可当馒头吃
尤其天冷的时候,就着隐喻的大葱
这三十年我主要吃这种食物

吃词语就是吃天气,老虎,野人
就是吃各种党派,以及《党派评论》
吃巴黎和《巴黎评论》,吃大陆
海岛,星球,钥匙,各种豪车
就是吃国家,情人(如果有的话)
就是吃人,各种大人小人和小人书
吃成了一条自噬舌,赤道抽出的头发丝
我终于吃成了黑洞,满是白矮星的种子

我现在想吃点别的,灶坑里的麦秸灰
灰里滚烫漆黑的土豆,土豆里搬家的
玻璃球和混球,再去风箱里待一会
体验下什么叫耗子钻风箱两头受气
这样我就又坐在了母亲的锅灶下
忽达忽达拉风箱,锅里的玉米饼子
就要变成黄金了,风箱像手风琴
里面都是音符的小耗子,窜来窜去
我就又从一个词语,一个形象
还原回那个啥都爱吃的大眼贼了

2016 年 10 月 15 日

447

还是那一双手

它们安静地歇在正直的双膝上
它们有独立的生命，像海底的锚
沉默的友谊如尚未写下的词语
掌纹里那秘密不规则的种子
合起或分开，都不会轻易交出
除了泥巴、纸笔和固执的爱
还有什么能减损它们的天真
它们从未长大，世界经过它们离去
感到冷。有时它们悄悄变成武器
攥紧我的心，是忠诚伤害了它们
它们脸色发青，蜷缩起来
像抱着头靠墙坐在地上的双胞胎兄弟
有时我用它们蒙住太阳
时钟里的黑暗和反复诞生的时辰
我会老去，它们是我老年尊严的保障
不会给暴君和未来鼓掌，它们经历过
我不懂的天气和秋日的漫漫长途
它们拥有我并不理解的寂静

2016 年 10 月 16 日凌晨

一只猫看着我

一只猫看着我,它停在楼角

看着我又像是在看着别处

它的耳朵浮在低矮的灌木丛上

它保持着行走的姿势,没有坐下来

它看着我仿佛看着一个无名的身体

好像我没有名字,衣服,我的形象

尚未被贴上标签,我过去的作为

是消失在堤坝尽头的波浪

而未来只是一道目光,我停下脚步

这毕竟是一只真的猫

不是我的,也不是任何人的

它是它自己的猫,不是词语

我们之间的空气似乎变得黏稠陈腐了

它的存在于即将跨出皮毛之际

停下了一切的变化,细微的歉疚

它不再向我的立场转化

但这更像是一种沉默的祝福和拯救

它只是这一只普通而特定的猫

宁静地步出巨大而模糊的阵列

它不是从童年的图书馆和走廊

一路被人追逐或跟随的猫的寓言

一瞬间,我的存在变得赤裸

我的记忆和爱变成了羞耻

我变得不知善恶,历史和劳动
被它的耳朵轻轻一弹就会消失
这毕竟是一只真的小猫在看着我
它把我从一个人变成了人类
我空洞的存在像个冻僵的姿势
我们之间,总得有一方先行离开
把对方留在无名的死亡之中

2016 年 10 月 16 日

秋日读维吉尔

在面对未来之前,先回到死者的寂静
幻影三次躲避你,哪怕你的父亲
也恐惧地穿过院子长发燃烧不见面目

那些空气中的投影直刺你的双眼
幸福的拥抱总是对穿而过
而痛苦,加上痛苦的记忆
那便是双重的痛苦
幸福是象牙门,痛苦是牛角门
从哪个门出冥府,也都是回到原来的迷途

狄多上下打量着埃涅阿斯
绝望的沉默如白鸽随巨浪浮沉
柴堆上升腾的烟雾
和海面上逐渐缩短的桅杆

衡量出爱和责任之间无奈的落差

死后不过是阴影,再回不到人间
英灵簇拥,也比不过阳光下削制船桨
瞧,那楔形船首再度高昂
切入水的身体,耕耘波浪
流亡就是故乡,一切才刚刚开始

于是,维吉尔啊,我的向导我的先师
把礁石当作祭坛
也不必区分阴间还是阳世
我只向你学习什么叫作勇气
至于命运,只好去请教他人

2016 年 10 月 18 日

秋雨夜无眠时的反省或祷告

为什么要把小事拖延成灾难
你要为自己负责,才能为他人负责
你连自己都不爱,你还能爱谁
你自诩上帝的圣徒
你苦待自己已经有多少年月
你以为这样就能蒙上帝的恩典
他都能看在眼里,给你永生的福分
可你连这一生都没有过好

哪里有什么来生的指望
雨声自顾自在黑暗中滴沥
没人回答

你还没学会面对苦难
虽然你经历过凡人难以想象的苦难
你总是在逃避
你逃避的不是精神痛苦的洗礼
你逃避的是对自己身体的看顾
你甚至觉得对身体好点是一种耻辱
可是这些疾病会逐渐侵蚀你的灵魂
让你成为一个愠怒的动物
让你丧失感受爱和温暖的能力

你时常感到无依无靠
你极度缺乏安全感和归属感
你对人性大多时候没有信心
你对世界总体上缺乏热情
你对自己失望透顶
不,你只是怕麻烦
你用工作忙来搪塞自己
你想把一生对付过去
而现在大半生已经过去了
你明知道这很蠢
你必须改变这被动的性格

你不怕死,却怕麻烦

这岂非荒谬

你甚至想为了摆脱并不致命的麻烦

而要了自己的命

你的所谓勤奋都是借口

是想掩盖某种始终潜伏着的凶猛的东西

它就在内部等待吞噬你

你在自己内部耐心地培养敌人

你必须面对自身的黑暗

你不可用任何小麻烦吓唬自己

你要相信神的恩典够你用的

你别怕疼,你要学会去解决具体的

生活问题,不可将具体问题放大

并上升为普遍命运的高度

你要头痛医头,脚痛医脚

你听,雨还在下

它证明上帝存在着

你可以安心地睡了

2016 年 10 月 21 日凌晨三点

我 的 手

右手,经常放在我的额头上

好像要盖住那些急于飞走的思想

或者像父亲在试试童年的高烧

指节处的褶皱像老人严肃的眼睛

拇指内侧火药枪崩出来的伤疤

清晰可见,闪烁如一枚小小的奖章

左手是母亲,盾牌,船桨,铁锹

左手要小一点,负责辅助性的工作

翻开书页,按住要斩首的扭动的句子

或者揪住阶级斗争的脖领子

白天它们替我挡灾,挨累,受苦

晚上分开在左右,有时寂寞地扣指节

我则像个小孩安全地躺在父母中间

它们在衰老,两个皱巴巴的土豆

紧缩着,失去了水分,脸色发灰

手背上的血管细如青色导火索

捆着纤细的骨头,掌纹清晰

似乎藏着不想让我知道的秘密

在我睡着,才会忧虑地交换意见

有时它们亲密地挨在一起

不说话,互相取暖,从不抱怨

我犯下的错误,却要它们承担

它们更深地插进裤子口袋里

很少和人握手,它们不吹口哨

它们喜欢背在身后,从不签署文件

我爱我的手,它们干燥温暖

现在,它们放在一本打开的书上

书放在窗台上,有风穿过屋子

吹起白色窗纱,吹向草浪翻滚的林中

这难得的安宁,鸟鸣和心跳

它们走上一条湮没已久的小路
它们要预先为我决定很多事物
它们掌握着我无法掌握的虚无

2016 年 10 月 23 日

霜降之日

这是秋天最后一个节气
所有美好的东西都在过去
瓦上的霜印上了鸟的花纹

我还在写诗，没有在意
这一生即将过完
桥上的薄霜留不下什么痕迹
就已消失

深夜的火车从玄武湖那边
越过黑黝黝的紫金山顶
传过来草丛间秋虫微弱的抗议

2016 年 10 月 23 日

黄昏时的犹豫

黄昏成了一个难过的关口

刚才还像一条白手臂
搭在窗口的光,已经滑落到黑暗中
白天的工作无论满意与否
都已经做完,我停下手
像洪水过后光秃的河床
久久坐在黑暗中,在窗口
或是在黑暗中看着窗口
很久都不会把灯打开

起身走进外面的黑暗
成了一件需要鼓足勇气的事情
尽管当你走进去,就会发觉
黑暗并不是黑暗
树叶上反射的微芒,蒸汽
食堂温暖的灯光,晃动的人脸
逐渐点亮的别人家的窗户
路灯,雨滴,暗淡的星光
车轮和眼睛里的光,劳动的光

人类的一切活动都放慢了速度
甚至停滞下来
车间里的齿轮依惯性旋转
说话的声音也变得模糊
被树丛和看不见的波浪过滤
天地似乎在等待
我把这黑暗孵出一间房子的模样
或是我身体里的发条咔嗒一声启动

2016 年 10 月 24 日

有时,他觉得自己这一生
毫无意义

有时,他觉得自己这一生毫无意义

他在词语中穿行,没有创造出任何

实实在在的东西,只写下了一些

没人在意的文字,它们至多

是一个人暗夜中的自言自语

就像一个孩子深夜走过坟场

为壮胆而装作满不在乎地吹着口哨

他不知道为什么要穿过坟地

也不知道要去往哪里,另一个村庄

也许早已空无一人,只有窗洞里

被不知来处的风吹响的窗户纸

他似乎从来没有见过阳光

天空寒冷空旷,没有任何许诺

他独自在世上,如同孤儿

他独自发明了一些游戏

组合一些词语,借以忘记这个世界

他和任何人和事都没有必然的关联

他只想继续留在黑暗中

不为任何人所发现

2016 年 10 月 28 日

他活着就是勉强

在五十三岁的夜晚,回想他这一生
是多么勉强,他活着就是勉强
整个世界的敌意堆积在他的门口
如同冰山要挤进一个脆弱的身体
他出生时没有时辰,他是世界
怎么也消化不了的一块脆骨
五岁时无心的开山斧贯穿了头盖
一股凉气嘶嘶直冒,他还觉得好玩
一点不疼,夜里母亲发觉床边的孩子
听不到呼吸,以为已经死了
结果他睡得很香,脑瓜顶的洞
好几年一喘气就呼达呼达
青春期受难的幻觉始终没有放过他
他和任何人都格格不入
也没有任何人真正喜欢过他
他们喜欢的只是符合他们需要的他
而不是他本身,或许他就没有本身
三十八岁的无妄之灾让他
多年噩梦缠身,醒来不知是在
人间还是地狱,是战士的血液
让他伤痕累累也不下火线
但这并不是勇敢,而是习惯
他能活下来全凭一种好奇心

想看看命运到底要怎么拨弄这个

因为笨拙天真而格外倔强的家伙

他常觉得一切都是如此勉强

世界要粉碎他,他却要勉强活着

他做什么事情都很勉强

必须付出十倍的辛苦才能获取

一点点别人早就不在乎的东西

才能稍有喘息的机会

他和各种恶势力搏斗只是为了自卫

置身于任何人群他都觉得十分勉强

他那些记录命运暴行的诗歌

和任何人放在一起都显得勉强

他勉强活到了五十三岁

但凡还有一线生机,他还会

继续勉强地活下去,活到死

活到让别人和自己都厌烦得要死

2016 年 10 月 28 日

雨还在下,雨在和黑暗对话

雨还在下,雨在和黑暗对话

我偷听它们在说些什么

越听不懂越是想听

它们时而模糊,似乎说着话走远了

时而又突然提高声音

似乎是故意在嘲笑我

它们用的是失传的语言

它们和我其实没有什么关系

于是我放弃了参与它们秘密的努力

我知道,长江上更加黑暗苍茫了

那些红色驳船上的沙子闪闪发亮

玄武湖中的菱洲环洲都在陆续消失

只有雨落在紫金山所有的小路上

每一条上都走着一个黑黑的我

一个固执地想消失在雨中的人

2016 年 10 月 29 日凌晨

他常常觉得苦涩无比的生活

他常常觉得苦涩无比的生活

正是别人所羡慕的远方

他知道,在他写下这些文字时

有人正在死去,或即将死去

他无处可去的此地和今生

正有人千里迢迢兼程而来

随着他的每一次呼吸

都有一个星球永远消失

这些并没有减轻他的痛苦

他知道曾有一个女人

满怀心酸地爱过他

听到别的母亲的不幸

便赶紧回家把他紧紧搂在怀里摇晃

生怕他死了,他就闭着眼睛装死

让幸福像波浪一样满眼金星

他知道有人还在爱着他的无名

而他永生的痛苦

却不会因此减却分毫

2016 年 10 月 29 日

今天将成为你永远
回不去的昨天

今天将成为你永远回不去的昨天

今天的苦与乐你都不能再去经历

苦或者会过去,或者会更加恶化

苦过去了,你今天的烦恼忧惧

便毫无意义,苦变得更苦了

今天的苦就可谓幸福了,所以

无论阴晴,今天都是祝福

都是奇迹,宇宙还在,你还在

这就是不变的誓约,你要学会

让每一天的光影变迁为你文身

万事有尽时,你总会把今天过成昨天

把今生过成前生,再苦的日子

也都是恩赐，是熔炉中的银子
渣滓去尽时就会映出你的面容
你终究会把日子一天天过完
完了，也就完了，你到站了
那是你一个人的车站，一片寂静
只有一盏风灯在夜色中摇晃

2016 年 10 月 29 日

初冬上午的阳光

阳光像对着新生儿或新娘一样微笑
宁静而令人气恼，在昨夜的黑暗
和寒冷之后，仿佛那黑海白浪
只是个无害的恶作剧，我的龙骨
还在单调而稳定地嗡鸣，犁过涡流

这冬日上午的阳光，透过窗帘
投影出去年窗上红色的圆形福字
随着阳光，针一般偶尔透进来
一声鸟鸣。醒来，上午已经过去
你如临深谷

阳光不久就会移向别的窗口
你继续在自己体温制造的空间
停留。阳光外依然是光秃的万物

这金黄的宁静只是一个巨大的拱门

这随时可能收回的许诺,时明时暗

可屋里依然多了一件模糊的东西

像童年的游戏,两只握着伸给你的手

你只能掰开一只,或是什么都没有

或是一颗温暖的糖果

一张捏得太久而字迹模糊的纸条

2016 年 10 月 30 日

母亲的话(一)

"我想把自己累死。"

父亲过世后的那段时间

母亲总是忙个不停

东转转,西擦擦

她本来就爱干净

有些可干可不干的家务活

她也兴致盎然地做个没完

好像要重新开始生活一样

她这样干了六年

在北方清新的早春

积雪融化,土地发出黑色的闪光

母亲不再为人看孩子解闷

她回到越来越矮的老屋

她又捡起了那些可干可不干的活儿

她把米袋子沿墙码好

把冻成一坨的煤刨开

屋子里春光明媚，风从野外吹来

棚上新糊了报纸，面粉做的糨糊

小时候我总要尝上一尝

蓝油漆的窗户斜着支起在屋檐下

窗子下翻了一锹宽的新土

准备撒上扫帚梅爬山虎的种子

父亲用过的东西原样未动

或是好好地收在他们结婚时

那对带大牡丹花的红色木柜子里

我的母亲歇下手，满足地打量着屋子

用我念书时那种草稿本的薄纸

卷了一根烟，用唾沫粘上

她后退着想坐回

阳光照亮灰尘升腾的土炕上

却坐空在了炕沿底下

我想把自己累死

她做到了，这句话像一句誓言

传给了我，我将像母亲那样死去

因为我，太爱她了

2016 年 10 月 30 日

万圣节之夜的但丁课

校园里不见有什么动静
浮在暗空中的脑袋下面
总可以找到一个小身体
学生们老老实实待在教室里
等待寒冷加深，他们会走得更远
远到我目力所不及的火焰之外

撒旦脚踏大山，拄着长矛沉思
他的战友们都在背风处沉默不语
倒栽葱的脚板上烛火颤动
共同拥有地狱的情侣
地狱就是天堂，旋风，冰雹
火雨，滚油和沥青，又算得什么
小船沉没在落日后的无人之境
迅速平复的漩涡是最后的话语

每个人都有自己的维吉尔
可谁又是但丁，贝亚德丽采
归入永恒者的玫瑰，电光一闪
宇宙如一本大书缓缓合上

下课的老教师斜起肩膀

雨落向黑暗深处,他暗自思忖

一个远在异国的木匠之子

他的死和我又能有什么关系

他知道这是魔鬼在身后说话

他将在永远寒冷的月亮上找到归宿

不再发抖,缩成一小块阴影

2016 年 10 月 31 日

柿子熟了

连续不断的秋雨之后

柿子由青变黄,静止在枝头

鼓胀的皮口袋装满了糖浆

随着天气变冷

而悄悄发出结晶的声音

它们还是绿色小纽扣的时候

我就从下面路过

仰头在茂密的枝叶间把它们辨认

它们发出叶子一样苦涩的气息

它们去过我们抵达不了的星系

我低头避开垂下来的树枝

我知道它们还会垂得更低

那最高的一只将始终留在那里
接受天空和寒霜的检阅

2016 年 11 月 2 日

我的家乡已经下雪

总是黑暗和雪,后门黄色的灯光
贫穷的食物冒着热气
远方关闭的一扇门那持续扩散的震动
当然,还有漫长重复的梦
和寂静中表针一般嚓嚓走动的
分不清性别的人影

回忆在雪地上排列亮灯的鱼缸
我在寒冷中度过了我的前半生
仿佛总有人站在落地的玻璃窗后
看黑暗更早地降临,下午四点的昏黄
街道顶端闪耀出蓝色的火花
雪片像磷状浮游生物在向上游动
在绿色的教堂洋葱头保持了纯洁
在中央大街冻僵的石头上迅速变黑

松花江上总有些莫名的声音
树枝还会折断,落叶堆在窗前
落雪时的寂静像羊毛一样细密

每一条黑暗的小巷里

都有纸做的红灯笼落在地上

公交车像漂流瓶装着暗淡的空气

和过时的信息缓慢起伏

很多事情已经变得毫无意义

它们孤零零立在雪地上

没有原因,附近没有任何相关的东西

你会诧异它们何以被剥夺了色彩

只有一些细节在顽强地闪烁

揭示出更广大的黑夜

郊外田野里的时间

以及事物留在那里的残破的底座

2016 年 11 月 7 日

又是阴郁的一天

早晨和傍晚连在一起

偶尔有雨水在树干上闪亮

我什么都不想干,只想躲起来

让盲目的命运在隔壁摸索

任何人间的责任我都想忘在一边

我的身体停泊在远处

我一无所思,不感觉,不回忆

雨水在我空洞的眼窝闪烁

我只想让这存在的巨轮暂时停下

2016 年 11 月 17 日

江　湖

我的江湖缩小成一些名字
我曾经喜欢在地图上标出
一些有朋友生活的地方
几乎布满了所有省份和城市
像一杆杆小红旗,我就在上面旅行

现在它们越来越少,我不再认为
自己还能在那里找到他们
他们或许早已离开
我的根据地一点点沦陷
曾经辽阔的帝国的版图,现在只是
一些零散的名字,没有色彩
并将继续随着时间一个个熄灭

那些不能用来建造喷泉的石头
就是不再唱歌的头颅和血
我在江湖以远垂钓
怀揣一块正在腐烂的温暖的石头

过去更像是一场场误会
是隔着山谷的雪喊话,奔跑和消失

雪消失在洞穴中,有人
用地图卷起沙沙作响的雪和黑暗

2016 年 11 月 9 日

开往雪国的列车

这是没有起点的列车
谁也不知道它从哪里出发
它或者是从蓝色的大洋或天空上驶来
世界上任何具体的地点和名字
都不可能承载它的记忆和希望
但我们已身在其中

这是没有终点的旅行
谁能告诉你,童话结束后
还能做些什么,该怎样继续
譬如故事的结尾总是说,后来啊
公主和王子就幸福地生活在一起
那似乎总是意味着单调与隔绝
他们更应该分手,再无瓜葛

也许在森林里盖一间滴着树脂的木屋
或是用爬犁把雪运到山外
把劳动的热气捂住
像用狗皮帽子捂住小白兔

或者就此失踪,和辽阔的寂静对质
也许中途下车是个出路
每一个小站都有另一个你在等待出发

积雪压低的松枝更加阴暗
埋在雪下的列车,窗户低矮
汽笛拉响,烈火熊熊,煤炭黑亮
没有司机,没有乘务员
朋友们在温暖的车厢中联欢
美酒,泡沫,彩带,笑声与欢呼
那些早已不在人世的也默然置身其中

2016 年 11 月 25 日

一种近乎遗忘的技艺

毁灭就是空间,让新的恐怖出现
发黄的书页不再能够翻开
无形的幽灵让你咳嗽不止
风景在画片上不断缩小
直到分辨不出真实的地点
曾经如黝黑风笛的百年铁桥
如今是水边一副嘎吱作响的膝盖

把一切都写下来,来惩罚生活
让落日永远盘旋于静止的洞窟

只要这本书被翻开一次
所有人就会复活,地狱的精密机器
就会再次发动,狂风冰雹火焰
让关节僵硬的沥青,别人的苦难
就会再一次被重复,无人知晓

它依赖于读者的同情和见证
时间继续像冻僵的箭头在雪下画出虚线
雪落下,永远在落,又永远
落不到行人的头上,行人微微前倾
永远在原地行走,永远脱不出一场雪
对这种游戏,如今很少有人相信

它也许只是无害的游戏
它贡献出时间的形象
如同一个视力微弱的老钟表匠的铺子
在黄昏中反射着金属零件的微光
各种规格的齿轮,铺子就在街的拐角
隔着雕花的玻璃转门,烛光亮起来
一匹来历不明的白马出现在门前
它是所有世代的腐朽,喷着轻蔑的鼻息

2016 年 11 月 26 日

黄昏的祷词

生活最终依赖于宽恕和遗忘

没有足够的力气去爱你的敌人

就得学会宽恕，再强烈的恨

也会湮没在时间的荒漠中

坍塌成一堆原因，辨识不出形象

强烈的爱与恨都是对生命的消耗

也是对尊严的贬损，因为灵魂

有其自身的目的，甚至不为你所知

随着年岁增长，爱恨都是别人的戏剧

你越来越多地采取旁观的立场

甚至兴趣索然，人类的活动

像冬天的田野一样遥远

你有自己的问题，别人和你

没有真正的关联，他们至多

是人生教科书的参考和注解

你越来越多地待在自己的领地

你的孤独是一座遮挡世界的房屋

是向海中伸出最远的悬崖

它的人字屋顶是红色的瓦

它的前门紧闭，后门亮着灯

它的阁楼里下雪，地窖是实验室

有从块茎里发芽的闷热的幽灵

花园里隐匿着无数儿童的笑声

你的缓慢对应内心的寂静

一个词语就够你活上好几天

很少有外部事件能渗透你的面纱

潮汐被无数细小的洞穴吸收

你的好奇心仅限于一只老式望远镜

当你从自己的深处偶尔来到窗前
你用它瞭望一下天边涌来的乌云
迷途即归家，你终于宽恕了自己

2016 年 11 月 26 日

恐怖小说

连这么简单的生活你都应付不了
越来越多的是责任催你起身
而不是爱，树叶反复地落下
连同叶子背面的密码
它们从一棵透明的巨树上凋落
从伊甸园一直落到现在
堆积在地下车库的入口

你但凡能不说话就不说话
能不出门就不出门
你谁都不见，你想忘记人类的语言
你只在深夜里下楼倒垃圾
仰望着微弱的星星
听见天空结冰的脚步声

这人生居然是真的
还有什么比这个更可怕的呢
你在寒冷的空房子里

不分昼夜地拉着窗帘

夜复一夜就着昏暗的灯光

读恐怖小说，你就要消失了

当这故事结束

门环再一次无声地转动

2016 年 12 月 4 日

冬日晨起

需要克服很多东西

一颗遥远星球的引力

一片无名海岸，沉船船头

拍动翅膀重新平衡的白鸟

整片大陆上闪耀的露水

山顶松动的积雪和山谷中的房屋里

逐渐转身的沉默

长久以来你所搜寻的记忆的矿脉

一座逐渐扩大的透明倒置的坟墓

你什么都不需要，早上的光线

同样不需要移动任何词语或事物

你的深渊沉寂无声

2016 年 12 月 8 日

书写的少女

(a)

那书写的少女，总有一边的长发

披垂下来，用阴影遮住半边面颊

如果另一边也滑落下来

她就会用拿笔的手撩一撩

抿到苍白的耳朵后面

她们低垂着眼睫，专注而安宁

她们写着什么，从来无人知晓

她们偶尔停下来，打量着

已经写下来的，她们有些茫然地

凝视着虚空中出现的模糊的形象

所有最伟大的战争都是在寂静中进行

屋子里只有笔和纸摩擦的声音

仿佛海水在悄悄涨潮，小船

在向大海颔首，仿佛有新的星系

在大脑白色的池塘中逐渐成型

仿佛世界上没有苦难

你也会永远活着

2016 年 11 月 13 日

(b)

她们披在一边的头发是一只大鸟

有时在悬崖边拍动一下翅膀

她们捏紧笔杆的手

指节苍白,瘦硬如鸟爪

如同痉挛一般快速啄着纸页

猛啄上一阵,又缓慢下来

你永远看不清她们的脸

那些小脸沉浸在一个

你抵达不了的深渊

她们是你的学生

她们掌握着你所不知道的秘密

她们时而停下,仿佛在倾听

远方的回声,她们专注而自信

她们在书写人类的命运

只要还有一个少女在书写

人类就不会灭亡

物质和死亡对生命的嘲弄便会落空

世界短暂,而少女永生

这些永生的少女将引领我们

回到苹果树下

2016 年 12 月 10 日

父亲的灯

院子里的灯还亮着
篱笆上,牵牛花还在努力攀缘
白油漆像干燥的皮肤,爆裂的木桌上
散落着苍白的豆荚和眼泪
这是秋天,所有秋天中的秋天
麻土豆堆在窗前
屋子里早就黑了,黑而温暖
还有寂静,微弱的灰烬的香气
家人睡熟的呼吸如白幽灵飘荡

我在黑暗中醒着,等待着什么
这是父亲的秋天,他的指节越发粗大
他不说话,我听见窗前的摇椅
咯吱作响,父亲起身离开
他身体的黑暗在独自摇晃
他在院子里一个人站着
望着天边的星星和树顶模糊的道路
篱笆旁的罐头瓶里,蜡烛一直燃着

父亲的秋天,他心里不再只装着我们
也许到了一定年纪,人就会有
只属于他自己的一件事
父亲什么时候走上了那条

黑暗中发光的路，没有人知道
他留下的灯一直亮着
白昼在延长，秋天似乎始终没有结束

2016 年 12 月 25 日圣诞节之晨

星空下流水的声音越来越高

童年时下屯走亲戚，在绥化老家
有一回我和表哥凌晨起身
他要开拖拉机去一个什么地方
我跟他去玩，那是北方的夏末
天有点凉了，我盖着严实的被子
表哥还用稻草把我盖住
斜躺在后车斗里

透过芳香的稻草的空隙
星空在我额头上斜斜展开
星星密如谷粒，车子颠簸着
星空静止，夜气微寒而美好
大地一片朦胧，河水闪光
大地上似乎到处都是河水响亮的声音

已经过了四十年，我和表哥
到底去干什么，去哪里
我已经想不清楚了

可我还会时常想起仰望星空时
我身体下面大地的颤抖
田野里响亮的流水声
和我略微抬起眼睛就能瞥见的
表哥黝黑笔直的背影

2016 年 12 月 25 日圣诞节之晨

冬天的一只苍蝇

一只苍蝇绞扭着自己细细的手
绞着,搓着,像一个绅士
走来走去,似乎有什么麻烦事
正是寒冬,他从躲避的缝隙里出来
在窗台的阳光中散散步,暖暖身子
他如何度过年关,能幸存到现在
他一定经历过非人的折磨
就像第二次世界大战中从波兰的冰天雪地
逃出来的一个大学教师
他一个人,冬天的食物匮乏
人类的残渣都是又凉又硬
刚到中年,他就成了个老人
他的家人和朋友都没有活下来
他要一个人度过严冬
我看着他转来转去,忧心忡忡
但在这困境中,他依然保持着绅士风度

我放下本已悄悄举起在他身后的本子
他已经够难的了，就让他活着吧

2016 年 12 月 27 日

我身体里的房间

我身体里有很多个房间
它曾是一座灯火辉煌的城堡
大厅里夜夜笙歌不断
明亮的门廊总有人进进出出
餐厅里弥漫四季的色彩与芬芳

每个房间里都住着人
我的朋友，同学，亲人
当然，地下室里会有经年的酒桶
石头的塔楼上有可供静修的密室
图书馆中的珍本应有尽有

城堡外的山坡牛羊成群
河流，树林，果园与牧场
如同项链将城堡环绕

如今亮灯的房间越来越少
每一个人的离去
就有一个屋子永远黑掉
永远关闭，只有我偶尔打开门
像一个上了年纪的管理员
站到多年前的寂静中

那里,还有漂浮的呼吸
如同光线中细微的灰尘
当有一天我也离开
大厦最后一个房间也将熄灯
而我会在外面的黑暗中站上片刻
仰望每一扇窗后浮现的面孔

2016 年 12 月 28 日

2017

一年的最初一天

似乎一切都没有变
严寒依然笼罩大地
北国只剩下庄稼茬的田野里
雪中脚印的雕塑放大了轮廓
而江南的松树，似乎在雨后
依然生出嫩绿的松针
我习惯揉碎一簇，让辛辣的香气
刺激一下迟钝的大脑

日子总是新的
生活却总是一锅炉反复烧开的水
你穿着旧日的衣服
如同一种心情，陈旧而温暖
包括它里边的灰尘
没看完的书也许就此永别
没用完的身体还要继续走动

寂静的工地，集装箱工房外面
晾着几件寒酸的衣物
甚至有褪色的内衣
街边树篱上挂着腊肉、腊肠和鸡

一只小狗扭着脖子被主人拉走

有人在热爱着生活

这让我高兴起来

午夜,我把垃圾拿到楼下

用黑色塑料袋隐藏起

我那贫瘠但因为属于我

而珍贵无比的日常生活的内容

然后看着它们像星星一样

在宇宙的门后慢慢变凉

2017 年 1 月 1 日

归乡前的记录

还来得及写下几行句子

早早起来,消灭家里剩下的食物

包括一碗小米粥,两个面包

一个苹果一个梨

擦厨房地面,看啥不顺眼就扔掉点啥

洗澡,就像下课之前擦黑板

对这个缺乏打理的家总有点歉疚感

把一些书收起来,开春再折腾出来

似乎很多年都是如此

给阳台上备受冷落的几盆花浇水

它们能否活到我回来还未可知

旧年的灰尘总是蜷缩在角落缝隙

就由它们去吧，环顾着屋子

这另一个被反复抛弃的自我

如果有一天回来打开门

看见一个和我一模一样的人

住在里边，我也不会吃惊

我会向他身体里的千山万水一一致歉

2017 年 1 月 4 日上午

近乎一种责任

没有人让你这么做，这一行

是每一次都要从头学起的手艺

过去的经验无法成为未来的保障

它无法一劳永逸，每一次

你粗糙的手都必须在一堆

或锋利或迟钝的工具中摸索

每一根词的线条，你都得反复打量

端起来，斜着瞄准，像木匠一样

把红蓝铅笔别在耳朵上

词语的刨花散落在脚边

你偶尔吹去灰尘，停下手

倾听暗中的嘴巴下达的指令

也许一阵苦干，事物才略具雏形

这是一门不是手艺的手艺

它已渐渐失传，技巧只能保证

一个老师傅的失手也令人称奇

几十年的辛劳，也许一天就报销

但是没有人强迫你这样做

词语的构件，是你多出来的身体

围绕着你，像是起初的房屋周围

生出来的仓房和门斗，这些附属建筑

它们并不能让你走向死亡的脚步

慢下来半分，也不会让宇宙的战火

平息片刻，人间的苦难更不会减却分毫

甚至没有人注意到你的工作

可是你依然要一次次开始，写下

这些词语，慎重，犹豫，近乎庄严

仿佛全部的宇宙压在你的身上

于是，你又坐在这里，艰难地写下

一个看不出有什么意义的开头：

今天阳光很好，事物存在着

2017 年 1 月 6 日下午于三合路

后半夜的车声

轿车沙沙的车声由远而近

越来越高，迅速消失在街道尽头

车灯中闪动着浮游生物一般的雪

它们一辆辆突然加快速度

经过你的窗下

不知道从哪条无人的街道而来

又要去向黑暗中的何处

玻璃轻轻震动了片刻

在如此深的夜里,它们带来了

生活中始终隐藏的神秘

欢乐后的孤寂,幽怨,背叛和忠诚

有人深夜回到某个无人知道的地方

有人深夜离家,去向不明

每一件事物都或直接或间接地

参与着其他事物的秘密生活

人和物,不断地结成链条

彼此无知无觉地,伸向宇宙熄灯的边缘

2017 年 1 月 9 日凌晨

深夜的火车声

火车的汽笛声微弱地传来

仿佛一个胆怯的孩子

在头顶高处的草丛中哭泣

它爬行,声音忽高忽低,时远时近

就像一个孤儿

摸索着,擎着一支火把

想把远方的面孔照亮

深夜,听到这样的汽笛声
你总是仿佛又坐在车上
车厢里灯光昏暗,旅客稀少
你没有睡意,外面的黑暗
烟雾一般一阵阵扑在车窗上
消融在你年轻苍白的脸孔里面

突然,一列漆黑的火车
像头顶矿灯的童工
从对面的黑暗中跳出,睁大了眼睛
瞬间照亮了路轨上的雪
和两侧低矮的村舍
它呼啸着和你擦肩而过
仿佛从未存在过
你的前面依然是黑暗的远方

而你,早已不在火车上了

2017 年 1 月 9 日凌晨

关于讨债与赶集

一年的灯火在唤人回家
纸糊的窗户上投着家人的剪影

风雪还在田野中肆虐

只有庄稼茬还排列着队伍

客居农场的诗人早出晚归

被各种理由搪塞在门外

我调侃他说，出门讨债记得带狗

别让别人家的狗给咬着

有些事是无法在年关前结束的

它们像鱼刺在嗓子眼里慢慢腐烂

讨债不顺的诗人面带伤心地微笑

在风雪中跋涉三公里去赶集

他的兴致像冻得梆硬的刀鱼尾巴

他像个探听消息的特务缩着手

让只言片语的乡谈把生活的广大与神秘

透露给他，等他回到租来的家

在院子里抖落身上的雪花

他早上留下的灶火还在微微闪亮

我从未有过讨债的经历

别人欠我的，命运都已暗中归还

每到年终岁尾，我都会闭门反思

是否有欠于他人

让他人在黑暗中奔走他乡

帮助过我的人我也不会提起

因为世间万物彼此成全

结成一个永不脱落的链环

2017 年 1 月 15 日

寂静的生活

我选择人少的路，宁可绕远
避开人，熟悉的，陌生的
我都不想碰见，不想认识
我想把自己的身体翻过来穿

这条路长满阴暗的广玉兰
它们纹丝不动的黄铜姿态
荫蔽着别人家的日常生活
后窗边的人面色惨白没有表情

一只猫伏在路中央，匍匐前进
一只斑鸠若无其事地继续漫步
然后扑地飞上栅栏，我不去干涉它们
万物自有因果，轮不到我操心

我和树，人，物的关系，可有可无
我不与人言，除非必要，比如理发
买东西，上课，我对物的观察限于天气
光线和时辰，它们的信息与我无用

我什么都不想，也什么都不想经历
我不打扰任何人和事物
没有尘世的消息便是幸福

当我走过，事物不会有任何变化

2017 年 3 月 2 日

春天的大街

没事坐车玩儿，到终点再换一辆
去这个城市从来没到过的地方
它更像另外一个城市，公交车
空空荡荡，小船一样在狭窄的街道上
东摇西晃，座位高过黑色的屋顶

一片片工地和田野交替出现
每一个拐弯处，似乎你没走的
另一条路，才通向热闹的人间
似乎随时会从深不可测的小巷
冲出一群汗涔涔的孩子，扑到你跟前

车过"神路口"，它更应该叫作"鬼门关"
人们半天不动，似乎什么都不做
乱糟糟的房屋，枯草围拢的水塘
蒙尘的小店玻璃，推婴儿散步的小母亲
双手红肿，她躲不开车子扬起的灰尘

下一站是造币厂，春天的钱币
一定瞪圆了眼睛，哗哗流淌

我给近视得看不见车次的当地人指路
毫不避讳我的异乡人口音
在春天的大街,我和陌生人说话
那些话没有意义,却让我高兴起来

2017 年 3 月 3 日

我选择无用……

三月的田野,还只有零星的绿色
光秃秃的树变得毛茸茸的
树枝已经柔软,不易折断
缀满小苞的粗糙黑色下
一层薄塑料般的浅绿

我折下一小枝
感受辛辣的树液沿我的手臂上升
升上天空

风在吹,吹着无人的田野
吹着我的白发,我久久望着
一捆新砍下来的树枝
将融化的阴影慢慢吸收

它将堆在那里很长时间
不知道有什么用途

不知最后会消失在何处
又是为了什么原因
我只知道，它像我一样一无所用

2017 年 3 月 4 日

我已经应付不了更多的生活

也许根本就没有什么生活可言
不过是一天天活着，他只是某种功能
每一天都更像是一个考验，而不是祝福

没有太多的思想，也不从任何人那里
获取思想，它们都和他无关
生下自己祖先的人，有一副年轻亚当的面孔
他已不想改变，不想到别处去

他尽可能少地与人与事发生关联
他坐在路口，观察人类的动静
每一个人都被看不见的念头催动
他们转眼就不见了，但总有人继续走来
他看见语言的幽灵从人体里飘出来
"白天干完活，傍晚去河湾洗澡。"

日落是一种责任，让人在林间绝望
置身于任何人群，他都格格不入

在任何时代,他的诗都是耻辱
而他对生活的忠诚从午夜开始

2017 年 3 月 5 日

诞生于黑暗的白马
——题马轲的《白马图》

白马置身于黑暗的岩石之中
它要通过行走来显示自身
但它又不能走得太快
黑暗很坚硬,它的白脆弱如白垩

它还很小,很寂静
形体简单,似乎没有骨头
似乎刚刚被一个学童
用不太干净的黑板擦擦出来

它还没有名字,也没有骑手
也没有关于目的与原因的想法
甚至没有道路,和鬃毛上尖锐的风
它满嘴被黑暗糊着,没有声音

它一脸无辜地望着我们
它逼迫我们现身,和它一起承担存在

2017 年 3 月 7 日

给春日归家的二哥

你选择江南最好的季节
回到依然寒冷的北国的早春
回到小小的克山县城
那里,你已经没有什么朋友
那里除了大姐,也再没有亲人
甚至父母的坟墓也不在那里

北方的春天缓慢而短暂
檐溜夜里生长,反复融化
有阳光的中午,去年的粪堆
会散发热气和发酵的气息
雪撤退到林中
傍晚的炊烟拉低了灰色的天空

母亲留下的老屋已无法居住
你要在城边租个平房,在院子里种菜
那里没有你惦记的人和事
你什么也干不了,可你就是要回去
离家三十年,长春,大连,银川
哈尔滨,深圳,南京,那些年你在哪里
有时你自己都记不清了
你需要向你谋生过的每个地方致歉

这江南三月的桃花和樱花

开得像是褪色的粉色纸花

雨水连月不断,从江上运送阴暗

你一路向北,早春灰色的寂静

像一件老棉袄裹着你

你两手空空地,站在故乡的天空下

童年的自行车继续滚过凹陷的坟墓

滚向无人的田野,那些坟墓

终将在第一场春雨后充满清亮的水

2017 年 3 月 7 日

真好,只是一首诗

它包裹在我们平常的生活周围

像火堆外一个更大的圈子

招引我们逃离僵硬的衣领

随时踏入舞蹈的中心

又随时可以倒着说出咒语,抽身而退

古老的无名把我们邀请

去学习它的歌曲,再回头唱给它听

在那个魔圈中,我们观看,也被观看

我们与他人光滑的表面

融合成不定的光影,又判然有别

这召唤从何而来,像笛声召唤羊群出城
我们和他人同唱一支歌
显示我们所遭受的古老的羞辱
但并没有人被赤裸地留在台上
天真的欢乐与多识的沉思合为一体

火堆旁,人的链条缺失了一环
随即就被填充,我们就是那空位本身
隐藏的愉悦,在拉拢和排斥之间
我们仿佛伊甸园外失明的窥视者
无意中偷听到那永恒的一对儿

仿佛我们并未在场,那里的奖赏
将是一张空床,或者是死亡
直到人生的终结,我们才终于松了口气
生活,原来不过是一首无害的诗

2017 年 3 月 8 日午

不过是词语

它们是灯的开关,照亮事物的幽暗
或者是事物枯萎的顶端和把柄
在欲望发酵的面团和事实的干面包之间
它们是炉膛里斜成一排的火焰
在面团表面雕刻峰峦、山口和裂谷

一些词语驯服如抚摸下猛兽的毛皮

斑斓颤抖的宁静，一些则不期而至

一个爆炸整体的碎片

难以拼合起最初的原因和明晃晃的力量

皮格马利翁和弥达斯的手指

也不能使它们变软或变硬

它们带来的是整个存在的奥秘声息

某种我们不曾经历的生活

即便那里的人也难逃一死

譬如当我安排这些词语的时候

窗外的桂花树又长高了许多，譬如

某个早已结束的学期的学生的请假条

不知怎么被我留了下来，上面写道：

"组织上有重要事情。"

而作为一个被排干的结构，它总会

在潮湿尚存的沟渠底上

显露出一只蜗牛的缓慢的自信

2017 年 3 月 8 日午后

修阁楼的人

修阁楼的人与天空构成斜角

一下午，他的领地又拓展了一块

红色的坡屋顶在他身后波动

这阁楼，供奉一只巨大独眼的神龛

一个界限,同时定义房屋和天空
它容不下太多东西,它是局限性
与无限的对话,是房屋的备忘录
继承下来的灰尘,木头衣架
你只能在里面哭泣和小睡
暂时从生活的强迫症中隐退
童年嘎啦作响的玩具
失去色彩的花盆,光亮,空袖子
他在那里可以反复试穿一个阴影
反复倾听一场早已停息的雨或者雪
注视着僵硬的树在脚下聚集着水洼
他不能在此生活,他不能忍受
旧家庭影集里的自己穿过屋顶逃逸
作为人类想象力与身体
最合乎比例的设计,阁楼
从黑暗的波涛中拼命探出脑袋
到了傍晚,修阁楼的人抽烟,歌手
静止的身影放大,向天边延伸

2017 年 8 月 3 日傍晚

春夜山边散步

你在荒野里撒尿,拍手
你感觉荒野在倾听,你又拍手
小溪中的草虾和湖中的蝌蚪在听

水里的灯和影子在听
还有石头和树丛后转过去的黑影

新芽未发的暗绿的茶树
和看不见的坟墓的气息
紫金山顶青白色的光焰彻夜不息
仿佛有空荡的夜市在无声地持续

麦当劳的服务生在和最后一个客人说话
一条路和另一条路在黑暗中辩论
寂静的路口，一个满脸漆黑的人
向我索要我剩余的黑暗
正如我们爱上一些早已消逝的东西
为了活下去
而这春夜的腐朽如此盛大

2017 年 3 月 8 日晚

关于烟的几个意象

一根不断风化的粉笔画出界线
随时分裂出弹头，从物理老师
胖乎乎的手指间弹到粗糙的课桌上
让童年顽皮的纸条暂时停在
书桌膛一只汗津津的小手里
它延长眼白和墙壁的偏见

它用燃烧来建筑,颤抖着延伸

手指轻轻一弹,凭空悬挂起绞索

不是在空气的脖颈上越缩越紧

而是扩大,但在即将消失之际

又现出一个圈套,一个戴不上的指环

让看不见的老虎纵身穿过

一个不需要彩色帐篷的夏季马戏团

让天花板金绿色的赌盘不断旋转

从白色的坚硬到银色的脆弱

风化,革命与牺牲的微型戏剧

反复上演,它是表情的剩余部分

是未生即死的语言,让嘴巴变成教堂

是一连串姿态透明的叠加,而一个人

恢复了冷酷的决心,起身走向自己

2017 年 3 月 10 日

航线不变

没人能说出这次冒险的代价

也许是头顶的一撮灰烬

皱纹里的谎言,口袋磨损的角落

也不必看清自己真实的处境

欢乐蒙面,新娘是一件超重的行李

每一个带扣和花边都重逾千斤

如果裙裾让人绊倒,它就是地板上的海浪
我们相爱,如同波峰和浪谷

如果大鲸把干燥的陆地吐出来
那一定是在某个地方,有风吹起
风只是一个声音,没有含义
大海那上了釉的平静,依然闪耀

可以预期的是慈善事业一般的天气
天空中的失败,被新的波浪
填平的尾迹,相爱或厌恨
我们合谋隐藏起原因,如同波峰和浪谷

2017 年 3 月 10 日

看 蛙 卵

每年三月,山边的溪流与小湖
它们准时出现在阴凉的岸边
在淡绿色的水草和枯枝之间
像黏稠的煮化了的小汤圆
一片唾液中逐渐变黑的小斑点
直到小尾巴颤抖着密集地游动
这些活泼的健儿把游行当作训练
形成一股无目的的黑色潜流
有一天它们会突然

从大脑袋中伸出婴儿的手

紧抓住自己渺小的命运

慢慢爬上叶子,上岸

粗嘎地叫嚣,跳跃,变得缓慢而肥大

像长了绿斑的奶酪沾上了金沙

或是没有脖子的暴发户

它们的消失和出现时一样突然

浑浊的水塘又重新变得清澈起来

2017 年 3 月 11 日

春日下午偶见

草地上一只空轮椅在晒太阳

它的主人拄着双拐在阴影里慢慢移动

他不知道自己在这个春日下午

在明媚的阳光中,成了整个人类的象征

他剧烈倾斜的姿态抓住大地

他几乎就是阴影的一部分

正在努力从自身中挣扎出来

进入阳光,而阳光只是静静地闪耀着

他身后的影子像是一个驼背

或是背上背着的一个怪物

他有时在路的尽头站住,转身

擦擦脸,似乎要看清自己

阳光,风,阴影,躲在高处玻璃后的我
都默不作声,仿佛一个会议已被取消
这时,一辆蓝色婴儿车脱离母亲的手
自己向前滚动,把我们从咒语中救出

2017 年 3 月 14 日急就

拿玻璃的人

他胳膊下夹着一块玻璃在街上走
玻璃是透明的,还没有蒙上灰尘
玻璃把一幅幅街景吸收进来
他一路走过,街上的事物一路消失
而他并没有停下的迹象
他也没有回头看,他一直向前
玻璃中的街景不停更换和叠加
玻璃在不断变厚,变成一本书
必须想办法让他停住,不然
世界就会消失,服装店里的模特
书店里的读者,空衣领上面的面口袋
五颜六色的水果摊上打盹的猫
油画里的远方还原成粗糙的亚麻布
行人缺失了躯干,脑袋和双腿
背道而驰,大楼危险地失去基础

成为各种彩色几何体,悬在空中
直到各种碎片在玻璃深处拼贴出
一个五彩缤纷的无政府状态
这时,你突然尖声叫出他的名字
就像一辆红色消防车穿过玻璃
那人回头停下,你和世界得救了
拿玻璃的人有了一张你的面孔

2017 年 3 月 14 日晚

窗　子

雨在黄昏的皱褶中亮了一下
正如一个人从他的沉重中起身
他的一部分已经进入雨中
他想在一滴雨中保留住
某种光亮,而让自己在雨中消失
他从黑暗的房间深处
来到窗边,雨让屋子更暗了
纸牌在无声而快速地翻动
下雨的时候他总会想起些什么
雨中总有些形状模糊的事物归来
不说话,偷听给小孩讲的故事
却无法重新成为故事中的猫
正如窗子从墙壁上分离
像一个从黑暗中摘下来的方形果实

或者是一个士兵磨损的膝盖

在黑暗中闪亮

2017 年 3 月 12 日午夜

一只苹果

一只黄色的苹果从去年夏天的枝头

跳到我的案头,表面已经有了

衰老的皱纹,但依然光亮

它成了苹果的蜡像,它不再是其自身

它不再死着我们渺小的死

伟大的死亡还被它仁慈地浓缩在

苦涩的种子里,这生死之间的亚当

蜡制的面具多么威严

它仅凭自身就组成一个陪审团

它把天气,生动的酸味,工作的重负

包裹在自身,它微微发亮

让其他消失的苹果的幽灵——显形

它摆脱了皮壳和叶片

它是一句咒语和禁令,让我们围绕

也围绕着我们,像一个无形的果园

同样为了它,年轻的树木走过来

承担我们无法承担的那古老的恐惧

我们把它抛回父亲的手中

2017 年 3 月 16 日

你更喜欢黑暗

你越来越想把自己藏起来
藏在你能看见别人
而别人看不见你的地方
比如电线上风吹着的一大片湿衣服
比如一首含意模糊的诗里
你走进阴暗的小吃部
拐过从智人到当代人那么漫长的过道
像刚出狱的人偎依在最里边的角落
知道不会有什么意外的惊喜
粗糙的食物和白昼的光线一样乏味
生活似乎只是乖乖地等着
什么东西出现在面前的空碗里
无论那是什么，都得客客气气地吃完
然后说声谢谢。无处可逃
你想把所有镜框都填满阴影
黑暗温暖而安全，它来自亘古的母亲
光明只会让你这失败人生的耻辱
更加鲜明，尽管没人会注意你
每个人都在身体里携带着一个仇人
让他暗暗成长，直到把自己取代

2017 年 3 月 18 日

想起一些组不成句子的词语

我这辈子的乐趣之一就是品尝
词语的肉体，它是一个人的游戏
省钱又省事，有时一个词语
不知从哪儿冒出来，会让我
笑上半天，或是让我愣神
它们似乎是一个重要信息的碎片
若明若暗，整个信息尚未明了
比如"贱皮子"，它和春分日的雨
毫无关系，却兴冲冲地跑过来
哈巴哈巴求摸摸，它的发音
发音者的表情，施动对象的表情
都让人好笑。它和"贱种"不同
东北话叫"贱不次咧"，和"小嘚瑟"
也还有所区别，尤其是我在名单里
搜索，看看谁配这"贱皮子"的标签
整个世界都似乎生动地旋转起来
像个轮盘赌，等着一个"贱皮子"
笑嘻嘻地跑过来，怎么骂都不走

2017 年 3 月 20 日

一天将尽时的祈祷

夜深人静,星轴旋转,我还活着
世界每晚都毁灭一次
只是我们佯装不知
我们从死者那里汲取的阴凉
像族徽,像轻吻,按在滚烫的额头

如果大地还在向高处上升
如果脚印中又充满新的生命
沙滩把大海深处的黑暗拖出,晾晒
如果燕子还在为废墟的眉毛带来雨水
你就可以无名地活下去
你就可以提前成为
那个永恒陪审团的一员

深沉的幸福啊,你如火焰冒出颅顶
你如烟灰在空中建起一座斜塔
那满脸都是一副死棋的人
奔驰的雨水,岁月的纪年
暴君黑色的硬领,都不能把你摧毁
因为你啊,是在语言的鲸腹中仰望苍穹

2017 年 3 月 22 日

只有你本身

只有你本身才会让我们喜悦
万物不过是你的声息
你的影子,向我们提示你的存在
又无法确然地把你寻得
就像把开端和终结拼合成圆周

既然这样的安排和委派
有着软体动物的缓慢和自信
还有什么能妨碍我们
甚至天鹅尚未迈出的舞步
在我们心中引起的白色的惊愕
也并非没有成年的庄重和平静的水流

于是,正如远方沉默的阴暗中
抽出一丝亮银般的地平线
从中缓缓升起一个业已解脱
从未被爱过,只有赞叹的躯体
你将风暴和旗帜同时交到我们的手中

2017 年 3 月 27 日

510

这是幸福的一天

微风轻拂,阳台上的风铃偶尔叮铃

上午的阳光久久不动,在地上拓土坯

一个人奢侈的大红喜字的双人被

将生活隐秘的一面暂时暴露

千家万户五颜六色的床单和内衣

柔软的质地和尚未干燥的形状

向世界飘扬起示威的小旗

有的甚至晾在桂花树上和路边

趁清明来看我的马原和梦竹

在鸡鸣寺看樱花,在玄武湖边漫步

两个小身影,在紫金山那边若隐若现

我一直能看见他们,他们看不见我

我在阳台上翻闲书,一杯狮峰

塞万提斯的一册传记,写着——

"父亲病故,妻子的陪嫁只有一个果园

五棵葡萄树,四箱蜜蜂,大小鸡

四十五只,一堆干草和一副锅灶。"

我比他幸运,他没有墓碑

而我死后,会回到老家绥化

一片庄稼地里的父母的坟边

庄稼到秋天就会把我们亲密地遮住

屋子最远的角落,洗衣机还在响着

如同忠诚的奴隶,窗子也要绿了

此刻我活着，这个事实死神也无能为力

2017 年 4 月 3 日

我的父亲母亲

小时候在伊春，父亲住在部队里
作为典狱长，他只能周末回家
也总是带着手枪，放枕头底下
母亲带着我们姐弟四人住平房
有时父亲带兵游泳，汤旺河很宽
母亲和大姐便在河边洗衣服
蓝床单在水里展开，漂动
映衬着武警中队水上起伏的红旗
母亲有时望望河面，大哥二哥
在抓蝲蛄虾，四五岁的我坐在浅水里
我总想爬到母亲和姐姐抻开的床单上去
小鱼蹭着小腿痒酥酥，水很清
细沙和阳光滚动的纹路清晰可辨别
在我还没出生的六十年代初
我家在哈尔滨，父亲是政法干校的教官
那时挨饿，母亲有时只喝点白糖水
父亲落下个毛病，有时半夜
会浑身突突冒虚汗，母亲就赶紧
给烙两张糖饼，吃了就好了
父亲是单位篮球队长，一比赛

母亲带着哥姐们去看,就听

满场有人喊,拦住那个穿大蓝裤衩子的

指的就是父亲,后来到了克山

母亲不喜欢那个县城,总哭

父亲经常出差,有时半夜回来

就听敲窗户,父亲轻声喊

淑珍哪,淑珍哪。我们几个睡在炕上的

小脑袋瓜子就都竖起来,兴奋地

听着,等着父亲给分好吃的

家里的活都是母亲干,父亲

就是个甩手掌柜,不过

弄秋菜,挖地窖,扒炕,盖仓房

杀大鹅,都是父亲的活,杀鹅才有意思

被斩首的大鹅在院子里乱走了好久

好像在寻找敌人的裤腿脚子要拧人

还有一次父亲在仓房里给鸭子实施绞刑

夏天,父亲把电灯扯到院子里

板障子边一排花盆渐满的向日葵

我们叫毛嗑,一家人在香椿树旁吃饭

父母感情很好,我六七岁时

他们正当壮年,父母住北炕

我却老是不知好歹,硬要睡在他俩中间

这辈子最幸福的就是童年那几年

后来,关于父母的记忆越来越少

现在我已逐渐赶上他们的年龄

就仿佛全家野游,我被林子里

一大片黄花所迷,落在后面

抬头，他们已经在闪亮的林子边缘
仿佛在等我，于是我满身花粉
奔跑着赶上去，离他们越来越近

2017 年 4 月 3 日

卡珊德拉

从你那里，我们能期待什么
事物会一再发生，每一个
都是一个收紧的漩涡
其他的事物在其周边逐渐塌陷

我们的话同样无人相信
但或许这里没有什么值得说出
那些紧紧抱着本邦神像的妇女
被拖走，你并不在她们中间

那困难的，几乎不可能的任务
即便我们比焚毁了你故乡的火焰
活得还要长久，即便
我们的舌头像火焰在墙上分叉

卡珊德拉，你头发的香气
要将我们活活绞杀，我们是谁
可如果这个词是真的

我们就会在事物中见面

仿佛隔着通红的炉栅,把面团
递给你,你的手印就会慢慢浮现
把它们固定下来,坚实如山岭
女祖先,且让我们把这面包掰开

2017 年 4 月 4 日

你存在着就好

你存在着就好,你本身就是
生命的诺言,你是桥头伫立的一颗星
河水和夜晚流过
你在自己的寂静中组织起
一个看不见的星系
在你的窗台上万物逐渐成形

你存在,宇宙就存在,星轴转动
大海倚靠着陆地伸展柔软的臂膀
风吹和花开,日出和雨滴
甚至我们对事物短暂的爱
也有了一些我们并非全然领会的意义
万物就是赞美和声息
甚至波浪磨破的膝盖
甚至单调重复的词语

存在便是你的责任

你无须为别的名称操心

你存在，世界就在隔壁

像年迈安静的父母，黑着灯

倾听着你的灯焰发出的呼吸

知道你在钻研事物幸福的天性

像是从一个遥远国度借来的礼物

2017 年 4 月 5 日

对一个短语的语晕学研究

没错，温柔地活着，确有必要

戴上过性的胶皮手套

也许还有法官的假发套

或者像《圣经》上说的

鸽子一样温柔，蛇一样灵活

既然如此，自然也可以冷酷地活着

像一个阶级对待另一个阶级

一个物种对待另一个物种

电线上的一滴雨吞噬另一滴雨

变成一滴，体积并没有明显增加

加速一堆自行车在花丛中的腐烂

给临终的盲信者敷擦圣油

或者躺在旧浴缸的白棺材里

又或者只是让别人温柔地摘下眼镜

随着收音机里的声音擦着眼角

这是人世难以补偿的美德

像猫那样柔软,但少了一份狡黠

它似乎眼含热泪在感恩什么

似乎欠了谁一个发酵的词语

比如,雨天里几个孩子扒在通气窗前

张望炉膛里的面团膨胀成一个个大教堂

而面包师傅则哼着古老温柔的小调

那些腐烂的旧物变成的蛾子

也让迟缓的身体发动起来

认真地活着,并为此感到温柔的羞愧

2017 年 4 月 7 日

春日午后

阴而未雨,有微风和鸟鸣

我又坐在船头楼一样的阳台上

闲翻旧书,一杯绿茶,几点苔痕

阳光时有时无,像是一个尚未成型的

或善或恶的意念,一些假词

像卵石在屋顶上偶尔翻滚

在下一声鸟鸣之前的寂静中

没有任何事情发生,没有阿拉伯的香气

没有路得在异国的麦田里眼含热泪

屋顶上没有因远方而颤抖的雕像

或是红砖的烟囱，也没有
灯芯草束腰的女子，收集父亲的骨骼
紧紧抱着如同白色的薪柴
甚至没有奥古斯丁式的不必要的勃起
这似乎没有杂质的喜悦
却像是一个与身体分离的头颅
经过淡水和咸水
在无名的土地上变成石头

2017 年 4 月 8 日

关于存在的伪玄学的傍晚

你是我生的，连你自己都是我的
孩子抗拒道："我是自己长这么大的。"
的确，一块石头即便喂它沙子
它也不会长大，只会生出更多的沙子
我们的身体来自其他的身体
我们站在自己的土地上
却不是自己的主人
成全我们此刻的有形与无形之物
不可胜数，我们全然遗忘的
姿态、目光、瞬间的意志与选择
交织在我们体内，似乎各有目的
我们也许仅仅是万物匍匐的一扇门
并没有什么东西单独属于我们

包括这些词语,我们的家宅中常会出现

不速之客,我们也常常成为纪念像

出现在别人的市场上,像是沮丧的爱

每一首诗都是在推迟那命定的刑罚

万物通过你被照亮片刻

又没入幽暗的王国

这幽暗与火把都借自同一张脸

经由你的一切构成了你的本质

因此你要站在自己对面,并心存赞美

2017 年 4 月 8 日傍晚

平平的铁皮屋顶

它使平原显得更加辽阔了

几棵白杨把它举向高处

它吸收太阳的热力,遮蔽陡峭的衾枕

当岁月的意义,那无头之兽

在幽暗的村边胆怯地徘徊

庄稼一天天长高,与小径,河流

其他的房子,组成绿色的迷宫

夜里总有些声音消失其中

屋顶上坐着的孩子感到了凉意

可他还不想下去,不知道生活的严酷

鱼鳞铁上转动冰雹的白色偏见
蓝窗格的漆皮起泡了,人的形象
从残破的木栅栏底下凸显出来
屋檐下高大的土豆花侧首向屋内倾听
鸽子的灰眼睛酸涩,迎着风
泥泞的院子有夜晚细小的梅花印

烟囱的温热很快就会消散
头戴铁皮帽偎依霞光的草堆
如果屋顶发出急促的节奏
孩子知道,那是有很多雨的孩子
突然弯腰奔跑起来,又始终留在原地

2017 年 4 月 9 日凌晨

另一条路

突然,我发现自己置身于
一条昏暗平坦的小路上
它并不崎岖难行
但不知不觉已经高出了人世
天色昏黄,进退不得
这条路我从来没有到过
不知道它通向这山中何处
它似乎有自己的目的
不愿意为人类所知

似乎也不是人所开辟的

而是本来就有的

曾有人沿途建造了房屋

后又废弃，仿佛撤军后的营帐

人气没能镇压住那片荒凉

没有任何声音，甚至鸟鸣

黑暗在四周的林子里窥视

小路的前方微微发白，没入草莽

身后的路已经被穷荒吞没

这里好像什么都没有

又好像包罗万象

只不过我模糊的视力尚无法分辨

有很多我熟悉的东西

就被这一层寂静的薄纱覆盖着

有什么事情就要发生

说不上是善是恶

它只是要我来做见证

这见证又向谁人传达

但似乎只要我见证到它

我就能获得拯救

就能从另一条路回到人世

我长久地站在那里

费力地回想自己是怎么来到此地的

似乎不久之前我还在

一座孤零零白色的阳台下徘徊

用但丁的诗句占卜

在藤蔓遮掩下，灯光刺眼

一个解开金色头发的女子

侧影飘浮在空气当中

深谷中的犬吠和泉水声若有若无

这赐福的女性的沉默让人疑虑

对于我的到来和离去

既无痛苦,也无嘲讽

她的边缘银子般发亮

映照着一条白色的小路

它似乎不通向任何地方

我难以确定此刻脚下这条路

是不是那阳台下的同一条

于是我一次又一次想回到那个别墅

却再也寻不见那条白色的小路

它仿佛没入了土里

或是从未存在过

于是我长久地伫立在原地

等待,又不知在等待什么

2017 年 4 月 10 日

她的脸是温柔的巢穴

深夜,他帮她把大洗衣盆里的床单

捞出来,像拧麻花似的拧成一根

粗大的绳子,干净的水由多到少

流到盆子里,他们似乎在较量

然后,他们各自抓住床单两端
抻开,用力地抖动,潮湿的布
沉重地发出船帆一般的拍打声
那些拧出的皱褶被逐渐抖散
满屋子都是凉爽的风声
颤抖的烛光似要熄灭,又复活
他感觉到床单绷紧的张力
一阵阵从她那端传过来
他必须与她同步,让两端的力量
一波波传送到中间,在那里
碰撞在一起,发出啪啪的声响
他竭力扎住脚步,才不会被扯过去
她把自己的这端向他折叠过来
她随之走近,她的手碰到他的
冰凉而有力,床单清新的气息
涌到他的脸上,她的脸
也从严厉的黑暗中涌现出来
恢复成他笑意盈盈年轻的母亲
她把床单两端终于合在了一起
他的手空了,但是那股张力
依然没有消失,它变成了某种保护
某种仪式,她疲惫而沉思的脸
一次次向他涌过来,沉默而温柔

2017 年 4 月 11 日

背离之诗

春天绿色的毒药深入骨髓

我成了一个不可救药的无用之人

像是面包圈中间的空洞

一天天什么也不做,什么也不想

白天野人献曝,晚上帘中窥月

整天等待一个词语出现

带来其他的词语,像是一只母鸡

咯咯叫着领来一小群鸡雏

寒冷的春风掀动它暗淡的羽毛

雨来了,它就把鸡雏都拢在翅膀下

忘记了它本来就非常弱小

一脚就可以踢飞,踢到仓房上

春天的病情一天比一天沉重

像是一个孕妇慢慢搬动自己

一切正经的书,一切让人蒙羞的仁慈

一切人间的责任我都一脚踢飞

像照肚子踢一只转圈得意的母鸡

踢得高高的,而不是抱着举高高

踢到变绿的房顶上凉快凉快

让它拖挲着蓬乱的羽毛,半天下不来

2017 年 4 月 13 日

北方早春一景

屋顶有雪,油毡纸结出冰溜子

窗玻璃上的冰花透出室内的幽暗

冬天积存的粪堆白天融化

冒出酸臭的热气,晚上又结冻

细小的水流像病人的蓝色脉管

时有时无,风只在屋后吹

吹着干燥的苞米楼子,空空的牲口圈

黄泥窗台上单腿独立的鸡

把一只脚缩回肚子里暖着

它们满足于发呆,或者若有所思

爪子上粘着从粪堆里扒出的种子

院子里的阳光也被刨得如凌乱的骨骼

屋子里也是空空的,屋梁漆黑

上面芳香的燕子窝有点发潮了

人都不知去了哪里,也许在田野里

呆呆地站着不动,既不是晒太阳

也不是沉思宇宙人生的大问题

他们望着土地深处,越望越深

好像在望着一口变深的黑水塘

好像望着他们的前生臃肿地浮起

2017 年 4 月 13 日

母亲颂：火的连祷

我的母亲是冰冷的火焰
我的母亲是海底的火焰
我的母亲是洁白的铃兰花的火焰
是摔碎的矿灯，我的母亲
是黏土的火焰

我的母亲躺在比死亡更低的地方
我的母亲在终点之外又走出了一段
我的母亲找不到自己的火焰
我的母亲每生下一个我
就像一支大的火焰
又颤抖着分出一支
我的母亲燃烧着穿过暴君的打谷场

我的母亲是头发的火焰
衣服的火焰，清脆的脚踝的火焰
是眼帘紧闭的微笑的火焰
是鸟儿一样轻盈的骨头的火焰
是透明的指甲，皮肤，细小的锁骨的火焰
我的母亲从筐状肋圈中漏下去漏下去
从纯银的戒指的空洞，从舌头的结婚地毯
从双手的圣杯，从秘密的耳郭
漏下去，从她黑格栅的炉膛漏下去

我亲手用沉重黝黑的铁车

把她迷失的优雅送入熊熊众火

我看着她的袖子灌满了火焰

她擎着膝盖的盾牌冲锋

火焰从她每一条骨缝里冒出来

像愤怒的来不及诞生的婴儿

我看见我的母亲在火焰中攀登

陡峭的狭径,把无数个自己一一剥离

我的母亲是暗红色的大提琴变得弯曲而坚硬

我的母亲是香柏木的独木舟

是没有记忆的少女,荡漾在她父辈的天空

2017 年 4 月 14 日凌晨

割草机的下午

割草机从屋前响到屋后

它似乎把我这座楼也当成了半枯的草

它的嗡鸣渐渐地无处不在了

要把我这根人类的小草割掉

草被无数次割下来,在草地中央

堆得越来越高,流着白色的血

像人类的历史,草的片段的真理

逐渐发黄,在不为人知的时刻消失

新鲜的刈痕将众多透明的新月
叠加起来,生长出一个巴别塔
它放过了灌木丛边一小片红花酢浆草
割伤的阳光像一只迟缓的蟾蜍

艰难地醒过来,拖着断腿挪向战场边缘
棕黄色的身体粘上了草屑和星星
割草人暂时停下来,若有所思
似乎已经厌倦了人类的信任

他嫩黄色的工作夹克在稀疏的草地上
像裸灯亮了片刻,割草机又颤抖着发动
似乎还伴随着不易觉察的叹息
草坪变得越来越大,像是一种责任

只剩草茬的草坪露出土壤
露出草籽和无名小动物的洞穴
来自另一片草坪的斑鸠优雅地漫步
在干涸的真理的池塘中寻找活物

2017 年 4 月 14 日午后

罪　过

有时你会突然站在自己的外面
你问,为什么要这样生活

为什么在这个宇宙如此长久地等待

那时,你就会走上好远

去临近熄灯的农场,已经是深夜

马厩那古老的黑暗中马头高耸

骏马沉默地咀嚼着干草

它们安于存在本身,安于将重量

从一条腿转移到另一条腿

空气中没有存在贪婪的味道

你在那里站上一会儿

它们和你小时候一样安静而忍耐

溪流的声音,苞米地里空气的声音

从远处清晰地传来。又能如何

好吧,又能如何,这里或那里

毕竟没有什么值得赦免的罪

于是你继续活着,把石头放回溪流

2017 年 4 月 14 日

无 辜 者

如此漫长的历史。于是你到外面

在深夜荒凉的山谷边抛下一块石头

这样你就能听到下边啊呀一声

有人疼得叫出了声

2017 年 4 月 14 日

下午的鸟鸣

下午的鸟鸣和早晨不太一样
隔得很远,仿佛一颗颗石子
漫不经心地抛进深谷

仿佛失重的身体,一直向下沉
盲人的严肃,朝向虚无的努力
一片雪花在雪崩前的犹豫

一只看不见的大鸟
伏在我的胸膛上
再分不清是它的还是我的心跳

时光令人静

2017 年 4 月 15 日

问　答

从罗汉巷通往韦驮巷的路口
遇见我写诗的学生端端
她先看见了我,向我挥手致意
我停下问,吃了没有,吃了没有

我问了两遍,她回答,去买水果

我想起上一次遇见她,也是问

吃了没有,她也是答去买水果

她的回答两次否定了生活的抽象

却使得"水果"成了一个抽象的词语

有多少词语,就有多少彩色的水果

就如同在诗行边留下奢侈的空白

某种特权,允许事物在词语

适当沉默的时候出现,这样

我们就可以谈论一只真正的水果

无论尝过没有,都把它抛回给上帝

2017 年 4 月 14 日午夜

习　惯

我背对着阳光在阳台上读书

窗外的桂花树静静生长

来此十年,我头一回发现

它几乎占满了两座楼之间的草地

北边是看不见的山

被更多的楼房遮住

但我知道它存在着

下午的光会慢慢撤回山里

夏天从苍翠的山顶上开始

我的头部的阴影落在书页上

阳光偶尔会照亮一两个句子

"一切暂时的现象不过是符号。"

或者是,"根据人的自由意志

所获得的奖励或惩罚。"

回答世界是一个还是几个

这是但丁的责任,不是我的

当光线变得过于强烈

不利于分辨善恶

我就放下书,回到阴凉的室内

回到床上,继续修改一首诗

2017 年 4 月 15 日

安　慰　者

出于仁慈,上帝让一个死者梦见自己

还活着,所有的事都保持着连续性

白昼,家人,城市,可靠的灯光

他的工作还和从前一样有时让他厌倦

那主要是从一本开线的蓝色大书中

译出一些句子,有时他可以理解

有时又奥秘遥远,如同星宿一般

大地,天空,四季,房屋,都还是一样

他为数不多的几个朋友依旧忠实

他们偶尔一起俯身书中

研究词语的阴影,有时在浩荡春风中

去郊外逐渐干燥的田野边走走

在冷冷清清的小酒馆喝到深夜

生活平静，当然，也有一些应有的变化

有些人离开了，死了，死于伤心

一些新的面孔在他模糊的泪眼中

闪着潮湿的光芒，城市扩大了

他换了工作，站在南方的夜里

回忆曾是自己的那个人

这样的日子转眼就是十年

他不想再改变，他已经习惯了失败

上帝只为他一个灵魂复制了全部宇宙

所有细节，甚至让他的敌人也继续增多

有时候，他觉得有什么东西被人动过

但又说不出是什么，是在哪里

他继续写诗，潦草地塞在树洞里

夹在书中，过了些日子他发现

有的句子不见了，有的句子

自动变了，像是另一个人写的

周围的事物也在偷偷减少

先是山头被削平，几座湖泊干涸了

露出湖底可怕的洞穴和巨大的脚印

然后是他的朋友们被陌生人取代

相互挤着眼，革命和爱情依旧发生

事物真实得像是从未存在过

像是在告诉他，没有什么能伤害你

你已经死了

2017 年 4 月 16 日复活节下午

后 来 者

他们以为终于到了一个
从未有人到过的地方
他们携带着假日的小彩旗
在河湾支起蓝白相间的帐篷
坐在树墩上,抛下钓钩
讨论着天气

鼠灰色的河水打着旋流走
仿佛没有人来到河边,夜里
冰冷湿滑的卵石上燃起了篝火
火焰将人影放大在天幕之上
啤酒,虹鳟鱼,被敲响的洋铁罐
有一对儿假装到树后的黑暗中
去看流星,留下的人
感觉自己在无形的河上漂流
从冰川期的砾石上面擦过

他们没有觉察到有什么变化
有人退向更深的山中
这似乎是一次机会,只是不知道
是什么鸟投向河对面的树丛
像一支火把亮了一下

没有人需要你的道别
但你依然会优雅地鞠躬后退
说着对不起。你的罪
是未曾幸福地活过

2017 年 4 月 16 日傍晚

池　塘

到了晚上,池塘就像是盖上了铁盖子
闪着黝黑沉重的光芒
整整一个晚上我都激动不安
仿佛看见你在水底的天空中
向闪亮的金星攀登
夏天,总会有孩子突然变得神秘起来

大人们把我拦在人群之外
你的母亲披头散发地坐在地上前后摇晃
哭声好像被池塘的寂静吸收了
那年我五岁,我们是游伴
我只能一个人愤愤不平地回家
一边望着堤坝上那堆黑苍蝇般的人
似乎死亡是一种荣耀
使你超出了我们,变得严肃

我们似乎随后就从伊春搬到了克山

我忘记了你的名字
我始终没有学会游泳
但当我从野外打草回来
碰见池塘，我便会放下草捆
脱光衣服，在池塘中爬行
塘底都是滑溜溜肥沃的黑泥
水中一下子挤满了身体

我一身脏污，匆忙爬上扎人的草岸
池塘恢复了平静
变黑，变深，看不透
所有池塘都是一个模样
似乎从地底下互相连通着

四下无人，只有正在生长的田野
一排排纤细的麦子之间
匆匆跑过小小的黑影
麦田边上的白杨呼呼地响着
在风中翻出叶子底下的灰白色

2017 年 4 月 17 日午

晾 衣 服

山顶闪着潮湿的光，田野起伏
远处的小村像褐色的蘑菇

一丛丛生长在坡下
或者是掀翻棋盘滑落的棋子

院子被风渐渐吹干了
红砖墙被太阳晒热
鸡和狗会久久偎依在那里

有时,父亲也会靠在墙上抽烟
一会儿看看远处
一会儿看看母亲从木盆里
似乎无穷无尽拎出来的湿衣服
铁丝上很快就晾得满满的

这是早春,晾在院里的床单和衣服
有时整晚留在外面,冻硬
甚至会垂下细小的冰凌
等到中午,才慢慢变得柔软

有时这个过程要反复几次
那时,你不能碰,也不能用棍子敲
它们很像受苦的人,抟挲着胳膊
饿得只剩下个骨头架子

一切都还是光秃秃的
每天每天些许的变化
只有动物们知道,因此
它们的叫声总是在为某物作出决定

很多年过去，父亲脸颊塌陷
弥留的呼吸间隔越来越长
人们手忙脚乱地给父亲穿衣服
他的身体瘦弱而坚硬，紧闭着眼睛
仿佛失望得不愿意再看见我们
仿佛母亲在早春的院子里
晾了一夜结了冰碴的旧军装

2017 年 4 月 17 日

大　雁

这些介于天鹅和家禽之间的生灵
作为曾经的季节转换的标志
从高空飞过，披戴着霞光
春天它们向更远的北方飞去
黝黑的森林一路解冻，闪耀出火花
它们在哪一片无人的湖滨
哪一片弯垂的芦苇中安顿下自己
我久已忘记，而一只失群的孤雁
撒下满天寒霜，在夕阳的聚光灯下
匆忙赶路时，映在云层上的形象
无论是来自童年的真实经验
还是文化想象的虚构
都早已被我们放逐，于是它们远离
消失在另一片天空的引力之中

这整齐的行刑队,飞过午夜的拱顶
将嘲笑的叫声和冰雹一起抛下

2017 年 4 月 18 日晚

阁楼的乌托邦

如果有一个阁楼,它倾斜的天花板
可以画上蓝色的星空的漩涡
画上背着麻袋的金发天使
飞马,独角兽,轮流使用一只眼睛的
复仇三女神,奥德修斯的小船
带翅膀的金凉鞋,驴耳,水井
仅有的一扇小窗户镶上彩色玻璃
转圈爬上藤蔓,一直爬上屋脊
让一天不同的光线施展魔法
让树影晃动万花筒的彩色纸屑
你可以从窗户出入,到坡屋顶
把黑色的树枝拉低,尝到星星的酸
空空的墙壁挂上漂流木凿成的
十字架,红色木地板上打蜡
光滑得站不住脚,让光线也呀地滑倒
一些旧书,一些开花的多肉植物
沿墙摆放,看书倦了,把书往后一抛
就在地板上躺倒,有大蚂蚱飞进来
沙沙地摩擦大腿,你有时祷告

有时发呆,有时写首歪诗

像我现在这样,没有任何尘世的目的

2017 年 4 月 18 日晚

一天工作结束后的沉思

我嫉妒这些事物

这座小小的阳台

它仿佛是房屋拉出来的一个大抽屉

此刻我就坐在里面

像一个顽童暂时忘记的玩具锡兵

他曾在阿尔卑斯山,在罗马,在恒河边

将我送上前线,未经训练,没有铠甲

我嫉妒这些有人爱着的事物

这些书会比我长久

尽管已经很久没有被翻开

而我的工作,是在它们的赫赫威仪中

徒劳而谦卑地贡献一种

全部由辅音组成的语言

我嫉妒所有我不存在时

存在的事物

甚至这黑暗,这路途

这小小的呼吸的空间

周围的一株桂花和三棵梧桐

这身体周围的寂静

甚至我所使用过的这个名字

2017 年 4 月 19 日

北国之春的回忆

北方的春天缓慢而艰难

像是慢动作，每个细节都格外清晰

一点草芽都让人欣喜

树枝变得柔软，不容易折断了

大风过后，我们在郊外游荡

田野的色彩在加深，闪着光

山坡上光秃秃的，雪变成了阴影

风吹透衣服，在山坡上躺一会儿

大地轻轻的颤动一直穿过肋骨

随便揭开一个土块，就能发现

齐刷刷白色的草根细密如发丝

那是白桦般无辜的日子，散漫而忧郁

你以为永远会留在这座城里

在斯拉夫黄色的老房子里

伴着黑胶唱片，铜烛台，绿窗格

老照片朦胧难解的目光

喝酒到深夜，有时我们什么都不说

只是听着外面的黑暗

仿佛在期待什么事情发生

而始终没有任何事情发生

你一个人慢慢走回家去

在寂静无人的街角，一棵紫丁香

发出微弱而固执的香气

像那些早已不在人世的朋友

2017 年 4 月 28 日

日光下的徒劳与悲伤

拯救这些事物就是拯救你自己

这些卑微之物在你周围

构成一道抵挡海潮的防波堤

就像废弃的轮胎一排排拴在斜坡上

小时候挖野菜的镰刀头锈蚀在草丛

你初中时在学校楼梯上

瞬间爱上的两个比你成熟的女生

（那混合着纯真的邪恶与诱惑）

生活带给你一些礼物

只为了最后连本带利地收回

你的亲人和朋友一个个消失

你的身体一天天粘上本不属于你的东西

当你的肉体消亡，你用过的东西

你的照片和书，你所有的痕迹

都会从活人的世界一一清除

仿佛死亡污染了你，如同发绿的面团

你的吻如同一座沉重的雕像崩溃破碎

你用文字打捞的细节聚集在棕榈树根下

你以为它们能在另一个空间中复活

像普鲁斯特那样释放无形的颤动

你越来越怀疑这自欺欺人的游戏

如果没有一个永恒的大记忆

收留与你有关的一切

用光明将散乱的书页装订

你的一生只是日光下的徒劳

是一句没有说出的谎言

徘徊在大理石僵硬的唇边

2017 年 4 月 29 日

夜 钓

遥远的北方,朦胧的河湾

父亲带着我和二哥

在几丛水边的柳树之间安顿下来

水从树根下流过

手电照到河的中央

我穿着雨靴,泥岸很滑

隔着黑橡胶我感觉到

河水的凉和冲击的力量

父亲不让我走远

不让我太靠近河边

沉重宽大的雨衣挡住蚊虫的嗡鸣

二哥忽隐忽现,他的耐心是条小鱼

父亲钓到了些什么

我已经记不清楚了

我只知道,他钓到了

他自己也不认识的东西

还有老家夏日夜晚的凉气

响亮的水声,父亲高大的身影

在柳树丛后久久静止

被来路不明的微光

投射到河面,像一座断桥

众多硕大的星星在河水中游动

我望着身后的树林,被黑暗所吸引

那里总好像有人分开枝叶而来

我这一生从未钓到过鱼

当我拉动钓竿,黑暗的水底

我的父亲在和我角力,往下拖

一根颤抖的细线把我们连接

2017 年 4 月 30 日

有关旅行的意象

旅行是与存在本身的遭遇

是发现事物光辉的原型

是发现此前的一切

不过是事物缩小的影子

是更深地回到自己内部
那早已荒废的小站,久久徘徊

从花开的寂静到鸟鸣的寂静
从一个星系到另一个星系
中间是巨大的黑暗和漩涡
不同的空间和时间
交织于机运的垂云之象
将象形与抽象互换身份

这艰难的旅行,犹如海底电缆
附着的贻贝,窃听两块大陆的对话
又仿佛一个浪头跑遍全世界的海洋
积聚起所有洋流的能量
越过赫拉克勒斯之柱
把彩虹与飞沫送上另一片天空

2017 年 4 月 28 日

舞 蹈 者

在舞蹈的紧迫的中心
你变成了某种填不满的空
你把你领悟的一切向我们分享
我们却无法触及你的本原

啊,无人之境的时间浪游者
哪里才是你永生静息的港湾
在仁慈紧闭的眼睑
流出天堂般蓝色的一滴

你在无心中成为典范
原来可以这般轻盈地承担存在
随着重力自行调节决断与行动
做事物的知己,而非相反

告诉我们,学习和辛劳
能否成就这样的姿态
既与万物相融,又独立自持
仿佛雕像内部的灯,明亮又不耀眼

也许只是徒劳,我们从虚无中培育
微妙的香料,点缀在身躯周围
我们却依然仅仅是自身,而你
却永远多过你自身

你把自己封闭在目光与抚摸之内
你用一重重的动作把自己展开又抹去
你的痕迹是一个独自生长的空间
那里有你自己也无份沾染的丰饶

这注定是冒险,是不断地旋出自身
每次只收回些小的残余

在圣女和娼妓之间
在芳香和腐败之间,都不可触摸

但你依然是完整的
你丧失得越多,你越是丰盈
你的圆周渐渐把我们笼罩
如同裹尸布一直拉到下巴

你不可言说,你沉浸于自身
一无所知,因一无所知而更加奥秘
你把我们耗尽,又从自身中
一次次把我们重新创造

2017 年 4 月 24 日

我看见一个人

我看见他挣扎着从梦中醒来
惊讶地发现了自己
仿佛不明白为什么自己会在这里
他从一个窗口走到另一个窗口
他和世界的关系是倒置的望远镜

我看见他一个人,像一个人
同时又像是一大群人在生活
他生活在我们旁边

但不和我们一起生活
他只是偶尔活着,像一个实验

我看见他有时像是在想着什么
低头走着固定的路线
其实他心里空空如也
他沉思的样子来自迟钝
他为自己的存在感到抱歉

我看见他行使着教师的功能
他开口讲话,他贩卖词语
工作完成,他又切换到诗人的功能
收购词语,像个窃听者放慢脚步
因为能听到别人的只言片语

我看见他在有阳光的下午
在阳台上看书,不时写下些什么
晦涩或明朗全凭光线的变化
高大的绿树围拢过来,俯身观察
一个白色鸟巢里有斑点的卵

我看见他消失在另一个房间
像潜到海底搜求艳丽畸形的生物
抱着一直摞到下巴的书出现
过了些日子,那些书又消失在其他书中
我看见他满足于这种反复的游戏

我看见他在雨中出门进山

听水潭里的鱼跃声

每一次他回来，身影都会变淡

我看见他脸上雾气变幻，我看见

他慢慢消失了，像一个转学的学生

2017 年 5 月 2 日

一个习惯

有时家里来了客人，我就会让客人

住马原那屋，可实际上

马原那屋早已没有马原住了

在哈尔滨三合路，马原那屋

刷的是淡粉色，窗户朝向小区里面

不像另一个卧室朝向大街，噪声很大

在南京罗汉巷，马原那屋

是带阳台的，马原毕业都好几年了

那屋一直空着，我有时住住

2017 年 5 月 2 日

草丛中的镜子

草丛中一面被遗弃的矩形镜子

有半人来高,被草遮住了一半
镜子没有框,除了一些污渍
镜子是完好的,它斜靠着一丛灌木

有很多天,镜子一直放在那里
长高的草遮住的部分越来越多
不知道它来自什么样的家庭
周围不断有事物失踪,无人发现

我向镜中窥视,想看见别人的生活
有怎样的面孔囚禁在表面之下
我什么都没有看见,里边什么都没有
连我自己的面孔都没有出现

于是我退回远处,惊讶于它的完整
它不反映任何东西,只是在扩大
我不能把它砸碎,唯恐一声尖叫
碎裂的是世界,或者是我自己

2017 年 5 月 2 日

陪母亲喝酒

红油漆的小炕桌很矮,木纹粗糙
有时,母亲在一天的家务之后
会用小得只能用拇指和食指捏住的
白瓷酒盅,喝点白酒

我六岁,母亲让我坐在对面

让我也和她捏上一盅

北方的小烧纯净而猛烈

如寒战直透脊髓

母亲喝得很慢

滴酒不沾的父亲,这时总不在屋里

哥姐们也会显出严肃的神情

母亲也不太说什么

只是让酒偶尔发出滋的一声

我喝完了就可以出去玩

留下母亲一个人继续喝

仿佛总有一个看不见的人和她对饮

我用过的小酒盅一直放在那里

等我玩累了回来,头上冒着热气

母亲的黑眼睛就会闪出愉快的光

她会认真地看着我脸颊上的红润

依然什么都不说

2017 年 5 月 2 日

尤利西斯的暮年

尤利西斯回到伊萨卡之后

在儿子、牧猪奴和牧牛奴的帮助下

铲除了王宫里所有的求婚者

潘奈洛佩的挂毯终于织完了

挂在墙上，一棵橄榄树在屋中生长

从此，塞壬的歌声，喀尔刻的魔药
卡吕浦索的珊瑚岛和斯库拉
卡律布迪斯大漩涡，比城门还高的木马
还有他那一个不剩消失于幽冥的战友
似乎都成了与他无关的别人的回忆

他感到厌倦。永恒是多出来的一天
缓慢的拖船运载一个身首分离的领袖
巨大的白色石膏像，它躺着指引方向
革命结束了，人们无事可做
都回家睡觉了

尤利西斯成了一个老诗人
在镜子里吃药，发抖，变得模糊
他自言自语，担心寂静把他融化
他甚至怀疑自己并没有回到故乡
是雅典娜为他营造了一个持续的幻觉

他只知道自己越来越衰老
这个四面环海的岛屿让人窒息
于是，他又悄悄地把芳香的杉木小船
那楔形的船首刺入嬉笑的碧浪
只是这一次，他会让陆地一次次后退
这一次他孤身一人，没有目标

2017 年 5 月 2 日

勘 误 表

这本书已经写完,即将付梓印刷
一切都晚了,已没有修改的机会
无论满意与否,都将如此
无论是悲是喜,都已成定局

生活从一开始就错了
就像在海滩上写字
就像大卫拿走了西西弗斯的石头
事物古老的沉默已经划定了界限

一切都晚了,爱和恨的角色
叙述的语调,尤其是第一章的第一句
是歌唱一个人的流亡
还是歌唱一个人致命的愤怒
抑或是,只有我逃出来,向你报告消息

一本读者寥寥的书,你把它写完了
但似乎还来得及写下一首诗
每一首诗都是多出来的勘误表
它们甚至比书本身还厚
或者是歉意,对别人,也对自己

2017 年 5 月 2 日

任　性

任性就是自己颠倒黑白

就是该吃饭时睡觉

该睡觉时喝酒

就是一整天等待一个词语出现

像一个面目可疑的客人

就是把带来坏消息的信使整死

埋地板下边继续跳舞

任性就是一个人要把一口

热腾腾的大锅盖住

一边拍手鼓掌，这才是诗人

就是有电话不接有快递不取

就是把自己当人

非得弄明白别人为什么活着

就是自己寂静了世界就不存在

等夜里一出门罗汉巷人来人往

热闹非凡，原来大家都还活着

而不是自己以为的僵尸世界

任性就是你此刻活着

就连上帝也拿你没辙

只能干龇牙，一边凉快去

2017 年 5 月 3 日

窗 与 树

在某种光线下,某个时刻和角度
窗外的几棵梧桐会转化为风景
它既真实又虚幻,似乎已超脱生死
叶子闪烁的植物学特征
被风摇撼的样子,树顶的云与光
也许并没有改变我与它之间的关系
但只要被窗框框住,它便不同于
我站在下面或是从下面走过的时候
它从公共背景上截取下来
只为我一个人存在,尽管是暂时的
它由几种极少的要素组成
绿叶,枝干,阴影的层次
动与静,某种难以觉察的还原作用
使它成了比土地和季节更为原始的东西
它并不是人类叙述的余兴
不是失去了解码器的伪装的象征体系
没有从树根长出来的十字架
也没有凤凰,黄昏和细雨
也只是逐渐消退的细节
它们也不依靠与白杨的区别
成为我对北方乡愁的隐喻
一种简单的乐趣从这个暂时的空间
蒸馏出来,它也许和爱一样

是人类所能分享的少数情感之一
它为我所见带给我的优越感
近乎一个重组过的议会和政党
但别人怎么看见它们
我无法得知,于是我起身离开
将一把空椅子留在窗下
作为这幅风景得以存在的保证

2017 年 5 月 4 日

午夜惊雷

一群失去骑手的马,首尾相接
从头顶上奔驰而过,由远及近
又迅速远去,消失在天空一角
仿佛卸下了什么东西

它们突然出现又消失
人世变成了一个孤零零的村庄
它们仿佛和我们没有什么关系
它们的使命要更为重大和紧急

戴着眼罩,耳朵锋利
鬃毛纠结如同拙劣的石膏花
鼻孔喷出炽热的白烟
蹄子魔鬼般灼热而急促

它们没有鞍鞯,笼头,缰绳

它们没有主人,却有严密的组织

它们的战场在天空中不断转移

在奔驰中它们渐渐失去血肉

一具具惨白弯曲的肋骨

依然在漆黑的夜空中奔驰

巨大的马头磕碰着下巴

深深的眼窝中滚落猩红的火炭

这些黑暗中的马来自寂静

你在薄薄的墙壁后颤抖,倾听

在村庄的最后一条街道

在宇宙的最后一个星球

2017 年 5 月 4 日

远人画画

1. 追 云 者

一开始画布上都是天蓝色

然后生出一些厚重的白云

一条好像由不规则的沙漠

突然获得形式的白色的路

通向云层深处,像一张纸

过了一会儿,路变成了樱草色

云彩又分娩出一些小云彩

但依然保持着石膏雕像的质地

我们预期着一个戴礼帽的旅人出现

用背影占据天空一角

类似波德莱尔的追云者

让这几种元素统一于某个意念

可是没有，最后出现的是一顶

没有重量的鲜红的帽子

它似乎不断释放出无形的思想

逸出画面之外，成为实体的云

而画中的云则充满了沉甸甸的引力

似乎储存着待宰羔羊的尖叫声

这里有一种静默和专注

一种并非来自道德的乐趣

还有一种消除了时间属性的不安

2017 年 5 月 6 日

2. 舞 台 剧

这出戏剧只有三个主角

来自蓝色厨房的云彩

忘记了自己的出处

也不知道这是什么季节

红色的帽子是一个理念

没有任何实体模仿它而存在

帽子因此不知自己的用处

只好继续保持在失重状态
最下面有一个人低头行走
他走得很慢,他没有注意到
自己与云彩和帽子的关系
不再是主体与客体的关系
他也成了一个无限单独的物
他不知自己要去往何处
这是一出物的戏剧
其中的角色毫无关联
拒绝了一切想象与命运

2017 年 5 月 26 日

3. 重做的梦

树叶上的光如同碎冰在夜里闪耀
树到夜里就会变得神秘
仿佛狂欢之后的人陷入疲惫的沉思
——我第一次看到这幅画时想到
画里似乎有个故事或者象征

又过了些日子,我再去看画
发现,他两次梦见的是同一棵树
第一次他只梦见了半棵树
在空间边缘闪烁,正在努力变得完整
第二次他终于梦见了整棵树
树很静,冷冷的,刚刚

从蓝色的液体中结晶出来

事物最初被我们梦见时
既没有故事也不是象征
它们的存在是光秃秃的
我们反复地梦见它们
直到它们贡献出一个完整的
关于我们自身的形象

2017 年 6 月 5 日

入夜时的惊恐

钥匙哗啦一响,这间牢狱的门打开了
一个分不清脑袋和身子的怪物
高大的黑影静静站在门口
巨大的黄铜钥匙下垂着,轻轻摇晃
一支美的行刑队紧随其后
时间到了,再也无法拖延
他们终于找到了你
没有人的语言,只有最初的开门声
继续向空间深处推出一连串缩小的拱门
四周静得仿佛只有你这一间牢房
你矍然惊醒,没有人,黑暗已经降临
几何形的光在地板上形成寂静的废墟

2017 年 5 月 8 日

后　宫

照镜子时要装作两个人一起照

穿白纸做的僵硬的衣服

把手放在身体脆弱的部分

要对那看不见的人微笑

并长时间保持那微笑的无目的

如果照着照着,身后真的出现了一个人

和你一起照镜子,长得和你一模一样

便假装只有你一个人在照镜子

然后回到窗边的铁椅

继续对着窗外微笑

即便外面什么也没有

并且小声说,外面有潮湿草地的香味

潮湿的肉体脆弱部分的香味

看不见的证人靴子的香味

海和木船的香味,奴隶和干草的香味

然后装出生气的样子

做了错事的样子

读诗时偷换了一些形容词和隐喻的样子

无须过渡就从一个姿势变到另一个姿势

装作外面的城市依然存在和蔓延

包括阴影,装作废墟中的雕像在变大

不断地倒向地平线又永远停在空中

装作你已经无话可说

然后回到闪亮的铁床上躺下

等着一个雌雄同体的神

从高不可及的小窗户里飞进来

等着血流回镜子里边

像自行车架上的野花

装作你只是睡着了

梦见自己在一个废墟改建的剧院里

很多人打着雨伞来看戏

你是唯一的演员

你的任务就是微笑,睡觉,照镜子

在一个烟囱样的小房子里

倾听周围阴险的寂静

2017 年 5 月 11 日

他看见一个人

他看见一个人在一座废墟中醒来

废墟原来是一座繁华的地中海城市

现在只有被烟熏黑的断壁残垣

根本分辨不出它们原来是宫殿

大剧院,酒店,赌场,庙宇,还是妓院

只有一阵阵的雾气飘过

仿佛一队队绵羊连续地走过

他看见一个人在这废墟中

唯一挺立的高大建筑中生活
它厚重的石头墙壁上没有窗户
高得几乎不知道到底有没有屋顶
他不知道自己是谁
他的记忆几乎全部丧失了
他仿佛一生下来就在这里

这是座监狱,精神病院,还是教养院
他无法确定,他每天不停地探索
那些无尽的走廊,两侧带有编号的房间
墙壁上都只有一个小镜子和一面高窗
一把白色的铁椅子,一只铁盆
一张铁床,床单凌乱
仿佛刚刚被睡着的人不耐烦地踢开

只有他的脚步声空洞而沉重地回响
有无数次他似乎听到某个房间
响起短暂的一声惊叫
但等他赶过去,又什么都没有
由于那时而升高时而降低时而弯曲的
无尽的走廊,他难以判断建筑的形状
他感觉它像一座红塔或者巨大的烟囱

每一个房间小窗看出去的风景
都是一样的,整洁的林荫道
三角形广场,两旁的门面基本完好
但后面空空如也,让那些鲜艳的门面

显得像是舞台道具，窗洞大开
许多石头或黄铜雕像的残骸
东倒西歪，摆着晦涩难解的姿势

有时雨会整夜落下来
废墟似乎在融化
小山上那座有三角楣的神庙
便成了一艘浮在港口待发的船
他无法到外面去，废墟如同迷宫
在周围蔓延，每逢这时，那种尖叫
就仿佛从通往神庙的小路上传来

时间就这样过去，他没有明显的变老
有时无事可做，他就去地下室
那里有一张独脚手术台，或者是祭坛
没有祭品，或者是祭品已经消失
他便躺在台上，一遍又一遍看一本书
那书已经残缺，没有封面也没有结尾
第一句是：他看见一个人从废墟中醒来

2017 年 5 月 12 日

暗　物

天热，白天闭门不出读《聊斋》
恍然又是一天日光寂寂

夜深时实在忍不住饥饿

去罗汉巷找找食吃

还有几家亮灯的铺子

一些闲人坐在路边

吃吃喝喝，说着些什么

转了一大圈，也没啥好吃的

又回到烙煎饼馃子的铺子前

问老板，还烙吗

和我大概同样年纪的老板

看看我说，再烙一个吧

对于一个深夜出来找食的老动物

他的同情显然不局限于人类

很快烙完，他说，正好十一点

五块钱，吃饱了，我往回走

单元门口那条趴着的小狗还在

它似乎又向道路上挪动了一点距离

我们透过黑暗互相看了看

又有一只猫走进更黑的暗处去

它们不怕黑，和谈恋爱的人一样

2017 年 5 月 31 日

身体里的石头

这些石头来自你从小收集的名字

是无法消化的教训那坚硬的部分

是你身体里最小的骨头
它们只是想活下去,活过你

夜里你听到它们沉重地走动
收集更多细小的石头
它们与纸和灯笼没有本质的区别
这些未经琢磨的词语光华暗淡

你把身体里垒满了石头也变不成雕像
变不成纪念碑,这些石头有自己的历史
它们在你的关节和内脏中生长
你无法把它们掏出来打狗
或者是垒成喷泉和圣殿

你的军人父亲就死于这些石头
它们也曾一再以剧痛解除你的武装
你无法把它们丢在路上,再被绊上一跤
然后看看路上并没有人
就一脚把它踢得远远的
像踢开一个关于存在的玄学观念

2017 年 5 月 28 日,为肾结石戏作

你看见一个人

你看见一个人每一天都在成为另一个人

他经历的那么多的事物
他写下的字句,他所有的行为
都是为了让自己变得真实
而这一切却像阵雨
让水中的影像波动而模糊

你看见一个人突然在人群中停住
他此刻所见的人都将死去
他因此心怀怜悯
过了片刻,他又随着人流走动起来
因为想到自己也将在某一个时刻消失
便对所有人越发地心怀憎恨
不管认识不认识,有关没关

你看见一个人坚持自己的错误
正是错误使人类不断进化
错误是他区别于别人的本质
唯有错误才是真实的
此外他一无所是

你看见一个人,他经常忘记了自己
在不断地变成另一个人
因为每一天都是重复的圆圈
重复塑造了风格,有时想起
无论怎么变,他只能是他
他就会感到绝望

偶尔他也会想到,他终归会变成
什么都不是的东西,他的一切都会消失
仿佛从未存在一般
他就会感觉奇妙而可怕
他相信每一个生命都是有目的的
但又不知道自己的一生到底目的何在

他看见一个人,在废墟上建造雕像
盖房子,把越来越多的雕像存起来
想到有很多他不认识的人
生活在他没有去过的地方
这总会让他觉得不可思议且有点恼火
总想让人类所有的活动都静止下来
就像顽童出于对生命的好奇
而弄死所有的活物

2017 年 6 月 10 日于禄口机场

送兴贵回阿城

要把诗写得不像诗
只是透过词语的望远镜和显微镜
把事物和自己看得更为清晰
我们已经远离了作为文学的诗
而更接近作为人的诗
由此,我们不仅仅置身人类历史之中

也同时置身宇宙的历史之中

把诗写得像诗,把好诗写好,这很无聊

就和我们呼吸睡觉骂人一样

但是把坏诗写好,这才是我们的目标

在这一点上,我们不是诗人

正如相识三十年,我们从来不办人事

我送你上车,回这个城市最远的一个区

它原来叫阿城市,那时感觉它挺远

现在叫做阿城区,感觉就很近

而物理距离并没有改变

然后我一个人慢慢地走回家去

沿途经过很多过去的事物

它们让我逐渐平静下来

2017 年 6 月 16 日

东江桥下的野餐

草径灰白,我们没有把它走到尽头

这是个我们从未到过的地方

一张粗糙的木桌,任蚂蚁在木纹里散步

初夏的风从凉篷下吹过松花江

一直吹向江北明暗交替的田畴

我们从多年前的自我出发

刚刚抵达这个悠长的下午

我们沿途放下自我的雕像
任其逐渐混同于其他人工之物
不知道自己会到达这一片
等待多年的寂静
会遇见这样一些面目清晰的人

太阳地里烤串的香气
德国啤酒丰厚的泡沫
大地提前奉献的礼物
还有那些只能由时间本身决定的东西
都围绕在我们周围，当然，还有在暗中
不断悄悄调换的经过涂抹的背景
只是我们佯作不知

草在安静地生长
它们要悄悄放好自己小小的时钟
偶尔驶过的拖船将水底偷听的影子
推送到岸边，如同人形的湿衣服
让我们微微惊悚，并抬头看见
铁桥上载货的火车缓慢地开了过去
车与船暂时构成黑沉沉的十字架
让我们忘记了刚才说过的话
惊讶于这十字架上的夕阳已经变得金红

2017 年 6 月 16 日

我喜欢无用

东床西席,上下其手,都不如做个
无用之人,坐在草棵里听水看云
如果有人来把你发现,无论他是谁
你就拉他一起坐下来,等草丛晒热
和他说说无用之美,说说浪费生命的好
说说江水里其实什么都没有
只有水,那些树油子黏稠的松树
不能用来做棺材,开小紫花的大蓟
生有硬刺,可猪就是喜欢吃
扎得满嘴血,故名老母猪哼哼
还有靠不住的故乡一再后退
你坐飞机坐高铁也撵不上
一眼照顾不到,就被小爬虫占领
它们人数众多拥拥挤挤小鼻子小眼睛
一拥而上,糊在巨人脚踝上叮咬
很难打中它们,因为它们头太小
因为巨人太高。诗歌纯属永恒的无用
只能带来同样永恒的耻辱和麻烦
就像苏格拉底带不回面包,还浪费鸡血
可你依然喜欢无用之物,和无用之人
一起胡说八道才是为人的大道
才是把骨头挂在肉身外面
但凡和官府有所勾连之人

你都冷冷地看着他们被打上蓝色烙印

白刀子进红刀子出

绝不会被领导冲昏了头脑

你一天天活着,离人世的风声越远越好

2017 年 6 月 17 日

我不喜欢别人碰我

我是猫,我是戗毛戗刺的野猫

被雨淋得尽湿,别人一碰,我就炸毛

把腰拱成一道高高的罗锅桥

爪子有如金刚狼,平时温柔地缩着

但随时可以弯曲着伸出来,闪亮锋利

并且绝对比咏春拳还快

比人类所有动作都快地给你点颜色看看

但大多数时候我会避开别人

隔着诗歌的灌木丛或者围墙

我根本就不想融入任何人类社会

顶多礼貌而冷漠地回两声喵喵

我更喜欢黑暗中的事物

我这黑夜的猎手,会迅速杀灭

大量鸟类和鼠辈,不是出于饥饿

而是为了玩弄于股掌之中

所有世上的生命都会死去

这也无法引起我一丁点的同情心

我知道的秘密并非来自神的创造
我在人间游荡，又不属于人间
如果你比我还无聊，不妨
以爱的名义，碰碰我试试

2017 年 6 月 17 日

庭院里的谈话

我在庭院里散步，新生的草坪边
一个少妇在打电话，明天你再不回来
我这肚子就和别人跳舞去
电话那头是电流的空旷，转过小山
另一个年纪更大的少妇对女伴说
你管他肚子大不大，能给你
挣钱就行呗。她们蹲下来嗅花
仿佛突然缩短的白桦腰身闪亮
刚刚下过阵雨，鸳鸯在水中央的石头上
蘸水梳理羽毛，我把老公就当儿子养着
这让我想起北京的一个编剧
小他二十岁的新女友常常抚摸着
他枕在自己大腿上的脑袋
反复叹息，这孩子，总也长不大
流水也不甘心，去年的天鹅已经长大
它们不会飞走，羽毛如墙上的玻璃碴子
这些话暴露出生活晦涩的一面

像是油画背面粗糙的亚麻经纬线
小时候看露天电影，绕到幕布后面
反着的影子古怪有趣，早年的火车
进站前总要经过一段非常破旧的街区
像是用针穿起混日子的人补丁般的表情
像是我在和看不见的同伴说
少女如果只做少女
她们就会永远活着，正如不存在的人
却给别人指出很多存在的理由

2017 年 6 月 17 日

黄花之谜

这片黄花开在人世与不远的青山之间
在倾斜粗糙的石头河岸上蔓延
河水黑沉沉，仿佛积累了太多阴影
太多含沙射影的隐喻
以及含有虫卵和鱼子的泥土
黄花细小的头颅随风摇曳
这是北方随处可见的草花
这也是华兹华斯疲倦时
就会飘舞在他眼前的黄色的云
不知其名，却一直陪伴着我们的脚步
它们会从初夏一直开到秋天
在白桦的脚边围成一圈跳舞

像是些小矮人围绕着和善而无奈的巨人
正因为无名，才真实，才不会被
文化的小婊砸所淘空，我们与无方向的风
与花间支起大腿半天不动的蚂蚱
与低处的天空，缝隙里的小秘密
搬运大米粒当白枕头的新婚的蚂蚁
组成一个民主同盟，那些吃肉刺耳的人
走不出我们黄花深处乱入的迷局
和时高时低向源头回溯的水声

2017 年 6 月 17 日

老 江 桥

这座建于 1901 年的大铁桥
是哈尔滨的第一座跨江桥梁
它将道里、道外两区分开
早年，道里中央大街的石头路面
跑的是洋人和富人的玻璃马车
道外则拥挤面色黧黑的下里巴人
圈楼里则是向行人脚上泼胭脂水的娼妓
我大学毕业那时，大桥上面还走火车
谈恋爱的人，一定要来桥上走走
车一过，人就躲到阳台般伸出桥外的
安全厢上，整座桥就会长箫般颤抖
这时正是表现男人勇气的好时候
夏天，从脚下铁轨的缝隙可以望见

青色的江水，在巨大的桥墩处打着漩涡
风从桥面布满的小孔中吹上来
如果是冬天，如果你的情人系了一条
长长的红围脖，黝黑的火车呼啸而过
雪尘和蒸汽将围脖吹荡起来
那就是一幅民国时代的画面
桥上来往过的亡灵有沙俄，犹太流亡者
有中东铁路初创时期的各国移民
也有侵华日军的部队，当然也有
江北的渔民，这些脸膛红润的人
和各个时代的恋人们，似乎是唯一
不变的元素，他们在桥中央
垂下长长的渔线，红色的渔漂
在夜色中上下跳跃，不知从哪一年
大桥不再通车，在它旁边修了一座
平行的高铁桥，老江桥则铺上了
透明玻璃，成了中东铁路公园的一部分
走在上面，已没有当年心惊胆战
地下党接头的感觉，人群汹涌
路灯边蜉蝣飞聚，为数不多的钓鱼者
耐心地等待着风声，望着两岸的灯火

2017 年 6 月 25 日

钻 天 杨

这些绿色的喷泉笔直地向上升起

576

始终在向上的途中,从不会到达

闪耀的顶点,从不会弯折和碎裂

它们始终很静,即便有风的时候

也不左右摇摆,它们收束成圆锥形

暗绿的晶体,埋葬着呼吸和光辉

有时你觉得它们每一个都是

新生的阿芙洛狄忒,是纯洁的裸体

即将在微风和泡沫的海上开始远足

回到父亲的故乡,无辜而不谙世故

它们不会受到森林的吸引

单独而立,就是步出战阵的女英雄

成排,就是昏暗殿堂里尚未点燃的蜡烛

洁白的烛芯里充满寂静

它们在北方天空下,使城市粗野的尸体

得以不朽,这些你青年时代的游伴

也曾在黑海边,为奥维德的流放整日絮语

它们并不像是实物,容忍着人的历史

你常常担心它们就要消失了

像一群苗条的跳水者,像伊卡洛斯

没入绿色碎浪的一条白腿

当着失恋者在理念的洞穴中

叹息着提醒回到故乡的你,谨防魔法

2017 年 6 月 28 日

黄花与飞蓬

一到秋天,这东西就满地打滚

一种干枯发硬的黄白色的镂空装置

尤其喜欢在道路上追逐行路的人

又有首如飞蓬生活作风有问题的女疯子

每天也在故乡的各个路径上游荡

捡拾一些碎屑,裤子兜出身体的形状

一有儿童跟随,她就开始跑

就像飞蓬,有点风就跑个不停

小时候追着它们跑,不知道夏天

它们的小花口含耀眼的黄金

河畔,林下,到处都一片一片

也从未注意到它们何时枯萎

根部折断,如同鬼怪在路上飞奔

有时抱成一团,随后又各自分散

像是一些被生活逼迫的穷人

如今我也和它们一样,离家漂泊

出发时犹是断雁西风的壮年

归来时已是满身病痛的衰翁

直到今年夏天,我才知道

这两种我儿时就非常熟悉的东西

原来竟是一个,我在河边散步

斜坡上依然开满黄花,间杂着紫色大蓟

有小黄狗嗅着黄花,打喷嚏,疯跑

我折断一根蒿子,贪婪地吸着
早年割猪草时它们突如其来的浓烈气息

2017 年 6 月 27 日

夏　至

北半球白昼最长的一天

我和兴贵、元正在北方的雨中聊天

我们现在经常谈起的是生活的艰难

和越来越近的死亡

诗是与死亡的撑拒

它滴滴沥沥的臭嘴总想把我们强吻

这无关乎积极或消极

正如用好坏判断我们的诗

已经毫无意义

未来还会有若干次重大的打击

在等待着我们

过去的一切训练都是为了未来的考验

亲朋会陆续消失,像军团外围的士兵

疾病如藤蔓上的绿瓜逐渐随雨水膨胀

山口还在闪光,远方不复存在

也不再有什么激动和盼望

除了疾病,贫困与孤独

除了生命的真相在空虚中慢慢出现

没有人的声息,是贫乏的游戏的裸体

可是雨不知什么时候停了
世界亮了片刻，我们因诗而幸存
只要还在写诗，我们就依然活着
无人知道，无人在意，但无比安全
这是坚不可摧的堡垒
它会让我们在此生最后的一段时光
对所有经历的事物心怀感激

2017 年 6 月 21 日

自题小像

你刚刚一岁多，戴着淡青色的小凉帽
骑着一只彩色的木头大公鸡
也许你骑了很久，不想下来
你信任地看着镜头附近的母亲和家人
他们就是世界，而童年的特征就是永恒
人和事物似乎都不会改变
你不知道再过几年
一把开山斧会给你脑袋开瓢
好几年头顶的坑一喘气就直呼哒
不知道一个凶猛的幻象
在古都西安埋伏，等着你的十七岁
不知道你三十八岁下岗，为了养家糊口
却孤零零满身是血不省人事地躺在
广州龙归沟深夜的大街上

不知道落地成兄弟的诗人会向你集体投石头

不知道这世界上没有人真正地爱你

无论你多么努力，著作等身

无论你风神俊逸，比李白他爹还要豪爽

也无论你在幻觉中为人类担负了

多少苦难和思想，也许只有你美貌的母亲

曾经满怀忧愁地爱着你

把你放在一只高大的木头公鸡上

希望你能像凤凰一样一次次

从你自己的灰烬中振翅高飞

远离众人坟墓般的大嘴，罗网和倒钩

你现在看着那肥嘟嘟的小脸

无辜的大眼睛和柔软的小耳朵

它们不再属于你，那个孩子早已不在人世

如今只有疾病和痛苦陪伴着你

像忠实的骷髅，这人生最后的真相

2017 年 7 月 21 日

与母亲跳舞

她把我的脚放在她穿塑料凉鞋的双脚上

我很小，仰头看着她

我们都在笑，转了一圈又一圈

不知道舞曲早已停息

我看见她鼻子上细小的汗珠在闪光

她凉爽的裙子轻轻擦着我的鼻尖

我们每转一圈,我就长高一些

直到能晕眩地埋在她的胸前

直到能平视她闪着恶作剧光芒的眼睛

直到我高过她一头

而她从三十岁慢慢还原成一个少女

我们像同学一样拉着手,避开众人

幽暗的森林不时升起绿色的信号弹

河水也在闪着光流进黑暗

她倚着大块的黑暗抽烟

她突然转过头看我,微笑一下

她的笑容像黑夜中的涟漪一圈圈扩散

她抽烟的姿势像个离家出走的富家女

她吐出一圈圈芳香刺鼻的烟雾

她把剩下的烟放到我嘴里

我在烟雾中咳嗽,越来越小

又成了那个四五岁的孩子

只是她不再微笑,只是透过烟雾

沉默地看着我。音乐重新响起

枝型水晶吊灯的光波越过露台

向森林和远山一圈圈扩散

2017 年 7 月 22 日

黄　鼬

黄鼬依然是一个发出臭气的词语

它们始终是抽象的,它们嗅花

像细长的板凳,脖子从身体中部开始

与鲸鱼的脑袋在哪里结束

属于同一类无解的玄学问题

它们很少出现在城市

也许深夜时会从背街

蓝色的垃圾桶旁边经过

把楔形的脑袋扎在酸奶盒里

吸吮变得黏稠的月光

农村鸡群里夜晚的骚动多数由它而起

我对它们仅有的印象是小时候在伊春

当作围墙的半人高的木柴垛下面

往往会出现一个窟窿,我在木垛上

奔跑,喊叫,脚底沾着金黄的树脂

出于淘气,向那窟窿里呲了一泡尿

当天晚上我身体水泵下面的零件

就肿成一个透着青光的球

很多天母亲抱着我,用手托着暖着

还向木垛底下念叨了一些什么

我至今不承认这和黄皮子有什么关系

它们与人无涉,偶尔公开出现

让人微微吃惊,携带一个不依赖于人的知识

而存在的世界,它们自行其是

无法被人类一厢情愿的想象所驯服

我们对它们的神秘感仅仅是一场误会

2017 年 7 月 23 日

肉 纽 扣

作为一个意象,太阳与天空

锁孔与门,塞子与橡木桶

都有着同样的关系,它们是个体

与另一个更大的存在连接的阀门

是插座,是瓜熟蒂落留下的疤痕

从它里面生长出藤蔓和花

生长出超现实主义的想象

或是像《聊斋》里写的异人

能从里边抽出一把刀,射出无数的箭

而植物的对应部位叫作根蒂

是最性感的地方,味道最为浓郁

比如很多人买西红柿时总要拿起来闻闻

作为人身上一个实实在在的部位

小时候我一度对它很是好奇

它似乎是通往身体内部的一个入口

其实每个人都抵达不了自己身体的内部

每个人的这个已封闭的入口都有所不同

我有时想抠出它里边藏着的一小点泥

大人告诉我,那样会拉肚子

我有时也会担心它会像鞋带一样散开

身体就是世界,我们探索它的岛屿

大海,陆地,丛林与荒漠

某些东西存在,某些东西不存在

这些都让我们惊奇,而有一天
你的女友突然说,看你胖的
肚脐眼那么深,这个发现更让人惊奇

2017 年 6 月 19 日

深夜听到蟋蟀

时当盛夏,寂静的深夜里
突然听到一阵蟋蟀清晰的鸣叫
它让我暗自心惊,这提前出现的征兆
似乎携带着某种不祥的信息
而信使同时也是和我平等的收信人

我停下与词语的角力,侧耳倾听
声音越来越响,从窗外靠近
毫无顾忌,仿佛一个看不见的人
深夜里磨刀,狠狠地,一下,一下
刀很钝,生满仇恨的锈

这绝不是济慈的那只接替蝈蝈
歌唱的蟋蟀,万物都在分担
人类永恒乡愁的时代早已逝去
地平线的半圆形堤坝排干了波浪
这只蟋蟀正爬进我白发的乱草堆中

每个事物都同时是其他事物的起因和结果
都必须死去,为了让其他事物活着
没有救援,只有这黑蟋蟀的消防车
越来越大,踉跄奔向看不见的火灾
它撞击出的火花照亮了街角
夜晚寂静得像一个即将做出决定的人

2017 年 7 月 24 日

自言自语

那些没有回声的词语危险而没有目标
如同矮得不足以形成瀑布的小悬崖
比如说,给我往屎(死)里打
这个形象的说法,消除了
那部已忘记片名的老电影里
那一股阶级斗争的紧张,代之以
狗腿子和泥腿子在粪污里打滚的滑稽
再比如孤独,一个新认识的诗友说
如果在一个城市,他会天天陪我喝小酒
我回答,那我就快了
这辈子可不就是快了,面包圈中间的空
可以把手指穿进去,就像在别人的床上
她不停地高喊口号:"你不是人!"
而那若无其事的欲望,调整着
百叶窗的角度和阴影,他们跪着

就能和未成熟瓜地里的群众打成一片

我就马上能看见自己年少时愚蠢的认真

我带一伙人和另一伙同学打冲锋仗玩儿

在有灌木丛的野外,对方扔的土块

夹杂有鹅卵石,我方节节败退

我一怒之下,冲向敌方首领

和他扭打成一团,满地乱滚

游戏变成了真的战斗

小伙伴们都傻眼了,围一圈看着

那成了我一个人的战争,四野辽阔而寂静

只有战士家族遗传的血液在耳中呼啸

从那以后我就迷上了摆弄词语

在纸上排兵布阵,攻城略地

不再有背叛,但依然可以弄假成真

是一个人就能玩儿的游戏

我看到万物也都在自言自语

这些神秘的声息构成某种和声

没有形状,难以捉摸,又格外孤单

2017 年 7 月 15 日中午

你的背影

你的背影所遮蔽的身体

承受过怎样古老的时间之箭

却没有留下明显的伤痕

一个穿越事物又不受事物所累的人
必能抽刀断水，也可以系马门边的绿杨

你的背影从久远的堆积的原因
从忘记了时间的古老开端而来
没有恐惧，粗粝的风，横暴的雨
都无法摧残你超越了肉身的美
你的背影挺拔如同水边的黑桦

你绝不会临流自照
你轻盈地越过水洼，毫不在意
水洼留住的你的部分身影
你微微回头看我，跟随着你的脚步
你回头时雨伞微微倾斜
如同一个女王向路边的贤者倾斜华盖

我愿就这样跟随你穿过永不停歇的雨
你穿黑裙的背影，就是自由的旗帜
你的脚步坚定如同青铜的纪念碑
我跟随你，如同沉默的战士
冒着暴雨的透明箭镞，走向你的来处

2017 年 8 月 4 日

果戈里大街的回忆

1901 年的一条街道，从小山冈

顺坡而下,山顶是绿色的秋林公司

和毁于"文革"的木制尼古拉教堂

这条街从前叫奋斗路,有时代感

新世纪又改成现在的名字

它和那个身首分离的作家

其实毫无关联。下坡不远是儿童公园

小火车呜呜,设计者是我工作十八年的

车辆厂的高工们,那家工厂最早

是中东铁路总工厂,别名三十六棚

野兔黄皮子乱窜的一片荒原

它在新世纪已经不复存在

连同我那莫名痛苦的青年时代

果戈里大街最明显的标志之一

那种木头车厢的暗黄色有轨电车

也随之消失,我常常在冬夜

从塑料研究所的我第二个对象的宿舍

玩完钓鱼游戏,赶末班车回江边九站

车里往往没几个乘客,都低头沉思

或用报纸遮住脸孔,雪滤过的空气

像摇荡的淡绿色伏特加

这条街上还有几家酒吧,巴比松

现在也换了字号,早年我们几个

穿呢子大衣的诗人,常常一头扎进

它灯光幽暗的地下空间,墙上挂着

斑驳的永久牌自行车,小幅法国风景画

酒吧斜对面就是巴洛克风格的教堂

落满了雪和麻雀,金色十字架上

栖息着银色弯月,钟楼上的帐篷顶

与主体上部的洋葱头是 1912 年的暗红色

发出臭味的马家沟河旁边,俄罗斯河园

冷冷清清,音乐喷泉,水幕电影

都已经默然无声,隔壁的印度街

也生意萧条,我和已经过世的韦尔乔

曾在那里的酒吧跳舞,把主持人

挤下舞台,如今只有傅弘还在那条街上

教授瑜伽,让柔软的身体和心灵

都散发出地中海白杨苦涩的清新气息

2017 年 8 月 4 日

78 号的下午

浓密的雨声把我们包围在一个下午

已是夏末,没有葡萄的藤蔓张开华盖

尖锐低矮的木头栅栏上绿漆斑驳

我们的说话声随雨声时高时低

栅栏根上一排木头弹药箱里

黑色泥土的火药在沉默

偶尔,远雷从天边缓缓走过

拖曳一串火光,好像走向刑场的政治犯

诗歌如一阵灵魂附体的颤抖,将加密的信号

从一根藤蔓传向另一根藤蔓

只有层叠的叶子在倾听,我们是否要继续

压低声音,偶尔交换一两个模糊的词语

这有雨的午后推迟着黄昏和预感

俄罗斯黄房子像一块有裂纹的奶酪

散发出微酸的气息,院子里只有我们

像几个接头的军统特务不动声色

或者是退出江湖已经发福的大哥

谈起往事时只有会心的微笑

楼上窗口中反复走过一队白衣女子

向我们投来怜悯而严肃的目光

而在白杨守护的后院深处,传来

那摆脱了时间的无名之鸟胜利的大笑声

2017 年 8 月 1 日

深夜走过巷口

深夜走过废弃矿井般的巷口

巷子又深又黑,冒出模糊的白气

大街上行人稀少,彼此隔得远远的

低着头,仿佛背负着无形的重担

唯有我无所事事,空着手

像一个失忆者,不知道从哪个

树梢上降落,或者从一个独幢老房子

改成的电影院后门溜出来

努力从泥沼般的苏联电影的情节中

拔出身子,经过一排排巨人般的立柱

经过一个个情景剧的窗口

我漫无目的,也不想回到无人的家

口袋里的硬币互相摩擦

温暖而锋利,一天又已经过去

既无欢乐,也无痛苦

就在这时,巷口亮起一盏红灯

像是黑山老妖睁开了眼睛

灯下无人,巷子里的黑暗蜷缩起来

一阵细小的声音试探着响起

原来是火蝈蝈,在一串悬挂的

麦秆笼子里鸣叫,恍惚间

它们在泛黄的麦地和群山间歌唱

那就是我童年卷在裤腿里带回家的蝈蝈

当我小心地放下裤脚

它们的大腿已经掉落,笨拙地拖着肚子

只剩前爪,愤怒而可怕地闪出火光

2017 年 8 月 4 日

远　雷

时间应该是下午,初秋的草地

你躺在斜坡上,帽子盖住了脸

你读的浪漫小说被抛在一边

杯子里的水还剩下一半

一盒蓝莓还没吃完,还没有变软

你的狗微微抬起头，先于你

听到了远天隐隐的雷声

你浑然不觉，灌木的绿色在加深

你如此深怀信心

草根间的昆虫依然在摩擦翅膀

远处看不见的村庄和乡村教堂

依然安静地存在着

雷声更像是一种保证，一切都存在着

酒不会变酸，季节的轮回遵守着

永恒的约定，你就停在这个下午

远天的轻雷像温柔的巨人踱着步子

2017 年 8 月 4 日

旋 转 门

清晨早起的人是事情的正面和反面

是两个地极之间的震荡

是过去的日子和未来的身体

是躺在嘴的墓穴里的语言

是透视相同的巴别塔、砖窑和摩天轮

他独自向墙壁投出长矛

他便是那颤抖的墙壁

是祭坛上的孩子，也是公羊

是火车上背对前方的旅行者

举着一面镜子寻找自己

永远在旋转一个玻璃叶片的风车
他将哈姆雷特犹豫的沉思
和堂吉诃德鲁莽的行动合一
将唐璜的身体与奥菲利亚的疯狂合一

是自我受精的花粉和星际间的量子纠缠
是埃舍尔的《红蚁》，是向上流的水
和向下走的僧侣，是莫比乌斯带
不经过球面就直抵球心的多维生物

他是时间的静止点，是炼金术士
认真的配方，是背对死亡的矛
画下完整的圆形，是浮于空中的十字架
是叶芝每天走上黑塔的旋梯
是两个相向运动的旋锥体重合的点

他是生出自己父亲的反浪漫的儿子
是飞矢不动，与无形者角力到天明的人
他摔倒谁，就变成谁，就在磐石上竖起天梯
这是最后的斗争，也是最后的晚餐

2017 年 8 月 5 日

基里科的忧郁和神秘

小火车在墙头上飞快地反复地跑
向空旷的广场挥舞蒸汽的手绢
有三角楣的神庙上,圆形时钟
始终停在一个时刻,鸟的骨架从空散落
不规则的阴影躺在广场中央逐渐腐烂
每个圆拱窗中都有雕像在向外凝视

"落日是悲伤的,落日总是悲伤的。"
谈话一次次从头开始
用烟斗画出波浪,让它们膜拜
海涛上的空椅子,高大的方形烟囱根下
卷发的农民在石棺上沉睡
头是气球的维纳斯,身体的绝大部分
由碎提琴、石膏面具、胶皮手套、曲尺和木板组成

"人和动物的不同就在于
人有责任和担当,懂得陪伴。"
两个军校女学员走过连绵无尽
斜伸向地平线的拱廊
树叶下朦胧的面庞散发着热气
衣冠楚楚的公务员
在和泳池里的裸体同事对视
把旧报纸卷成的喇叭背在身后

或许我们该爬上海边那座红色水塔

几面不明国别的旗帜停在一个角度里

从那里似乎可以望见所有事物的阴影

墙外有白帆驶过,骑黑马的武士正转过街角

如何能看到我们不在场时事物的样子

我们刚刚出现,它们就停下了交谈

暂时凝固成一种空洞的姿态

任凭我们攀登无尽的光的斜坡

上面也只有一本书和一朵铁玫瑰

在那里我们将变得比白垩还小

藏起来,等待那个滚铁环的女孩

2017 年 8 月 5 日

克利的散步

他一边散步,一边顺手像扯线团一样

把一只同样在悠闲散步的鸟儿拆散

然后牵着线条画出自画像

线条越来越密集地纠结在一起

直到他未来的面目成了一团涂鸦

他于是消失了片刻,线条茫然

不知从何处重新开始,暂时成了

虚线和脚印,思忖着如何度过一生

而不被一个箭头所取消,它指向此路不通

背对大海,擦掉海滩上的直线

远离自己正睁大眼睛注视的事物

如同刚刚诞生的新天使,翅膀破烂

抵御不住来自天堂的飓风

或者在任意无名之地安置互相叠加的

几何形体,让盒子里的泥土

散发出旧棉线的气息。故意

把 still life 翻译成"寂静的生活"

或者让抬着雨的斜面前进的高压线

停下来,停得够久,形成一个

空洞的圈套或者水洼,我们也是如此

静止得够久,就会有狗跑过来嗅我们

线索中断之处,巡回马戏团扎下金顶大帐

老人换上灯泡的脑袋,机器啊啾

女巫在木桶里倒栽葱,练习飞行

从袖管中颤巍巍伸出一根铁丝

伸向天际,那里和这里都没有黑暗

没有厚度,只有流尽了血的数字和本体

2017 年 8 月 6 日

替　身

进入事物内部的感觉让人犹豫

也许内部的空和外部环绕的空

具有某种连续性,是同一种植物

提取的芳香，让你来不及思考
就换上海豹的发黄的皮肤和大脑
你必须向先于你进入的人小心地致敬
他们是高于护墙板的一排排小肖像
他们互相做着眼色，在你转身之后
但你依然来到了这里
仿佛就是为了这种被无形的目光
环绕和打量的感觉，不自在的自在
你也成了一个老物件，暗淡的铜器
多年不用的陶瓷壁炉，装门面的书
圆拱窗几乎占据了整面墙壁
彩色玻璃透过下午陈旧的光线
有什么东西好像被偷偷挪动了
仿佛重温往事时漏掉或是改变了的细节
但是没人会永远介意。这座俄式老楼
被一棵巨大的提前泛黄的榆树遮挡着
处于一条侧街，偶尔有风
从绿色的木头凉廊上吹进来
连同大街上的喧闹声，回忆是否
有助于清除隔在我们之间的悠久岁月
还是会让道路继续分岔
直到寂静的尽头将我们分别解救
发生的事是否还会一再发生
有如我们在不同的天气来到这个
木船一样停泊在楼群中间的建筑
一个有很多短而无用的红色楼梯
很多推不开的高大木门的地方

598

我们可以选择,但答案依然充满着歧义
像即将到来的夜晚,我们可以
从各个方向进入,谢谢
这是愉快的一天,你也是

2017 年 8 月 6 日

有 些 人

有些人活着就是罪过!
这是道德判断,发言者预先设立了
自己不受质疑的天经地义的制高点
有些人活着就是罪过。
这是陈述事实,貌似客观公允
可以想象说话者在用白银的筷子剔牙
有些人活着就是罪过?
声音委屈而微弱,像立秋墙角的蛐蛐
活着才是硬道理,活到所有
巴不得你死的全都死光光下地狱
有些人活着就是罪过……
一个戴假发的法官举在半空的锤子
还没有落下,他想尽快结束
这冗长的辩论,他知道真理不是
越辩越明,他想尽早拥抱年轻忐忑的
妻子,和他忠诚的狗滚成一团
有些人活着就是罪过。可是

谁有权力审判他人,像改掉一个数字?

2017 年 8 月 7 日

一切都是最好的安排

一切都是最好的安排
是啊,洪水和巴别塔
转基因,奥斯威辛和古拉格
我知道她说的是一个人具体的命运
他在场如同空气,默然不语
低头望着毛豆委弃的绿眼睛

马家街的深夜,烧烤摊
没话找话的感觉像脸上抹不去的斑点
一个从团干部堆里爬出来的人戴上帽子
继续指点江山,也指点我的人生

我望着彩色雨棚垂下的密集的
雨帘,雨声忽高忽低
像是天空在和低处的事物艰难地切磋

自杀是一朵花背在身后
递给别人就是一把刀
不知怎么,这个念头从对面跳出来
像一个拈花微笑的刽子手

我的啤酒杯上出现一只
绿色的小蚂蚱，像攀登火山一样
缓慢地爬到杯缘，头朝下
贴在内壁上，似乎是渴了
我把它捏出来放在塑料桌布上

一切确实都是最好的安排

2017 年 8 月 7 日

午夜的革命

放过我吧大哥，当我求你了
不行，坚决不能放过，越求越不能放过
小胳膊拧不过大腿
掰开夹紧的黑，软刀子杀人也能见血
誓将革命进行到底
到底的是亚哈船长测海的铅垂线
海底暗流如一层层翻开的肌肉
方头白鲸倒立，尾叶如老式酒瓮
忍住一口气，忍一时就是一世
就是生生世世，十里桃花不见底
忍住暗香的呐喊和松弛无力的小白旗
这固然与勇敢无涉，但于公于私
都像是退休老头出国旅行
吃榴梿，喝花酒，上身笔直

眼珠子滴溜溜乱转,装了伸缩弹簧

还不如换层皮,夹着铅笔装秃尾巴老李

让一只金红的鸭梨和一只带汗毛的蜜桃

像克利和米罗凑在一起

以象形文字镌刻午夜腾空的拱顶

它由两棵互相搀扶的白杨

和一颗钻进柏拉图洞穴的

巨人脑袋组成,革命也不过是请客吃饭

坚决不能放过一个私藏金刚钻的反动派

2017 年 8 月 11 日凌晨两点三十一分

从头革命

革命必须从头开始,花岗岩的脑袋

装的都是年深日久结晶的各种观念

它们不断地从活泼的水中耸出

高高堆叠,形成坚硬但不坚实的冰山

慢慢地,海水越来越少越来越咸

沉船的越来越多,在海底

散落锈蚀的舵轮,珠宝和船板

海面上只有头顶铁盔的破冰船艰难地

像最后的战士,走向没有地平线的莽原

和太阳那同样停滞的太平轮

于是,我从头开始对自己革命

但不是割掉脑袋提在手里到处游行

如同大卫提着哥利亚

犹滴提着荷罗浮尼的硕大头颅

而是将忧国忧民的满头白发割了韭菜

让断茬散发出比韭菜还要浓烈的气息

因为既不能包饺子，又不能重生出绿色

因为走遍大地也找不到我尚未降临的国

因为满眼都是面无表情的陌生人

而不见我的人民，我的抽象的邻居

于是我红了眼继续革命，嗓子冒烟

如同高大废弃的红砖烟囱

真是上火啊，我越疼越深，越深越疼

仿佛有人在我的喉咙深处整夜跳钢管舞

仿佛所有死者的骨灰重新从天空

落回到烟囱里，在我胸腔的壁炉中

越积越厚，将我隔夜火炭般微弱的心

活活埋葬，然后像一个黑色的复仇天使

一飞冲天，拖着从我脊椎里抽出的嘎吱作响的链锯

飞向永恒天空的沉默和无人的故乡

2017 年 8 月 18 日晨

哈尔滨诗人都来了吗

老毛头死了全体人民都掉金豆了吗

用太阳的金盘子和月亮的银盘子

接住了吗，不然掉到土里

就和人参果一样削尖脑袋往下钻
钻进地层深处,恳求被小矮人和巨龙收留

那些顶盔贯甲的小人挥舞比脑袋还大的榔头
东一下西一下,呀呀怪叫,叮叮咣咣
也不知在给什么伟人盖棺论定

等我死了,请你们坚决彻底地把我遗忘
我可不想活在你们用洗衣粉
漂白的豆腐脑里,被你们豁牙露齿的臭嘴
把我的骨头渣子咀嚼来咀嚼去

让红色康拜因收割大片的头颅
把土地刮薄三到四寸,充实国库
人生同样不是请客吃饭
谁想活,你就喂他点东西
谁想死,你就送他一程,皆大欢喜

据说,每一次重大的历史灾难
莫不由同样重大的历史的进步来补偿
也就是说,进步需要付出代价
无论是什么样的代价,哪怕是人命
人权,人民,人道,人性与人味
哪怕民族,国家,世界,银河系
河外星系,乃至宇宙和上帝

写诗的人越来越多,诗人越来越少

教授越来越多,而教师越来越少
商品越来越多,而物品越来越少
纸币越来越多,纸越来越少,都是废纸

词语越来越多,意义越来越少
话语的意思越来越多
说话的人却越来越没意思
酒越喝越多,喝再多也醒不过来

还是躲开人群吧,像丹妮大姐那样
自愿落在现代性的滚滚车轮后面
躲在灌木丛里看白云变幻
再把一泡长长的野尿
成抛物线呲向那些
用纸尿布擦得皱巴巴的
越缩越小的鬼脸

2017年8月20日,为陈丹妮诗文集《远山有雪》顺利
出版而作

站在旗杆上的人

他站在八米高的旗杆上
他取消了那上面的旗帜
取消了那旗帜所象征的国家
取消了巴黎和《巴黎评论》

取消了党派和《党派评论》

他取消了民族和肤色

取消了作为立场的姿态

取消了界限和界限上的泡沫

他静止地站在旗杆上

创造了一个没有意义、历史、社会的空间

他本身的国别、性别、民族等等

也通通被取消

他成了一个身体,完全开放的感官

他逼迫下面大街上的政客、商人、学者

都剥离了各自的身份

成为纯粹的身体

尽管只是暂时的

却对世界和平大有好处

他站在旗杆上向远处瞭望

他感觉到空中的风把他包围

他感觉到地球在转动

雪和雨同时落下,落在他头上

也落在他周围

他不需要人类的语言

他也不需要为生存而向一部

只回应以铃声的红色电话做出解释

他不需要为自己的死亡而羞愧

他终于可以从旗杆上滑下来了

2017 年 8 月 4 日,读当代艺术家信王军的行为艺术作品《致敬》有感

裸身日光浴

——与惠特曼同题

每天早上等太阳被高压线的琴弦

弹上纸糊的天空的天花板

我就会全身赤裸,在朝东的方厅里

走来走去,让沐浴的水珠自然干掉

思考国计民生的大计,有时一愣神

就会过于靠近雕花的铁窗栏杆

向街道凸出的阳台,高居于车流之上

像一个演讲台或者是布道坛

我从历史的幽暗中挺身而出

面对着上班的人丛

我只有赤裸全身,与那些道貌岸然

衣冠楚楚的衮衮诸公遥遥相对

才算是真正的斗士,一阵弱似一阵的

口号

被车声和度假的熏风吹走

只有我,还像一头被剃光鬃毛的

衰老的离群雄狮,昂首叉腰

用惠特曼那样带电的肉体和赤裸的自我

喉咙里发出自己都听不清楚的低沉的怒吼

面对大楼那灰色的没有表情的

用千篇一律的窗户拼凑起的表情

2017 年 8 月 24 日上午

607

门 斗

绿色橙色的门斗
裸灯泡下的寂静
深夜归来的面目模糊的亲人

所有大师都是孤独的
这世界充斥着幸福的愚人
不知死活,如同蝼蛄不知春秋

将革命进行到底就是把牢底坐穿
你就是个无底洞也要把你坐穿
直到旧世界和别人一起毁灭

再微弱的声音也要发出来
哪怕是呻吟,抗议,嘟嘟囔囔

轻些,再轻些
让我们把声音压低
细木格的窗子已经关上
挡住那并不友好的灯光
我们终究是一先一后回家的陌生人

2017 年

吃 沙 果

一树沙果红艳艳，

枝头累累地上垂，

狗啃半拉扬长去，

以为自己是个人，

人吃半拉尾随去，

以为自己是条狗，

狗耶人耶,是耶非耶，

全凭主人啥对待，

人狗绕树互追逐，

树下落果全不见。

2017 年

午夜的昏迷

午夜,你把书砌进身体

你不停地找出一些

被你使用过的书的身体

塞进你空洞的身体

它们带着可疑的气息,灰尘

它们本是由其他身体的部件组成

它们互相牵连,于是你不停地

更换,塞入,掏出

你想找到那本唯一的书

它是你失踪了几个世纪的身体

你砌了拆,拆了砌

终于,你的身体如巴别塔一样倒塌了

地板上一堆五颜六色的尸体

你的脑袋的气球飘向屋顶的彩绘天堂

没有竖琴随之一同漂流

你的亲人睡在午夜变小的房间

短暂的昏迷后你在地板上醒来

不知道自己发生了什么

好像一本没有书名没有作者的书

2017 年 9 月 26 日

事 的 物

暮色中看不清封面是黑是蓝

一册又轻又软的诗集

一只暗中递过来的孩子干燥的小手

宇宙中一片黑暗寂静

宇宙是一本以光明装订的大书

正在缓缓合上

我却借着球场的灯光

和年轻身体上的汗珠

翻到书中的一首《暗河》

我停在人行道的梧桐下面

读了起来，字很小，再小一点

就会成为白矮星

把其他的字、河流、星宿

宇宙中的黑和静，都包裹起来

和日渐稀疏的梧桐树上的球果挂在一起

在事物中寻找自己形象的日子结束了

为事物寻找隐喻的日子也结束了

到了寻找事物本身的时候了

这些工作似乎可以从头开始

一遍遍重复，像诗中的暗河

让我绕个弯子，经过开水房，品道咖啡

叉腿跨着共享单车站在路边交谈的女生

像夜航班机穿过空中的气息和形象

在万物翻滚的河上

成为一个无限单独的物

2017 年 11 月 22 日

两个人在手机屏幕上打字

两个人在手机屏幕上打字

就像两个脑袋凑在一起的小孩

轮流鼓捣一个发亮的矩形玩具

一张洗白的扑克牌，上面

没有了小丑也没有了王后

你出一张鬼脸,他出一张白板

他们不知疲倦,随时随地

把魔鬼弯曲的欲望的毒钩

和勾引家的手指,合成

无法区别左右的路标

其中一个在西湖边游荡

另一个在玄武湖边发呆

等到路灯亮起,用虚线

将两座平静下来的湖串联起来

以及周边暗中指节的苍白

宝石山和紫金山的暗物质

词语的漏网之鱼和大海的空虚

2017 年 11 月 23 日傍晚于合肥

人的剩余与风景的剩余

1

杂乱肢体的一些部分正在变成阴影

混淆于园林的背景

从色彩变成铅笔的炭黑

脆弱而有质感,它们所从属的身体

对此茫无所知,依然在一些瞬间

和姿态中汲取着赞美

依然在溢出自身,向圆周之外

流布温度,日常生活的神秘

蒸馏出的纯净的点滴

没有特殊指向的动作和表情

获得了额外的意义,但又模糊

如同镜中有人在演出哑剧

在一个万物沉默围观的剧场

人徒自奔逐,穿过事物的间隙

叠印的姿态摇曳,既无法彻底消失于

万物的寂静,又无法以主人身份君临

他们于是成为节日的不速之客

尴尬,没有目的,忍受着存在的匮乏

饿过了头,像是已经被母亲遗忘

2

在苏州,那些凉亭更像是迎亲的轿子

被疯狂的绿色包围着

只是新娘早已不知去向

那些绿色来自柳树的头发

瀑布,水的反光,散碎的宝石

花树演绎巴尔干化的美的暴乱

假山如肌肉虬结,空洞里

回声沉闷,一些观念负手而坐

沉思着另外一些观念的影子

这里没有风景,只有拒绝成为风景的

一些凉亭,绿树,石头,静止或流动缓慢的水

它们拒绝交出自己内部的空

为了成全人类的理解

永远有一些空白的闪烁

无法被人的意义和感情所填满

成为一道圆形的目光

一个闭合的血统的环路

一个将一和一切统一于光滑表面的瞬间

万物逃离自身,风景融为波浪和漩涡

2017 年 11 月 12 日,为薛红艳博士和德国摄影家达格玛尔·布雷塞尔(Dagmar Bressel)女士而作

从武汉返回南京的动车上以词充饥

二等盒饭十五元,邻座女孩

把肉细细咬咬味,饭和青菜

剩了一半,她起身去扔垃圾

纯洁的后座擦过我油腻的鼻尖

她不需要的正是我渴望的

我还活着,此刻有人正在死去

或同样在挨饿,沉默地看着别人

女孩嘴角纯洁的淡黄绒毛

说明她的身体还没有被过度使用

就像一些词语被诗人们吸空

如同松弛发黄的乳房口袋

可以啪的一声搭过肩头

让猴在身后的孩子继续吸吮

这干净女孩身上的文化附件

还没有大量激活,发出细菌的香味

就像用开水烫餐具时,诗人潇潇

发现的真理,于是,我的饥饿

一列满载细菌般细小人类的火车

已飘过江南褐色空荡的初冬

2017 年 12 月 18 日

K552,给归家的大哥永平

大雪之日,大哥从无雪的南京的后半夜

从玄武湖畔出发,拎着一个结实的塑料袋

我固执地想要他套一个更结实的袋子

千里迢迢的路途,大哥连个线手套都没有

大哥比我还要固执,他的大手热力充足

他没有行囊,塑料袋里只有几瓶矿泉水

我给他大衣口袋里硬塞了八块士力架

矮小的大哥经过九个春秋,作为一座大学的

宿舍值班员,也就是更夫,或曰打更的

经过早中晚三班,轮流不息的苦熬

从 850 元熬到 1400 元,终于光荣退休

他要经过漫漫长途回到东北,回到

本不是我们故乡的小小克山县

去办理手续,大哥开春还要回到南京

进军上海滩,在长兴岛潜心修炼他的拳法和内功

大雪之日，我们中午去苜蓿园吃大排档

晚上我们去涮牦牛火锅，我毕业四年的学生风卜

前来陪同，我俩喝啤酒，大哥抽烟

大哥不说什么。午夜，我们兄弟快速走过罗汉巷

在空荡荡的大街上，我教他怎么用滴滴打车

哈尔滨很冷，根本打不到出租车

大哥要从东站折腾到红军街的龙运

一别经年，那些因为他而改变的事物

那些改变了他的事物，都会再次让他陌生

让他物我两忘，我们穿过黑寂的紫金山

我故作轻松地说几句无关紧要的话

无雪的南京，我在黑暗中回到寂静的不是家的家

我们兄弟都没有家了，以心为家，以万物为形役

晚上我早早睡下，我没有像往常那样

每晚向母亲大人的亡灵说话，我突然想到

母亲早已睡着了，我还醒着，像个小孩子

因为睡不着而嘟嘟囔囔，试图把大人弄醒

陪他说话，我感觉母亲在永生的虚无中

轻轻转侧，我感觉在永世的黑暗中

地球在轻轻转侧，像和我一样孤单的孩子

我早早起来，查了一下这唯一一趟开往雪国的列车

它要经过琅琊山，孙艺伟的徐州，鲁蕙的商丘

马知遥的天津，我和大玲结婚的北戴河与秦皇岛

像一把缓慢刺出，寻找软肋的重剑

穿出山海关，进入辽阔的黑土地，进入我们马家的
　　江山

经过川美的辽宁，张晓民、红雨和文辉的吉林

即将逼近哈尔滨,在马原还在睡懒觉的松花江上
这缓慢而坚定的列车,将抖落一身白雪
长啸一声,像一个勇士,冲进黎明前的黑暗

2017 年 12 月 9 日,五点十七分于孝陵卫罗汉巷

平安夜修订旧译阿什贝利诗有感

这不会是最终的理解,尽管海浪
一次次刷新,在每一场风暴之后
尽管每一次有人向你问起钥匙
你总是交给他们更多的锁
你不能在博物馆里生活,关门之前你得出去

不把整个宇宙的重量
集中在一个指向死亡的针尖
便无法将你的微笑
像柳条筐上的商标那样揭下来
留下模糊但总也去不掉的粘贴

写作和爱的社区仅仅是暂时避开偶然性
它的低语无人能懂,但可以感觉到
一种枯萎病的寒战从风中传播
寒冷的口袋和寒冷的牧歌只是回音室
那依然贞洁的新娘在等待

这是充满危险的机会，那外来者
将占据整座房子，把它变回草图
镜子不再反映自我，而是将面目雷同的他者
一层层叠加到直觉的薄雾深处

你把词语的彩虹隐藏在隔壁
却用虹吸管将这个房间的活力抽干
那不断将实体压扁的光速
也将过去和未来之间的空隙不断缩小
如同马戏团的火圈
在穿越的瞬间，凝固成现在的形象

这依然是个充满敌意的宇宙
寒冷，孤寂，它与自身的废墟同构
这也依然是个充满寒冷许诺的宇宙
因为它存在着，还有我，还有你不确定的诗

2017 年 12 月 24 日